LUBITSCH

LUBITSCH

Hans Helmut Prinzler
Enno Patalas
(Herausgeber)

Bucher

Internationale Filmfestspiele Berlin
Retrospektive 1984
Stiftung Deutsche Kinemathek
Filmmuseum München

Redaktion: Hans Helmut Prinzler
Übersetzungen: Helga Belach, Ulf Dammann
Lektorat: Heribert Däschlein, Dieter Löbbert
Grafische Gestaltung: Bertram Schmidt

Umschlag: Filmbilder (von oben nach unten):
MADAME DUBARRY, ANGEL, DESIGN FOR LIVING;
Ernst Lubitsch im Regiestuhl, um 1935
Seite 2: Ernst Lubitsch, um 1920

2. Auflage 1984

Printed and bound in Germany
ISBN 3765804371

Inhalt

Hans Helmut Prinzler

Berlin, 29. 1. 1892 – Hollywood, 30. 11. 1947

Bausteine zu einer Lubitsch-Biografie

Erster Teil: Deutschland (1892–1922)

Geburtstag

Der Januar 1892 ist kühl und regnerisch. Die Buchdrucker brechen ihren Streik für die Einführung des neunstündigen Arbeitstages erfolglos ab. Die «Königlich privilegirte Berlinische Zeitung von Staats= und gelehrten Sachen» (die Vossische) sorgt sich über innenpolitische Konflikte und außenpolitische Unsicherheiten.

Am 27. Januar hat der deutsche Kaiser Geburtstag. Wilhelm II. wird 33 Jahre alt. Er regiert seit zwei Jahren ohne Bismarck.

Am Abend des 28. Januar bietet der Circus Schumann eine «Große Brill.-Vorstellung zur Nachfeier des Allerhöchsten Geburtstages» und kündigt eine Wasser- und Feuerpantomime in zwei Abteilungen mit neun Bildern und Apotheose an: «Berliner Leben».

Am Morgen des 29. Januar 1892, einem Freitag, um sieben Uhr wird den Eheleuten Ssimcha (genannt Simon) und Anna Lubitsch ein Sohn geboren. Sie nennen ihn Ernst. Er hat schon drei Geschwister: Else, Richard und Margarethe.

Kindheit und Schulzeit

Wenig ist darüber in Erfahrung zu bringen, wie Ernst Lubitsch aufgewachsen ist. Der Vater, Simon, dessen Eltern wohl aus dem Galizischen stammen, betreibt in der Lothringer Straße 82A/Ecke Schönhauser Allee eine Schneidermeisterei für Damenkonfektion. 1897 zieht er mit Familie und Geschäft in die Schönhauser Allee 183, II. Stock. 1900 nennt Simon Lubitsch sein Unternehmen «Betriebswerkstätte für Damenmäntel». Er hat jetzt auch einen Kompagnon, Max Friedlaender, und einen Telefonanschluß: III 8011.

Adreßbücher der Stadt Berlin, 1892–1901, enthalten diese Angaben. Ab 1917 verfügte Simon Lubitsch (jetzt mit dem beruflichen Zusatz «Kaufmann») auch über den III. Stock der Schönhauser Allee 183. 1921 verlegte er sein Geschäft in die Leipziger Straße 38, Berlin W 8.

Berlin um Neunzehnhundert – auch damals eine ungeliebte Hauptstadt, ein Emporkömmling unter den deutschen Metropolen. Nach der Volkszählung vom 1. 12. 1900: 1,88 Millionen Einwohner – 2,48 Millionen, wenn man Charlottenburg, Wilmersdorf, Schöneberg und zwanzig andere selbständige Gemeinden mitzählt. Im Gedränge der Stadtmitte schafft eine Straße Raum: Unter den Linden. Zwanzig «stehende Bühnen» und knapp zwanzig kleine Saison- und Tourneetheater zählt die Stadt. In Varietés gibt es Kinematographen-Vorstellungen. Geschäftsleben herrscht vor allem am Potsdamer Platz, in der Leipziger Straße, auch am Alexanderplatz. Ein Stück nördlich beginnt die Schönhauser Allee. Berlin N.

Vor dem unterzeichneten Standesbeamten erschien heute, der Persönlichkeit nach ——— bekannt,
Johanna Francke, geborene
Binner, Hebamme, ———
wohnhaft zu Berlin, Lottumstraße 24
——— Religion, und zeigte an, daß von der
Anna Lubitsch, geborene Lindenstaedt,
Ehefrau des Schneidermeisters Ssimcha
Lubitsch, beide mosaischer Religion,
wohnhaft zu Berlin Lothringerstraße 82 A,
beim Ehemanne, in ihrer, der Anzeigenden, Gegenwart
zu Berlin, Lothringerstraße 82 A,
am neunundzwanzigsten Januar des Jahres
tausend acht hundert neunzig und zwei ——— vormittags
um ——— sieben Uhr ein Kind männlichen
Geschlechts geboren worden sei, welches ——— den Vornamen
Ernst
erhalten habe

Vorgelesen, genehmigt und unterschrieben
Johanna Francke geborene Binner

Der Standesbeamte.
In Vertretung
[unleserlich]

<u>Geburtsurkunde</u>
Standesamt IX, Berlin
3. Februar 1892.
Vor dem unterzeichneten Standesbeamten erschien heute, der Persönlichkeit nach bekannt, Johanna Francke, geborene Binner, Hebamme, wohnhaft zu Berlin, Lottumstraße 24 – Religion, und zeigte an, daß von der Anna Lubitsch, geborene Lindenstaedt, Ehefrau des Schneidermeisters Ssimcha Lubitsch, beide mosaischer Religion, wohnhaft zu Berlin Lothringerstraße 82 A, beim Ehemanne, in ihrer, der Anzeigenden, Gegenwart zu Berlin, Lothringerstraße 82 A, am neunundzwanzigsten Januar des Jahres tausend acht hundert neunzig und zwei vormittags um sieben Uhr ein Kind männlichen Geschlechts geboren worden sei, welches den Vornamen Ernst erhalten habe. Vorgelesen, genehmigt und unterschrieben Johanna Francke geborene Binner
Der Standesbeamte. In Vertretung [unleserlich]

Von 1899 bis 1902 geht Ernst Lubitsch in die Vorschule, dann nimmt ihn eine renommierte Lehranstalt auf: das Sophien-Gymnasium in der Weinmeisterstraße, nicht weit entfernt vom Alexanderplatz.

Das Sophien-Gymnasium. Bericht 1906 (aufbewahrt im Landesarchiv Berlin)

Ein alter → Schulprospekt nennt die Fächer, in denen Zöglinge dort unterrichtet werden: Deutsch, Latein, Französisch (ab Quarta), Griechisch (ab Untertertia), Geschichte und Geographie, Mathematik und Rechnen, Physik (ab Untertertia), Naturgeschichte (bis Untertertia), Schreiben (bis Quinta), Zeichnen (bis Untertertia), Singen, Turnen, Religionslehre (auch jüdische).

Später, in dem Film SCHUHPALAST PINKUS, spielt Lubitsch einen Schüler, der über die Bänke springt und dem Lehrer Grimassen schneidet. Das stellt Fragen nach der autobiografischen Schulzeit, die nicht zu beantworten sind.

Schauspieler werden

«Der Regisseur Lothar Mendes, der mit ihm die gleiche Schulbank gedrückt hatte, sagte mir, daß der kleine Lubitsch schon in den Schulaufführungen des Berliner Sophiengymnasiums immer die alten Männer spielte.» (Heinrich Fraenkel: Unsterblicher Film. München 1956)

Mit sechs Jahren, sagt Lubitsch später, habe er zum erstenmal den Wunsch geäußert, Schauspieler zu werden. Auf dem Gymnasium soll es eine Theatergruppe gegeben haben. Es wird erzählt, daß Lubitsch hier seine ersten Erfolge als Schauspieler erlebt habe. Besonders gern habe er alte Männer gespielt.

Bruno Mendelsohn in einem Gespräch mit Hans Borgelt, veröffentlicht in: Der Tagesspiegel vom 29. 1. 1967.

Nach der Schulzeit, 1908, geht Lubitsch in die Lehre: im Stoffgeschäft Hoffmann & Co., Königstraße, nicht weit von Alexanderplatz. Sein → Lehrherr erzählt später: «Ich war Expeditionsleiter und habe Ernst Lubitsch zum Kommis ausgebildet. Wenn ich nicht aufpaßte, hockte er hinter den Stoffballen und lernte Schiller oder sowas Ähnliches.» Auf die Frage «Was mußte er als Stift denn tun?»: «Messen, messen, messen. Bei uns gingen die Stoffe kilometerweise durch die Regale. Und notieren, notieren. Und Rechnungen schreiben. Aber die mußte ich immer kontrollieren, sie stimmten selten.» «Waren noch mehr Stifte da?» «O ja, eine Menge. Übrigens hatten die fast alle einen Theaterfimmel.»

Vater und Sohn

Curt Riess: Das gab's nur einmal. Hamburg 1956

Eine andere Version. → Curt Riess, der über alles so schreibt, als sei er dabeigewesen, schildert anschaulich, was sich bei Lubitschs 1908 zu Hause abgespielt haben soll. Fast möchte man die Geschichte glauben.

«Mit sechzehn Jahren verläßt Ernst Lubitsch die Schule. Er eilt in das Kontor des Vaters. Er sagt: ‹Ich will Schauspieler werden!› Der alte Lubitsch – eigentlich ist er gar nicht so alt, wie er wirkt – ist von ganz unten heraufgekommen. Er hat als Flickschneider begonnen. Er hat Pfennig auf Pfennig gelegt, Mark auf Mark. Er hat sich unter den größten Mühen mit ungeheurer Arbeit sein Geschäft aufgebaut. Er arbeitet noch jetzt von früh um acht bis abends um neun. Er arbeitet sogar am Sonntag. Nur am Sabbat ist das Geschäft geschlossen, denn der alte Lubitsch ist ein strenggläubiger Jude. Der Feiertag ist ihm heilig. ‹Du bist verrückt geworden!› sagt er. ‹Was willst du beim Theater? Das Theater ist kein solides Geschäft. Jeden Tag hört man davon, daß ein anderer Theaterdirektor pleite gegangen ist.›

‹Aber ich liebe das Theater. Ich werde nur glücklich sein, wenn ich auf den Brettern stehe . . .› Da entschließt sich der alte Lubitsch, seinem Sohn etwas zu sagen, das ihm sehr schwer fällt. Er zieht ihn zu dem großen Spiegel, vor dem sich immer die Mannequins umziehen. ‹Schau dich mal an! Und du willst ans Theater? Ich würde nichts sagen, wenn du ein hübscher Kerl wärst! Aber mit dem Gesicht?›

Ernst Lubitsch schweigt.

‹Du kommst ins Geschäft. Bei mir kannst du auch mit diesem miesen Gesicht Geld verdienen.›

Ernst Lubitsch tritt in das Geschäft des Vaters ein. Nach einem halben Jahr wird er Kommis. Er könnte zeigen, was er kann. Er zeigt es auch – und der alte Lubitsch schüttelt den Kopf.

‹Mein Sohn ist›, um seine eigenen Worte zu gebrauchen, ‹ein rechter Schlemihl. Wenn er ein Kleid in den Schrank hängen soll, fallen fünf andere Kleider von den Bügeln. Wenn er Stoffballen heranschleppen soll, verliert er sie auf dem Weg zum Ladentisch, stolpert schließlich und fällt selbst der Länge nach hin.›

Der alte Lubitsch sagt: ‹Du bist anbetamt, mein Sohn!›

Ernst Lubitsch weiß es. Aber was soll er tun, da ihm doch alles mißlingt? Sein Vater entschließt sich, ihn zum Buchhalter zu machen. Da kommt er wenigstens nicht mit der leidigen Kundschaft in Kontakt.»

Diese Geschichte paßt in das Bild, das wir uns vom jungen Lubitsch machen. Auch → Herman G. Weinberg, der Lubitsch-Biograf, konnte nicht widerstehen, diese Story wortgetreu zu erzählen. Reizvoll an der Legende ist ihr filmischer Unter-Text. So – mit Ernst Lubitsch im Chaos der Kleider und Stoffe – beginnen wenige Jahre später seine Konfektionskomödien, Filme vom Aufstieg eines kleinen jüdischen Kommis.

Herman G. Weinberg: The Lubitsch Touch. A Critical Study. New York 1968. Third and Enlarged Edition: New York 1977. – Weinberg (1908–1983) war ursprünglich Musiker, instrumentierte in den zwanziger Jahren Partituren für die Begleitung deutscher Stummfilme im «Fifth Avenue Playhouse», arbeitete in den dreißiger Jahren als Untertitelautor für ausländische Filme, schrieb dann Filmkritiken und Kolumnen für «The New York Times», «Variety», «Film Culture» und «Films in Review». Zu seinen Buchveröffentlichungen gehören: «Josef von Sternberg» (1966), «Saint Cinema» (1970), «The Complete Greed» (1972) und seine Autobiografie «A Manhattan Odyssey» (1982). Weinberg war Lubitsch in bewundernder Freundschaft verbunden.

Spielen lernen

Berlin 1910. Die Stadt ist gewachsen, vor allem nach Westen: 3,4 Millionen Einwohner mit den inzwischen eingemeindeten Vororten (Volkszählung vom 1. 12. 1910). Jetzt gibt es dreißig «ständige Bühnen» und rund dreißig kleine Saison- und Tourneetheater. Am Nollendorfplatz wird ein Konzertsaal zum größten Kino Deutschlands

Der Nollendorfplatz in Schöneberg, mit Mozartsaal, um 1910

umgebaut: Die Mozartsaal-Lichtspiele fassen 3000 Zuschauer. Sie gehören zu einem der ersten deutschen Kinokonzerne, der 1906 von Paul Davidson gegründeten «Allgemeinen Kinematographen Gesellschaft m.b.H.», die eine Kette in ganz Deutschland betreibt; meist heißen diese Kinos Union-Theater (U.T.), und sie sind prachtvoll ausgestattet. Auch Filmzeitschriften gibt es inzwischen: die «Erste Internationale Filmzeitung», ein «Zentralorgan für die gesamte Kinematographie» (seit 1907), «Der Kinematograph», als «Organ für die gesamte Projektionskunst» (auch seit 1907) und die «Lichtbild-Bühne», ein «Fachorgan und Offertenblatt für das Interessengebiet der kinematographischen Theaterpraxis» (seit 1908).

Berlin 1910. Ernst Lubitsch, 18 Jahre alt, inzwischen Buchhalter im Betrieb seines Vaters, lernt den Schauspieler → Victor Arnold kennen, der zum Ensemble des Deutschen Theaters (Leitung: Max Reinhardt) gehört; ein leiser Komiker mit subtilen Mitteln. Arnold hält den zappligen Ernst Lubitsch offenbar für begabt. Er gibt ihm Schauspielunterricht, bringt ihm Grundlagen bei: Mimik, Gestik, Körpersprache. Was Lubitsch bei ihm lernt, probiert er auch aus. Abends spielt er gelegentlich in Kabaretts und auf Vaudevillebühnen; seine Spezialität: Slapstickeinlagen. Lubitsch erweist sich als so gelehriger Schüler, daß Arnold ihm ein Entree bei Max Reinhardt verschafft. Und Ernst Lubitsch wird engagiert. Ab August 1911 ist er Kleindarsteller im Ensemble des Deutschen Theaters in der Schumannstraße. Zu diesem Ensemble gehören damals unter anderen Albert Bassermann, Friedrich Kayßler, Alexander Moissi, Rudolf Schildkraut, Paul Wegener, Eduard von Winterstein, Tilla Durieux, Camilla Eibenschütz, Gertrud Eysoldt, Else Heims, Lucie Höflich. In dieser Umgebung kann ein junger, unfertiger Schauspieler viel lernen.

Victor Arnold (1873–1914) gehörte ab 1902 als Komiker mit stillen, auch tragischen Wirkungen zum Ensemble von Max Reinhardt. Über seinen Thisbe im «Sommernachtstraum» schrieb Alfred Kerr: «Victor Arnold wurde die Höhe des Werkes. Unvergeßlich.» Im Oktober 1914 erlitt er während einer Theatervorstellung, von Kriegsangst gepeinigt, einen Wahnsinnsanfall und schnitt sich kurze Zeit danach mit Glasscherben die Pulsadern auf.

Max Reinhardt

Als Ernst Lubitsch, neunzehnjährig, in das hochkarätige Ensemble aufgenommen wird, ist Max Reinhardt 38 Jahre alt und leitet die beiden bedeutendsten Bühnen Berlins: das Deutsche Theater (seit 1905) und die Kammerspiele (eröffnet 1906). Beide Häuser werden als Privatunternehmen geführt. Premieren sind hier gesellschaftliche Ereignisse ersten Ranges.

Reinhardt-Theater ist Regietheater par excellence. Alfred Kerr sagt: «Geschmackstheater», «Parvenükunst», «Kitsch», nennt den Regisseur «ein Erfüllerchen», «das Gegenteil eines Genies» und sein begeistertes Publikum: «Ihr Äffchen.» Ein anderer Kritiker, Siegfried Jacobsohn, erkennt in Reinhardt den «höchsten Grad jener nachschaffenden Begabung, die wie zum ersten Mal auf den Grund des Kunstwerks sieht und alles wiedergeben, in Kraft und Schönheit wiedergeben kann, was sie gesehen hat».

Reinhardt ist der theatralische Exponent der positiven Seiten des Wilhelminismus; er hat Geschmack, Witz, Phantasie, Instinkt. Zu Max Reinhardt gehören: Musikalität, Atmosphäre, Stimmung; Licht, Räume, Dekorationen; Drehbühne, Massenregie, Aura der Schauspieler. Das sind Elemente, die er verbindet. Man nennt das bewundernd ‹Theatermagie›. Später, nach 1920, als es Fehling, Jessner und Piscator gibt, schreibt Jacobsohn über eine Reinhardt-Inszenierung: «Wie in der guten alten Zeit.»

Max Reinhardt (1873–1943) setzte in der ersten Phase dieses Jahrhunderts in Mitteleuropa endgültig das Regietheater durch. Über ihn gibt es drei Bücher mit sehr persönlichen Erinnerungen: von seiner langjährigen Lebensgefährtin Helene Thimig (Wie Max Reinhardt lebte ... eine Handbreit über dem Boden, 1973, als Fischer Taschenbuch 1975), von seinem jüngeren Sohn Gottfried Reinhardt (Der Liebhaber, 1973, als Knaur Taschenbuch 1975) und von seiner Privatsekretärin Gusti Adler (... aber vergessen Sie nicht die chinesischen Nachtigallen, 1980, bei dtv 1983). Die Bücher sind vor allem in der Schilderung des Zeitkolorits interessant. Von Lubitsch ist dort nur am Rande oder gar nicht die Rede.

Reinhardt und Berlin

→ Gottfried Reinhardt, der jüngere Sohn, schreibt: «Das Milieu, von dem Max Reinhardt geformt wurde, heißt Berlin. In Berlin hat er seine ersten Bücher gekauft, gelesen, verdaut. In Berlin hat er seine ersten geistigen, erotischen, freundschaftlichen und geschäftlichen Beziehungen geknüpft. In Berlin ist er in die ersten Konzerte gegangen, hat er seine jugendfrische Neigung für Zigeunerkapellen zu einem liberalen Musikverständnis erweitert. Erst sein Berliner Direktor, Berliner Kollegen, Berliner Kritiker, seine Berliner Freunde und Geliebten, das Berliner Publikum haben an seine Begabung die entsprechenden Anforderungen gestellt. In Berlin hat er gelernt,

Das Deutsche Theater in der Schumannstraße, um 1912

an sich zu arbeiten, mit sich streng umzugehen und unzufrieden zu sein. Auf der vierten Galerie des Burgtheaters hat er seine Liebe zur Bühne entdeckt. Aber sein Liebes*leben* hat er sich mit – Julius Bab würde sagen: unwienerisch – harter Arbeit und Selbstdisziplin in Berlin Stellung für Stellung erkämpft. Er selbst spricht vom ‹breiten Strom der Arbeit, der mitten durch diese Stadt fließt›, vom ‹stürmischen Wind, der hier weht und jeden Augenblick umspringt›, er gesteht, sie hätten ihn ‹gepackt›. Für den Kampf, der um ihn tobte, dankt er Gott. Er weiß, mildere und stetigere Lüfte, dünner sickernde Bäche hätten ihn niemals so wetterfest und zielstrebig gemacht, wie es für seine Laufbahn Voraussetzung war. Hier wehte ihn der Geist Nietzsches und Bismarcks an. Intensive Lektüre und die Vorträge von Krafft-Ebing sorgten für seine Aufklärung. Er erlebte Musik und Geist Richard Wagners und ging daran, dessen Forderung vom Gesamtkunstwerk zu erfüllen. Und Berlin lehrte ihn kritischen Abstand, Freude an Sachlichkeit, Mißtrauen gegen Manierismen. Es soll keineswegs behauptet werden, daß er diese Tugenden oder Untugenden, entsprechend dem Zeitgeschmack, nicht auch in Wien oder sonstwo hätte lernen können. Aber der Unterricht fand nun einmal in Berlin statt. [. . .] Die Emanzipation der Juden und die Einstellung der Nichtjuden zu ihnen hatten in Wien und Berlin vollkommen verschiedene Vorzeichen: In Berlin gab es weniger als fünf Prozent,

Gottfried Reinhardt: Der Liebhaber. München, Zürich 1973. – Gottfried Reinhardt, geboren 1913 in Berlin, ging 1932 nach USA und war zunächst persönlicher Assistent von Ernst Lubitsch bei Paramount. Arbeitete dann mehr als zwanzig Jahre als Lektor, Drehbuchautor, Produktionsassistent und Regisseur bei Metro-Goldwyn-Mayer. Inszenierte in den fünfziger und sechziger Jahren auch zehn Filme in der Bundesrepublik. Lebt in Salzburg.

Auf der Bühne (1)

Ernst Lubitsch als Darsteller an Reinhardts Bühnen: zunächst Statisterie, Zweitbesetzung. Für die Jahre 1911–1913 sind 13 Inszenierungen auszumachen, in denen er unzweifelhaft in der Premierenbesetzung mitgewirkt hat:

«Der fette Caesar» von Friedrich Freksa, inszeniert von Felix Hollaender im Deutschen Theater; Premiere: 26. 8. 1911, Rolle: Fibula.

«Vertauschte Seelen» von Wilhelm Scholz, inszeniert von Eduard von Winterstein in den Kammerspielen; Premiere: 5. 10. 1911, Rollen: Hosenschlitz und Erster Sklave.

«Der Zorn des Achilles» von Wilhelm Schmidtbonn, inszeniert von Felix Hollaender im Deutschen Theater; Premiere: 13. 1. 1912, Rolle: ein Verwachsener.

«Georges Dandin» von Molière, inszeniert von Max Reinhardt im Deutschen Theater; Premiere: 13. 4. 1912, Rolle: Colin, Dandins Bursche.

«Don Juan» von Carl Sternheim, inszeniert von Felix Hollaender im Deutschen Theater; Premiere: 13. 9. 1912, Rolle: ein Souffleur.

«König Heinrich IV.» 1. Teil, von William Shakespeare, inszeniert von Max Reinhardt im Deutschen Theater; Premiere: 12. 10. 1912, Rolle: Peto.

«König Heinrich IV.», 2. Teil, von William Shakespeare, inszeniert von Max Reinhardt im Deutschen Theater; Premiere: 18. 10. 1912, Rolle: David.

«Der blaue Vogel» von Maurice Maeterlinck, inszeniert von Max Reinhardt im Deutschen Theater; Premiere: 23. 12. 1912, Rollen: Die Pappel und Der Schnupfen.

«Kaiserliche Hoheit» von J. A. Simons-Mees, inszeniert von Felix Hol-

laender in den Kammerspielen; Premiere: 4. 6. 1913, Rolle: Journalist.
«Franziska» von Frank Wedekind, inszeniert von Frank Wedekind in den Kammerspielen; Premiere: 5. 9. 1913, Rollen: Kullmann und William Fahrstuhl.
«Ein Sommernachtstraum» von William Shakespeare, inszeniert von Max Reinhardt im Deutschen Theater; Premiere: 14. 11. 1913, Rolle: Schnauz.
«Viel Lärm um nichts» von William Shakespeare, inszeniert von Max Reinhardt im Deutschen Theater; Premiere: 21. 11. 1913, Rolle: Schreiber.
«Hamlet» von William Shakespeare, inszeniert von Max Reinhardt im Deutschen Theater; Premiere: 1. 12. 1913, Rolle: zweiter Totengräber.
Die großen Kritiker jener Zeit – Alfred Kerr, Monty Jacobs, Siegfried Jacobsohn, Paul Fechter, Arthur Eloesser – haben den jungen Schauspieler Ernst Lubitsch nicht wahrgenommen.

im halb so großen Wien mehr als zehn Prozent. In Wien sah man eine Menge sogenannter ‹Ostjuden›, das heißt solche, die allein durch Kleidung, Haar- und Barttracht auffielen, die Sprache mit Akzent sprachen, streng religiöse und fremd, wenn nicht unheimlich anmutende Regeln einhielten. In Berlin erspähte man von diesen nur eine ganz geringe Anzahl; das Gros war hundertprozentig assimiliert; ich zum Beispiel habe bis zu meiner Ankunft in Amerika nie, außer in Parodien, ein jiddisches Wort gehört oder verstanden. Wien besaß seit vielen Jahrzehnten eine mächtige Anziehungskraft auf Juden – und Nichtjuden – aus den zur Monarchie gehörenden slawischen Ländern, Ungarn und Teilen von Rumänien. Berlin fehlte ein solches Hinterland, und es übte eine ähnliche Anziehungskraft erst seit einer viel kürzeren Zeitspanne aus. Durch den Auftrieb der Juden fühlte sich nicht nur die alteingesessene Konkurrenz in Wien bedrängt, sondern auch die polnischen, tschechischen, ungarischen, kroatischen und rumänischen Antisemiten, die gleichfalls nach Wien gezogen waren. Berlin kannte den bodenständigen Antisemitismus solcher Volksgruppen nicht. Dafür kannte der Wiener ‹seine Juden›. Für den Berliner war der Jude entweder ein Berliner oder ein Fremder wie andere Fremde auch.»

Sonnabend, 13. April, abends 7 Uhr
Zum ersten Male:

George Dandin
oder
Der beschämte Ehemann

Lustspiel in drei Akten mit Tänzen und Zwischenspielen von **Molière**
Deutsch von Karl Vollmoeller — Regie: Max Reinhardt

Personen des Lustspiels:
George Dandin, ein reicher Landmann . . . . . Victor Arnold
Angelique, Tochter des Monsieur de Sotenville, seine Frau . . . . . Else Heims
Monsieur de Sotenville, ein Landedelmann . . . Jacob Tiedtke
Madame de Sotenville . . . . . Emilie Kurz
Clitander . . . . . Harry Liedtke
Claudine, Zofe der Angelique . . . . . Johanna Terwin
Lubin, ein Bauer . . . . . Paul Biensfeldt
Colin, Bursche George Dandins . . . . . Ernst Lubitsch

Personen der Zwischenspiele:
Tirsis, Philen – zwei Schäfer . . . . . Alexander Moissi, Josef Danegger
Cloris, Climene – zwei Schäferinnen . . . . . Carin Gillberg Gade, Gertrud Hesterberg
Chor der Fischer. Chor der Schäfer und Schäferinnen.

Die zur Handlung gehörige Musik ist nach Motiven von Lully und anderen zeitgenössischen Komponisten von Einar Nilson bearbeitet.
Dekorationen und Kostüme nach Entwürfen und unter Leitung von Ernst Stern ausgeführt.
Die Tänze sind von Paul Mürich einstudiert.
Die Firma de Wit in Leipzig hat das Spinett zur Verfügung gestellt.
Während des Spiels ist der Eintritt nicht gestattet.
Pause nach dem 1. Akt
Anfang 7 Uhr. Ende gegen 10 Uhr.

Theaterzettel der «George Dandin»-Premiere, 1912

1913

Das Kino ist ganze 18 Jahre alt. Ernst Lubitsch wird 21. Ein wichtiges Jahr für den deutschen Film und auch für Lubitsch.

In Deutschland werden 1913 353 Filme produziert, mehr als je zuvor, meist Zwei- oder Dreiakter, die sich in der Konkurrenz mit französischen und dänischen Produktionen nur schwer behaupten können; der Marktanteil der deutschen Filme liegt bei 15 Prozent. Mit Henny Porten, seit 1911 ein Star in Deutschland, werden in diesem Jahr zehn Filme gedreht (Regie: Curt A. Stark), sechs mit Asta Nielsen, ihrer einzigen ersthaften Konkurrentin, die seit 1911 in Deutschland arbeitet (Regie: Urban Gad). Kinopaläste werden eröffnet: im März das Cines am Nollendorfplatz mit dem italienischen *Quo vadis*-Film, im Mai das Marmorhaus am Kurfürstendamm mit dem Hanni-Weiße-Film *Das goldene Bett* und das Union-

Helmut H. Diederichs, der die Frühgeschichte der Filmkritik und der Filmtheorie erforscht: «In Deutschland machte seit 1909/10 das Kino dem Theater zunehmend Konkurrenz: Mit Kino-‹Theatern›, die in der Ausstattung die Bühnentheater nachahmten, mit Kino-‹Dramen›, die die Nummern-Programme der allerersten Jahre ablösten, die eine Vorstellung allein bestreiten konnten und sich überdies

Theater (U.T.) Friedrichstraße mit Carl Froelichs *Richard Wagner* (Hauptrolle: Giuseppe Becce), im Oktober der Union-Palast am Kurfürstendamm mit dem Max-Reinhardt-Film *Die Insel der Seligen*.

Kurt Pinthus gibt das «Kinobuch» heraus, ein frühes Dokument filmischer Literatenreflexion. Die ersten deutschen «Autorenfilme» werden uraufgeführt: *Der Andere* mit dem Reinhardt-Schauspieler Albert Bassermann unter der Regie von Max Mack und *Der Student von Prag* mit dem Reinhardt-Schauspieler Paul Wegener, geschrieben von Hanns Heinz Ewers, inszeniert von Stellan Rye. Auch andere Reinhardt-Schauspieler – Alexander Moissi, Rudolf Schildkraut, Eduard von Winterstein, Lucie Höflich – drehen Filme. Die zeitgenössische Literatur und das Theater – vor allem das Reinhardt-Theater – haben 1913 den deutschen Film gesellschaftsfähig gemacht.

«Hamlet», 1913. Ernst Lubitsch (rechts) als zweiter Totengräber

Und Lubitsch?

1913 spielt der Schauspieler Ernst Lubitsch seine erste Rolle in einem Film. Ungesichert ist, ob es sich dabei um den im Sommer 1913 fertiggestellten Film *Die/Eine ideale Gattin* (Buch: Hanns Heinz Ewers, Marc Henry; Regie: unbekannt) handelt, eine Produktion der Deutschen Bioscop GmbH, bei der Lubitsch 1913 kurzfristig unter Vertrag ist, oder um den Film *Meyer auf der Alm*, der, filmografisch noch weniger gesichert, vielleicht nur ein Phantom ist: Zuerst in einer italienischen Filmografie genannt, wird dieser Titel seit-

auf theatralische Vorbilder beriefen. Als dann die Besucherzahlen der Theater zurückgingen, eine Reihe von Bühnen schließen mußte oder gar in Kinos verwandelt wurde, brach Anfang 1912 der offene Konflikt zwischen den Theaterverbänden und ihrer publizistischen Lobby (Tageszeitungs-Feuilletons und Kulturzeitschriften) auf der einen Seite und der Kinobranche und ihren Fachzeitschriften auf der anderen Seite aus. [...] Denkschriften wurden verfaßt, gesetzliche Maßnahmen gegen das Kino gefordert; in Berlin verboten die Theaterdirektoren ihren Schauspielern sogar die Beteiligung an Filmen. Vom Schauspielerverbot zeigte sich die Kinobranche wenig beeindruckt – angesichts einer Masse von arbeitslosen Theaterschauspielern. Auf die publizistischen Angriffe und kulturpolitischen Initiativen der Gegenseite antwortete sie mit einem sehr geschickten Schachzug: Im Sommer und Herbst 1912 verhandelten Filmfirmen erfolgreich mit Gerhart Hauptmann, Hermann Sudermann, Arthur Schnitzler, Oskar Blumenthal und anderen berühmten oder weniger berühmten Schriftstellern über die Verfilmungsrechte ihrer Werke. [...] Damit hatte die Lobby der deutschen Bühnentheater praktisch das Gegenteil erreicht: Der ‹Autorenfilm›, bei dem die Beteiligung der ersten Schriftsteller- und Schauspieler-Namen die Kinokunst bringen sollte, wurde aus der Taufe gehoben.» (Kirche und Film, September 1983)

Der Regisseur Carl Wilhelm in einem Leserbrief: «Der erste bekannte Film, in dem Ernst Lubitsch mitwirkte, hieß: *Die Firma heiratet*. Es war dies Lubitsch's Debut im Film überhaupt. Es war im Jahre 1913. Ich war damals Direktor und Regisseur der von Paul Davidson gegründeten Projektions-Aktien-Gesellschaft ‹Union›. Kurz und gut: ich hatte in diesem Film, den ich inszenierte, noch die Rolle eines Lehrlings einer großen Konfektionsfirma zu besetzen. Ich möchte nebenbei bemerken, daß es schwerer ist, einen Film richtig zu besetzen, als ihn zu inszenieren. Unter fünf Kandidaten, die ich für diese Rolle hatte, fiel meine Wahl auf Ernst Lubitsch!» (Die Filmbühne, Mai 1927)

Aus einer Anzeige in der «Lichtbild-Bühne» vom 24. 1. 1914

her durch die einschlägige Literatur fortgeschrieben, ohne daß eine zeitgenössische Quelle dies rechtfertigt.

Gesichert ist: Im Herbst dreht der Regisseur Carl Wilhelm für die Firma Projektions-AG Union in Berlin-Tempelhof einen Dreiakter, der am 23. Januar 1914 im U.T. Friedrichstraße uraufgeführt wird: *Die Firma heiratet.* Und Ernst Lubitsch spielt in diesem Film (zusammen mit Victor Arnold) eine Hauptrolle: den Kommis Moritz Abramowsky, der in einem Berliner Textilgeschäft für Verwirrung sorgt, aber am Ende die Heirat seines Chefs in die Wege leitet.

Über die Resonanz berichtet die Zeitschrift «Lichtbild-Bühne» am 7. 2. 1914: «*Die Firma heiratet,* Film-Lustspiel in 3 Akten von Walter Turszinsky und Jacques Burg, hat sich in Berlin einen ganz riesenhaften Erfolg erworben. Es ist das erste Mal, daß ein Film in allen 9 Union-Theatern volle 14 Tage vor ausverkauften Häusern den Spielplan beherrscht. Im Union-Palast Kurfürstendamm mußte das Stück jetzt noch weiter auf 3 Wochen prolongiert werden, ein Beweis dafür, wie zugkräftig dasselbe ist.»

Der Stolz der Firma

Ein Erfolgsstück wie *Die Firma heiratet* drängt den Produzenten zur Serie. Im Frühjahr 1914 dreht Carl Wilhelm eine Art Fortsetzung: *Der Stolz der Firma.* Die Uraufführung findet vor tausend geladenen Gästen am 30. Juli 1914 statt. Ernst Lubitsch wird nun auch der Stolz der Firma «Union». Am 1. August rückt die Produktionsfirma eine zweiseitige Anzeige in die «Lichtbild-Bühne» ein:

Man muß schon genau hinsehen, um Lubitsch in der ersten Einstellung des Films, einer Totalen, zu entdecken: Ganz links, im Schaufenster des «Großen Basars» der Stadt Rawitsch, arbeitet der Lehrling Siegmund Lachmann an der Dekoration. In der dritten Einstellung, halbtotal, macht er einem weiblichen Lehrling, durchs Schaufenster hindurch, deutliche Avancen. Und in der fünften Einstellung, wieder halbtotal, ist es dann soweit: Siegmund Lachmann, also Ernst Lubitsch, stolpert über die Stoffdekoration, bringt eine Leiter zu Fall, die das Schaufenster einschlägt, und im großen Basar bricht die Panik aus. Chaos, Schuldzuweisung, Entlassung. Siegmund Lachmann denkt zuerst an Selbstmord, dann geht er lieber nach Hause: zum Abendessen. Später entzieht er sich einer väterlichen Bestrafung durch Flucht – nach Berlin.

Der Stolz der Firma (Regie: Carl Wilhelm) ist der erste uns erhaltene Film mit Ernst Lubitsch.

Der Stolz der Firma: *Szenenfoto mit Ernst Lubitsch*

→ Enno Patalas denkt in diesem Zusammenhang an den fast gleichaltrigen Chaplin und dessen Karriere zur gleichen Zeit; er schreibt: «An den Charlie der Essanay- und Mutual-Zweiakter von 1915 bis 1917 erinnert bei Lubitsch auch das Spiel, erinnern die Nebbichgesten, der Donjuanismus und das Parvenügebaren. So wie Charlie in *The Immigrant* per Schiff nach New York kommt, ein anderer Einwanderer aus den Gettos Europas, so reist Ernst Lubitsch als Siegmund Lachmann, in *Der Stolz der Firma*, aus Rawitsch in Polen nach Berlin. Wie Charlie hungert er, zählt sein Kleingeld und macht den Damen den Hof.»

Enno Patalas: Kino-Explosion. Ernst Lubitschs deutsche Filme im Münchner Stadtmuseum; in: Süddeutsche Zeitung vom 22. 8. 1972. – Ein anderer Text von Enno Patalas über Lubitschs deutsche Filme («Inflationskino») war bereits in der «Süddeutschen Zeitung» vom 29./30. 1. 1972 erschienen; eine Überarbeitung, die beide Texte zusammenfügt, ist enthalten in der Filmartikel-Sammlung von Frieda Grafe und Enno Patalas, «Im Off», München 1974.

Der Vergleich ist für Lubitsch recht schmeichelhaft. Denn dem Berliner Filmkomiker fehlen in seinen frühen Lustspielen präzise Konturen in der Gestik, Disziplin in den mimischen Bewegungen und das Gefühl für die Choreographie einer Figur. Überdeutlich stellt er seine Rolle aus; da wird nichts weggelassen, da gibt es keine Ökonomie der Mittel, kein Timing, sondern vor allem Direktheit, Frontalspiel. Genießen kann man den jüdischen Charme einer tolpatschigen, eigensüchtigen, feigen, servilen, zielstrebigen Aufsteigerfigur. Genau das macht ihn offenbar zu einem Publikumsliebling. Lubitsch nimmt sich nur wenige Jahre Zeit, um einen Typ, der hier Siegmund Lachmann, zuvor: Moritz Abramowsky, später: Moritz

Auf der Bühne (2)
Ernst Lubitsch war auch nach 1914 Ensemblemitglied des Deutschen Theaters und der Kammerspiele; 1915 übernahm Max Reinhardt als Direktor zusätzlich die Volksbühne. Für die Jahre 1914–1918 sind 16 Inszenierungen nachzuweisen, in denen Lubitsch in der Premierenbesetzung kleinere oder größere Rollen spielte:
«Romeo und Julia» von William Shakespeare, inszeniert von Max Reinhardt im Deutschen Theater; Premiere: 28. 1. 1914, Rolle: Simson.
«Was ihr wollt» von William Shakespeare, inszeniert von Max Reinhardt im Deutschen Theater; Premiere: 13. 3. 1914, Rolle: Fabian.
«Schluck und Jau» von Gerhart Hauptmann, inszeniert von Max Reinhardt im Deutschen Theater; Premiere: 18. 3. 1915, Rolle: Der Pelzhändler.
«Das Jahrmarktsfest zu Plundersweilern» von Johann Wolfgang von Goethe, inszeniert von Max Reinhardt; Premiere: 21. 4. 1915, Rolle: Tiroler.
«Die Räuber» von Friedrich Schiller, inszeniert von Max Reinhardt in der Volksbühne; Premiere: 1. 9. 1915, Rolle: Schufterle.
«Der Kaufmann von Venedig» von William Shakespeare, inszeniert von Max Reinhardt in der Volksbühne; Premiere: 15. 9. 1915, Rolle: Lanzelot.
«College Crampton» von Gerhart Hauptmann, inszeniert von Felix Hollaender im Deutschen Theater; Premiere: 29. 9. 1915, Rolle: Feist.
«Traumulus» von Arno Holz und Oskar Jerschke, inszeniert von Berthold Held in der Volksbühne; Premiere: 29. 11. 1915, Rolle: Goldbaum.
«Der Stern von Bethlehem», Krippenspiel von Otto Falckenberg, inszeniert von Max Reinhardt im Deutschen Theater; Premiere: 27. 12. 1915, Rolle: Herodes.
«Fuhrmann Henschel» von Gerhart Hauptmann, inszeniert von Felix Hollaender in der Volksbühne; Premiere: 21. 2. 1916, Rolle: Fabig.
«Ballett»/«Die Schäferinnen» von Rameau, inszeniert von Max Reinhardt im Deutschen Theater; Premiere: 16. 3. 1916, Rolle: Wilder.
«Die grüne Flöte», Ballett von Hugo von Hofmannsthal nach Musik von Mozart, inszeniert von Max Reinhardt im Deutschen Theater; Premiere: 26.

Rosenthal oder Apfelreis, Sally Pinkus oder Pinner oder Katz oder Meyer heißt, zu einer populären Filmfigur zu entfalten. Sein künstlerisches Interesse, das er schnell auch als Autor realisieren kann, richtet sich auf mehr: auf die Regie. Vier Jahre lang ist Lubitsch aber für deutsche Kinobesucher vor allem ein Schauspieler, speziell ein Komiker. Es sind vier Kriegsjahre.

Krieg

Im 1. August 1914 wird im Deutschen Reich mobilgemacht, Rußland der Krieg erklärt. Am 3. August ergeht die Kriegserklärung an Frankreich, am 4. August verkündet der Kaiser vor dem Reichstag: «Ich kenne keine Parteien mehr, ich kenne nur noch Deutsche!»

Meyer als Soldat soll ein Film mit Ernst Lubitsch aus dem Jahre 1914 sein, den man sich gern als aktuellen und subversiven Kommentar zum patriotischen Militarismus vorstellen möchte, der aber bisher in keiner zeitgenössischen Quelle nachzuweisen ist.

Fräulein Piccolo, ein harmloses Backfisch- und Soldatenlustspiel, wird im August 1914 als fertiggestellt annonciert (Lichtbild-Bühne vom 1. 8. 1914). Dorrit Weixler spielt die Tochter eines Hotelbesitzers – und weil diesem das Zimmermädchen mit dem Piccolo durchgebrannt ist, spielt sie dem Papa zuliebe abwechselnd den Piccolo und das Zimmermädchen. Ernst Lubitsch hat einen schönen 60-Sekunden-Auftritt. Er ist der Gast von Zimmer 6, ein Handelsvertreter mit Koffer und Stöckchen, der nach dem Zimmermädchen grapscht und eins auf die Finger bekommt. Später, bei einem Schwenk über die Tafel mit den Dauergästen, erfährt man seinen Namen: Pinkeles. Und so ist auch die kleine Szene: Sie verweist in ihrer Charakteristik auf Lubitschs spätere Hauptrollen. Weil die Leutnants im Film nicht sehr patriotisch wirken, sondern vor allem hinter den Mädchen her sind, wird der Film vorsichtshalber erst 1915 der Zensur vorgelegt – und für die Dauer des Krieges verboten.

Erste Kriegszeit. Lubitsch erinnert sich später vor allem daran, daß da seine Filmlaufbahn zu einem Stillstand kommt: «Ich war abgestempelt, und niemand schien eine Rolle zu schreiben, die mir angemessen war. Nach zwei Erfolgen war ich vollkommen draußen, und da ich nicht aufgeben wollte, sah ich mich genötigt, selbst Rollen für mich zu schaffen. Zusammen mit einem Freund, dem inzwischen verstorbenen Erich Schönfelder, schrieb ich eine Serie von Einaktern, die ich an die Union-Gesellschaft verkaufte. Ich inszenierte sie und spielte in ihnen die Hauptrolle. Und so wurde ich Regisseur. Wäre meine Schauspielerkarriere glatter verlaufen, wäre ich vielleicht nie Regisseur geworden.»

Ein Einakter ist offensichtlich der erste Film, bei dem Ernst Lubitsch Regie führt: FRÄULEIN SEIFENSCHAUM, gedreht im Sommer oder Herbst 1914, uraufgeführt im Juni 1915. Der Plot hat von ferne mit der aktuellen Situation zu tun: Weil die Männer – also auch die Barbiere – in den Krieg ziehen, übernehmen Frauen zu Hause deren Aufgaben. Hier sind es die Mutter, die mit frisch geschliffenen Messern rasiert, und die Tochter, die vorher die Kunden einseift. Lubitsch spielt einen jungen Mann namens Ernst, der sich in die Tochter verliebt und deshalb mit der Mutter Schwierigkeiten bekommt. Der Film endet blutig, aber glücklich: «Ernst läßt sich jetzt jeden Tag von Fräulein Seifenschaum rasieren, und sie schneidet ihn dabei tüchtig, kriegt sie doch für jeden Schnitt einen Kuß.» (Programmheft)

Nicht mehr erinnert sich Lubitsch: an die Wirren, die der Krieg in die Filmproduktion hineinbringt; an die verstärkten Zensurmaßnahmen gegen Lustspielfilme – *Der Stolz der Firma* wird (wie fast alle Lustspiele) gleich nach Ausbruch des Krieges verboten und kommt erst 1915 wieder in die Kinos; er übergeht den Autor Hanns Kräly, mit dem er in jenen Jahren enger als mit Erich Schönfelder zusammenarbeitet (der aber später, aus Gründen, von denen noch die Rede sein wird, aus seiner Erinnerung gelöscht wird); er verdrängt die Firma «Malu-Film», die er 1914 (oder Anfang 1915) zusammen mit seinem Schauspielerkollegen Ernst Mátray gründet und für die er mindestens zwei Komödien inszeniert: AUFS EIS GEFÜHRT und ZUCKER UND ZIMT, uraufgeführt 1915.

Der Kriegsgewinnler

In den Jahren 1915/16/17 schafft Ernst Lubitsch Voraussetzungen für seine große Karriere: durch harte Arbeit an komischen Filmen, an Serienprodukten. In der Regel ist er Regisseur, (Co-)Autor und (Haupt-)Darsteller.

Am 15. Mai 1915 berichtet die «Lichtbild-Bühne»: «Der bekannte Kinodarsteller Ernst Lubitsch, den wir in den Union-Films *Die Firma heiratet* und *Der Stolz der Firma* noch in gutem Andenken haben, hat von neuem mit der Projektions Actien-Gesellschaft Union einen Vertrag abgeschlossen. Bei der großen Beliebtheit des Künstlers dürfte man die Films mit regem Interesse erwarten.»

Und am 12. Juni 1915 animiert eine Anzeige in der «Lichtbild-Bühne»: «Theaterbesitzer! Sichern Sie sich die Einakter-Serie mit *Ernst Lubitsch*, dem unverwüstlichen Filmhumoristen. In keinem Programm dürfen diese Lustspiele fehlen. Der Lacherfolg ist kolossal. Projektions Actien-Gesellschaft Union.»

BLINDEKUH ist der erste Film der neuen «Lubitsch-Serie» (Der Kinematograph: «Durch Lubitschs Kunst ist der Film sehr lustig geworden»), und es gibt den erwarteten Serienerfolg. Ich brauche die Titel hier nicht aufzuzählen, sie sind, soweit die verfügbaren Quellen das möglich machen, in der Filmografie detailliert nachgewiesen.

Der Dreiakter SCHUHPALAST PINKUS (1916) ist Lubitschs erster uns vollständig überlieferter Regiefilm. Die spezifische Komik dieser Aufsteigergeschichte aus dem Konfektionsmilieu und Lubitschs schauspielerische Mittel beschreibt Karsten Witte in seinem Kommentar zu diesem Film (S. 124 ff.). Sally Pinkus: das ist Lubitsch in den Jahren 1915/16/17. Einer, der mit Vehemenz und mit Sinn für Pragmatismus in chaotischer Zeit an seinem Aufstieg arbeitet. Insofern: ein Kriegsgewinnler.

Der schwarze Moritz

Ein spezielles Genre jener Jahre, ein spezieller Erfolg für Lubitsch im Juni 1916: der «Filmsketch» (auch: «Sketsch») → *Der schwarze Moritz*. Die Filmvorführung wird an bestimmten Punkten unterbrochen, die Story von den Hauptpersonen auf der Bühne live weitergespielt. Die Neugierde der Zuschauer richtet sich auf die Übergangspointen und auf die Stars, die sich plötzlich in persona gegen ihre

4. 1916, Rolle: Ho, Schwester des Zauberers.
«Das Wintermärchen» von William Shakespeare, inszeniert von Max Reinhardt in der Volksbühne; Premiere: 18. 9. 1916, Rolle: Autolycus.
«Meister Olaf» von August Strindberg, inszeniert von Ferdinand Gregori in der Volksbühne; Premiere: 22. 9. 1916, 15 Aufführungen, Rolle: Martin.
«Nachtasyl» von Maxim Gorki, inszeniert von Eduard von Winterstein in der Volksbühne; Premiere: 7. 10. 1916, Rolle: Kostylew, Herbergswirt.
«Der Geizige» von Molière, inszeniert von Max Reinhardt im Deutschen Theater; Premiere: 16. 4. 1917, Rolle: Simon, Wechsler.
(Die Aufstellung stützt sich auf Heinrich Huesmann: Welttheater Reinhardt. München 1983. Dort sind auch Lubitschs Rollen zu finden, die er auf Grund von Umbesetzungen übernommen hat.)
Im Mai 1918 schied Ernst Lubitsch aus dem Reinhardt-Ensemble aus; er hat dort nie eine wirkliche Hauptrolle gespielt. Aber: Er hatte dort seine wirkliche Lehrzeit.

Anzeige in der «Lichtbild-Bühne» vom 12. 6. 1915

Der schwarze Moritz, Regie: Georg Jacoby; der Sketch wurde im Dezember 1915 einstudiert, aber erst im Juni 1916 uraufgeführt.

Anonyme Premierenkritik, erschienen am 3. 6 1916.

Leinwandimagination behaupten müssen. Die → «Lichtbild-Bühne» über *Der schwarze Moritz*: «Nachgerade bürgert sich der Film als Basis für das persönliche Auftreten der Hauptdarsteller vor dem Publikum ein. Dazu eignet sich das mit dem Namen Filmsketsch bezeichnete Genre. [. . .] Ernst Lubitsch, Erna Alberty und Margarete Kupfer erscheinen plötzlich vor der Leinwand. Nun, ohne Lubitsch wäre der Erfolg ausgeblieben. Denn der Film bildet nur ein Requisit zu der Idee der Autoren, eine Erbschaft dem zukommen zu lassen, der von den drei Brüdern Apfelreis den ersten Erben aufzuweisen hat. [. . .] Dieses Sujet könnte Witz und tolle Laune bergen, bringt aber nur Humor in der Person Lubitsch' und in der Art, wie er sich gibt, bewegt, tanzt und gehabt.»

Die Wohnungsnot; Regisseur unbekannt; Drehbuch: Hanns Kräly, Ernst Lubitsch; Uraufführung: 30. 1. 1920, Schauburg-Lichtspiele, Berlin.

1919 schreibt Lubitsch einen → Filmsketch für Ossi Oswalda und macht sich einen Spaß daraus, in manchen Vorstellungen mit ihr auf der Bühne zu stehen.

Ossi Oswalda

Ossi Oswalda. Ihre Selbstdarstellung (zitiert aus: Filmkünstler. Wir über uns selbst. Herausgegeben von Dr. Hermann Treuner. Berlin 1928) ist zu korrigieren und zu ergänzen: Ossi Oswalda hieß eigentlich Oswalda Stäglich, geboren 1898 (manche Quellen sagen: 1899 oder 1900). Sie war die Tochter eines Gymnasiallehrers und wurde von Hanns Kräly für den Film entdeckt. Sie gründete, als ihre Zusammenarbeit mit Lubitsch zu Ende ging, eine eigene Produktionsfirma, Ossi Oswalda Film, und spielte vor allem unter der Regie von Erich Schönfelder und Victor Janson; ab 1925 war sie wieder ein Ufa-Star, ihr Regisseur wurde Max Mack. Mit dem Stummfilm ging ihre Zeit zu Ende. Sie starb, völlig verarmt, 1948 in Prag.

«Ich bin in Berlin geboren und hieß zunächst → Oswalda Sperling. Ich nannte mich selbst aber immer Ossi, und dieser Name ist mir bis auf den heutigen Tag geblieben. Nachdem ich die Schule besucht hatte, war ich zunächst an einem Berliner Operetten-Theater tätig. Von hier holte mich Ernst Lubitsch zum Film, und zwar war mein Filmdebüt in dem Lubitsch-Film SCHUHPALAST PINKUS, in dem Ernst Lubitsch selbst die Hauptrolle spielte und ich unter vielen anderen weiblichen Rollen ein kleines Schustermädel. Lubitsch aber erkannte meine Begabung und gab mir größere Rollen, bis der Film DIE AUSTERNPRINZESSIN, den ebenfalls Ernst Lubitsch inszenierte, mein erster großer Welterfolg wurde . . .»

Eine deutsche Mary Pickford hat man sie genannt, damit aber eher den Typ (Backfisch mit Locken und herzlichem Lachen) gemeint als Person und Persönlichkeit. Mindestens elf Filme dreht sie mit Ernst Lubitsch zwischen 1916 und 1920, keine Schaupielerin ist so oft seine Hauptdarstellerin. Und er macht mit ihr 1917 seinen ersten Film nur als Regisseur und Autor: OSSI'S TAGEBUCH. Versprochen werden da «die tollen Erlebnisse einer Berliner Range» (Anzeigentext); wir kennen den Film nicht, der nur eine Woche im Premierentheater läuft und über den in der Berliner Presse keine Kritiken zu finden sind.

Ossi's Tagebuch: *Szenenfoto mit Ossi Oswalda*

Die Ufa

Am 18. Dezember 1917 wird in Berlin die Gründung der «Universum-Film Aktiengesellschaft» beschlossen, «um einen Zusammenschluß in der Filmindustrie zu schaffen, der einerseits ein lebenskräftiges und aussichtsvolles Wirtschaftsunternehmen darstellen soll, andererseits die Garantien dafür bietet, daß wichtige Aufgaben auf dem Gebiet der deutschen Propaganda, deutscher Kultur- und Volkserziehung im Sinne der Reichsregierung gelöst werden» (1. Arbeitsbericht von 10. 1. 1918). Die Gründung der Ufa zielt auf eine Konzernbildung, bei der die drei Sparten der Filmindustrie – Produktion, Verleih, Kino – unter einem Dach vereint werden sollen. In Europa ist seit drei Jahren Krieg. Die Gründung der Ufa wird vor allem vom Kriegsministerium und der Obersten Heeresleitung (Generalquartiermeister Erich Ludendorff) betrieben. Anteilseigner (Stammkapital: 25 Millionen Mark) werden unter anderen die Deutsche Bank, die Dresdner Bank, die AEG, der Norddeutsche Lloyd, die Hamburg-Amerika Linie, Interessenvertreter der deutschen Schwerindustrie – und das Deutsche Reich. Drei etablierte Filmgesellschaften beteiligen sich an dem neuen Konzern: die Nordisk Film GmbH, die Messter-Gruppe und der Union-Konzern, letzterer in der Kapitalhöhe von 1,1 Millionen Mark mit seinen Ateliers in Tempelhof, der Produktionsfirma PAGU (Projektions-AG Union) und seiner Theaterkette (U.T.-Filmtheater). Paul Davidson wird einer der beiden Generaldirektoren der Ufa. Die alten Produktionsgesellschaften bleiben zunächst als Tochterfirmen erhalten, sie degenerieren aber zunehmend zu bedeutungslosen Mantelgesellschaften ohne selbständige Entscheidungsmöglichkeiten.

Ernst Lubitsch, der seine Filme für die Projektions-AG Union inszeniert, ist damit ein Regisseur – wie sich zeigen wird: einer der wichtigsten – unter dem Dach der Ufa.

Übergangszeit

Kriegs- und Nachkriegswirren. Von September 1918 bis März 1919 werden sieben Lubitsch-Filme und ein Film von Franz Hofer mit Lubitsch in einer Nebenrolle uraufgeführt – aber sie sind teilweise älteren Datums und verdanken ihre spätere Premiere der rigideren Filmzensur während der Kriegsjahre. Mit der Aufhebung der Theaterzensur im November 1918 (kinematographische Vorführungen sind in Preußen den Theatervorstellungen gleichgestellt) kommt eine Welle bis dahin verbotener Filme in die Kinos.

Eine Chronologie der Lubitsch-Premieren sieht so aus:

September 1918	DER FALL ROSENTOPF
Oktober 1918	DIE AUGEN DER MUMIE MÂ
Dezember 1918	DAS MÄDEL VOM BALLETT
Dezember 1918	CARMEN
Januar 1919	MEYER AUS BERLIN
Januar 1919	MEINE FRAU DIE FILMSCHAUSPIELERIN
Februar 1919	*Fräulein Piccolo*
März 1919	KÄSEKÖNIG HOLLÄNDER

Ein Nachzügler ist auch der Film DER KRAFTMEYER, produziert 1915, aber offenbar erst im November 1919 uraufgeführt.

Das Lubitsch-Team

1917 gab es einen kleinen Stab und einige Schauspieler, die regelmäßig mit Ernst Lubitsch zusammenarbeiteten. Sie waren alle bei der Projektions-AG Union unter Vertrag:

Hanns Kräly schrieb ab 1915 mit und für Lubitsch Drehbücher und wurde von 1918 bis 1929 – also auch in der ersten Hollywood-Phase – als schreibender Freund zum beständigsten Partner des Regisseurs.

Erich Schönfelder verfaßte zusammen mit Lubitsch (und oft auch mit Hanns Kräly) ab 1915 ebenfalls Drehbücher. Später wurde er Regisseur und spezialisierte sich auf Ossi-Oswalda-Lustspiele.

Der Kameramann Theodor Sparkuhl, der bei der Wochenschau sein Handwerk gelernt hatte, drehte 1916 seinen ersten Film für Lubitsch und fotografierte von 1918 bis 1922 (abgesehen von dem Kammerspiel RAUSCH) alle großen Lubitsch-Filme, gelegentlich unterstützt von dem Operateur Alfred Hansen.

Der Ausstatter Kurt Richter, ein Theaterarchitekt, prägte von 1915 bis 1922 das Design von mindestens 25 Lubitsch-Filmen; sein Partner war in einigen Fällen der Reinhardt-Ausstatter Ernst Stern.

Der Kostümbildner Ali Hubert, der als Maler begonnen hatte, arbeitete ab 1917 mit Lubitsch zusammen und schrieb 1930 ein Buch, das vor allem eine Hommage an seinen verehrten Regisseur war: «Hollywood – Legende und Wirklichkeit».

Harry Liedtke, der an Provinzbühnen das Spielen gelernt hatte, kam 1911 zu Max Reinhardt und war ab 1917 Hauptdarsteller in acht Filmen von Ernst Lubitsch: jugendlicher Held, Liebhaber, schöner Mann. Populär.

Victor Janson, der auch aus der Provinz kam, wollte gern den Bonvivant spielen und wurde immer als lustige Figur eingesetzt. Elf Filme drehte dieser Komiker zwischen 1916 und 1921 mit Lubitsch, dann wurde er selbst Regisseur.

Margarete Kupfer, die seit 1904 zum Ensemble des Deutschen Theaters gehörte, spielte zwischen 1915 und 1921 in mindestens acht Lubitsch-Filmen mit. Sie war eine Darstellerin kräftiger, resoluter Witwen, Mütter, Gouvernanten.

Perioden

Wenn man Lubitschs Werk in Perioden aufteilt, lassen sich vier Abschnitte ziemlich deutlich markieren:

1. die Ein- bis Dreiakter 1914 bis 1918;
2. die «großen» deutschen Stummfilme 1918 bis 1922;
3. die amerikanischen Stummfilme 1923 bis 1929;
4. die amerikanischen Tonfilme 1929 bis 1947.

1918 überschneidet sich also die fünfjährige Periode des Aufstiegs mit der fünfjährigen Periode des Ruhms und der sich perfektionierenden Meisterschaft in Deutschland. Zwei Filme leiten diese Übergangszeit ein: DIE AUGEN DER MUMIE MÂ und CARMEN, beide mit Pola Negri.

Pola Negri

Pola Negri
Ihre Autobiografie (Memoirs of a Star. Garden City, New York 1970; Auszug S. 113 ff.) wurde von einem cleveren Ghostwriter geschrieben und ist ein interessantes Dokument der Selbstdarstellung. Wie bei vielen Stars ist auch bei Pola Negri das Geburtsjahr eine Variable. Am weitesten geht Ephraim Katz (The Film Encyclopedia. New York 1979), der sich auf 1894 festlegt. Ihr Engagement bei Reinhardt und ihr Zusammentreffen mit Lubitsch werden in der Literatur sehr unterschiedlich dargestellt. Das Anekdotische dieser Lebensphase ist jedoch nur eine harmlose Präliminarie der Mythen ihrer ersten Hollywoodjahre, die aus schönen Beziehungslegenden (Rudolph Valentino, Charles Chaplin) bestehen. Pola Negri lebt in San Antonio, Texas.

Schwarze Haare, dunkle Augen, ein lasziver Körper, eine dunkle Stimme – aber die hört man, damals, im Kino nicht. Eine exotische Erscheinung, ein Vamp. Weil → Pola Negri von 1918 bis 1928 ein wirklicher Star ist, sind viele Geschichten über sie im Umlauf, die man nicht glauben muß.

Was darf man glauben?

Geboren zu Silvester 1897 (sie sagt in ihren Memoiren: 1899) in Polen, heißt sie eigentlich Barbara Apolonia Chałupec, besucht eine Ballettschule, spielt früh Theater und debütiert siebzehnjährig – Künstlername: Pola Negri – in dem polnischen Film *Niewolnica zmysłów* (Sklaven der Sinne), auch die Mitwirkung in anderen polnischen Filmen ist überliefert. In Warschau ist sie auf der Bühne die Tänzerin in der Pantomime «Sumurun». 1917 kommt sie nach Berlin, erhält ein Engagement bei Max Reinhardt (spielt die Tänzerin in einem «Sumurun»-Remake), filmt. Sie lernt (natürlich) Ernst Lubitsch kennen, wird von Paul Davidson unter Vertrag genommen (Prognose: möglicher Ufa-Star). Der überredet Lubitsch zu einem «dramatischen Großfilm»: DIE AUGEN DER MUMIE MÂ.

Nach der Premiere im Oktober 1918 schreibt die «Lichtbild-Bühne»: «Das Publikum war ganz im Banne des grandiosen Spiels von Pola Negri [. . .]. Pola Negri war die Gefeierte des Abends, und nur schwer war es ihr möglich, die Straße zu erreichen und sich der ihr zujubelnden Menge zu entziehen.» Auch Pola Negris Partner wird gefeiert: Emil Jannings.

Emil Jannings

Emil Jannings
Seine Autobiografie (Theater/Film – Das Leben und ich. Berchtesgaden 1951; erweitert in der Taschenbuchausgabe: Mein Leben. München 1979; Auszug S. 111 ff.) wurde von C. C. Bergius aufgeschrieben und ist nicht sonderlich informativ. Über Geburt

«Neben ihr (Pola Negri) war die Leistung Emil Jannings' von so überwältigendem Eindruck, daß man nicht weiß, ob er oder sie den Lorbeerkranz verdienten.» (Lichtbild-Bühne, 5. 10. 1918)

→ Emil Jannings, geboren 1884 in Rorschach (Schweiz), gehört zu Max Reinhardts Ensemble seit 1915 und hat 1917 in zwei Lubitsch-Komödien mitgespielt: WENN VIER DASSELBE TUN und DAS FIDELE GEFÄNGNIS.

DIE AUGEN DER MUMIE MÂ ist für Jannings, wie für Pola Negri, ein Karrierefilm: erfolgreich bei der Kritik, bei den Kinobesitzern, beim Publikum. Ein Film, der den theatralischen Überdruck, die

und Kindheit von Emil Jannings waren die seltsamsten Legenden in Umlauf, zum Beispiel: geboren 1886 in New York. Die genaueste biografische Darstellung hat Herbert Holba veröffentlicht: Emil Jannings. Ulm 1979.

Carmen: *Plakat, entworfen von Josef Fenneker (aus dem Archiv der Stiftung Deutsche Kinemathek)*

massive, augenrollende Mimik des «frühen» Emil Jannings voll zur Geltung bringt. Lubitsch – wie später Murnau – gewinnt diesem Schauspieler dann auch andere Möglichkeiten ab, befreit ihn vom schwerfälligen Pathos, treibt ihn zu Ironie und Beweglichkeit.

Ich greife vor: Jannings spielt für Lubitsch in den folgenden Jahren: Ludwig XV. in MADAME DUBARRY (1919), Peter Xaver in KOHLHIESELS TÖCHTER (1920), Heinrich VIII. in ANNA BOLEYN (1920), Pharao Amenes in DAS WEIB DES PHARAO (1921) und später in Amerika Zar Paul I. in THE PATRIOT (1928).

Die überlebensgroßen Geschichtsfiguren, die Jannings in diesen Filmen vor allem darstellt, sind keineswegs gleichförmig. Sie variieren herrschaftliches Gebaren durch Körpersprache, die sich aus den Kostümen entwickelt. Da machen die Beinkleider, die Kopfbedeckun-

gen, die Schulterstücke den Unterschied aus. Was diese Figuren eint, ist ihr Ausdruck der Lust, der Gier, der Verwundbarkeit.

Daß Jannings, kurzfristig, ein Weltstar mit Amerikakarriere wird, hat er auch Lubitsch zu verdanken.

Carmen und Deutschland

August 1918: Lubitsch beginnt in Tempelhof den Carmen-Film zu drehen. Die deutsche Westfront bricht zusammen. Oktober 1918: Lubitsch schneidet den Carmen-Film. Der Reichstag beschließt den Übergang zur Republik. Ende November 1918: Der Carmen-Film ist fertig. Deutschland hat keinen Kaiser mehr, aber auch keine Revolution. Am Tag der Premiere des Carmen-Films tagt in Berlin der Reichskongreß der Arbeiter- und Soldatenräte. Er beschließt Wahlen zu einer Deutschen Nationalversammlung.

Zwischen Lubitschs CARMEN (zum Beispiel) und der Evolution deutscher Geschichte geht nichts zusammen. «Scht! Da kann keiner was machen. Sieh dir den Film an», soll Lubitsch zu Pola Negri bei einer CARMEN-Preview gesagt haben, als die Geräusche des Bürgerkriegs nicht mehr zu überhören sind. Selbst wenn man Pola Negri und ihrem Ghostwriter nicht alles glauben kann (Dokument: Seite 113 ff.), so ähnlich muß es wohl gewesen sein.

Die Soldaten in CARMEN sind Statisten; ihre Realität ist filmisch. → Egon Jacobsohn schreibt im «Kinematograph»: «Trotz der blutigen Maschinengewehrgefechte zwischen Regierungstruppen und Spartakisten in allen Stadtteilen Berlins, trotz der verirrten Kugeln, die bereits zahlreichen harmlosen Passanten das Leben gekostet haben; trotz der dringenden Bitten, die Straße nicht zu betreten; trotz des Streiks der Straßenbahner und Stadtbahner; trotz der schrecklichen Gerüchte, die stündlich durch die Großstadt sausen und unter anderem von bevorstehenden Sprengungen der Elektrizitäts-, Gas- und Wasserwerke durch die Bolschewisten faseln; trotz und trotz – spielen die Lichtspielpaläste und Kinos (soweit sie nicht im Feuerbereich à la Uniontheater Unter den Linden, Passagetheater usw. liegen) ungestört weiter und erfreuen sich eines ausgezeichneten Besuches. Das trifft jedenfalls bis zu *der* Stunde zu, da diese Zeilen zu Papier kommen. Wer ahnt, wie das stolze, kampfungewohnte Spreeathen aussieht und wer es beherrscht, wenn diese Sätze dem Leser zu Augen kommen! Denn Groß-Berlin ähnelt einem Pulverfaß, dessen Explosion jeden Halbtag mit Schaudern erwartet wird. Was eben noch als Tatsache offiziell festgestellt wird, ist eine Viertelstunde später schon längst nicht mehr zutreffend.

Neben den öffentlichen Gebäuden haben die Kommunisten vom Montag, dem 6. Januar, ab auch die drei Preßpaläste der bürgerlichen Zeitungsverleger Ullstein, Mosse und Scherl mit Waffengewalt erstürmt und besetzt. Dadurch wird das Erscheinen der wichtigsten und am meisten gelesenen Tageszeitungen wie Vossische Zeitung, Berliner Morgenpost und B.Z. am Montag (Ullstein), Berliner Tageblatt (Mosse) und Berliner Lokalanzeiger (Scherl) verhindert. Ich habe nun als vorläufig ‹obdach- und arbeitslos› gewordener Redakteur der Ullsteinschen Tageszeitungen einen Teil der freien Zeit dazu benutzt, um mir alle jetzt vorgeführten Filme anzusehen. Über die bemerkenswert erscheinenden Arbeiten will ich mich im folgenden eingehend äußern.»

Egon Jacobsohn: Neuheiten auf dem Berliner Filmmarkte; in: Der Kinematograph vom 15. 1. 1919. – Egon Jacobsohn (1895–1969), ein geborener Berliner, gehörte ab 1913 als Mitarbeiter dem Ullstein-Verlag an, war ab 1918 auch Berlin-Korrespondent des «Kinematograph» (damals Düsseldorf), stieg in den zwanziger Jahren zum Chefreporter der «B. Z. am Mittag» auf und emigrierte schon 1931 nach England. Arbeitete dort für verschiedene Rundfunksender. Kehrte nach 1945 unter dem Namen Egon Jameson nach Deutschland zurück und war u. a. leitender Redakteur der «Neuen Zeitung». Seine Autobiografie «Wenn ich mich recht erinnere. Das Leben eines Optimisten in der besten aller Welten» erschien 1953.

«Die Welt geht unter», eine Revue im Berliner Apollo-Theater, hatte am 1. Oktober 1918 Premiere. Senta Söneland und Ernst Lubitsch waren die Stars. Gespielt wurde einen Monat lang an jedem Abend. Lubitsch: «Mein letzter Bühnenauftritt.»

Jacobsohn äußert sich dann eingehend – und sehr positiv – über CARMEN. Er kann außerdem wenige Tage später an seinen Arbeitsplatz zurückkehren und an der Konsolidierung der Weimarer Republik mitwirken. Auch Lubitsch setzt, vom CARMEN-Erfolg beflügelt, seine Arbeit fort.

Stil und Erfolg

DIE AUSTERNPRINZESSIN, RAUSCH, MADAME DUBARRY. Uraufführungen: Juni 1919, August 1919, September 1919. Eine Komödie, ein Kammerspiel, ein Kostümfilm. Ernst Lubitsch ist 27 Jahre alt, der Krieg ist vorbei.

«DIE AUSTERNPRINZESSIN war mein erstes Lustspiel, in dem sich ein festumrissener Stil andeutete» (Lubitsch).

Die → «Vossische Zeitung» über RAUSCH: «Der Filmdramaturg hat einen guten Griff getan, der Regisseur Ernst Lubitsch zeigt Stil und Geschmack . . .»

–ob– in: Vossische Zeitung vom 3. 8. 1919.

Der → «Film-Kurier» über MADAME DUBARRY: «Dieser Film hat einen Ton, ein Kolorit, einen Stil.»

B. E. Lüthge in: Film-Kurier vom 20. 9. 1919

Das Kammerspiel und die Komödie als «Gegengewichte» zum Historienfilm. In den vier Jahren, die Lubitsch noch in Deutschland ist, balanciert er mit seinen Produktivkräften. Ein Artist im Zirkus Ufa. Der Generaldirektor Davidson kann mit seiner Zugnummer zufrieden sein.

DIE AUSTERNPRINZESSIN ist in der Tat stilbildend: ein satirisches Märchen von der kulturellen Verbindung zwischen Europa und Amerika. Filmische Innovationen fallen auf: Timing der Einstellungen, Visualisierung des Dekors, Choreographie der Figuren. Der → «Film-Kurier» schwärmt: «Das ganze Lustspiel ist elegant und in einer Aufmachung gezeigt, wie nie zuvor in einem deutschen Lustspiel. Es ist ein eleganter Stil in dem ganzen, der Schwung hat.»

B. E. Lüthge in: Film-Kurier vom 22. 6. 1919

RAUSCH ist der erste deutsche Nachkriegsfilm mit → Asta Nielsen, produziert von der Firma Argus-Film. Was über ihn berichtet wird, können wir nicht mehr überprüfen, denn es ist keine Kopie dieses Films erhalten. Asta Nielsen unter der Regie von Lubitsch, die große Femme fatale des deutschen Films (und eine der größten Schauspielerinnen, über die dieser Film je verfügt hat) in den Händen des «Chefregisseurs» der Ufa – ein Ereignis, das sich nicht wiederholt. Die Zusammenarbeit zwischen Asta Nielsen und Ernst Lubitsch ist bei allem Respekt voreinander nicht spannungslos; einen Teil der Auseinandersetzung tragen die beiden später öffentlich aus (Dokumente S. 90 ff.).

Asta Nielsen
Über sie gibt es das schöne Buch «Asta Nielsen. Ihr Leben in Fotodokumenten, Selbstzeugnissen und zeitgenössischen Betrachtungen». Herausgegeben von Renate Seydel und Allen Hagedorff. Gestaltet von Bernd Meier und mit einem Vorwort versehen von Swend Kragh-Jacobsen. Berlin (DDR) 1981. München (1982).

MADAME DUBARRY ist Lubitschs erster großer Historienfilm. Er hat seine damaligen Lieblingsschauspieler zur Verfügung (Pola Negri, Emil Jannings, Harry Liedtke), die Direktion gibt ihm quasi einen Blankoscheck, und Lubitsch investiert: in die Bauten, in die Ausstattung, in die Statisterie, vor allem in die Kostüme. Die Filmhistorikerin → Lotte H. Eisner schreibt: «Für Lubitsch ist Historie nie etwas anderes als die willkommene Gelegenheit, Filme in den prunkvollen Kostümen ihrer Epoche zu drehen: Seide, Samt, reiche Stickereien entzückten das geschulte Auge des ehemaligen Kommis aus der Konfektion. Zudem spürt dieser geborene Schaumann, dem Hollywood in dieser Hinsicht kaum etwas beizubringen hatte, in den Kostümfilmen die große Möglichkeit, eine sentimentale Liebesgeschichte mit dem melodramatischen Aufruhr von Massen und mit zum Gebrauch gefällig zugebogenen historischen Geschehnissen zu vermengen.»

Lotte H. Eisner: Die dämonische Leinwand. Überarbeitete, erweiterte und autorisierte Neuauflage, hg. von Hilmar Hoffmann und Walter Schobert. Frankfurt 1975. Eine erste deutsche Ausgabe erschien 1955 in Wiesbaden, die Originalausgabe «L'Ecran démoniaque» wurde 1952 in Paris veröffentlicht. – Lotte H. Eisner (1896–1983) hatte Kunstgeschichte studiert, wurde Journalistin, schrieb ab 1927 Kritiken für den «Film-Kurier», emigrierte 1933 nach Paris, arbeitete dort mit Henri Langlois zusammen, war ab 1945 Archivarin an der Cinémathèque Française, schrieb Bücher über Fritz Lang und Friedrich Wilhelm Murnau. Ihr Kinoblick war kunsthistorisch orientiert, war besonders sensibel für das Dekor, die Kostüme, das Filmische in den Bildern. Die deutschen Lubitsch-Komödien waren nicht ihre Sache, die fand sie zu derb.

Das macht seine Historienfilme so populär und erfolgreich und gleichzeitig so unerträglich für Ideologiekritiker. Siegfried Kracauer, auf den sich auch spätere Interpreten gern beziehen, beklagt vor allem, daß Lubitschs Film die Revolution ihrer Bedeutung entkleide, und das ausgerechnet in einer Zeit, in der gewaltige Demonstrationen durch die Berliner Straßen ziehen: «Anstatt alle revolutionären Ereignisse auf ihre ökonomischen und ideellen Ursachen zurückzuführen, stellt er sie hartnäckig als Ergebnis psychologischer Konflikte dar. Ein betrogener Liebhaber soll, aus dem Verlangen nach Vergeltung, die Massen zum Sturm auf die Bastille überreden. Entsprechend wird die Enthauptung der Dubarry weniger auf politische

Gründe als auf Motive persönlicher Rache zurückgeführt. Der Film geht nicht von Leidenschaften aus, die der Revolution innewohnen, sondern beschneidet die Revolution auf einen Auswuchs privater Leidenschaften. Andernfalls würde der tragische Tod der Liebenden kaum die siegreiche Erhebung des Volkes überschatten.»

Daß Lubitschs Filme zum dankbaren Objekt der scharfsinnigen Kritik → Kracauers werden, liegt in Anbetracht ihrer scheinbaren Trivialität und ihrer großen Bedeutung für den Film der frühen Weimarer Republik auf der Hand. Kracauers Analyse gerade der «Historienfilme», von der hier nur ein Ausschnitt zitiert werden kann, ist anregend zu lesen, sie entdeckt aber nicht den spezifisch *filmischen*, also den ästhetischen Kontext in Lubitschs Werk, sie zeigt die Begrenztheit seiner analytischen Methode.

«Realität bildet sich in Lubitschs Filmen nicht ab, sondern wird blitzartig erhellt», schreibt Enno Patalas. Die Essays von Frieda Grafe und Enno Patalas in diesem Buch sind – in ihrer vertieften Kenntnis auch der späteren Lubitsch-Filme – gewissermaßen Reaktionen auf Kracauer, selbst wenn dessen Name nur am Rande genannt wird.

MADAME DUBARRY: nicht nur ein Erfolg, sondern auch ein Ereignis. Die Uraufführung wird am 18. September 1919 mit der Eröffnung des prächtigen Ufa-Palastes am Zoo gebührend gefeiert. Die Resonanz auf den Film ist überwältigend, sie öffnet der Ufa schließlich den Auslandsmarkt: Österreich, Schweiz (in der Inflationszeit ein wichtiges Devisenland), Italien, auch Frankreich, später England und die USA. Damit verschafft Lubitsch dem deutschen Film das, wonach er in dieser Zeit am stärksten drängt: das erste Stück «Weltgeltung».

Zu Weihnachten (Uraufführung: 4. Dezember 1919) schenkt Lubitsch seinem Publikum dann DIE PUPPE. 1947 sagt er: «Selbst heute noch halte ich diesen Film für einen meiner einfallsreichsten.»

Am Anfang sieht man Lubitsch eine Spielzeugschachtel öffnen. Er nimmt eine Papplandschaft und Figuren heraus, baut alles auf und läßt dann das Spiel beginnen. Dieser Prolog ist ein schöner Kommentar über die Möglichkeiten eines Filmregisseurs. Kein Wunder, daß auch Lubitschs PUPPE geliebt wird.

Winterfilme

Im Schnee des Winters 1919/20 dreht Lubitsch zwei Filme nach Stoffen von William Shakespeare: KOHLHIESELS TÖCHTER (Lubitsch: «‹Der Widerspenstigen Zähmung› in die bayrischen Berge versetzt») und ROMEO UND JULIA IM SCHNEE (die Tragödie in eine Schwarzwaldkomödie verwandelt).

Lubitsch, heißt es, habe den Wintersport mit der Arbeit verbinden wollen. Die Jahreszeit ist für das Klima der beiden Filme jedenfalls nicht beliebig. Handlung und Komik werden aus Minustemperaturen entwickelt, kulminieren in Rutschpartien, bei denen die Körper in lustvolle Unbeholfenheit versetzt werden. Ein Jahr später, in der BERGKATZE, kann man das noch einmal sehen.

ROMEO UND JULIA IM SCHNEE ist der «kleinere», vielleicht auch der schönere der beiden kurz hintereinander entstandenen Winterfilme. Er hat allerdings kaum Erfolg beim Publikum. Nur drei Tage nach KOHLHIESELS TÖCHTER uraufgeführt (9. 3./12. 3. 1920), wird er ein «Opfer» des Kapp-Putschs, der vom 13. bis 17. März die Stadt

Siegfried Kracauer: Von Caligari zu Hitler. Eine psychologische Geschichte des deutschen Films. Übersetzt von Ruth Baumgarten und Karsten Witte. Frankfurt a. M. 1979. Siegfried Kracauer, Schriften Bd. 2, hg. von Karsten Witte. (Eine erste, verstümmelte Ausgabe dieses Buches erschien 1958 unter dem Titel «Von Caligari bis Hitler» im Rowohlt Verlag). – Siegfried Kracauer (1889–1966) war von 1921 bis 1933 Feuilletonredakteur der «Frankfurter Zeitung», emigrierte nach Paris, flüchtete 1941 von Marsaille nach New York, analysierte als Mitarbeiter der «Museum of Modern Art Film Library» – mit einem Rockefeller-Stipendium – die Nazi-Filmpropaganda und veröffentlichte 1947, gefördert durch eine «Guggenheim Fellowship», die Untersuchung «From Caligari to Hitler». 1960 erschien sein Buch «Theory of Film» (deutsch: Theorie des Films, 1964). Kracauers analytische Methode, die in den Filmen eines Landes soziale und politische Leitbilder nachzuweisen suchte, die, bewußt oder unbewußt, den Geist ihrer Entstehungszeit ausdrückten, beeinflußte ab Ende der fünfziger Jahre den Blick der wichtigen Filmkritiker in der Bundesrepublik und beherrschte auch die gemeinsame Untersuchung von Ulrich Gregor und Enno Patalas, «Geschichte des Films» (Gütersloh 1962). Die eingängigsten Auseinandersetzungen mit dieser ideologiekritischen Methode sind noch immer die Texte von Enno Patalas («Plädoyer für die ästhetische Linke», in: Filmkritik, Juli 1966) und Norbert Jochum («Kino und Traum», in: Die Zeit vom 1. 5. 1981).

Berlin und große Teile der Republik in einen aufregenden Ausnahmezustand versetzt und kurzfristig zum Generalstreik führt. Keine Zeitungen – keine Kritiken, die dieser Film wohl unmittelbar gebraucht hätte. KOHLHIESELS TÖCHTER läuft dagegen wie von selbst, gefördert durch Mundpropaganda, wird «die populärste Komödie, die ich in Deutschland gemacht habe» (Lubitsch). Es ist ein Henny-Porten-Film.

Henny Porten

Henny Porten (1890–1960)

Sie ist von 1911 bis in die dreißiger Jahre einer der populärsten deutschen Filmstars. International bleibt sie unbekannt, aber in Deutschland – ihrem Land – liegt ihr das Kinopublikum über mehr als eine Generation zu Füßen. Die Geschichte dieser Beliebtheit ist noch nicht untersucht und aufgeschrieben.

Henny Porten verkörpert den Gegentyp zu Asta Nielsen, zur Femme fatale: Zunächst der unberührbare Backfisch, wird sie schnell die verfolgte Unschuld, die Sentimentale, die jungfräuliche Mutter, die Heroine, moralisch kodifiziert nach den Normen des spätviktorianischen Wilhelminismus. Und natürlich sagt jeder: Sie ist typisch deutsch! Was das – abgesehen vom Klischee – genau ist, wäre einmal herauszufinden.

Für Lubitsch spielt Henny Porten zweimal, zuerst in KOHLHIESELS TÖCHTER. Eine Doppelrolle.

→ Frieda Grafe: «Henny Porten als beide Töchter, das ist ein reiner Kinogag und mit dem Schein zu spielen ganz Lubitschs Sache. Es bleibt zweideutig, ob der Effekt beabsichtigt ist, daß Henny Porten, wenn sie natürlich, wenn sie sie selbst sein soll, der reine Trampel ist und, wenn sie den Trampel spielt, auch für den Zuschauer den Charme entwickelt, dem Jannings schließlich unterliegt.»

Frieda Grafe: Was Lubitsch berührt; in: Süddeutsche Zeitung vom 22./23. 9. 1979. Dieser Text ist, erweitert, an anderer Stelle dieses Buchs abgedruckt.

In ANNA BOLEYN spielt Henny Porten dann die verliebte, liebende und schließlich betrogene Frau von Heinrich VIII. (Emil Jannings).

Ein Kostümfilm entsteht

1 L. K. F. (Lothar Knud Frederik): Der Reichspräsident bei «Anna Boleyn»; in: Film-Kurier vom 1. 10. 1920.
2 Elsa Herzog: Anna Boleyns Trousseau; in: Filmkunst, 1920/21, Heft 1.
3 Anonym: Was Anna Boleyn kostet; in: Lichtbild-Bühne vom 11. 12. 1920.

1 Der Reichspräsident bei ANNA BOLEYN.

«Gestern mittag machte der Reichspräsident *Ebert* mit einem stattlichen Gefolge, in dem neben zahlreichen Land- und Reichstagsabgeordneten und mehreren Staatssekretären und Ministerialräten der Reichswirtschaftsminister *Scholz* und der preußische Finanzminister *Lüdemann* sich befanden, Anna Boleyn seine Aufwartung. Der Repräsentant der Republik bei einer Königin, wenn auch bei einer historischen, bei der unglücklichen Gemahlin des 8. Heinrich von England. [. . .] In der Westminsterabtei fand die Trauung statt.

Den Festzug sahen wir gestern. Zu diesem Zwecke war auch der Reichspräsident der Einladung des Ufa-Konzerns nach ihrer grandiosen Filmstadt Tempelhof gefolgt. Mit größter Anteilnahme folgte er den Erklärungen, die ihm die Generaldirektoren *Bratz* und *Davidson* abgaben, und den Erläuterungen, die Meister *Lubitsch* als Herr von einem viertausend Köpfe zählenden Statistenheer machte. Im schlichten Arbeitsanzug, den Hals von keinem Kragen beengt, um die volle Gewalt der Stimme einsetzen zu können, häufig das Sprachrohr an den Lippen, stand dieser mit einigen Hilfsregisseuren und den Aufnahmeoperateuren auf einem hohen Holzstapel, auf einer

Art Scheiterhaufen, der glücklicherweise nicht loderte, und gebot den Massen. Der Durchblick auf die Westminsterabtei, die bunten Menschenmassen, der Festzug, in dem die Geistlichkeit im Ornat, die gewappnete Ritterschaft, der Adel in großem Prunk, die Hofdamen in vollem Staat einherschritten, ergaben zusammen ein sehr farbenfrohes und belebtes Bild, das auch auf dem Zelluloidstreifen seine Wirkung tun wird. *Henny Porten* ist Anna Boleyn. *Jannings* ist Heinrich VIII. Sie in mädchenhafter Unschuld und Lieblichkeit, er mit dem Ausdruck brutaler Sinnlichkeit und herrischen Selbstbewußtseins.

Ein Prestigefilm! Er soll dem Ausland zeigen, was die deutsche Filmindustrie für Fortschritte gemacht hat. Wir hoffen, daß es der

Besuch bei Anna Boleyn: *Reichspräsident Friedrich Ebert (links), Paul Davidson (Mitte), Henny Porten und Emil Jannings (in Kostümen), Ernst Lubitsch (über allen), Hanns Kräly (rechts)*

Fall sein wird. Henny Porten, angestrengt von der dauernden Arbeit, aber entzückend in ihrem durch nichts besiegbaren Charme, saß, bis die Reihe an sie kam, in ihrem Automobil, von Bewunderern umschwärmt.

Mit den Hauptdarstellern wechselte der Reichspräsident herzliche Worte. [. . .] Eberts Erscheinen rief unter dem Statistenheer große Bewegung hervor.»

2 *Anna Boleyns Trousseau*

«Beim Federballspiel, das damals so in Mode war wie etwa heute das Tennisspiel, erscheint die jugendschöne Anna Boleyn in lila Damast, silberdurchwirkt. Der kostbare Stoff breitet sich über ein Unterkleid aus altrosa Seide mit Goldspitzen, die reich mit Steinen bestickt sind. Die der Zeit entsprechenden Hängeärmel sind hermelinverbrämt, den Ausschnitt säumt ein spanischer Kragen ein, eine weiße Stuarthaube mit Gold und Spitzen umramt das Gesicht. Besonders schöner Rubinschmuck ziert das Ganze. Auch bei einem Reiterturnier erscheint Anna Boleyn mehr malerisch als sportgerecht. Grüner Moiree mit Damastmustern und Zobelbesatz bilden das Material, während Unterkleid, Ärmel und Passe aus goldgelbem Damast sind. Um

Paul Eipper besuchte die Dreharbeiten zu Anna Boleyn zusammen mit dem Maler Lovis Corinth. Zitat aus dem Buch «Ateliergespräche mit Liebermann und Corinth» (München 1971): «Der Rittersmann ist Paul Hartmann, die Frau neben ihm ist Henny Porten. Vor den beiden sitzt auf einem roh gezimmerten Hocker Ernst Lubitsch in Hemd und Hose und führt Regie. Das heißt, er schreit, schreit die Schauspieler derart an, daß sie aus Angst alles genau so machen, wie er es befiehlt. Dazu wimmert die Geige. ‹Fertig!› kommandiert der Regisseur. Der Operateur hört zu drehen auf, sein Gehilfe am anderen Apparat tut das gleiche. Der Beleuchter schaltet die Lichter aus, die Geigen hören auf, das Klavier gibt noch einen Ton und auch das Harmonium verstummt. Schon aber kommandiert Lubitsch, ohne seine Stimme zu mäßigen: ‹Das Ganze noch einmal!› Über Henny Porten flammen dreimal vier Jupiterlampen auf, links und rechts von ihr stehen zwei andere und vorn in Augenhöhe zwei weitere. Bläuliches Licht zischelt und fließt über die unnatürlich geschminkten Gesichter der Schauspieler, die Musik setzt wieder ein, Lubitsch kommandiert ‹Ruhe!› und schreit von neuem: ‹Hartmann, faß ihre Hand höher, fester, Porten abwenden! Hartmann zupacken! einreden! fest packen! Kopf zurück, Porten! Er sagt dir was, du freust dich, wehrst ab, Hartmann greif zu, heftiger, heftiger! Du liebst sie, du zitterst, dein Mund flüstert, Porten werde ängstlich! Jetzt Hartmann, auf die Knie! – Gut! Licht aus!› Die Musik schweigt, und der Regisseur macht noch einen Knopf an seinem Hemd auf.»

den Schoß des Leibchens schlingt sich eine besonders schöne, mit Steinen geschmückte Almosenkette, in der Hand trägt sie einen prunkvollen Stabfächer. Und das tiefe Dekolleté dieses ‹Sportkleides› zeigt den schönen schlanken Hals, der so bald dem Scharfrichter zum Opfer fallen muß.»

SUMURUN, Lubitschs Hommage an Max Reinhardt, hatte im Juli 1920, als ANNA BOLEYN gedreht wurde, in Berlin Premiere. Als buckliger Narr spielte Lubitsch in diesem Film seine letzte Rolle.

3 *Was* ANNA BOLEYN *kostet*

«Einige Ziffern, die eine beredte Sprache sprechen, mögen die gewaltige Arbeit des ‹Anna Boleyn›-Films illustrieren. Zur Ausführung der Bauten wurden ständig beschäftigt 14 Poliere, 200 Zimmerleute, 400 Stukkateure, Spanner, Bildhauer etc. Die historisch treue Nachbildung der Westminster-Abtei erforderte 380 Skulpturen. Zu einem Reiterturnier wurden 500 Pferde verwandt und 4000 Menschen zu Fuß und Roß wirkten mit. Für Frau Henny Porten waren 16 Kostüme nötig, für Herrn Jannings 10. Die Kosten eines Tages sind mit einer halben Million Mark eher zu niedrig als zu hoch gerechnet. Man muß erwarten, daß der Film, in dem eine derartige Leistung an deutscher Arbeit, künstlerischem Können und Kapitalkraft steckt, eine Sensation für die ganze Welt wird.»

Der Film wird am 14. Dezember 1920 als Wohltätigkeitsveranstaltung des Vereins Berliner Presse erstaufgeführt, und das sichert ihm zusätzliche Sympathien bei den Kritikern. Im Parkett sitzen Repräsentanten der Kunst, des Staates (Bürgermeister, Minister, Polizeipräsident), der Gesellschaft. Es ist wie in der «guten alten Zeit».

Kurt Pinthus: Anna Boleyn; in: Das Tage-Buch vom 31. 12. 1920.

Kurt Pinthus schreibt in seiner → Kritik: «Sicher wird dergleichen nur in Deutschland so tadellos inszeniert. Ich habe immer das Gefühl, bei Reinhardt wie bei Lubitsch, daß wir jetzt im Theater und Film die Vorzüge der alten militärischen Epoche einheimsen. Die Massenszenen können nur bei einem manövergeübten Volke so stramm durchgeführt werden. [. . .] Vor der Aufführung dachte ich: Die Zeit der großen Massenfilme sei vorüber. Das glaube ich nicht mehr. Gerade die so ausgezeichnet bewegten Massenszenen entscheiden den Erfolg der ANNA BOLEYN bei uns – und bei den amerikanischen Vertretern. Im Grunde wird *der* Film bei uns gespielt werden, der sich in Amerika am leichtesten absetzt. Wenn es wahr ist, daß ANNA BOLEYN, wie man mir erzählte, für 200 000 Dollar, das sind 14 Millionen Mark, nach Amerika verkauft worden ist, dann sind die sieben oder acht Millionen Herstellungskosten (mir kommt es auf eine Million nicht an) bloß durch Amerika mehr als gedeckt und das Geschäft in Deutschland, Südamerika, Europa bleibt als angenehmes Plus daneben. Deshalb bekommen wir noch eine Serie historischer Filme.»

Eine ganz andere Meinung vertritt Hanns Heinz Ewers. Sie ist – mit einer Erwiderung von Lubitsch – im Kapitel «Dokumente» zu lesen (S. 92 ff.).

Passion

Am 12. Dezember 1920 wird MADAME DUBARRY als erster deutscher Film nach dem Weltkrieg in New York herausgebracht. Erfolgreiche Voraufführungen haben gezeigt, daß es möglich sein würde, mit diesem Film die Blockade des Publikums und der Presse gegenüber Filmen aus Deutschland zu durchbrechen. Der Plan, MADAME DU-

BARRY als italienische Produktion zu kaschieren, wird schnell aufgegeben, das Herkunftsland und die Mitwirkenden werden in den Vorankündigungen allerdings verschwiegen. Der Film bekommt in den USA den Titel *Passion*, weil die Fox-Film Corp. einen amerikanischen Dubarry-Film angekündigt hat (der dann aber nicht gedreht wird). Die «New York Times» macht sich immerhin Gedanken über den Import aus Deutschland, findet dann aber: «Die Herkunft von *Passion* darf als entschuldigt gelten, weil sein Star eine Polin ist und sein Sujet französisch.» – «Variety», die einflußreiche Fachzeitschrift der Filmwirtschaft, polnisiert den Regisseur zu «Emil Subitch». Das Publikum strömt – von allen völkerpsychologischen Spannungen unbeeinflußt – ins Kino und macht den Film zu einem großen Erfolg.

Ernst Lubitsch, gezeichnet von Corinth

Vierzehn Tage nach der amerikanischen Premiere heißt es in der «New York Times»: «Als der Film Mitte letzten Jahres in Berlin fertiggestellt war, wären die deutschen Produzenten froh gewesen, wenn sie für die amerikanischen Rechte 10 000 $ bekommen hätten. Für 40 000 $ haben sie den Film in diesem Jahr nach Amerika verkauft. Vorsichtig geschätzt liegt der Wert der Rechte heute bei 500 000 $.» Kein Wunder, daß Lubitsch-Filme von nun an in Amerika einen Markt haben. ANNA BOLEYN wird unter dem Titel *Deception* im April 1921 in New York erstaufgeführt, CARMEN unter dem Titel *Gypsy Blood* im Mai, SUMURUN unter dem Titel *One Arabian Night* im Oktober. Andere deutsche Filme kommen im Windschatten dieser Erfolge nach USA, zum Beispiel *Das Cabinet des Dr. Caligari* im April und *Der Golem* im Juni 1921.

Man möchte fast von einer amerikanischen Leidenschaft für den deutschen Film in dieser Zeit sprechen. Mit Sicherheit gibt es eine Leidenschaft für Ernst Lubitsch und für seine beiden Stars Emil Jannings und Pola Negri.

Starlaunen

Der «Film-Kurier» am 18. 1. 1921: «Künstlerlaunen sind etwas Alltägliches. Bei Frau Henny Porten scheinen sie aber das Maß des Gewöhnlichen zu überschreiten. Sie hat sich den noch drei Jahre laufenden Vertragsverpflichtungen gegenüber der ‹Ufa› durch ihren Gründungsvertrag mit der Gloria-Film-Ges. zu entziehen versucht, sich aber damit wenigstens einverstanden erklärt, noch in dem Lustspiel ‹Die tolle Rischka›, das Lubitsch inszeniert, die Hauptrolle zu spielen. Auch diese Vereinbarung scheint ihr unbequem geworden zu sein. Henny Porten, die schon längere Zeit in Garmisch-Partenkirchen weilt, ist trotz rechtzeitiger Verständigung zu den Aufnahmen dieses Lustspiels, die schon in der ersten Januarhälfte beginnen sollten, *nicht* in Berlin eingetroffen. Eine Verschiebung der Aufnahmen war notwendig. [. . .] Jedenfalls hat Lubitsch das Klügste getan, was in einem solchen Fall zu tun war: Er hat ihre Rolle Pola Negri angetragen und diese hat mit den Filmaufnahmen zur ‹Tollen Rischka› bereits begonnen.»

Der Film heißt dann DIE BERGKATZE und wird ein Mißerfolg beim Publikum. Lubitsch hat mit seiner Satire auf Militarismus und Krieg den Zeitgeist offensichtlich falsch eingeschätzt, die Zuschauer können über die durch den Schnee purzelnden Operettensoldaten noch nicht richtig lachen.

Lubitsch und Davidson, 1921

In die Schlagzeilen geraten Lubitsch und sein Produzent Davidson

Paul Davidson

«Lebenslauf: Als Sohn des Kaufmanns M. Davidson am 30. März 1871 in Loetzen (Ostpreußen) geboren, besuchte ich das dortige Gymnasium, trat dann mit 16 Jahren in die Kaufmannslehre ein, war längere Zeit in der Textilbranche tätig. Im Jahre 1905 gründete ich die Allgemeine Kinematographen-Gesellschaft m.b.H. in Frankfurt a. M. mit einem Stammkapital von 20 000 Mark, die sich hauptsächlich mit der Errichtung von Theatern befaßte. Im Jahre 1910 wurde die Gesellschaft in die Projektions-Aktiengesellschaft ‹Union›, in die erste Filmaktiengesellschaft in Deutschland, mit einem Kapital von 500 000 Mark umgewandelt und ging im Jahre 1918 in die Universum-Film Aktiengesellschaft auf. Während dieser Zeit gründete ich im In- und Ausland 56 Theater unter dem Namen U. T. 1906 errichtete ich das erste Theater in Mannheim mit Holzbänken und Orchestrion, im Jahre 1907 das erste große Theater in Berlin, und zwar das U. T. am Alexanderplatz. Ich war somit der Erste, der in den Großstädten Deutschlands Kinotheater errichten ließ. [. . .] Asta Nielsen erhielt durch mich den Weltruf, desgleichen Pola Negri, Ernst Lubitsch, Ossi Oswalda, Emil Jannings und Harry Liedtke. Henny Porten, Lotte Neumann, Ellen Richter, Lydia Salmonova, Jenny Hasselquist, Aud Egede Nissen, Gertrud Welcker, Dagny Servaes, Paul Wegener, Reinhold Schünzel, Heinrich Peer, Ernst Reicher, Victor Janson, Gunnar Tolnaes, Hermann Thimig, Alfred Abel, Jacob Tiedtke, Ernst Hoffmann, Urban Gad, Friedrich Zelnik, Georg Jacoby, Paul Ludwig Stein, Carl Wilhelm, Joe May, Max Mack, Hanns Kräly, Kurt Götz, Richard Oswald, [. . .] ferner Rochus Gliese, Guido Seeber, Karl Freund, Theodor Sparkuhl, Alfred Hansen, Rudolf Kurtz, Paul Leni, Kurt Richter, Ali Hubert, Ernst Stern, Erich Schönfelder, Prof. Reinhardt – sie alle haben unter meiner Direktive gearbeitet . . .»
(Kurt Mühsam und Egon Jacobsohn: Lexikon des Films. Berlin 1926)

in den ersten Monaten des Jahres 1921 – aber nicht im Zusammenhang mit diesem Film, sondern weil sie einen internationalen Coup landen. Sie kooperieren mit Amerika.

EFA

Im Dezember 1920 – MADAME DUBARRY hat gerade in Amerika Premiere, ANNA BOLEYN in Deutschland – erneuert der Generaldirektor → Paul Davidson nicht seinen zum Jahresende ablaufenden Vertrag mit der Ufa. Das erregt Aufsehen. Davidson erklärt, daß er beabsichtige, mit Ernst Lubitsch eine eigene Produktionsfirma zu gründen, die möglicherweise mit der Ufa zusammenarbeiten werde, vielleicht aber auch mit einem amerikanischen Konsortium.

Davidsons Entscheidung hat Hintergründe: Erstens wird sein finanzieller Spielraum als Produktionschef der Ufa durch den ständigen Währungsverfall der deutschen Mark geringer. Zweitens werden ihm persönlich und den von ihm betreuten Ufa-Künstlern (unter anderem Lubitsch, Negri, Jannings, Wegener, Liedtke) aus Amerika finanziell interessante Avancen gemacht. Also befreit sich Davidson von der Ufa.

Der Erfolg von MADAME DUBARRY in den USA ist vor allem ein Verdienst der Filmkaufleute Samuel Rachman und Ben Blumenthal, deren Firma Hamilton Theatrical Corp. mit dem Lubitsch-Film ein überraschendes Geschäft macht. An Rachman/Blumenthals Firma ist zur Hälfte auch die große Produktionsgesellschaft Famous Players-Lasky Corp. beteiligt (Direktor: Adolph Zukor), die nun ein starkes Interesse an Geschäftsverbindungen mit deutschen Partnern entwikkelt. Im Frühjahr 1921 – und das macht Schlagzeilen – wird die Gründung der «Europäischen Film-Allianz» (EFA) samt einer EFA-Finanzgesellschaft bekanntgegeben; den Vorsitz im Aufsichtsrat soll der Vizepräsident der Famous Players-Lasky Corp. führen, für das Präsidium sind die früheren Ufa-Generaldirektoren Davidson und Bratz vorgesehen. Gleichzeitig kommt es zur Gründung verschiedener Tochterfirmen, die für die EFA produzieren sollen, zum Beispiel der J. M. Film GmbH (die kurz danach in Joe-May-Film GmbH umbenannt wird) und der E. L. Film GmbH, die wenig später Ernst-Lubitsch-Film GmbH heißt. Geschäftsführer dieser beiden Tochterfirmen ist Isaac Blumenthal, ein Bruder des oben genannten Ben Blumenthal.

Das EFA-Präsidium erklärt, mit der Ufa freundschaftlich kooperieren zu wollen, aber die Kommentare der Branche zur Gründung des neuen Filmkonzerns klingen, was die deutschen Belange betrifft, skeptisch; es wird auf den Widerspruch zwischen anspruchsvollem Namen (Europäische Film-Allianz) und erkennbarer Interessenlage (Einkauf deutscher Filmkünstler für den amerikanischen Markt) hingewiesen.

Der erste Film, der für die EFA produziert wird, ist DAS WEIB DES PHARAO, hergestellt von der Ernst-Lubitsch-Film GmbH. Die Aufnahmen beginnen im Juli 1921.

Inflationskino

August 1921. Zu den Außenaufnahmen des Films DAS WEIB DES PHARAO im Südosten Berlins werden in- und ausländische Pressevertreter eingeladen. Sie dürfen die große Schlacht zwischen den Ägyptern und den Äthiopiern beobachten. → «Der Kinematograph» berichtet:

«Das Terrain in den Gosener Bergen ist geradezu ideal für den Zweck: ein kleiner Talkessel von Sandbergen umgeben. Auf der Talsohle hat sich das Heer des Pharao etabliert mit Zelten und Streitwagen. Oberhalb der Hänge warten die Äthiopierscharen auf den Befehl zum Angriff. In einer Ecke bläht sich die zitronengelbe Hülle eines Fesselballons, der einem Operateur als Standort dient, an den Hängen stehen flaggenbewaffnete Winker, um die Signale zu übermitteln. Es klappt alles tadellos [. . .]. Nur eine Probe, bei der bereits eifrig gedreht wird, und eine Aufnahme von je 5 Minuten Dauer. Ein

Im Schneideraum. Lubitsch (links) und sein persönlicher Assistent Heinz Blanke (rechts) bei der Arbeit an Das Weib des Pharao

teurer Spaß, wenn man bedenkt, daß sich die Kosten für diesen Aufnahmetag auf etwa ¾ Millionen belaufen.

Ein einziger Mißton wurde in die Harmonie des Tages durch die Statisten gebracht, die gleich bei der Ankunft anstatt des ausgemachten Honorars von 60 M. 100 M. pro Kopf verlangten und sich nicht eher zur Arbeit bequemten, bis das verlangte Mehrhonorar von Berlin geholt war. Dabei handelt es sich durchweg um Arbeitslose, die es verstehen, trotzdem ihre Arbeitslosenunterstützung zu beziehen. Der Vorfall ist charakteristisch, und es wäre wünschenswert, wenn wieder, wie früher, Soldaten bei solchen Gelegenheiten verwendet werden dürften, denen die Beteiligung an Massenaufnahmen jetzt leider untersagt ist.»

L. B. (Ludwig Brauner): Die Ägypterschlacht in den Gosener Bergen; in: Der Kinematograph vom 14. 8. 1921. Dort wird auch über die Aufnahmen auf dem Studiogelände berichtet: «Der weitaus größte Teil des Films wird auf dem speziell für diesen Zweck erworbenen Terrain der Ernst-Lubitsch-Film-Gesellschaft in den Rauhen Bergen in Steglitz gedreht. In dem kurzen Zeitraum von 4 Wochen entstand hier auf dem vollkommen wüsten, 120 000 qm großen Terrain eine ganze ägyptische Stadt. Als erstes wurde ein Wasseranschluß geschaffen und eine fliegende Wasserleitung konstruiert, die nach allen Richtungen hin Wasser direkt zuführte. Mehr als 200 Meter lange Zufahrtsstraßen wurden erbaut und eine umfangreiche Feldbahn gebaut. Fernsprechnetz und großzügige Feuerschutzanlagen vervollständigen die Anlage. Schon nach 14 Tagen standen die ersten Verwaltungs- und Unterkunftsgebäude sowie Lagerräume für die Baumaterialien, von denen allein an Bolzen und Nägeln ½ Million Mark gebraucht wurden. Unterkunftgebäude für mehr als 1000 Arbeiter wurden geschaffen, Garderoben, die mehr als 8000 Mitwirkende aufnehmen können, für die wiederum 6000 Gewänder in 84 Gruppierungen eigens angefertigt wurden. Dazu kamen Dunkelkammern und Hilfsgebäude für Requisiten usw. sowie ein umfangreiches Restaurationsgebäude. Etwas abseits erhebt sich dann die eigentliche Filmstadt, die von einer 20 m hohen Stadtmauer in einer Frontlänge von 70 m umgeben ist. Hier ist ein ganzes altägyptisches Viertel entstanden, bestehend aus etwa 50 Häusern, großen Ölmühlen, Getreidebehältern und ähnlichen historischen Gebäuden. Ferner hat man einen ‹großen Palast› sowie das Schatzhaus gebaut: ein ungeheurer Sphinxkopf von 29 m Höhe, dessen Ohr allein größer ist als drei aufeinanderstehende Menschen.»

Nach Amerika, zu Besuch

Mitte Dezember 1921 – Das Weib des Pharao ist fertiggestellt, ein Kreis Auserwählter hat den Film gesehen und war beeindruckt – fahren Ernst Lubitsch und Paul Davidson nach Amerika.

Heiligabend treffen sie in New York ein, werden dort von Vertretern der Filmindustrie und auch vom Bürgermeister gebührend be-

EFA-Konflikte

Die Europäische Film-Allianz (abgekürzt EFA oder E.F.A. oder Efa) geriet 1922 in Schwierigkeiten, die anschaulich von der Zeitschrift «Das Tage-Buch» dargestellt wurden: «[. . .] Sami Rachman, früher Varietéimpresario irgendwo in Galizien, betritt allein und mit selbstherrlichen Vollmachten Berlin, belegt eine Flucht im schönsten Hotel [. . .]; er schließt neue Verträge, kauft Manuskripte, er verbietet Davidson und Lubitsch den Eintritt in ihre Büros, er beschimpft, besticht, putzt herunter, schmiert, verkracht sich mit jedem, hält bald sieben Rechtsanwälte mit Beleidigungs- und Zivilprozessen in Atem, schmeißt das Geld delierend zum Fenster hinaus, treibt es bis zum Bruch mit seinen amerikanischen Kollegen und wird schließlich aus einem wüsten Tohuwabohu nach Amerika zurückgerufen. An seiner Stelle erscheint Herr Blumenthal mit dem Bruder Ike, und es wird verkündet, daß nun ‹eine Periode sachlicher Arbeit› anheben soll. Aber es ist nur noch wenig zu arbeiten geblieben! Reinhardt denkt gar nicht daran, ‹Das verlorene Paradies›, das der Welt größter Film werden soll, auch nur anzufangen. Pola Negri hat sich bereits nach Amerika engagieren lassen, Wegener macht seine Films mit einer bayerischen Gesellschaft, Joe May hat unbegrenzten Urlaub genommen, dreht eigene, nicht Efa-Films. Und Lubitsch? Nun, Lubitsch's funkelnde Augen erspähten schon frühzeitig das kommende Verhängnis; er, der als einziger gearbeitet und DAS WEIB DES PHARAO fertiggestellt hatte, er war mit Davidson schon vor dem Rachmankrach vorsorglich nach Amerika gereist und hatte sich dort bestätigen lassen, daß seine Gesellschaft von der Efa überhaupt unabhängig und direkt der Hamilton Corporation unterstellt sei. Und so erlebte die Welt die Überraschung, daß der einzige in all der Saus-und-Braus-Zeit wirklich fertiggestellte Efa-Film schließlich gar nicht als Efa-Film in die Öffentlichkeit kam! [. . .]» (Leopold Schwarzschild: Die Vertreibung der Efa aus dem Paradies; in: Das Tage-Buch, 18. 11. 1922).

grüßt. Lubitsch – angekündigt als «Griffith von Europa» – verhandelt über eine Regiearbeit in den New Yorker Studios von Famous Players, aber der Plan zerschlägt sich. Es bleibt zunächst bei Gesprächen, bei Besuchen festlicher Filmpremieren (*Orphans of the Storm* von D. W. Griffith und *Foolish Wives* von Erich von Stroheim), bei einer Abnahmevorführung von DAS WEIB DES PHARAO für die leitenden Herren der Famous Players.

Ein Besuch in Hollywood wird geplant, die Teilnahme der beiden deutschen Gäste an der Uraufführung von DAS WEIB DES PHARAO gilt als selbstverständlich. Aber Lubitsch und Davidson brechen ihren Aufenthalt in Amerika Mitte Januar unvorhergesehen ab. In einem Interview mit «Variety» begründet Lubitsch die plötzliche Abreise mit unfreundlichen Telefonanrufen und Drohbriefen, die er erhalten habe. Hinzu kommt, daß es zwischen Rachman/Blumenthal, den Anteilseignern der Hamilton Theatrical Corp., die ja auch in der EFA und bei deren Töchtern engagiert sind, und der Firmenspitze von Famous Players-Lasky Corp. Zwistigkeiten gibt, die Lubitsch und Davidson zu direkten Vertragsvereinbarungen mit dem amerikanischen Konzern veranlassen. Mit einigen Absicherungen in der Tasche kommen die beiden nach Deutschland zurück.

DAS WEIB DES PHARAO wird am 21. Februar in New York uraufgeführt – der Erfolg ist außerordentlich. Am 14. März hat der Film in Berlin Premiere. Was drei prominente Kritiker jener Zeit darüber denken, kann man an anderer Stelle nachlesen (S. 98 ff.).

Pläne und ein letzter Film

Noch vor der Abreise von Ernst Lubitsch nach Amerika ist von der EFA angekündigt worden, daß er nach seiner Rückkehr zunächst für die Harry-Liedtke-Film-Gesellschaft einen «im wesentlichen lustigen Film» machen werde; dann sei ein großer Film mit einer bekannten amerikanischen Filmschauspielerin geplant, die bereits in Berlin geweilt habe. Nach Lubitschs Rückkehr ist die Rede von «einem großen Film aus der kostümprächtigsten Zeit Spaniens», der den Titel «Karneval in Toledo» tragen werde. Ferner wolle der Regisseur eine moderne Komödie inszenieren.

Wie bei so vielen Plänen von Ernst Lubitsch (S. 222 f.), werden diese Ankündigungen nicht eingehalten. Statt dessen dreht Lubitsch im Frühsommer 1922 ein Kammerspiel mit Pola Negri und Hermann Thimig: DIE FLAMME. Die Produktion wird von Paul Davidson geleitet und vereint noch einmal bekannte Mitarbeiter: den Autor Kräly, die Kameramänner Sparkuhl und Hansen, die Architekten Richter und Stern, den Kostümbildner Hubert – und viele an Lubitschs Filmen eng Beteiligte, die in den Credits nie genannt werden.

Die Uraufführung findet im Januar 1923 in Wien statt, weil EFA und Ufa durch einen Rechtsstreit eine Berliner Premiere bis in den September 1923 verzögern. Da ist Ernst Lubitsch schon in Amerika.

Die erste Ehe

Am 23. August 1922 heiraten in Berlin der Regisseur Ernst Lubitsch und die Schauspielerin Irni (Helene) Kraus. Sie ist die Witwe eines Soldaten, der im Weltkrieg gefallen ist, und bringt zwei Söhne in ihre zweite Ehe mit.

Sie spielt nie eine Rolle in einem Lubitsch-Film, und es scheint, als habe ihr Mann auch jede Bemühung, anderweitig als Schauspielerin beschäftigt zu werden, erfolgreich sabotiert. Also spielt sie Frau Lubitsch.

Im Juni 1930 – ich greife vor – erzählt sie der «New York Times»: «Zu 99 Prozent ist mein Mann mit seiner Arbeit verheiratet, da bleibt nicht viel Zeit für zu Hause», und reicht die Scheidung ein.

Die Ehe geht freilich nicht so moderat zu Ende. Verschiedene amerikanische Zeitungen berichten im Oktober 1930, der Autor → Hanns Kräly habe Helene Lubitsch auf einen Wohltätigkeitsball begleitet. Lubitsch sei über das Auftauchen der beiden in solche Erregung geraten, daß er gegen seinen Freund und langjährigen Autor tätlich geworden sei. Kräly und Helene Lubitsch hätten daraufhin ihre Heirat angekündigt (die dann aber nie stattfand), und Lubitsch habe erklärt, sein Freund sei schuld an der Zerstörung seiner Ehe.

Die Affäre kann man sich als reale Szene vorstellen und – noch besser – als Szene in einem Lubitsch-Film, in einer dieser Dreiecksgeschichten mit offenem Ausgang, bei denen nur eins unzweifelhaft festgestellt wird: daß die Ehe jeder Liebe schadet. Die Pointe der realen Szene ist freilich nicht sehr amüsant: Kräly hat für Lubitsch nie wieder ein Drehbuch geschrieben.

Aber zurück zur Chronologie, ins Jahr 1922.

Hanns Kräly (1885–1950)
Als Autor hatte er einigen Anteil am Erfolg der Lubitsch-Stummfilme. Nach der Trennung gelang es ihm nicht, in Hollywood kontinuierlich beschäftigt zu werden. Er schrieb drei Drehbücher für Lewis Milestone, zwei Treatments für Henry Koster und einzelne Gelegenheitstexte. Für das Drehbuch zu THE PATRIOT bekam er 1929 einen «Oscar». In seinen letzten Lebensjahren war er praktisch arbeitslos.

Abschied von Deutschland

Am 2. Dezember 1922 verabschiedet sich Ernst Lubitsch von Kollegen und Freunden, unter ihnen Emil Jannings und Paul Davidson, die in aller Frühe zum Lehrter Bahnhof gekommen sind. Lubitsch fährt wieder nach Amerika. Die Schauspielerin und Produzentin Mary Pickford hat ihn eingeladen, nach Hollywood zu kommen und für sie einen historischen Film zu inszenieren. Hauptrolle: Mary Pickford. Die Dreharbeiten sollen bereits im Januar 1923 beginnen.

Manches deutet darauf hin, daß es sich nur um ein Gastspiel handeln soll. Im November, als Lubitsch seine Amerikareise plant, löst sich Paul Davidson mit einer angemessenen Dollarabfindung aus seinem Vertrag mit der EFA und verhandelt mit Emil Jannings über die Gründung einer Produktionsfirma, in die Ernst Lubitsch, nach seiner Rückkehr aus Amerika, als dritter Gesellschafter eintreten soll. Lubitsch ist noch gebunden an Famous Players und läßt sich für den geplanten Mary-Pickford-Film aus dem Vertrag beurlauben. Die Zeitungen sehen in Lubitschs Reise nach Amerika «einen großen Schritt auf dem Wege der künstlerischen Völkerannäherung». Niemand ahnt, daß es ein endgültiger Abschied ist, daß es nur noch zwei kurze Besuche in Deutschland geben wird.

Begleitet von seiner Frau und seinem persönlichen Assistenten Heinz Blanke fährt Ernst Lubitsch im Dezember 1922 von Bremerhaven nach New York. Er ist 30 Jahre alt. Seine letzte Adresse in Deutschland: Kufsteiner Straße 13, Berlin W. Auch das ist schon weit weg von der Schönhauser Allee.

Amerika-Reise
Der «Film-Kurier» am 24. 11. 1922: «Was bereits vor Monaten angezeigt, dann wieder dementiert oder als zweifelhaft bezeichnet wurde, ist nun doch Tatsache geworden. Ernst Lubitsch begibt sich zum zweitenmal nach Amerika. Diesmal freilich handelt es sich nicht um einen flüchtigen Besuch, der der Aussprache mit seinen Geldgebern gilt. Sondern wenn Ernst Lubitsch am 2. Dezember die Planken des Ozeanriesen in Bremerhaven betritt, rüstet er sich zu einem mehrmonatigen Aufenthalt in den Vereinigten Staaten [. . .]. An dieser Stelle wollen wir nicht verfehlen, Herrn Lubitsch angenehmen Aufenthalt in Amerika zu wünschen. Für den vollen Erfolg seiner Arbeit wird Ernst Lubitsch schon selbst sorgen.»

Zweiter Teil: Amerika (1923–1947)

Ankunft

Hollywood
Hollywood, Hollywood . . .
Fabulous Hollywood . . .
Celluloid Babylon,
Glorious, glamorous . . .
City delirious,
Frivolous, serious . . .
Bold and ambitious,
And vicious and glamorous.
Drama – a city-full,
Tragic and pitiful . . .
Bunk, junk, and genious
Amazingly blended . . .
Tawdry, tremendous,
Absurd, stupendous;
Shoddy and cheap,
And astonishingly splendid . . .
HOLLYWOOD!!
(Don Blanding)
Zitiert in Kenneth Angers
«Hollywood Babylon» (1975)

Ernst Lubitsch kommt in eine Stadt, die fast hundertprozentig vom Filmgeschäft lebt. Hier entstehen im Jahr rund 600 Filme, hier arbeiten und wohnen 80 000 Menschen; es ist eine eigene Stadt in der Stadt Los Angeles.

Hollywood an der Wende zum Jahr 1923. Es ist das Jahr, in dem Charles Chaplins *A Woman in Paris*, Cecil B. DeMilles *The Ten Commandments* und James Cruzes *The Covered Wagon* uraufgeführt werden.

Ernst Lubitsch kommt in eine Filmstadt, die vier Jahre nach dem Ende des Weltkriegs über ein florierendes Produktions- und Verleihsystem verfügt. Das Kapital und die Phantasie, die in diesem System zirkulieren, beherrschen inzwischen auch den Rest der Filmwelt. Ohne die Amerikaner, die ihren eigenen Kinomarkt zu 99 Prozent behaupten, läuft in den meisten anderen Ländern der Erde nichts; zwischen 60 und 90 Prozent der Filme in Europa, Asien und Südamerika stammen in dieser Zeit aus den USA.

Ernst Lubitsch kommt in eine Filmstadt, in der ein lebhafter Kapitalkampf stattfindet. Ältere und kleinere Filmgesellschaften machen Konkurs oder fusionieren, Produktionsfirmen legen sich eigene Verleihe zu und erwerben Kinoketten, Verleihe majorisieren Produktionsgesellschaften oder gründen solche, und Kinokettenbesitzer betreiben die vertikale Konzentration von unten, indem sie wiederum eigene Produktions- und Verleihfirmen aufmachen. Da ist es schwer, den Überblick zu behalten. Am besten hat man ihn auf der New Yorker Börse, wo Aktien der großen Filmgesellschaften gehandelt werden.

Am 23. Dezember 1922 kommt Ernst Lubitsch in Hollywood an.

Stoffwechsel

Das Gretchen-Kostüm für Mary Pickford, entworfen von Mitchell Leisen

Lubitsch kommt nach Hollywood, weil Mary Pickford, die inzwischen 29 Jahre alt ist, unter seiner Regie endlich eine erwachsene Frau spielen möchte. Sie hat ihm eine deutsche Übersetzung des Drehbuchs «Dorothy Vernon of Haddon Hall» von Waldemar Young geschickt. Lubitsch findet das Drehbuch – eine Romanze am Hof der Königin Elisabeth – langweilig. Er hat im Gepäck einen anderen Stoff mitgebracht, den er Mary Pickford schmackhaft machen will: «Faust», 1. Teil. Sie soll das Gretchen spielen, Lars Hanson den Faust. Mitchell Leisen entwirft bereits die Kostüme, Lubitsch macht Probeaufnahmen. Beim Lesen des Buchs entdeckt Mary Pickford, daß sie als Gretchen eine Kindsmörderin spielen würde – das will sie ihrem Publikum dann doch nicht zumuten. Lubitsch präsentiert einen weiteren Stoff, den er – unter dem Titel «Karneval in Toledo» – eigentlich noch in Deutschland realisieren wollte, ein Liebes- und Intrigenstück aus dem 19. Jahrhundert. Es kommt zum Kompromiß. Der amerikanische Autor Edward Knoblock bearbeitet das Buch, und Mary Pickford spielt eine spanische Straßensängerin: Rosita.

Die Zusammenarbeit zwischen Lubitsch und Pickford ist spannungsvoll. Herman G. Weinberg berichtet: «Einmal stürmte die Pickford aus dem Studio und schrie: ‹Türen! Er ist der Regisseur der

Rosita: *Arbeitsfoto mit Mary Pickford und Ernst Lubitsch*

Türen! Ihn interessieren nur die Türen!›» Es gibt auch Verständigungsprobleme: Lubitsch, der erst vor einem Jahr begonnen hat, Englisch zu lernen, arbeitet teilweise mit einem Dolmetscher. Er zweifelt schließlich selbst daran, daß hier seine Amerikakarriere beginnen könnte, bereitet sich auf die Rückkehr nach Deutschland vor.

Nach der ROSITA-Premiere im September 1923 schreiben die Kritiker «exquisite», «distinguished», «lovely», und der Film wird ein großer Erfolg. Nur Mary Pickford ist enttäuscht, weil es mehr ein Lubitsch- als ein Pickford-Film geworden ist. Später, in ihrer Autobiografie, schreibt sie «The worst picture, bare none, that I ever made.» Ein konkreter Plan, Lubitsch anschließend einen «Romeo-und-Julia»-Film inszenieren zu lassen (Hauptrollen: Fairbanks/Pickford), wird aufgegeben.

Lubitsch, der von Famous Players-Lasky Corp. an Mary Pickford Co. ausgeliehen worden war, hat seinen alten Vertrag im Juni 1923 einvernehmlich gelöst. Er ist nach Abschluß der Arbeiten an ROSITA frei, könnte nach Deutschland zurückkehren. Da erhält er ein Vertragsangebot für vier Jahre von der Firma Warner Bros.

Mary Pickford (1893–1979), das Mädchen mit den Ringellöckchen, wurde von den Amerikanern in den zehner und zwanziger Jahren geliebt, egal ob sie in Filmen von Griffith, DeMille oder Marshall Neilan die Hauptrolle spielte. Mary Pickford und ihr Ehemann Douglas Fairbanks wurden als Filmliebespaar weltberühmt. Zusammen mit Chaplin, Fairbanks und Griffith gründete Mary Pickford 1919 die Firma United Artists. Ihre Autobiografie («Sunshine and Shadow») erschien 1955.

Adolphe Menjou (1890–1963) galt jahrzehntelang als bestgekleideter Schauspieler in Hollywood. Lubitsch: «Wenn ein Schauspieler den Eindruck eines eleganten Lebemannes erwecken will, so genügt nicht nur seine seelische Ausdruckskraft, sondern auch die äußere Erscheinung muß sich mit dem darzustellenden Typ decken.» (Unsere Chancen in Amerika, 1924)
Menjou spielte in dem Lubitsch-Film A MARRIAGE CIRCLE eine Hauptrolle.

Warner Bros.
Vier Brüder – Harry, Albert, Sam und Jack – gründeten die Firma Warner Bros. Pictures im April 1923. Ihr erster erfolgreicher Star war ein Hund: Rin-Tin-Tin. Die Firma geriet – trotz der Verpflichtung von Ernst Lubitsch – in finanzielle Schwierigkeiten, rettete sich aber durch Einsatz und Gewinn beim Patentpoker um den Tonfilm. Mit *The Jazz Singer* (1927) begann der Aufstieg von Warner Bros. Da hatte sich Lubitsch aber schon anderswo etabliert. Die große Zeit dieses Studios waren die dreißiger und vierziger Jahre, mit Gangsterfilmen und Musicals, Biografien und Melodramen. Berühmte Regisseure bei Warner Bros. wurden dann Michael Curtiz, Raoul Walsh, Mervyn LeRoy, Busby Berke-

A Woman of Paris

An dieser Stelle – im Oktober 1923 – muß kurz von einem Film die Rede sein, den Lubitsch sieht und der ihn nachhaltig beeindruckt: *A Woman of Paris* von Charles Chaplin, ein Melodram, in dem Chaplin nur eine winzige Rolle spielt und das ganz unsentimental die leidvolle Geschichte eines französischen Liebespaares erzählt. Mißverständnisse, Zufälle, Irrtümer führen dazu, daß sich die Liebe zwischen einem armen Mädchen und einem jungen Maler, in die sich ein reicher Bonvivant eindrängt, nicht verwirklichen kann. Die Schönheit und Schlichtheit dieses Films, sein bildlicher Rhythmus und die Disziplin der Schauspieler (Edna Purviance, Carl Miller, Adolphe Menjou) begeistern Lubitsch: «I think *A Woman of Paris* ist a marvelous production. I feel an intelligent man speaks to me, and nobody's intelligence is insulted in that picture.» *A Woman of Paris* gehört zu den Lieblingsfilmen der intelligenten Kinobesucher der mittleren zwanziger Jahre. Kein Zweifel, daß Lubitsch von diesem Film profitiert.

Gesellschaftskomödien

Drei Jahre bleibt Ernst Lubitsch bei Warner Bros., bis August 1926. Fünf Filme dreht er für Jack und Sam Warner in dieser Zeit: 1924 THE MARRIAGE CIRCLE und THREE WOMEN; 1925 KISS ME AGAIN und LADY WINDERMERE'S FAN; 1926 SO THIS IS PARIS.

Außerdem leiht ihn die Firma 1924 an Famous Players-Lasky Corp. aus, für die er mit Pola Negri FORBIDDEN PARADISE inszeniert, einen großen Publikumserfolg.

Lubitsch hat bei Warner Bros. einen außergewöhnlichen Vertrag. Abgesehen von einer verhältnismäßig hohen Gage (60 000 Dollar pro Filmregie und Einspielbeteiligung) ist er auch in der Studioarbeit privilegiert. Er hat einen festen Stab, kann seine Stoffe relativ frei aussuchen und wird während der Dreh- und Schnittzeit von den Studiobossen nicht kontrolliert.

Die fünf Filme, die Lubitsch für Warner Bros. macht, haben einen stofflichen und stilistischen Zusammenhang. Es sind keine historischen Prunkfilme – für die man ihn eigentlich nach Amerika geholt hat –, sondern Gesellschaftskomödien; die Amerikaner nennen sie «sex comedies»: Sie erzählen Dreiecks-, Vierecks-, Fünfecksgeschichten, in denen quasi geometrisch Partnerschaften auf die Probe gestellt werden – durch Irrtum oder Täuschung, Verführung oder den Anschein von Verführung. Durchaus die Zensur im Hinterkopf, 1922 ist Will H. Hays als Präsident der Motion Pictures Producers and Distributors Inc. zum Sitten- und Geschmacksrichter berufen worden, entwickelt Lubitsch eine ironisch-spielerische Technik der Andeutung, der Aussparung, des indirekten Kommentars. Die Geschichten, in denen in der Regel die Frauen mit ihrer erotischen Sensibilität dominieren, bleiben dabei sehr übersichtlich. Sie funktionieren wie Boulevardkomödien, die durch die Kunst der Schauspieler und durch filmische Mittel (Kamera, Schnitt) veredelt werden. Wenig Zwischentitel werden benutzt: THE MARRIAGE CIRCLE hat 54, THREE WOMEN nur 42; durchschnittlich hatten Stummfilme damals mindestens 100.

Lubitsch arbeitet mit Schauspielern, die *filmisch* agieren: mit Ma-

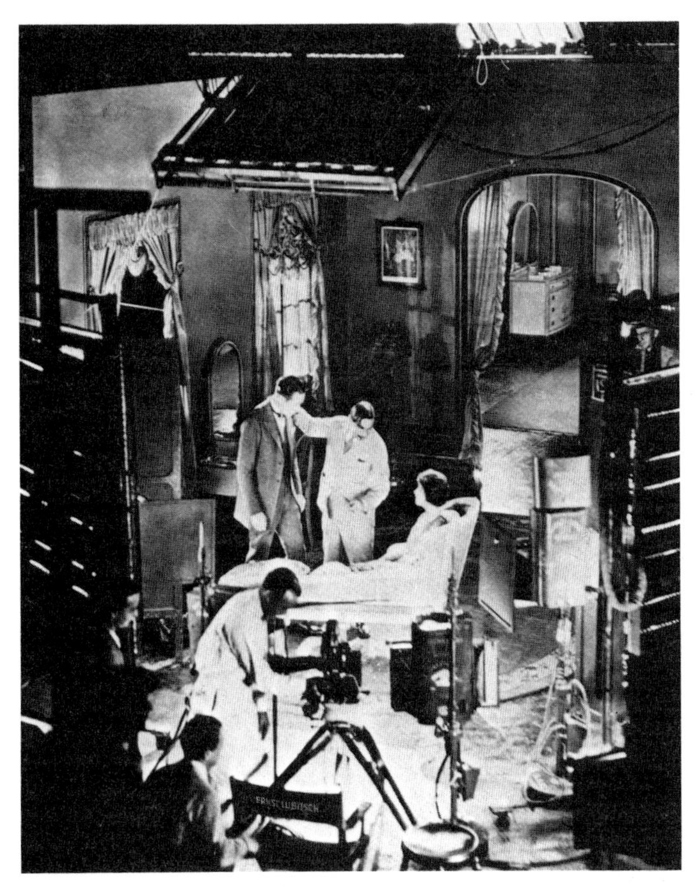

The Marriage Circle: *Arbeitsfoto*

rie Prevost (in THE MARRIAGE CIRCLE, THREE WOMEN, KISS ME AGAIN), Monte Blue (in THE MARRIAGE CIRCLE, KISS ME AGAIN, SO THIS IS PARIS), May McAvoy (in THREE WOMEN und LADY WINDERMERE'S FAN), Florence Vidor und Adolphe Menjou (in THE MARRIAGE CIRCLE), Pauline Frederick (in THREE WOMEN), Clara Bow (in KISS ME AGAIN), Irene Rich (in LADY WINDERMERE'S FAN). Die Nuancen dieser Darsteller und Lubitschs Kunst, ihre Gesten und Bewegungen mit Kostüm, Dekor und ausdrucksvollen Bilddetails zu verbinden – das macht die Schönheit der fünf Warner-Bros.-Filme aus, die ohne Ausnahme bei der Kritik und beim Publikum Erfolg haben.

1926 gehört Ernst Lubitsch, 34 Jahre alt, zu den Top-Regisseuren in Hollywood. «The Film Year Book 1927», herausgegeben von der Zeitschrift «Film Daily», kürt – auf der Basis einer Kritikerumfrage 1926 – die folgenden zehn Regisseure als die besten des Jahres: Herbert Brenon, Charles Chaplin, James Cruze, Cecil B. DeMille, David Wark Griffith, Rex Ingram, Ernst Lubitsch, Malcolm St. Clair, King Vidor, Erich von Stroheim.

Lubitsch bleibt als einziger auch in den folgenden vier Jahren auf der Liste.

ley, William Dieterle, auch Curtis Bernhardt. Zu den großen Stars gehörten Edward G. Robinson, James Cagney, Humphrey Bogart, Errol Flynn, Paul Muni, Bette Davis, Olivia de Havilland, Joan Crawford, Lauren Bacall. Auch der Schauspieler Peter Lorre, der Komponist Max Steiner und der Produktionschef Hal B. Wallis müssen erwähnt werden, wenn von Warner Bros. die Rede ist. Über das Studio gibt es ein schönes Bilderbuch von Clive Hirschhorn: The Warner Bros. Story, 1979.

Josef von Sternberg:

«Marie Prevost wurde der Star in Ernst Lubitschs Film MARRIAGE CIRCLE. Hier und in anderen Filmen erreichte der berühmte Regisseur eine Art des Andeutens, die als ‹Lubitsch touch› bekannt wurde. Die Grundidee dieser häufig amüsanten Manier bestand darin, daß jemand bei allem, was auch passierte, immer ein vergnügtes Augenzwinkern behielt und nie seine Kaltblütigkeit verlor. Wenn jemand zum Beispiel seine Ehefrau mit dem Nachbarn im Bett erwischte, so bürstete er dessen Hut sorgfältig ab, geleitete ihn zur Tür und bat ihn, gelegentlich doch wieder einmal hereinzuschauen. Wenn Lubitsch ernst war und sich keine kleinen Drolerien erlaubte, konnte er unglaublich schlechte Sachen machen, wie etwa THE MAN I KILLED. Wie die meisten Regisseure war er aus dem Stand des Schauspielers aufgestiegen (sein Buckliger in SUMURUN war wunderbar) und drehte eine große Anzahl von Filmen. Die meisten davon gefielen mir nicht. Er wußte das, und als man ihm eines Tages die Leitung des Studios übertrug, wo wir beide arbeiteten, beeilte er sich, mich so bald wie möglich zu entlassen. Nichtsdestoweniger mag ich alle jene Menschen, die die schwierige Aufgabe erwählt haben, andere zu führen, und ich entzog ihm diese Zuneigung auch nicht, als er törichterweise seine Regiekarriere aufs Nebengleis schob und stattdessen andere Regisseure, mich eingeschlossen, kommandieren wollte.»

(Ich Josef von Sternberg. Erinnerungen. Velber bei Hannover 1967)

Freizeit und Arbeit

Arnold Höllriegel: Hollywood Bilderbuch. Mit 59 Bildern. Leipzig, Wien 1927. Höllriegels Reportagen waren zuvor im «Berliner Tageblatt» erschienen.

Aus einer → Reportage über die Filmstadt Hollywood: «Bevor Ernst Lubitsch einen neuen Film zu machen beginnt, lebt er gemächlich und ein wenig träge in seinem schönen Haus in der Villenvorstadt Beverly Hills. Dieses Haus ist ein Gebäude im sogenannten Kolonialstil, mit weißen Säulen und einem smaragdgrünen Dach. Der prächtige Garten umgibt ein großes Schwimmbassin, und an den Sonntagen empfängt Lubitsch seine Gäste gerne hier, im Bassin. Aber es wird auch noch im Wasser vom Film gesprochen! Die Filmleute, die in diesem gastlichen Haus verkehren, die deutschen Regisseure Paul Leni und Paul Ludwig Stein, der treffliche Komiker → Charles Puffy, der Filmdichter Hanns Kräly, denken ja doch Tag und Nacht an das Eine: den Film.

Charles Puffy (1894–1942; eigentlich: Kàroly Huszár), war ein ungarischer Autor und Komiker, der 1923 nach Hollywood ging, in vielen Komödien mitspielte, von 1929 bis 1932 in Deutschland arbeitete (unter dem Namen Karl Huszar-Puffy) und schließlich über Ungarn wieder nach Amerika auswanderte.

Wenn Ernst Lubitsch mit den Vorbereitungen fertig ist und mit einem neuen Film beginnt, wird er ganz düster und krampfhaft, ein Besessener. Er ißt nicht mehr, er schläft nicht mehr, man erlebt es sogar, daß ihm die Zigarre ausgeht. Das Gesicht, das schon immer ein wenig napoleonisch war, wird förmlich tragisch unter dem Druck der Gedankenarbeit. Ernst Lubitsch ist derjenige Filmregisseur, der die meisten Einzelheiten finden muß, die meisten kleinen Züge und sprechenden Details. Denn er hat die Konversation durch Mienen erfunden, die gelächelten Dialoge, die mit der Geste der Hand gesprochenen Pointen.»

Studiowechsel

Im Frühjahr 1926, anderthalb Jahre vor Ablauf seines Vertrags mit Warner Bros., macht sich Lubitsch durch Verhandlungen mit Paramount zu einem Streitobjekt zwischen drei großen Studios. Warner Bros. bietet ihm einen Anschlußvertrag mit einer Regiegage von 150 000 Dollar pro Film. Lubitsch soll als nächstes einen Kostümfilm drehen, aber er interessiert sich mehr für eine Verfilmung von Samson Raphaelsons Broadwayhit → «The Jazz Singer». Lubitsch einigt sich dann mit Paramount auf einen Dreijahresvertrag; er verpflichtet sich zu fünf Filmen und soll für jeden Film 125 000 Dollar Regiegage erhalten. Warner Bros. pocht jedoch auf Erfüllung des noch bestehenden Vertrags, und Metro-Goldwyn-Mayer will Lubitsch schließlich für einen Film bei Warner Bros. ausleihen. Der Kompromiß ist: Paramount und MGM zahlen gemeinsam eine Ablösesumme für Lubitsch an Warner Bros., der Regisseur inszeniert zunächst einen Film für MGM und beginnt dann die Zusammenarbeit mit Paramount.

The Jazz Singer wurde 1927 unter der Regie von Alan Crosland mit Al Jolson in der Titelrolle der erste amerikanische Tonfilmerfolg und sanierte die angekränkelte Firma Warner Bros.

Alt-Heidelberg

MGM hat sich den deutschen Regisseur mit Bedacht ausgesucht: Lubitsch soll «Alt-Heidelberg» inszenieren, das beliebte Kostümstück aus Operettendeutschland, die bittersüße Liebesgeschichte zwischen einer Wirtstochter und einem studierenden Prinzen in der romantischen Universitätsstadt. Hanns Kräly, Lubitschs treuer deutscher Autor, der ihm schon 1924 nach Amerika gefolgt ist (und sich hier Hans Kraly nennt), schreibt das Drehbuch nach dem Theaterstück von Wilhelm Meyer-Förster, benutzt aber auch Motive aus der

Operette «The Student Prince» von Dorothy Donnelly und Sigmund Romberg. Die Hauptrollen spielen Ramon Novarro, Amerikas berühmter Ben Hur, und Norma Shearer, die mit dem MGM-Produktionschef Irving Thalberg verheiratete Darstellerin.

Ein Telegramm von Lubitsch an seinen früheren Kostümbildner Ali Hubert in Deutschland: «Kaufe Kappen, Bänder, Bierzipfel, Kneipjacken, Cerevise für zweihundertundfünfzig Studenten aller Heidelberger Corps, volle Ausrüstung notwendiger Chargierter mit Fahnen für Festkommers, zwanzig Offiziersuniformen verschiedener Typen und Ränge, darunter ein Kürassieroffizier, Paradeuniformen mit Helmbüschen eines Zuges Infanterie, Paradeuniformen für sechs Artilleristen und Offizier, Paradeuniformen für Militärkapelle,

The Student Prince: *Alt-Heidelberg im MGM-Studio*

Hofuniformen für sechs Staatsminister, einen Hofmarschall, sechs Kammerherren, sechs Lakaien, sechs Kammerdiener, drei Kutscher, drei Leibjäger, ferner Uniformen für Stationsvorsteher, vier Stationsbeamte und Schaffner, sechs Kleinstadt-Polizisten, ein Polizeiwachtmeister, Zollinspektor, drei Heidelberger Polizisten, dreihundert alte Zylinderhüte, hundert Schülermützen verschiedener Klassen, Studentenschläger, Mensurausrüstung, vierhundert Bierseidel, Bierfilze, Requisiten für Studentenbuden, Reklameplakate, Brauereiplakate, Bücher mit Ansichten von Heidelberg, Kostüm-Werkstätte vorhanden, bevor kaufen kable Kosten.»

Lubitsch dreht in den MGM-Studios einen Ausstattungsfilm. Mit 32 Kisten voller Kostüme und Requisiten fährt Hubert nach Hollywood.

Adolf Höllriegel berichtet: «Ich komme ins Metro Goldwyn-Atelier an dem Tag, an dem der Herzog von Karlsburg sterben soll. Lubitsch dreht den ‹Alt-Heidelberg-Film›, und das große Filmgelände in Culver City sieht aus wie ein Stück romantisches Deutschland. Die Haupt- und Residenzstadt Karlsburg ist da, lieb und spießbürgerlich und gemütlich; und das Heidelberger Schloß, nur im Atelier gebaut, in einem der großen Schuppen, ein perspektivisch verkleinertes Heidelberger Schloß, aber ganz plastisch, jedes Baumblatt,

Metro-Goldwyn-Mayer

MGM entstand 1924 durch eine Fusion von Metro Pictures Corp., Goldwyn Pictures Corp. und Louis B. Mayer Pictures auf Initiative des Theaterkettenbesitzers Marcus Loew. Die Firmenpolitik wurde für Jahrzehnte von Louis B. Mayer bestimmt. Einigen Einfluß auf die Projekte hatte auch der Produktionschef Irving Thalberg (gestorben 1936). Mit den beiden Erfolgsfilmen aus dem Jahre 1925, *The Big Parade* (Regie: King Vidor) und *Ben-Hur* (Regie: Fred Niblo), verschaffte sich die Firma ein gutes finanzielles Fundament. In den dreißiger Jahren galt MGM als Amerikas reichstes und konservativstes Studio. Unter dem Motto «Mehr Sterne als am Himmel» kaufte die Firma Stars, die gut und teuer waren: Greta Garbo, John Gilbert, Norma Shearer, Clark Gable, Jeanette MacDonald, William Powell, Jean Harlow, Judy Garland, Katharine Hepburn, Spencer Tracy, Robert Taylor usw. Manche Künstler – wie Erich von Stroheim, Buster Keaton und die Marx Brothers – wurden von der Diktatur der Studioleitung zerstört. Zu den guten MGM-Regisseuren gehörten George Cukor, Vincente Minnelli, King Vidor. Den Stil der Filme prägten auch der Architekt und Ausstatter Cedric Gibbons, der Kostümbildner Adrian und die Beleuchter des Studios. Der berühmteste MGM-Film ist noch immer *Gone With the Wind* (1939), über den es viel zu sehen und zu lesen gibt in dem Buch «David O. Selznicks Hollywood» von Ronald Haver (deutsch 1981). «The MGM Story» von John Douglas Eames (London und New York 1975) enthält Texte und Bilder zu 1705 MGM-Filmen. Lubitsch drehte für MGM später noch THE MERRY WIDOW, NINOTCHKA und THE SHOP AROUND THE CORNER.

und, hinter einem dreifachen Schleier aus Drahtmaschen, so ungeheuer echt anzusehen und romantisch zugleich . . .

Wieder in einem anderen Schuppen sind die Innenräume des Karlsburger Fürstenpalais nachgebildet, in denen Karl Heinz zu Hause ist. Ich finde hier Lubitsch, der seinen Star Ramon Novarro vor das Bett des sterbenden Fürsten von Karlsburg postiert. Der junge Mexikaner, sehr jung und sehr liebenswert, steht vor dem Bett des Oheims ein wenig steif, in einem altmodischen prinzlichen Bratenrock und in einem rosa Hemd, das in der Photographie weiß aussehen wird, auf dem rosa überzogenen Sterbebett liegt der Fürst von Karlsburg, hager und aristokratisch, und Ernst Lubitsch, die erloschene Zigarre im Mundwinkel, läßt das Bild zum zehnten, zum zwanzigsten Male aufnehmen. Er pfeift ab: Mister Novarro soll jetzt die Hand ein bißchen mehr rechts auf das Kopfpolster legen. Wie wird *das* wirken? Kamera! Zum zwanzigsten Male leuchten die violetten Lichter auf, eine kleine Kapelle beginnt zu musizieren, denn niemals wird in Hollywood ohne Musikbegleitung gefilmt, der Stimmung wegen. Halt! Jetzt soll der Apparat näher heran, der Staatsminister, der neben dem Bett steht, soll sich ein wenig nach links bewegen [. . .]

Nochmals und nochmals und nochmals stellt er ein wenig um, verändert er den Winkel um einen halben Grad, legt die Hand des Schauspielers um zwei Zentimeter mehr nach rechts. Es entsteht schließlich ein Gebilde, das ganz von Ernst Lubitsch ist, in jeder winzigsten Einzelheit, die er gewollt und beachtet hat. Aber ein nie erlöschendes Lächeln mildert die disziplinäre Strenge, um so viel Ordnung schwebt dennoch ein romantischer Hauch.»

The Student Prince: *Ramon Novarro und Ernst Lubitsch in einer Drehpause*

Die beiden Zitate stammen von Ali Hubert (Hollywood. Legende und Wirklichkeit. Leipzig 1930) und Arnold Höllriegel (Hollywood Bilderbuch. Leipzig, Wien 1927).

So ganz überzeugt sind Lubitsch und das Studio von der Heidelberger Stimmung, hergestellt in Culver City, zunächst noch nicht. Im März 1927 gelten die Aufnahmen als abgeschlossen, eine Rohfassung wird hergestellt; im Mai geht Lubitsch auf eine Europareise, er soll eventuell in Heidelberg atmosphärische Nachaufnahmen für den Film drehen.

In Deutschland – zu Besuch

Am 22. Mai 1927 trifft das Ehepaar Lubitsch in Berlin ein. Der «Film-Kurier» berichtet, das Paar habe im Hotel Adlon Wohnung genommen und sei von zahlreichen Freunden stürmisch begrüßt worden. Zu Lubitschs Ehren finden verschiedene Festvorstellungen statt – die Ufa führt MADAME DUBARRY auf. Es gibt Fotos, die Lubitsch im Kreise alter Schauspielerkollegen zeigen.

Die Zeitschrift «Der Film» berichtet am 1. Juni: «Der Club der Filmindustrie hatte am Montag einen Begrüßungsabend zu Ehren Lubitschs veranstaltet. In den festlich ausgeschmückten Clubräumen hatten sich die bekanntesten und prominenten Vertreter der Deutschen Filmindustrie zusammengefunden. In unzähligen Ansprachen voller Glut und Begeisterung tat sich das Zusammengehörigkeitsgefühl kund, das alle Köpfe des deutschen Films eint und über nationale Grenzen hinweg sich zur internationalen Kunst des Films bekennt. [. . .] Er selbst saß mitten unter denen, die gekommen waren, freundlich, liebenswürdig, kameradschaftlich wie immer, prostete, sprach selbst Worte, die von Herzen kamen und zu Herzen gingen. Hinter ihm der Berliner Bär. Links die schwarz-rot-goldene Flagge der deutschen Republik, rechts das Sternenbanner der Vereinigten Staaten. Dies und seine Worte wollen wir zum freundlichen und bedeutsamen Symbol für die deutsche Filmkunst nehmen. → -tz.»

Im Juni spricht der Regisseur auf Einladung der Akademisch-Literarischen Gesellschaft zu Studenten der Universität Freiburg und macht Nachaufnahmen in Heidelberg, vor allem vom Schloß. Schauspieler sind nicht dabei.

Lubitsch fährt mit seiner Frau nach Wien, Budapest, → Leningrad, Paris. Am 15. Juli reist das Ehepaar nach Amerika zurück.

Am 18. Juli stirbt in einem Sanatorium bei München Paul Davidson an einem Herzschlag. → Willy Haas schreibt in seinem Nachruf: «Ob er die Zukunft des Films in ihrem ganzen Umfang vorausahnte? Müßige Frage. Er roch frische Morgenluft. Er hatte den flair dafür. Natürlich, er wollte auch gute Geschäfte machen; und er hat sie gemacht. Aber er hat sie so gemacht, daß er Talente entdeckte, die sich nachher die Welt erobert haben; daß er Ideen hatte, die ihm nachher die ganze Welt nachgemacht hat; daß er eine deutsche Großproduktion durch Vertikalaufbau vom Theater bis zum Atelier schuf – fünf Jahre vor der allgemeinen Konzernierung der deutschen Volkswirtschaft durch Stinnes und die Banken. Gelderwerb ist immer legitim, wenn er produktiv ein Stück Zukunft vorwegnimmt. Die Realwerte, die Davidson schuf, die künstlerischen wie die volkswirtschaftlichen, würden seinen Geldgewinn legitimieren, auch wenn er einer der reichsten Männer Deutschlands geworden wäre. Und das war er gewiß nicht . . .»

Als Paul Davidson beerdigt wird, fährt der, den er am meisten gefördert hat, mit dem Schiff über den Atlantik.

-tz. war Hans Walther Betz, der zehn Jahre später zusammen mit Carl Neumann und Curt Belling das Buch «Film-‹Kunst›, Film-Kohn, Film-Korruption» herausgab, eine der bösartigsten antisemitischen Schriften über die «Judenwirtschaft» im deutschen Film.
Über den Besuch in Leningrad berichtete später Sergei Jutkewitsch in seinem Buch «Kontrapunkt der Regie» (Berlin, DDR 1965, S. 402–404).

Willy Haas: Paul Davidson – seine Persönlichkeit; in: Film-Kurier vom 21. 7. 1927

Zu Paramount

Aus Europa zurückgekehrt, vollendet Lubitsch den Alt-Heidelberg-Film. Um einem Rechtsstreit mit dem Autor Meyer-Förster zu entgehen, entschließt sich MGM zur Umtitelung, statt «Old Heidelberg» heißt der Film nun THE STUDENT PRINCE (Untertitel: In Old Heidelberg). Man sagt, er habe 1,2 Millionen Dollar gekostet. Er wird ein mittlerer Erfolg, spielt aber die hohen Produktionskosten insgesamt nicht ein.

Im Oktober 1927 beginnt Lubitsch sein Engagement bei Paramount. Das erste Projekt führt zur Zusammenarbeit mit einem Schauspieler aus alten Zeiten: Emil Jannings. Er spielt für Lubitsch wieder eine der lüsternen Herrscherfiguren, den wahnsinnigen Zar Paul I.; der Film heißt THE PATRIOT. Jannings: «Meine größte künstlerische Leistung in Hollywood.»

Mit *The Way of all Flesh* (Regie: Victor Fleming) und *The Last Command* (Regie: Josef von Sternberg) hat Jannings für Paramount bereits zwei Erfolgsfilme gedreht, die ihm auch den ersten je an einen Schauspieler vergebenen Oscar eingebracht haben, während sein dritter amerikanischer Film, *The Street of Sin* (Regie: Mauritz Stiller), ein Reinfall wird. Lubitschs THE PATRIOT, hergestellt an der Schwelle zum Tonfilm, wird zunächst als Stummfilm gestartet und wenig später – gegen Lubitschs Willen – als «Talkie» mit Geräuschen, Musik und einigen Dialogen noch einmal herausgebracht. Beide Fassungen sind erfolgreich, für Jannings endet aber, nach zwei anschließenden Tonfilmversuchen, die Karriere in Hollywood. Er

Paramount
Paramount Famous Lasky Corp., entstanden aus der Fusion des Verleihs Paramount Pictures mit der traditionsreichen Produktionsfirma Famous Players-Lasky Corp., die ihre entscheidenden Impulse von dem Firmenchef Adolph Zukor und dem Regisseur Cecil B. DeMille erhalten hatte, galt als das vielseitigste, nicht von einem diktatorischen Manager beherrschte Studio. In den zwanziger Jahren prägten das Programm die Stars Pola Negri, Gloria Swanson, Rudolph Valentino, Clara Bow, später kamen Marlene Dietrich, Mae West, Claudette Colbert, Fredric March, Gary Cooper, Carole Lombard, Barbara Stanwyck hinzu und die Regisseure Billy Wilder, Preston Sturges, Mitchell Leisen, Frank Tashlin. Die frühen Filme der Marx Brothers entstanden bei Paramount und viele Filme von Jerry Lewis. Kostümdesignerin war jahrzehntelang Edith Head, für die Bauten zeichnete Hans Dreier verantwortlich. Lubitsch gehörte zu Paramount (die ab

1930 Paramount Publix Corp. und ab 1935 Paramount Pictures, Inc. hieß) elf Jahre, drehte zehn Filme für die Firma und war auch ihr Produktionschef – das allerdings nur für ein Jahr.

kehrt nach Deutschland zurück; sein Comeback ist dort *Der Blaue Engel.*

Sein letzter Stummfilm

ETERNAL LOVE, gedreht von August bis November 1928, wird Lubitschs letzter Stummfilm, der gleichzeitig auch mit Musik und Geräuschen in die Kinos kommt. Es ist ein Melodram aus den Bergen, mit zwei Paaren im Mittelpunkt, aus deren Emotionen sich eine dramatische Vierecksgeschichte entwickelt. In den kanadischen Rokky Mountains werden die Außenaufnahmen gemacht. Die schwierigen Winterszenen – Schnee spielt in diesem Film wieder eine große Rolle – gelingen allerdings besser in den Universal-Studios. Lubitsch macht den Film aber nicht für Universal, sondern für United Artists, an die er von Paramount ausgeliehen wird. Komplizierte Verhältnisse. John Barrymore, der romantische Draufgänger, spielt die Hauptrolle (deutscher Titel: «Der König der Bernina»), seine Partnerin ist eine blonde Deutsche: Camilla Horn, Murnaus Gretchen, die von 1928 bis 1930 in drei amerikanischen Filmen mitspielt.

Eternal Love: *John Barrymore und Ernst Lubitsch bei Winteraufnahmen in den Bergen.*

In den letzten Stummfilmjahren ist, gelockt durch konkrete Angebote oder in der Hoffnung auf Angebote, eine ganze Reihe deutscher Schauspieler und Regisseure nach Hollywood gekommen: zum Beispiel Paul Leni nach dem Erfolg des *Wachsfigurenkabinetts*, Friedrich Wilhelm Murnau nach *Tartüff* und *Faust*, Ewald André Dupont nach dem Erfolg von *Varieté* in Amerika, Berthold Viertel, Paul Ludwig Stein, Ludwig Berger, Lothar Mendes und die Schauspielerinnen und Schauspieler Lya de Putti, Pola Negri, Emil Jannings, Conrad Veidt, Victor Varconi, Rudolf Schildkraut. Sie sind keine politischen Emigranten, eher Glückssucher. Einige haben längerfristig Erfolg, andere kehren bald nach Deutschland zurück. Vor allem die Anforderungen des Tonfilms bringen die Deutschen in Hollywood an die Grenzen einer internationalen Karriere.

The Sound comes in

Der Tonfilm erreicht Lubitsch Mitte 1929 bei Paramount. Die Herausforderung wird von ihm sofort angenommen und als Genre produktiv gemacht: Lubitsch entwickelt eine eigene Form des Filmmusicals, bei der die Songs als emotionale Höhepunkte in die Handlung integriert sind und nicht als eigenständige «Nummern» mit Musik und Tanz quasi in einer Rahmenhandlung stattfinden. Lubitschs Musicals sind «Operettenfilme», sie stehen in einer europäischen Theatertradition; was sie «filmisch» macht, sind fließende Kamerabewegungen, durch Schnitte verbundene Parallelhandlungen, ist die Aufmerksamkeit für Details; ihr Gestus ist schönster Voyeurismus.

THE LOVE PARADE (1929) ist der erste gemeinsame Film von Maurice Chevalier, einem französischen Willy Fritsch, und Jeanette MacDonald, einer amerikanischen Lilian Harvey, die von Lubitsch für den Film entdeckt wird. Das Drehbuch stammt von → Ernest Vajda, der als Autor erster Nachfolger des in Ungnade gefallenen Hanns Kräly wird.

Ernest Vajda (1887–1954), ein Ungar, der als Broadwayautor erfolgreich war, schrieb zwischen 1925 und 1952 zahlreiche Stories und Drehbücher zu Hollywoodfilmen; er galt als Spezialist für ‹sophisticated romantic comedies›.

MONTE CARLO (1930) ist ein Jeanette-MacDonald-Film, mit Jack Buchanan, einem Engländer, der am Broadway Karriere gemacht hat, als Partner. Jeanette MacDonald singt in diesem Film das Lied «Beyond the Blue Horizon» – ein Lieblingslied von Lubitsch.

THE SMILING LIEUTENANT (1931) ist ein Maurice-Chevalier-Film; seine Partnerinnen in einer Dreiecksgeschichte sind Claudette Colbert und Miriam Hopkins, zwei Paramount-Stars. Das Drehbuch schreiben Ernest Vajda und der zweite Kräly-Nachfolger, → Samson Raphaelson: eine «Walzertraum»-Adaption.

ONE HOUR WITH YOU (1932) bringt MacDonald und Chevalier wieder als Paar zusammen. Das Drehbuch zu diesem Remake von THE MARRIAGE CIRCLE ist von Samson Raphaelson.

Eine Arabeske in der Musicalreihe sind Lubitschs Beiträge zu dem Episodenfilm *Paramount on Parade* (1930, mit Maurice Chevalier),

Samson Raphaelson (1896–1983), ein amerikanischer Anzeigenagent und Journalist, hatte seinen ersten großen Erfolg mit dem Broadwaystück «The Jazz Singer» (1925) das – siehe oben – auch verfilmt wurde. Raphaelson war von 1930 bis 1947 Lubitschs beständigster Drehbuchautor. 1948 erschien sein Buch «The Human Nature of Playwriting». Später war er Professor an der Columbia University. Eine Erinnerung an Lubitsch ist sein Text «Ein großer Künstler und Mensch» (S. 110 f.).

Dr. Erich Salomon fotografierte Ernst Lubitsch 1930 in seinem Büro bei Paramount in Hollywood. Salomon (1886–1944) war von 1928 bis 1933 einer der berühmtesten Fotojournalisten in Deutschland. Es gehörte zu seinen Spezialitäten, bei offiziellen Ereignissen die Protagonisten «in unbewachten Augenblicken» zu fotografieren. Er benutzte dazu die ersten Kleinkameras mit lichtstarker Optik für Momentaufnahmen aus freier Hand. Salomon wurde von den Nazis im Juli 1944 in Auschwitz umgebracht.

ein Nachzügler wird die MGM-Produktion THE MERRY WIDOW (1934).

Lubitschs Paramount-Filmoperetten nutzen viele Elemente des Tons: die Musik, den Dialog, das Geräusch – auch die Stille. Sie verzichten weitgehend auf Tanz und Show. Sie sind erlesen in den Kostümen (Travis Banton), opulent in den Bauten (Hans Dreier), europäisch in den Melodien (Victor Scherzinger, W. Franke Harling, Oscar Straus), originell in den Songs (Leo Robin/Richard Whiting). Lubitschs Musicals machen Schule. Rouben Mamoulians *Love Me Tonight* (1932) mit Maurice Chevalier und Jeanette MacDonald ist das schönste Beispiel dafür, was man von Lubitsch lernen konnte.

Zwischenspiele

Eine Episode in der Musicalphase: Paramount aktiviert – mit Blick auf die vielen am New Yorker Broadway beschäftigten Stars – Ateliers in Long Island City, New York: die Astoria-Studios. Lubitsch wird im August 1930 zum «Supervising director» der Unternehmung ernannt. In den Astoria-Studios wird im Feburar/März 1931 auch ein Lubitsch-Film gedreht, THE SMILING LIEUTENANT, ein Jahr später finden hier die Nachaufnahmen (für ein neues Ende) von ONE HOUR WITH YOU statt. Dann gibt Paramount die Ateliers wieder auf.

Die wechselvolle Geschichte des Astoria Studio an der Ostküste erzählt Richard Koszarski in dem Buch «The Astoria Studio and Its Fabulous Films: A Pictorial History» (New York 1983).

Eine zweite, wichtigere Episode ist der Film THE MAN I KILLED, die Adaption eines französischen Versöhnungsstücks, das die sogenannte Erbfeindschaft zwischen Deutschland und Frankreich thematisiert. Es wird ein ernster, gefühlvoller Film – es bleibt das einzige Melodram unter den Tonfilmen von Ernst Lubitsch. Um keine falschen Assoziationen an einen Gangsterfilm aufkommen zu lassen, titelt Paramount den Film nach der New Yorker Premiere in BROKEN LULLABY um. Die Kritik reagiert auf den Film zwiespältig, beim Publikum fällt er durch.

Neuer Vertrag

Edward Everett Horton (1886–1970) war ein großer ‹supporting actor› im Hollywoodfilm zwischen 1920 und 1968. Er spielte gern den dünkelhaften oder ängstlichen Ratgeber des Helden. Spezialität: Spätzündung. Horton über Lubitsch: «Er dachte als Regisseur immer an den Schauspieler. Er kannte seine Schauspieler ganz genau, und er holte aus ihnen etwas heraus, was ihnen selbst verborgen war. Er war ein Genie.» (Aus einem Interview von Herbert Rosenbaum und Harry Silverstein in: The Real Tinsel, New York 1970)

Bei den Dreharbeiten zu ONE HOUR WITH YOU gibt es einen Konflikt: Lubitsch, zunächst Supervisor der Produktion, ist mit der Arbeit des Regisseurs George Cukor nicht einverstanden und übernimmt selbst die Regie. Über die Credits im fertigen Film droht es zum Streit zu kommen, der aber schnell geschlichtet wird: Cukor wird nur als «Assistant director» bezeichnet und darf dafür bei RKO (Radio Keith Orpheum) einen Film inszenieren.

Im Februar/März 1932 schmiedet Ernst Lubitsch Zukunftspläne. Er ist vierzig Jahre alt, der Vertrag mit Paramount läuft aus. Columbia und United Artists werben um ihn. Er geht für einen Monat nach New York, um über Bühnenprojekte am Broadway zu verhandeln. Zur Debatte steht unter anderem eine Musicalversion des Schauspiels «The Czarina», das die Vorlage zu FORBIDDEN PARADISE gewesen ist. Ende März schließt Lubitsch einen neuen Dreijahresvertrag mit Paramount ab.

Sein erster Film der neuen Produktionsphase ist TROUBLE IN PARADISE mit Miriam Hopkins, Kay Francis, Herbert Marshall und, zum erstenmal, → Edward Everett Horton. Der Film (Drehbuch: Samson Raphaelson) hat hintereinander fünf Arbeitstitel: «The Honest Finder» (so heißt das zugrunde liegende Theaterstück), «Finders Keepers», «Thieves and Lovers», «The Golden Widow», «A Very Private Scandal». Er wird von Juli bis September 1932 in den Paramount-Studios gedreht, und später sagt Lubitsch: «Was reinen Stil angeht, so habe ich wohl nichts Besseres gemacht als TROUBLE IN PARADISE und auch nichts gleich Gutes.»

Eine Etüde: Lubitsch dreht im Oktober 1932 für den Episodenfilm *If I Had a Million* einen Beitrag mit Charles Laughton: THE CLERK. Es ist der kürzeste und schönste des Films.

Der letzte Besuch

1 Vossische Zeitung, Abend-Ausgabe vom 12. 11. 1932

Der amerikanische Komiker Harold Lloyd, mit Lubitsch aus Hollywood bekannt, hielt sich damals gerade in Berlin auf.

1 *Ernst Lubitsch kommt im Flugzeug*

«Gestern abend um 20.08 Uhr kam Ernst Lubitsch auf dem Flughafen Tempelhof mit dem London–Berlin-Flugzeug an. Nach der fast 3stündigen Verspätung war die Begrüßung mit → Harold Lloyd, Oscar Straus, Jacob Tiedtke und vielen hübschen Nichten noch herzlicher, denn man war schon etwas unruhig geworden. Als gegen 20 Uhr endlich im Nebel ein weißer Punkt auftauchte und Leuchtkugeln über dem Flughafen aufstiegen, versammelte sich die Filmprominenz hinter der Barriere zum Flugplatz. Der Apparat landete im grellen Licht der eigenen Scheinwerfer glatt und sicher, er rollte zum Flugsteig und, bevor der Sturm der Fotografen und der Verwandtschaft einsetzte, gelang es, den strahlenden Lubitsch zu sprechen. Seine erste Tat auf Berliner Boden war: eine Zigarre in den Mund. Seit Hannover nicht geraucht! Er versicherte, nur zu seinem Vergnügen nach der Vaterstadt Berlin gekommen zu sein. An Arbeit sei nicht zu denken, zumal er schon wieder Anfang Februar in Hollywood sein müsse. Der einzige Plan, den er im Augenblick habe, sei: ausruhen und das alte, neue Berlin ansehen, von dem er seit fünf Jahren getrennt gewesen ist. [. . .] Die erste herzliche Begrüßung in Tempelhof war nur der Auftakt zu den geplanten Ehrungen für den großen, deutschen Regisseur.»

2 *Lubitsch bei den Kollegen*

2 Lichtbild-Bühne vom 25. 11. 1932

«Es war der inoffiziellste und damit hübscheste offizielle Abend, der sich denken läßt. Ein Kreis von Regisseurkollegen hatte sich gestern im ‹Happy end› im Haus der Scala eingefunden, um Ernst Lubitsch zu begrüßen und zu feiern. [. . .] Unter den Gästen sah man außer unseren Regisseuren und Kameraleuten, unter denen Altmeister Seeber nicht fehlte, Professor Leopold Jeßner. Lubitsch machte sich ein Vergnügen daraus, hier und dort alte Erinnerungen aufzufrischen, anderswo neue Probleme anzuschneiden; er hat eine liebenswürdige Art, sich befragen zu lassen. Um Mitternacht gab's eine Sonderüberraschung: plötzlich lud die eine Etage höher beheimatete ‹Katakombe› (contradictio in adjecto) zu einem kleinen Inspektionsbesuch bei sich ein: ‹Hamlet› in ‹Lubitschs Inszenierung›. Dank der glänzenden Laune, die Werner Finck und seine Schar zu spendieren verstanden, dehnte sich die ‹Viertelstunde› kräftig aus . . . und man muß sagen, der ‹Lubitsch› hat diesen verschlagerten ‹Hamlet› großartig aufgezogen. ‹Sein oder Nichtsein›, da hat einem doch schon immer die Musike zu gefehlt, nicht wahr?»

Der reinere Geschmack

Am 30. Januar 1933 hat Hindenburg Adolf Hitler zum Reichskanzler ernannt. Am 13. März 1933 ist Dr. Joseph Goebbels Reichsminister für Volksaufklärung und Propaganda geworden, Am 10. Mai 1933 sind in Berlin Bücher «undeutschen Geistes» verbrannt worden. Am 15. Mai 1933 steht ein anonymer Artikel im «Film-Kurier»:

«Das Bett der Dubarry.

Ernst Lubitsch hat es erleben müssen, daß nicht nur der pazifistische Film → *Der Mann, den sein Gewissen trieb* im neuen Deutschland verboten wurde, sondern auch eine seiner üblichen → Ehe- und Flirtgeschichten, die den Geschmack des Kurfürstendamms solange trafen, bis der Kurfürstendamm einsehen mußte, daß er und seine ‹Mentalität› eine recht isolierte Einbahnstraße im deutschen Geistesleben darstellten.

Deutscher Titel von THE MAN I KILLED
Gemeint ist ONE HOUR WITH YOU

Bei aller technischen Routine, die Lubitsch in allen seinen Filmen offenbarte (er ist immer ein heimlicher Reinhardtianer gewesen, dieser ‹bescheidene› Mann mit dem jüdischen Gebet [?], der Genießerzigarre und dem großkapitalistischsten Regiehonorar der Welt) – man hat mit diesen Verboten keine große Kunst bestraft.

Lubitsch war stets ein witziger Amüsierkünstler – der Schaumschläger einer zweifelhaften Erotik. Liebesparaden, verhüllt und unverhüllt, je nach dem Thema, waren die Inhalte seiner Filme. Er hatte leider noch größeren Ehrgeiz.

Exodus
1932/33 emigrierten unter anderen die Regisseure Kurt Bernhardt, Eric Charell, E. A. Dupont, Leopold Jeßner, Fritz Lang, Joe May, Leo Mittler, Max Ophüls, Richard Oswald, Robert Siodmak, Wilhelm Thiele, Edgar Ulmer, Alfred Zeisler, die Schauspielerinnen und Schauspieler Siegfried Arno, Curt Bois, Felix Bressart, Mady Christians, Ernst Deutsch, Alexander Granach, Ilka Grüning, Else Heims, Johanna Hofer, Erwin Kalser, Fritz Kortner, Franz Lederer, Peter Lorre, Lotte Stein, Willi Trenk-Trebitsch, Helene Thimig, Conrad Veidt, Wolfgang Zilzer – zum Teil mit längeren Umwegen durch europäische Länder – nach Hollywood. Einige waren schon einmal hier. Für die meisten begann eine schwere Zeit. Nach diesem Exodus, der auch Autoren (z. B. Billy Wilder), Produzenten (z. B. Erich Pommer), Komponisten (z. B. Friedrich Hollaender), Kameraleute und Cutter einschloß, war Deutschland gereinigt von seinen besten Filmkünstlern.

Gary Cooper:
«Wir drehten DESIGN FOR LIVING im Sommer 1933, als die Wirtschaftskrise gerade langsam zu Ende ging. Ich spielte zusammen mit Miriam Hopkins und Fredric March. Ernst Lubitsch führte Regie. Mit meinem neuerwachten Tätigkeitsdrang warf ich mich in die Arbeit, daß es eine wahre Freude war. Aber Lubitsch schien anderer Auffassung zu sein. Er nahm mich eines Tages beiseite: ‹Du spielst mir zu hektisch, Gary. Wir haben Filme genug, laß dich nicht hetzen. Nimm dir Zeit. Schau dir Fredric March an. Er macht mal Pause. Mach es genau so. Deine Pausen sind mir genauso wertvoll wie Fredrics Pausen.› ‹Ganz bestimmt nicht›, erwiderte ich. ‹Freddys Pausen sind Ihnen wertvoller, denn er bekommt eine höhere Gage.› Damit war das Thema angeschnitten, das mir schon lange am Herzen lag. Ein neuer Vertrag wurde geschlossen, um mich zufriedenzustellen. Ich war zufrieden: Ich bekam sechstausend Dollar die Woche, für die damaligen Verhältnisse eine phantastische Summe.» (Gary Cooper: Gib dem Glück die Sporen. Hamburg 1958)

Schon *Alt-Heidelberg* war eine recht freche Parodie des wirklichen Alt-Heidelberg-Zaubers. Im *Mann, den sein Gewissen trieb* mißlang ihm die Zeichnung der deutschen Heimatstadt vollkommen, er erledigte das mit dem falschen Pathos einer gerührten, ‹erstklassigen› Konfektion. Fürchterlichste Verirrung, als er einen *Bergfilm* [Eternal Love] in Hollywood drehte. So stellt sich der kleine Moritz die Bergwelt vor . . .

Eine ‹*internationale*› Größe mit entsprechend großem Reklametamtam war Lubitsch nur auf seinem Spezialgebiet: Betten, Betten, Betten, – und so scheint es einen tieferen Sinn zu haben, daß der ewige Amüsierregisseur mit Sekt und Kaviar, wie aus Hollywood gemeldet wird, jetzt einen Film beabsichtigt, in dem das *Bett der Dubarry* eine Rolle spielt. O Dubarry, wie weit bist du gesunken. Man sieht, daß auch die größten Erfolge der alten Lubitsch-Ära (auch ANNA BOLEYN) sich schließlich als ‹Theaterkunst Lubitsch› entpuppen: unerdhaft, blutarm, nur erotische Kitzelungen.

Das Bett der Dubarry . . . soll bei ihm eine wichtige Filmrolle spielen. Das Schicksal von vier Frauen soll behandelt werden, die Eigentümerinnen dieses Bettes wurden. Hollywood tut gut daran, sich mit dem neuen und reineren Geschmack Deutschlands zu befreunden. Sonst gibt es in unserem ‹barbarischen› Lande ein großes Wehklagen über die Zensur, die auch Betten gegenüber unduldsam sein dürfte, wenn sie mit Spitzen, Bändern und Daunendecken aus Lubitschs Schneiderstube geschmückt sind.»

Die lustige Witwe

Lubitschs Dreijahresvertrag bei Paramount erlaubt ihm eine Filmregie für ein anderes Studio. Im Sommer 1933 hat er für Paramount DESIGN FOR LIVING inszeniert, einen Broadwayhit von Noël Coward (Drehbuch: Ben Hecht), Anfang 1934 nimmt er schließlich das Angebot von MGM an, mit großem Aufwand eine Operette zu verfilmen: «Die lustige Witwe» von Franz Lehár. Dieses Projekt verfolgt das Studio, das den Stoff schon 1925 von Erich von Stroheim hatte verfilmen lassen, seit 1931 – inzwischen sind Musicals fast etwas aus der Mode gekommen. Die Witwe soll zunächst von Grace Moore gespielt werden, dann bekommt Jeannette MacDonald die Rolle, die neuerdings bei MGM unter Vertrag ist. Für den Danilo ist vor längerer Zeit bereits Maurice Chevalier engagiert worden. Damit trifft das alte Trio Lubitsch/MacDonald/Chevalier noch einmal zusammen.

Für Lubitsch ist THE MERRY WIDOW – nach THE STUDENT PRINCE – der zweite MGM-Film. Die Mittel, die ihm zur Verfügung stehen, sind großzügig bemessen, denn der Produktionschef Irving Thalberg will diesen Film zu einem Renommierobjekt seines Studios machen. 1,6 Millionen Dollar beträgt das Budget. Es werden parallel Versionen für den englischen, französischen und belgischen Markt gedreht. Die Arbeit wird für Lubitsch kompliziert, weil er unter starker Kontrolle von Thalberg steht und Einsprüche des Hays Office – das seine Kriterien gerade verschärft hat – zur Neuaufnahme einiger für die Zensurbehörde zu anzüglich geratener Szenen führen. So dauert die Drehzeit dreizehn Wochen. Der Film, uraufgeführt am 11. Oktober 1934, ist bei Kritik und Publikum nur ein geteilter Erfolg, er spielt in fünf Jahren seine Produktionskosten nicht ein, bekommt aber einen Oscar: für die Ausstattung von Cedric Gibbons.

The Merry Widow: *Jeanette MacDonald, Ernst Lubitsch (Arbeitsfoto). Ausstattung: Cedric Gibbons*

Cedric Gibbons (1893–1956)
«Amerikanischer Filmdesigner. Nach einem Kunststudium in Europa und Amerika wurde er 1914 Assistent des Dekorateurs der Thomas Edison-Studios. Von 1916 bis zu seinem Tod war er Chefausstatter der Goldwyn Pictures Corporation, später Metro-Goldwyn-Mayer. Laut seinem Vertrag mußte jeder Vorspann eines MGM-Films in den USA Gibbons' Namen nennen, auch wenn er nicht ausschließlich und allein für die Ausstattung verantwortlich war. Diese Bestimmung wurde daraufhin von den Chefausstattern der anderen Studios übernommen. Zu Gibbons' frühen Arbeiten gehören *The Return of Tarzan* (1920) und *Ben-Hur* (1925). Die Einführung des panchromatischen Films und neuer Lichtkörper ermöglichten es ihm, mit großen weißen Flächen zu experimentieren, wie beispielsweise in The Merry Widow (1935). [. . .] Für seine Arbeiten wurde er mit insgesamt elf Oscars ausgezeichnet.» (Buchers Enzyklopädie des Films. München 1977).

Für die Zeit nach dieser MGM-Produktion ist ein Anschlußprojekt bei Paramount vorgesehen. Lubitsch will einen «Carmen»-Film mit Claudette Colbert machen. Aber der Plan läßt sich nicht realisieren. Dann wird von Lubitschs Absicht geredet, sich jeweils für einen Teil des Jahres an die Londoner Firma Toeplitz Productions zu binden; auch ein erstes Projekt wird genannt: «Lady Windermere's Fan», also ein Remake seines Stummfilms. Es bleibt bei Zeitungsmeldungen. Schließlich kündigt «Variety» zwei Marlene-Dietrich-Filme an, die Lubitsch drehen soll: «Shoe the Wild Mare» (nach einem Buch von Gene Fowler) und «Rose of the Rancho» (Remake eines Stummfilms). Aber auch diese Projekte bleiben bloße Pläne.

Kein Deutscher mehr

Am 28. Januar 1935 wird im «Reichsanzeiger» veröffentlicht, daß Ernst Lubitsch die deutsche Staatsbürgerschaft verloren hat.

Produktionschef

Am 4. Februar 1935 gibt die Firma Paramount bekannt, daß sie ihren Regisseur Ernst Lubitsch als Produktionschef verpflichtet hat. Im Zusammenhang mit einer Neuorganisation ist der bisherige Produktionsboß Emanuel Cohen, der den Job seit 1932 innehatte, entlassen worden. Gemeinsam mit Henry Herzbrun, dem Rechtsexperten des Studios, soll Lubitsch die Produktionsabteilung von Paramount leiten. Die Ankündigung der Firma wird in der Öffentlichkeit skeptisch aufgenommen – ausgerechnet der phantasievolle, ziemlich egozentrische Regisseur Lubitsch als Manager? Bei einer Produktionskonferenz werden viele Vorbehalte gegen ihn angemeldet.

In der Praxis erweist sich, daß Lubitsch den Studioapparat durchaus produktiv beherrschen kann. Die Auswahl der Stoffe, Autoren und Regisseure gehört zu seinen wichtigsten Aufgaben. Er verhält sich flexibel, zwingt dem Produktionsprogramm nicht seinen Stil auf und kooperiert gut mit den ihm anvertrauten Regisseuren. Nur an einem Star des Studios beißt er sich die Zähne aus: Mae West. Sie behandelt ihn so, daß er aus Selbstschutz seinen Kollegen Herzbrun und den Produzenten LeBaron mit allen Mae-West-Verhandlungen betrauen muß.

Mae West über Ernst Lubitsch: «Er war in mancher Hinsicht ein begabter Mann, aber viele hielten ihn für arrogant, engstirnig und schon auf dem Abstieg. Wir waren in vielen Dingen verschiedener Meinung. Möglicherweise trug die dicke Zigarre, die er immer im Mund hatte, dazu bei, unsere Sicht zu verdunkeln.» (Goodness Had Nothing to do with It, New York 1970)

Dagegen kümmert er sich als Supervisor besonders um den Film *Desire*, den Frank Borzage im Herbst 1935 mit Marlene Dietrich und Gary Cooper inszeniert; Lubitschs Interesse sieht man dem Film auch an.

Die Aufnahmen zu einem weiteren Marlene-Dietrich-Film beginnt der Regisseur Henry Hathaway im Januar 1936. Es soll ein Remake des Pola-Negri-Films *Hotel Imperial* werden, Titel: «I Loved a Soldier». Der Produktionsleiter Benjamin Glazer gerät mit Marlene Dietrich, deren Vertrag ihr Mitspracherechte am Drehbuch einräumt, in Streit, und Lubitsch nimmt sich der Produktion als Supervisor an. Das führt zu Konflikten mit der obersten Studioleitung, die von ihrem Produktionschef mehr planende als ausführende Arbeit erwartet. Lubitsch läßt sich beurlauben (manche sagen: er wird gefeuert). Für Marlene Dietrich hat sich damit ihre Vertragsgrundlage wiederum geändert, sie bricht (manche sagen: aus Solidarität mit Lubitsch) die Dreharbeiten ab. Der Film bleibt bei aufgewendeten Kosten von einer Million Dollar nach einem verunglückten Versuch, ihn mit Margaret Sullavan weiterzudrehen, ein Fragment (1939 wird er mit Ray Milland und Isa Miranda unter dem Titel *Hotel Imperial* neu gedreht).

«I Loved a Soldier». Über einige Hintergründe dieser Produktion berichten Homer Dickens (The Films of Marlene Dietrich, 1968), Charles Higham (Marlene: The Life of Marlene Dietrich, 1977, deutsch 1978), Ronald Haver (David O. Selznick's Hollywood, 1980, deutsch 1981).

Lubitsch verabschiedet sich für drei Monate; er unternimmt eine private Reise nach Europa – eine Hochzeitsreise.

Die zweite Ehe

Am 27. Juli 1935 haben Ernst Lubitsch und Sania Bezencenet (die sich Vivian Gaye nennt) in Phoenix, Arizona, geheiratet.

Sie ist Künstleragentin, stammt aus England und hat vergeblich versucht, die Schauspielerin Sari Maritza in Hollywood zu managen. 1934, als Angestellte im Story-Department einer großen Agentur, hat sie Lubitsch kennengelernt: bei Verhandlungen über das Theaterstück «Die schönen Tage von Aranjuez» von Hans Székely und R. A. Stemmle, das die Vorlage für *Desire* war.

Im Oktober 1938 kommt eine Tochter zur Welt: Nicola. 1943 wird die Ehe von Ernst und Sania/Vivian Lubitsch geschieden.

In Europa / in Moskau

Über die Europareise des Ehepaares Lubitsch gibt es wenig Informationen. Die Reise führt nach England, dann auch in die Sowjetunion. Über den Besuch in Moskau berichtet – an etwas entlegener Stelle – die Schriftstellerin → Inge von Wangenheim: «Im Sommer 1937 [hier irrt die Autorin, es war bereits im Frühjahr 1936; Anm. d. A.] kam eines Tages eine Bekannte zu uns und sagte etwas erstaunt und nachdenklich: ‹Ich glaube, ich habe heute auf dem Bahnhof Ernst Lubitsch gesehen. Er hatte seine dicke, schwarze Brasil im Mund wie

Inge von Wangenheims Erinnerung an Lubitschs Moskau-Besuch ist veröffentlicht in ihrem Buch «Die tickende Bratpfanne» (Rudolstadt DDR, 1974). – Inge von Wangenheim (*1912) war zusammen mit ihrem Mann, Gustav von Wangenheim, 1933 über Frankreich in die Sowjetunion emigriert. Sie arbeitete in Moskau als Journalistin, kehrte 1945 nach Berlin zurück und betätigte sich in der DDR als Schauspielerin, Regisseurin und Schriftstellerin.

immer, dazu die Fliege unterm Kinn ... also wenn es nicht Churchill gewesen ist, und der ist es nicht gewesen, kann es nur Lubitsch sein.›

Ernst Lubitsch in Moskau? Das war doch eine kleine Sensation. Wir suchten die Spur des ungewöhnlichen Gastes, fanden sie auch gleich: Hotel Metropol.

Da auch Wangenheim Reinhardtschüler gewesen war, kannten sich die beiden aus gemeinsamer Jugendzeit, es gab eine heitere, unbeschwerte, herzliche Wiedersehensfreude.

Neben Lubitsch saß steif und sprachlos eine schöne angelsächsische Amerikanerin, die frisch vom Eis geholt schien. ‹Wir machen 'ne Hochzeitsreise ...› erklärte Lubitsch schmunzelnd, und in seiner fixen, hellen, witzig-wachen Berliner Art brummelte er noch etwas von ‹Studien›, die er so ganz nebenbei und rein interessehalber zu machen gedächte.

Ein unkomplizierter, posenloser, wirklich netter Mensch. Der Hollywood-Luxus, in dem er plätscherte wie gewöhnliche Sterbliche in ihrem Badewasser, hatte weder seiner Persönlichkeit noch seiner Urteilskraft etwas anhaben können, so war jedenfalls mein erster Eindruck von diesem sympathischen Mann, der nach der dritten schwarzen Zigarre augenzwinkernd sagte:

‹Weißte, Justav, die Sache is doch so – mein Vater war ein kleiner galizischer Armeeschneider, hat unterm Zaren jelebt, hat mir zu Hause in Berlin oft davon erzählt. Det war bestimmt hier früher mal sehr dreckig und zurückjeblieben. Und wenn die Arbeiter heute sehn, wat der Schtalin aus dem alten Rußland jemacht hat, und der vor se hintritt und fragt, ob es ihnen jefällt, denn ist da gar kein Zweifel, det die sagen, jawoll, det jefällt uns!›

In unserem gemeinsamen Vergnügen an seiner Darstellung tippte er Wangenheim plötzlich auf den Arm. ‹Aber für unsereinen ...?› Das also war die Frage, die ihn beschäftigte. Er vermochte einzusehen, daß Arbeiter eines zurückgebliebenen Landes für den Sozialismus waren. Daß aber ein gebildeter, kenntnisreicher Mensch, der alle Voraussetzungen und Fähigkeiten besaß, in der herkömmlichen Gesellschaft sein Auskommen zu haben, den Sozialismus vorzog – das war ihm ein Rätsel. Die Begegnung mit dem alten Jugendfreund mußte ihm daher um so lieber sein, als er von ihm eine Erklärung erwarten durfte, in die er sich hineinversetzen konnte. Unserer Einladung zu einem Abendbrot bei uns zu Haus auf der Kusnetzki Most folgte er sehr bereitwillig und erfreut.

Wir hatten etwas zu bieten, und die Eiskönigin – eine Lektorin für Filmmanuskripte, wie wir hörten – taute allmählich etwas auf, belebte sich, nahm von dem vorzüglichen Rollschinken, vom Kaviar, vom Camembert, trank ein Gläschen Krimwein, ließ sich nur sehr gelegentlich von ihrem Mann dolmetschen, was wir so redeten. Als sehr angenehm empfand ich, daß Lubitsch noch wirklich berlinisches Deutsch redete und sich aller Akzentknautscherei, wie sie bei Neoamerikanern so beliebt ist, völlig enthielt. Auch diese Kleinigkeit sprach für ihn.

Wir kamen dann auf das Problem ‹für unsereinen?›, entwarfen unserem Gast ein Bild vom Sinn und Ausmaß der sowjetischen Kulturrevolution, versuchten darzustellen, in welcher Weise dieser historische Vorgang in seiner Erstmaligkeit die Qualität eines Durchbruchs zu völlig neuen Ufern hatte, dessen Folgen nicht nur für die

Gustav von Wangenheim (1895–1975), Sohn des Schauspielers Eduard von Winterstein, hatte 1920 in zwei Lubitsch-Filmen Hauptrollen gespielt: in KOHLHIESELS TÖCHTER und ROMEO UND JULIA IM SCHNEE. Nach der Rückkehr aus der Emigration arbeitete er in der DDR vor allem als Autor und Regisseur.

Es gab auch andere Begegnungen: «Feuchtwanger brachte mich mit dem großen Regisseur Ernst Lubitsch – früher in Berlin, damals in Amerika – zusammen. Dieser suchte mich in Moskau auf, entwickelte Pläne mit ‹Haben› für den Broadway und für Hollywood, die dann an historischen Hindernissen scheiterten, zuletzt und endgültig an Lubitschs Tod.» (Julius Hay: Geboren 1900. Erinnerungen. Reinbek 1971)

Inge von Wangenheim erinnert sich außerdem: «Im Winter 1949/50 kam *Ninotschka* nach Westberlin, und der Filmkritiker des ‹Kurier› schrieb in seiner Rezension, bei allem Kotau vor der Garbo sei doch nicht zu übersehen, wie fremd ihr der Typ der ‹harten Bolschewikin› sei. Wer diesen Typus ‹echt› sehen wollte, müsse sich den Ostfilm *Und wieder 48* zumuten und damit Inge von Wangenheim, die viel besser wisse, wie man so etwas spielt, als die Garbo . . .
Ich dumme Gans war damals über den Anschiß so verärgert, daß ich nicht zum Steinplatz fuhr und somit den Film wider bessere Absicht versäumte. Fünfunddreißig Jahre habe ich warten müssen, bis ich ihn endlich sah, jahrzehntelang in dem Vorurteil befangen, es handle sich um ein gottweiß wie konterrevolutionäres Machwerk . . . du lieber Gott, ja! – so schlimm ist er nun wieder auch nicht. Es ist schrecklich viel Gras über Scherze dieser Art gewachsen, und so verdammt ernst wie ‹unsereins› hat es ein so liebenswerter und charmanter Glückspilz wie Ernst Lubitsch ja ohnehin nie gemeint. Seine Studien für die Hauptrolle hat er zweifellos bei mir gemacht, das ist historisch gesichert und auch einigermaßen amüsant. Die vielen schwarzen Zigarren haben ihn leider vorzeitig umgebracht.»

Marlene Dietrich: Nehmt nur mein Leben . . . München 1979

Zukunft der Menschheit im allgemeinen, sondern auch für die Kunst im besonderen von großer Tragweite sein würden. Ich redete mich heiß und erklärte begeistert, daß ich angesichts solcher Perspektiven die gesamte dollarberieselte Traumfabrik-Produktion für herzlich uninteressant halte und mir nicht vorstellen könne, wie ein Mensch von eigener Kultur und Welterfahrung im Ernste glauben könnte, irgendein kostspieliges persönliches Wohlergehen sei inhaltsreicher und interessanter als der Versuch, eine neue Welt aufzubauen . . . Ja, so ungefähr muß ich damals geredet haben in meinem etwas herben und noch ziemlich rigorosen Jugendenthusiasmus.

Lubitsch folgte mir aufmerksam, sah mich mit seinen lebhaft funkelnden, immer beseelten, tiefdunklen Augen zunehmend amüsiert und nachdenklich an, hatte offensichtlich Spaß an mir, widersprach mir sonderbarerweise auch nicht. Er nahm mich wohl wie eine Sammlerrarität, die man unter Glas setzt und nur betrachtet, nicht aber berührt. Am Ende des Abends, der sich über Stunden ausdehnte, packte er jedoch Wangenheim bei der Schulter, schüttelte ihn ein bißchen. ‹Nu sag mal ehrlich, Justav, gefällt's dir hier?›

Es war ihm nicht möglich, uns zu verstehen. Weder begriff er unsere Entscheidung, noch die Lage, in der wir uns befanden.

Wir nahmen denn herzlich Abschied voneinander – er kehrte in seine Welt zurück, wir blieben in der unsrigen.

Ein Jahr später hatten wir die Erklärung für unsere so überraschende wie intensive Begegnung: den Film *Ninotschka*!

Um diese Sujets willen war er nach Moskau gekommen, hatte auch seine Frau mitgebracht, weil sie das Szenarium schrieb. Ich wollte diesen Film dann immer einmal sehen, aber der Gang der Geschichte hinderte es.»

Letzte Filme bei Paramount

Nach der Rückkehr aus Europa im Mai 1936 übernimmt Ernst Lubitsch bei Paramount eine neue Funktion, er wird verantwortlicher Leiter einer eigenen Produktionsgruppe und soll sich vor allem um die Stars Marlene Dietrich und Claudette Colbert kümmern.

Lubitsch widmet sich zunächst Marlene Dietrich. Das Projekt ANGEL nimmt – von der ersten Vorbereitung bis zur Uraufführung – ein Jahr in Anspruch. Es bleibt wenig Zeit für andere Initiativen in der Produktionsgruppe. ANGEL wird im Oktober 1937 herausgebracht. Marlene Dietrich, die an *Desire* eine sehr positive Erinnerung hat, nennt ANGEL in ihrer → Autobiografie lakonisch «weniger gut»; über die Zusammenarbeit mit Lubitsch schreibt sie nichts. Auch das Publikum findet ANGEL weniger gut: Der Film wird ein Mißerfolg, seine Qualitäten werden erst sehr viel später entdeckt, manchen sind sie noch heute verborgen.

Claudette Colbert soll der Mittelpunkt in Lubitschs nächstem Film sein: BLUEBEARD'S EIGHTH WIFE, gedreht im Herbst und Winter 1937/38; die Außenaufnahmen sind im Sommer 1937 in Europa vorproduziert worden. Das Drehbuch zu diesem Film stammt von Charles Brackett und Billy Wilder. Weder für Claudette Colbert noch für ihren Partner Gary Cooper wird der Film ein Erfolg. In den Kritiken werden Zweifel geäußert, ob Lubitschs Komödien noch auf der Höhe der Zeit seien. Aber diese Überlegungen sind da bereits von der Wirklichkeit überholt worden: Am 19. März 1938, eine Woche

Bluebeard's Eighth Wife: *Ernst Lubitsch, Gary Cooper, Arbeitsfoto*

vor der Premiere von BLUEBEARD'S EIGHTH WIFE, haben Lubitsch und Paramount ihren Vertrag – nach elfjähriger Zusammenarbeit – gelöst. Lubitsch will als unabhängiger Regisseur arbeiten, und für Paramount sind die Lubitsch-Produktionen mittlerweile zu aufwendig geworden: Verlustgeschäfte. Nach den Musicals hat Lubitsch, zwischen 1932 und 1938, vier «klassische» Komödien für Paramount gemacht: TROUBLE IN PARADISE, DESIGN FOR LIVING, ANGEL und BLUEBEARD'S EIGHTH WIFE. In dieser Zeit der «sophisticated comedy» haben viele bei ihm und von ihm gelernt, auch wenn man das erst sehr viel später feststellt.

→ Wolfgang Limmer: «Stil war ihm alles. Das Wien, Paris, der Operettenbalkan, das aristokratische Europa, das im ersten Weltkrieg unterging, die ausladenden Salons, die langen Abendroben und Fräcke, all die Accessoirs, die seine Personen als Hürden mit der heimlichen Aufforderung, sie zu überspringen, untereinander aufbauten (Türen waren die idealsten Hürden), die Gesten, die immer mehr sagten als Worte, dies alles war seine Welt. Elend oder auch nur Alltag brachte er nie auf die Leinwand, nicht, weil er das nicht kannte, sondern, weil es keinen Stil hatte. Wer um seine Existenz kämpfen mußte, hatte keine Zeit für Charme. [...] Lubitschs Desinteresse für alles Politische, seine Skepsis gegenüber jeder sozialen Utopie verband ihn eng mit der Schicht, aus der die Majorität seiner Zuschauer kam, dem Kleinbürgertum. [...] Lubitschs Interesse galt dem Menschen, weniger den Bedingungen, unter denen er lebte. Während der Depression befriedigte er den Drang nach Eskapismus, weil er in ihm ein echtes Bedürfnis sah. Er ließ sich kaum vor den Wagen einer aktuellen Ideologie spannen, wie es seine Schüler Capra (New Deal) und Preston Sturges (militaristischer Nationalismus) taten. [...] Warten kann jede Ideologie, jedes Engagement, das nicht die wahren Lebensbedürfnisse befriedigt, das heißt nicht die Freude am Leben befördert. Nur darauf kam es Lubitsch an. Er hat aus seinem Publikum Connaisseure und nicht Voyeure gemacht.»

Wolfgang Limmer: Der Lubitsch-Touch. Ein Regisseur und seine Welt; in: Fernsehen und Film (Velber), März 1971. – Von Lubitschs Filmen der dreißiger Jahre handelt auch ein wichtiger amerikanischer Text von Andrew Sarris («Lubitsch in the thirties»), der in zwei Teilen im Winter 1971/72 und im Sommer 1972 in der amerikanischen Zeitschrift «Film Comment» veröffentlicht wurde. Diese Filme stehen auch im Mittelpunkt einer Untersuchung von William Paul, die 1983 bei Columbia University Press in New York erschienen ist.

Angel: *Ernst Lubitsch und Marlene Dietrich (oben rechts), Arbeitsfoto*

Kompensationsgeschäfte

Im Sommer 1938 initiiert der Hollywood-Agent Myron Selznick, der ältere Bruder des berühmteren David O. Selznick, die Gründung kleiner, unabhängiger Produktionsgesellschaften, deren Filme er den großen Verleihern mit Gewinnbeteiligung anbieten will. Die Ernst Lubitsch Productions wird errichtet, das erste Projekt soll THE SHOP AROUND THE CORNER sein. Für eine Hauptrolle ist die deutsche Emigrantin → Dolly Haas vorgesehen. Auch ein zweites Vorhaben mit Carole Lombard und William Powell wird bereits angekündigt.

Andererseits wird Lubitsch als Regisseur für den Norma-Shearer-Film *The Women* genannt, den er für MGM inszenieren soll. Selz-

Dolly Haas (*1910) emigrierte 1936 nach Amerika. Die Stiftung Deutsche Kinemathek hat ihr 1983 im Zusammenhang mit der Retrospektive «Exil. Sechs Schauspieler aus Deutschland» eine Publikation gewidmet.

nick schließt vertraglich mit MGM ab, daß THE SHOP AROUND THE CORNER von der Firma dann gekauft wird, wenn Lubitsch zuvor für MGM den Film NINOTCHKA mit Greta Garbo dreht. *The Women* soll nunmehr George Cukor übernehmen, den der Produzent David O. Selznick als Regisseur von *Gone With the Wind* nach drei Wochen Drehzeit gegen Victor Fleming ausgetauscht hat. In Hollywood ist einiges in Bewegung.

Felix Bressart (1892–1949)
In drei späten Lubitsch-Filmen von 1939, 1940 und 1942 – NINOTCHKA, THE SHOP AROUND THE CORNER und TO BE OR NOT TO BE – spielte er Nebenrollen, die ihn uns vertrauter gemacht haben als die 18 größeren Rollen, die er zwischen 1930 und 1932 in deutschen Depressionskomödien verkörperte. 1892 (wie Lubitsch) in Ostpreußen geboren, arbeitete er ab 1914 am Theater, ab 1928 beim Film, emigrierte 1933 in die Schweiz, kam 1937 nach Amerika. Auch in Hollywoodfilmen war er eine europäische Figur: ein komisches Individuum, das zwischen Anpassungswillen und anarchischer Neigung, zwischen Liebenswürdigkeit und Hysterie hin- und herschwankt. Er war ein Schauspieler, dessen jüdische, abgründige Komik noch zu entdecken ist.

1939

Während Europa auf einen Krieg zusteuert, den Hitler-Deutschland im September vom Zaun bricht und der ein Weltkrieg wird, prosperiert Amerika in einer «splendid isolation». Das Land nimmt die internationalen Konflikte wahr, aber es ist davon noch nicht betroffen. Nicht einmal die am Weltmarkt orientierte Filmindustrie erleidet Schaden. Das Studiosystem erweist sich als wirtschaftlich gesund, es kann seine Produktionen allein auf dem Inlandsmarkt rentabel vertreiben.

1939 ist in Amerika das Jahr von *Gone With the Wind*, von *Stagecoach*, von *Mr. Smith Goes to Washington*, auch von NINOTCHKA. Lubitschs Film erhält (1940) zwar vier Oscar-Nominierungen, aber er unterliegt in seinen Kategorien jeweils *Gone With the Wind*, der insgesamt acht Oscars gewinnt.

1939 sagt Lubitsch in einem Interview: «Wir können Filme jetzt nicht mehr in einem luftleeren Raum machen. Wir müssen Menschen zeigen, die in einer realen Welt leben. Früher brauchten Kinobesucher nicht darüber nachzudenken, was die Filmfiguren für ein Leben führen, wenn die Filme nur amüsant genug waren. Jetzt denken sie darüber nach. Sie möchten Geschichten sehen, die etwas mit ihrem eigenen Leben zu tun haben.»

Als Lubitsch das sagt, im November 1939, ist NINOTCHKA gerade uraufgeführt worden; man spricht davon, daß «die Garbo lacht» (fast wird das zu einem Reklamespruch, weil Greta Garbo seit Jahren auf das Klischee der tragisch endenden Heldin festgelegt ist), aber der große Erfolg dieses Films stellt sich erst viel später ein, seine Popularität ist ein Resultat der späten vierziger und frühen fünfziger Jahre, als er von Antikommunisten und kalten Kriegern reklamiert wird, was ihm bitter unrecht tut.

Als Lubitsch über Geschichten spricht, die mit dem Leben der Kinozuschauer etwas zu tun haben sollen, denkt er bereits an seinen nächsten Film: THE SHOP AROUND THE CORNER. Er dreht ihn im November 1939 für weniger als 500 000 Dollar. Und Lubitsch hat vielleicht recht, wenn er später sagt: «Ich habe nie einen Film gemacht, in dem die Atmosphäre und die Figuren wahrer sind als in diesem Film.» Zu den «wahren Figuren» dieses Films gehört auch der Verkäufer Pirowitch, der von → Felix Bressart gespielt wird.

1939 schließt Lubitsch auch den Vertrag mit dem Produzenten Sol Lesser, für den er – in einer gemeinsamen Auftragsproduktion für United Artists – im Herbst 1940 den Film THAT UNCERTAIN FEELING realisiert. Es wird ein mit dem ersten Film kaum noch identisches Remake von KISS ME AGAIN und leider auch ein Mißerfolg.

Im März 1941, noch vor der Premiere dieses Films, schließt Lubitsch einen Dreijahresvertrag als Produzent und Regisseur mit 20th Century-Fox ab.

Peter Nau:
«Der Film hat zum Gegenstand den Hamlet-Monolog ‹Sein oder Nichtsein›; Szenen aus ‹Gestapo›, ‹einem realistischen Zeitdrama›, das von der polnischen Zensur verboten wird, weil es Hitler beleidigen könnte; schließlich den Überfall Nazideutschlands, für den ‹die Nazis selbst die Regie übernehmen und ganz Polen zur Bühne wird›, ein Drama, für das es ‹keinen Zensor gab›. Und in allen drei Stücken spielt das Ensemble des Teatr Polski. Im letzten, bei dem es tatsächlich um Sein oder Nichtsein geht, teilen sich die Schauspieler mit richtigen Gestapo-Männern in die Hauptrollen.» (Zur Kritik des Politischen Films. 6 analysierende Beschreibungen und ein Vorwort ‹Über Filmkritik›. Köln 1978)

Centfox
Die 20th Century-Fox Film Corp. war eine 1935, also relativ spät entstandene Verbindung zwischen Fox Film Corp. (1915 gegründet, bis 1931 geleitet von William Fox) und 20th Century Pictures Corp. (1933 von Darryl F. Zanuck und Joseph Schenck gegründet). Zanuck (bis 1956 Produktionschef) prägte das Programm der Firma. Western, Musicals und auch einige sozialkritische Filme gehörten in den vierziger Jahren zu den wichtigsten Genres von Centfox. Als Regisseure waren damals u. a. John Ford, Henry King, Elia Kazan, Joseph L. Mankiewicz und Otto Preminger unter Vertrag. Als Stars des Studios galten Tyrone Power, Betty Grable, Jennifer Jones, Gregory Peck, Marilyn Monroe. Die Erkennungsfanfare und das Scheinwerferbündel, das über dem Firmenemblem den Himmel abstrahlt, kamen vor allem ab 1953, als Centfox seine CinemaScope-Filme in die Kinos brachte, zur Geltung. Aber da war Lubitsch schon sechs Jahre tot.

Sein oder Nichtsein

Während sich Lubitsch aus der Verbindung mit Sol Lesser trennen kann, bleibt eine Verpflichtung gegenüber United Artists bestehen, die er vor Beginn seiner Centfox-Tätigkeit einlösen muß. Er dreht mit großen Vorbereitungsschwierigkeiten einen seiner berühmtesten Filme, To Be or Not To Be. Während er sonst in der Regel ein Theaterstück oder einen literarischen Stoff als Vorlage benutzt hat, schreibt er bei diesem Film zusammen mit dem Autor Melchior Lengyel eine Originalstory. Lubitschs Theatererfahrungen in der «guten alten Zeit» bei Reinhardt und seine Aufmerksamkeit für die aktuelle Situation der Juden und Polen drängen in dieser Geschichte zu einer Verbindung. To Be or Not To Be ist so gesehen auch ein sehr persönlicher Film.

Der Produzent Walter Wanger zieht sich noch vor Drehbeginn von dem Projekt zurück, Alexander Korda springt ein, und die Aufnahmen werden schließlich nach Plan abgeschlossen. Wenige Tage vor der Premiere wird die Hauptdarstellerin Carole Lombard Opfer eines Flugzeugunglücks. Und der Film kommt in die amerikanischen Kinos, als die Deutschen in der Sowjetunion noch auf dem Vormarsch sind. Die Irritation des Publikums über das eigene Lachen, das die ganze Fallhöhe der Komik ausdrückt, ist zu groß. Der Film wird ein Flop. «Er (Lubitsch) löste die lebenswichtige Frage nach der Realität der Kinobilder in Hollywoodmanier, was keineswegs bedeutet, daß er den Ernst der Lage nicht erkannt hätte», schreibt Frieda Grafe 1983. Und: «Geistesgegenwart und Schauspielerei sind auch in schlechten Zeiten die besten Waffen, um eine penetrante Realität zu schlagen. Dahinter steckt Lubitschs ganzes ästhetisches Credo und sein Horror vor einem Kino, das glaubt, Wirklichkeit direkt abbilden zu können.»

Bei Centfox

Im Februar 1942 beginnt Ernst Lubitsch, er ist jetzt fünfzig Jahre alt, seine Tätigkeit im Studio von 20th Century-Fox. Auch Amerika ist inzwischen in den Weltkrieg verstrickt, die Stimmung im Land und in der Filmstadt Hollywood hat sich verändert. Viele Regisseure, Schauspieler und Techniker stehen im Dienst der Army. Das Klima ist beherrscht von Angst und Unsicherheit.

Lubitsch bereitet verschiedene Projekte vor, die er aber alle verwirft. Eine Episode bleibt die Mitarbeit (unter Leitung von Frank Capra) an der Reihe «Why We Fight» – Lubitschs Beitrag «Know Your Enemy Germany» wird nicht akzeptiert, weil er in der Form zu schwerfällig ist . . . In seiner persönlichen Betroffenheit findet der Regisseur in diesem Genre keinen adäquaten Ausdruck.

Von Februar bis April 1943 dreht Lubitsch seinen ersten Film für 20th Century-Fox: Heaven Can Wait, eine Geschichte, die in der Hölle beginnt und dort endet und vom Leben eines Mannes handelt, der nach den gültigen Normen dort hingehört. Obwohl der Film keinen aktuellen Bezug hat (vielleicht auch: *weil* der Film keinen aktuellen Bezug hat), versöhnt er die Kritiker und das Publikum mit Lubitschs Komik.

To Be or Not To Be: *Studioaufnahme*

Dorothy Spencer, Cutterin in Hollywood von 1930 bis 1970, erinnert sich an Ernst Lubitsch: «Meine erste Begegnung mit ihm hatte ich in seinem Büro, als es um den Schnitt von To Be or Not To Be ging. Statt mich nach meinen Berufserfahrungen zu fragen, redete er über seine Jahre in Berlin, kam dann auf Amerika und auf seine Familie zu sprechen. Ich war so fasziniert davon, daß ich völlig vergaß, ihn daran zu erinnern, warum ich gekommen war. Als ich dann gehen mußte, nahm er meine Hand und sagte, ich solle mich nächste Woche im Atelier einfinden. Ich ging hinaus und war wie betäubt – dieser große, bedeutende Regisseur hatte nicht einmal gefragt, wie ich einen Film schneide.
Mr. Lubitsch drehte nie viel Material, er wußte, was er brauchte und wiederholte selten eine Aufnahme. Er wählte bei der Vorführung der Muster die Takes aus und kommentierte die verschiedenen Einstellungen, dann war ich dran. Er kam selten in den Schneideraum, den Rohschnitt ließ er sich in der Projektion vorführen. Dann sprachen wir über die nötigen Änderungen und Kürzungen.
Sein Tod traf uns alle, mich besonders. Dieses großartige Talent – fort. Niemand hat ihn ersetzt, niemand wird es je können. Einmal sagte er bei Dreharbeiten zu Tallulah Bankhead, er wünschte nur, er würde lange genug leben, um seine kleine Tochter aufwachsen zu sehen. Er starb wenige Wochen später.
Nach vierzig Jahren sind meine Erinnerungen etwas verblaßt, aber ich werde nie vergessen, wie glücklich ich war, diesen großen Mann gekannt zu haben.» (Brief vom September 1983 an den Autor)

Dann bereitet der Regisseur einen wirklich aktuellen Stoff vor, die Satire über ein Paar, das in verschiedenen Positionen Dienst in der Army verrichtet (Arbeitstitel: «All-Time Arlene»). Lubitsch recherchiert in Washington beim Women Army Corps (WAC) und beginnt zusammen mit den Autoren Phoebe und Henry Ephron die Arbeit am Drehbuch.

Am 1. September 1943 setzt ihn eine Herzattacke für vier Monate außer Gefecht.

Im Januar 1944 erhält er einen neuen Vertrag bei Centfox mit dem Auftrag, drei Filme zu produzieren, von denen er einen, wenn es seine Gesundheit erlaubt, auch selbst inszenieren darf. Außerdem bemüht sich das Studio um die Filmrechte an Franz Werfels Bühnenstück «Jacobowsky and the Colonel», einem großen Broadwayerfolg, und Lubitsch soll, als erste Filmrolle nach 24 Jahren, den Jacobowsky spielen. Aber dann gewinnt Columbia beim Pokern um die Rechte, und der Film wird erst 1958 gedreht (mit Danny Kaye in der genannten Rolle).

Zwei Filme werden von September 1944 bis Mai 1945 in der Produktionsverantwortung von Ernst Lubitsch hergestellt: *A Royal Scandal*, ein Remake von Forbidden Paradise (Regie: Otto Preminger) und *Dragonwyk*, ein Melodram (Regie: Joseph Mankiewicz).

Im Herbst 1945 ist Lubitschs Arzt damit einverstanden, daß er bei einem Film Regie führt: Cluny Brown mit Charles Boyer und Jennifer Jones nach einem Bestseller von Margery Sharp, der in Amerika sogar zum populären Comicstrip verarbeitet worden ist. Während der Drehzeit sagt Lubitsch: «Ich fühle mich wie ein Tänzer mit gebrochenem Bein, der plötzlich wieder tanzen kann.» Nach diesem «Tanz» muß er wieder pausieren.

Ein Oscar

Wenn die Academy of Motion Pictures Arts and Sciences (gegründet 1927), die jährlich in den verschiedensten Sparten ihre Oscars verleiht, den Eindruck hat, daß ein bedeutender Künstler immer wieder übergangen worden ist – und für dieses «Übergehen» kann es viele Gründe geben –, dann verleiht sie ihm einen «Special Academy Award». Am 13. März 1947 erhält Ernst Lubitsch einen «Special-Oscar» «for his distinguished contributions to the art of motion picture».

Mervyn LeRoy sagt in einer kurzen Ansprache: «He had an adult mind and a hatred of saying things the obvious way. Because of this qualities and a God-given genius he advanced the technique of screen comedy as no one else has ever done.»

Der letzte Film

Im Frühjahr 1947 nimmt Lubitsch einen Film in Angriff, den er schon 1943 mit Irene Dunne und 1944 mit Jeanette MacDonald drehen wollte: That Lady in Ermine. Jetzt spielt Betty Grable die Hauptrolle, ihr Partner ist Douglas Fairbanks, Jr. Lubitsch freut sich auf die Regie seines ersten Musicals nach 13 Jahren. Am 29. November endet – nach dem 26. Drehtag – Lubitschs Arbeit an diesem Film, der von Otto Preminger zu Ende geführt wird.

Abschied

Am 30. November 1947, einem Sonntag, «fand sein Hausmeister Werner, ein ehemaliger Bankdirektor, zuletzt mehr sein Freund als sein Diener, Ernst Lubitsch nach dem Mittagessen tot im Sessel sitzend, so wie er einst allnächtlich, sehr lebendig, in Berlin am Stammtisch der Mutter Maenz in der Augsburger Straße gesessen hatte, die schwarze Napoleonslocke in der Stirn über der kühn vorzinkenden Nase; die sonst so lustig blitzenden Augen und der leidenschaftlich diskutierende Mund waren jetzt für immer geschlossen, aber die geliebte Zigarre hielt er noch in der erstarrten Hand.»

Als Ernst Lubitsch stirbt, ist er 55 Jahre alt.

Die Beerdigung findet am 4. Dezember auf dem Friedhof Forest Lawn statt. Der Mann, der in Berlin/Ecke Schönhauser begonnen hat, von einer Karriere als Künstler zu träumen, wird in Hollywood zu Grabe getragen. Es ist eine große, amerikanische Beerdigung. Jeanette MacDonald singt an seinem Grab «Beyond the Blue Horizon».

Kurt Pinthus: In memoriam Ernst Lubitsch; in: K. P.: Der Zeitgenosse. Literarische Portraits und Kritiken. Marbach 1971.

Quellen

Der erste Teil der Biografie (Deutschland, 1892–1922) basiert auf eigenen Recherchen, die von Michael Hanisch und Wolfgang Jacobsen unterstützt wurden. Für den zweiten Teil (Amerika, 1923–1947) war die wichtigste Quelle der «Biographical Background» von Robert Carringer und Barry Sabath (Ernst Lubitsch: A Guide to References and Resources). Für einige Hinweise danke ich Gero Gandert und Reinhard Wulf. Das als «Lubitsch-Biografie» vielgerühmte Buch von Herman G. Weinberg (The Lubitsch Touch) ist als biografische Quelle eher enttäuschend und in den Fakten unzuverlässig. Weinberg datiert allerdings als einziger Lubitschs Geburtstag (29. 1. 1892) richtig, der in allen anderen mir bekannten Quellen auf den 28. 1. vorverlegt wird. Die Lubitsch-Zitate zu seinen Filmen stammen – wenn nicht anders vermerkt – aus seinem Brief an Herman G. Weinberg, der im Teil «Dokumente» vollständig abgedruckt ist.

Enno Patalas

Ernst Lubitsch: Eine Lektion in Kino

Nachschrift einer Fernsehsendung*

Ernst Lubitsch. Geboren in Berlin 1892. Gestorben in Hollywood 1947.
Mit neunzehn Schauspieler bei Max Reinhardt. Zum Film mit zwanzig als Komparse, Beleuchter, Schauspieler.
Regisseur wurde er, weil er als Schauspieler keinen mehr fand. Die Schauspielerei gab er auf, als er andere Schauspieler fand, die ihm mehr zusagten.
Ein Gesetz in seinen Filmen wie in seinem Leben: die Flucht nach vorn.

[Aus SCHUHPALAST PINKUS, *1916.] Halbtotal. Ein Büro. Im Vordergrund am Schreibtisch der Chef (Guido Herzfeld), im Hintergrund zur Tür herein Sally Pinkus (Ernst Lubitsch). Verbeugt sich, redet vertraulich auf den Chef ein.*

Der zeigt erstaunt mit dem Finger auf ihn: Sie? Ablehnende Handbewegung, dann in Richtung Tür: Hinaus! Sally läßt nicht locker, zieht alle Register seines Charmes, schlägt mit der flachen Hand auf den Tisch.
Zwischentitel: «Sally schmust.»

Nicht warten, bis man gerufen wird. Sich vordrängen, übertreiben, überrennen.

Der Chef zieht resignierend die Schultern hoch.
Zwischentitel: «Sie sind engagiert.»
Sally schüttelt dem Chef die Hand.

Den Fortschritt des Films stellte er sich vor als eine Auseinandersetzung mit dem, was vorausging.

Lubitsch über einen Film, den er nicht schätzte: Es ist eine brillante tour de force, aber es bringt den Film nicht weiter. Man kann nichts daraus lernen. Der Stil ist zu sehr individueller Ausdruck.

Seine Historienfilme von 1920 machte er gegen die italienischen Historienfilme der vorausgehenden Zeit.
Gegen seine eigenen Historienfilme machte er Kammerspiele und Komödien.
Als Hollywood ihn holte, 1923, setzte er der populären Burleske die Sophisticated Comedy entgegen.

Goodbye Slapstick, hello Nonchalance!

Immer mehrere Möglichkeiten ausfindig machen und zwischen ihnen wählen. Wie Jeanne, die spätere Madame Dubarry, zwischen ihren Verehrern.

[Aus MADAME DUBARRY, *1920.] Nah. Die Modistin Jeanne (Pola Negri) sitzt auf ihrem Bett, zum Ausgehen angezogen, ein Hütchen auf dem Kopf.*
Zwischentitel: «Zu wem soll ich gehen? Zu Armand oder Don Diego?»

* In größerer Schrift erscheinen der vom Autor gesprochene Text (normal) und die Zwischentitel der Sendung *(kursiv)*, in kleinerer die Beschreibung der Filmausschnitte. Wenn nicht anders vermerkt, stammt ein Ausschnitt aus demselben Film wie der voraufgehende. Der Beginn einer Einstellung wird durch die Angabe der Einstellungsart bezeichnet. Die amerikanischen Filmausschnitte waren in der ersten Fassung untertitelt, in der überarbeiteten synchronisiert. Der Sprecher ist in der Sendung nicht zu sehen. Während er spricht, sieht man Filmausschnitte, Zwischentitel oder Schwarzfilm. Daß es sich bei den Schwarzfilmstücken nicht um Bildausfälle beim Sender oder im Empfänger handelte, mußte bei den ersten Ausstrahlungen die Ansagerin den Zuschauern vorab versichern.

Sie zählt es an den Schleifen ihres Kleides ab.
Zwischentitel: «Armand – Don Diego - Armand.»
Sie ist unzufrieden, zählt noch einmal.
Zwischentitel: «Don Diego!»
Erfreut breitet sie die Arme aus und pudert sich.

Mehrere Möglichkeiten durchspielen. Sich abstoßen vom Bekannten.
Auf ein Genre das andere folgen lassen, auf die Burleske die niveauvolle Komödie und darauf vielleicht das Melodram.

Zwei Freunde, von denen der eine dem anderen die Freundin weggenommen hat.

[Aus DESIGN FOR LIVING, *1933.] Ganz nah. George (Gary Cooper) links am Fenster, den Rücken zur Kamera. Tom (Fredric March), im Profil, von rechts ins Bild.*
Tom: Well, that's one way of meeting the situation. Shipping clerk comes home, finds missus with boarder. He breaks dishes. Pure Burlesque. Then there's another way. Intelligent artist returns unexpectedly, finds treacherous friends. Both discuss the pros and cons of the situation in grownup dialogue.
Highclass comedy, enjoyed by everybody.

George, wendet sich Tom zu: And there's a third way. I'll kick your teeth out, tear your head off and beat some decency into you!
Tom: Cheap melodrama. Very dull.
George versetzt ihm einen Kinnhaken, Tom geht zu Boden, Kamera schwenkt mit.

Alle Möglichkeiten nacheinander ausprobieren. Eine noch unverbrauchte finden.

Ein armer Mann wartet im Foyer eines reichen Mannes. Er vertreibt sich die Zeit.

[Aus DIE AUSTERNPRINZESSIN, *1919.] Halbtotal. Das Foyer einer Villa mit einem sternförmigen Muster als Fußboden. Im Zentrum des Ornaments ein Tisch mit Vase und Blumenstrauß, darüber hängt von der Decke herab eine Klingelschnur. Josef (Julius Falkenstein) schreitet die Linien des Ornaments ab, immer von einer Spitze des Sterns zur Mitte hin und dann auf dem nächsten Strahl wieder nach außen.*
Halbtotal. Jetzt macht Josef immer einen großen Schritt von einer Spitze des Sterns zur nächsten, wobei er einen Fuß vorsetzt und dann den anderen nachzieht.
Halbtotal. Josef hüpft von einem Strahl zum nächsten.

Halbtotal, in starker Aufsicht. Josef schreitet nun schneller und seitwärts, den Rücken zum Mittelpunkt des Ornaments, die Strahlen ab.
Nah. Josef geht schnell um den Tisch herum.
Nah. Er steht am Tisch, steckt die Nase in die Blumen, hebt den Kopf zu dem Klingelknopf, der an einer Schnur von der Decke herabhängt, grinst, tippt daran und folgt mit dem Kopf den Pendelbewegungen. Schlägt noch einmal an den Klingelknopf, strahlt.
Nah. Josef hält die Schnur an und drückt auf den Knopf. Von beiden Seiten stürzen schwarze Diener ins Bild. Josef blickt ängstlich.

Der Mann ähnelt Lubitsch. Auch er ein phantasievoller Systematiker, und zwar nicht eins plus das andere, sondern immer eins im anderen: Phantasie in der Systematik, Phantasie mit System.
Probieren als schöpferische Methode – einen Vorschlag machen, ihn überprüfen, sich etwas anderes einfallen lassen.

Über die allmähliche Verfertigung der Gedanken beim Reden

[Aus Design for Living.*] Halbnah. Tom in seinem Zimmer auf dem Kanapee, vom Fußende her.*
Tom, deklamiert: I'm afraid, Bassington, that you are wrong.
Er steht auf, geht durchs Zimmer, Kamera schwenkt mit.
Tom: I'm afraid, Bassington, that you are wr . . .
Er geht zu seinem Schreibtisch, Kamera schwenkt mit, er setzt sich und beginnt zu tippen.
Tom: I'm afraid, Bassington, that you are right, but none the less boring. *Er lacht selbstzufrieden.* Very good! Very good!

Nicht Werke, einmalig, abgeschlossen, unverwechselbar, sondern Serien, Prozesse, in wechselnden Varianten fortschreitend.

[Aus Die Austernprinzessin.*] Nah. Mr. Quaker, der Austernkönig (Victor Janson), und Ossi, seine Tochter (Ossi Oswalda), nebeneinander in zwei Sesseln sitzend. Er liest Zeitung. Sie redet auf ihn ein, er hört nicht zu. Sie wird wütend, reißt ihm die Zeitung weg. Er zieht eine zweite aus der Brusttasche seiner Jacke, entfaltet sie, beginnt zu lesen. Sie reißt sie ihm weg und schmollt. Er zieht aus der rechten Seitentasche seiner Jacke eine dritte, entfaltet sie, beginnt zu lesen. Sie reißt ihm auch die weg. Er zieht aus der linken Seitentasche eine vierte Zeitung.*

Etwas wird weggenommen, ein anderes oder gleiches tritt an seine Stelle. Kein Original mehr, nur noch Kopien.

Zwischentitel: In Anbetracht der Eile findet eine bescheidene Hochzeitsfeier im engsten Familienkreise statt.
Halbtotal. Ein Tisch mit Kerzenleuchtern erstreckt sich in die Tiefe des Bildes, rechts und links, eng gedrängt sitzend, zahlreiche Gäste, hinter ihnen stehend zu beiden Seiten des Tisches drei Glieder von Kellnern. Das erste Glied, mit Fleischplatten, tritt vor, legt den Gästen vor, tritt zurück und geht nach vorn aus dem Bild.

Mit jedem Gang wird eine Kompanie von Kellnern verbraucht.

Rechts und links tritt das zweite Glied von Kellnern, mit Saucenschüsseln, vor, jeder gießt dem vor ihm sitzenden Gast Sauce aufs Fleisch, tritt zurück, seitliche Kehrtwendung und, wie zuvor, Abgang nach vorn. Das dritte Glied von Kellnern, mit Weinflaschen, tritt vor, schenkt den Gästen ein, macht links und rechts kehrt, geht nach vorn ab.

Immer tritt etwas an die Stelle von etwas anderem, ersetzt es voll und ganz.

Zwischentitel: «Kannst du mir vielleicht was pumpen?»
Groß. Prinz Nucki (Harry Liedtke), im Hemd, mit Monokel, hat es zu einem rechts von ihm stehenden Herrn in dunklem Mantel, mit weißem Querbinder und Zylinder, gesagt. Der wendet sich zu seinem ebenso gewandeten Nachbarn zur Rechten, spricht zu ihm, Kamera fährt mit. Der zweite Zylinderträger macht es wie der erste, wendet sich nach rechts, zu einem dritten, Kamera fährt mit; der dritte wendet sich an einen vierten, der an einen fünften, dieser an den sechsten und letzten, Kamera immer mit.
Groß. Eine behandschuhte Hand greift in eine Manteltasche, zieht ein Bündel Geldscheine heraus, reicht sie nach links, Kamera fährt mit. Der nächste Herr nimmt mit der einen Hand einen der Scheine weg und steckt ihn ein, mit der anderen reicht er das restliche Bündel dem Nachbarn zur Linken, und so weiter noch viermal, bis nur der letzte Schein in Prinz Nuckis Hand landet.

Abnutzung – ein Vorgang, dem zuzusehen Spaß macht. Die Richtung wechseln – nicht, um besser an ein vorbestimmtes Ziel zu gelangen, sondern weil der Wechsel selbst Vergnügen macht.

Ein Mädchen, das zwei Männer liebt, berichtet davon ihrem väterlichen Verehrer.

[Aus DESIGN FOR LIVING.*] Ganz nah. Max Plunkett (Edward Everett Horton) sitzt in Gildas Apartment in einem Sessel. Gilda (Miriam Hopkins) kommt ins Bild, setzt sich zu ihm auf die Sessellehne.*
Gilda: Max, have you ever been in love?
Max: This is no time to answer that.
Gilda: Have you ever felt your brain catch fire, and a curious, dreadful thing go right through your body, down, down to your very toes, and leave you with your ears ringing?
Max: That's abnormal!
Gilda: Well, that's how I felt just before you came in.
Max: Yea? How'd you feel yesterday, after your promenade with Tom?

Gilda: Just the opposite! It started in my toes and came up, up, up very slowly until my brain caught fire. But the ringing in the ears was the same!

Zur Liebe gehören – drei. Die meisten Lubitsch-Filme sind Dreiecksgeschichten.

Dreiecksgeschichten, zum Beispiel «Cavalleria Rusticana»

[Aus ANGEL*, 1937.] Halbnah. Sir Frederick Barker (Herbert Marshall) mit Graham (Edward Everett Horton), seinem Kammerdiener, der ihm beim Ablegen der Krawatte hilft.*
Graham: You're going to the Opera tonight, sir?
Sir Frederick: Yes – yes, that's where I'm going.
Graham: If I may say so, sir, my favorite Opera is «Cavalleria Rusticana». It's only one act, but it has everything – love, jealousy, hate, murder – and all in thirty-five minutes. I timed it once.
Sir Frederick: Isn't that the one where the husband suspects his wife of – singing with another man?
Graham: And catches them, right in the middle of a beautiful duet!
Kamera vorwärts. Sir Frederick setzt sich. Graham kniet nieder, zieht Sir Fredericks Schuhe aus.
Sir Frederick: He kills her, doesn't he?
Graham: Well, not immediately – no, sir. First he joins them in the most exquisite trio.
Sir Frederick: Naturally.

Anders als üblich führt bei Lubitsch der Auseinanderfall eines Paares nicht zur Herstellung eines anderen Paares oder gar zur Wiederherstellung des ersten.
Zwei Personen, aufeinander fixiert, einander bestätigend und verzehrend, alle anderen Möglichkeiten ausschließend – das erscheint Lubitsch nicht als erstrebenswertes Ziel.
Bei Lubitsch geht es um die Möglichkeit einer Verbindung zu dritt.
Erst mit ihr eröffnen sich unendlich viele weitere Möglichkeiten.

DESIGN FOR LIVING ist eine Emanzipationsgeschichte. Der Ausgangspunkt: Ein Mädchen, das liebt wie ein Mann, polygam.

Ein Mädchen, das zwei Männer liebt.

[Aus DESIGN FOR LIVING.*] Ganz nah. Gilda, links, mit Tom, stehend.*
Gilda: A thing happened to me that usually happens to men.
Ganz nah. George auf dem Kanapee, richtet sich auf. Groß. Gilda und Tom.
Gilda: You see, a man can meet two, three, or even four women and fall in love with all of them, and then, by a process of interesting elimination, he is able to decide which one he prefers.
Gilda setzt sich zu George aufs Kanapee, Kamera schwenkt mit.

Gilda: But a woman must decide purely on instinct – guesswork – if she wants to be considered nice.
Sie steht auf und wendet sich wieder Tom zu.

Gilda: Oh, it's quite all right for her to try on a hundred hats before she picks one out, but . . .
Tom: Very fine, but which chapeau do you want, Madame?
Ganz nah. George steht auf, tritt zu den anderen, Kamera schwenkt mit.
Gilda: Both!
Sie tritt zu George, schaut ihn an. Kamera auf sie zu.
Gilda: You see, George, you're sort of like a ragged straw hat with a very soft linig. A little bit out of shape, very dashing to look at, and very comfortable to wear.
Sie geht zu Tom und schaut ihn an, Kamera schwenkt mit.
Gilda: And you, Tom. Chic, piquant, perched over one eye, and has to be watched on windy days. *Wendet den Blick.* And both so becoming! Ohhh!
Kamera schwenkt, daß George ins Bild kommt. Gilda aus dem Bild.
Ganz nah. Gilda wirft sich auf das Kanapee. Staub steigt auf.
Gilda: Oh, I'm the most unhappy woman in the world.

Gilda braucht beide Männer. Sie braucht den Wechsel. Noch aber ist sie und sind ihre Männer nicht emanzipiert genug, die Möglichkeit der «unreinen» Liebe zu dritt zu erwägen.

Erster Versuch: Gilda und Tom (ohne Sex)

Nah. George, Gilda und Tom, stehend, essen Frankfurter Würstchen.
Gilda: Well, boys, it's the only thing we can do. Let's forget sex.
George: Okay.
Tom: Agreed.
George: It may be a bit difficult in the beginning.
Tom: But it can be worked out.
Gilda: Oh, it'll be grand!
George: Saves a lot of time.
Tom: And confusion.
Kamera auf sie zu.
Gilda: We're going to concentrate on work – your work. My work doesn't count. I think both you boys have a great deal of talent, but too much ego. You spend one day working, and a whole month bragging. Gentlemen, there are going to be a few changes. I'm going to jump up and down on your ego. I'm going to criticize your work with a baseball bat. I'm going to tell you every day how bad your stuff is until you get something good, and if it's good, I'm going to tell you it's rotten until you get something better. I'm going to be a mother of the art!

Arbeit, Karriere, Erfolg sollen ersetzen, was die Moral der Gesellschaft verbietet.

Gilda wendet sich George zu, er will sie auf den Mund küssen, aber sie hält ihm die Stirn hin, er küßt sie, dann wendet sie Tom ihre Stirn zu, er küßt sie, während George mißtrauisch über ihren Kopf hinweg zuschaut.
Gilda: No sex!
George und Tom: Huh-uh.
Sie reichen sich die Hände.

Gilda: It's a gentleman's agreement.

Aber als Tom die Freunde verläßt, um Karriere zu machen, werden Gilda und George wortbrüchig.

Zweiter Versuch: Gilda und George ohne Tom (mit Sex)

Halbnah. Gilda und George gehen auf und ab. Kamera fährt langsam auf sie zu. George packt Gilda.
George: I love you, Gilda! Why lie about it? You can't change love by shaking hands with somebody. We're unreal, the three of us, trying to play jokes on nature. This is real. *Er küßt sie.* A million times more honest than all the art of the world!
Gilda geht nach rechts zum Kamin, Kamera schwenkt mit, dann mit ihr zurück auf George.
Gilda: I love you.
Gilda nach rechts aus dem Bild.
Ganz nah. Gilda kommt ins Bild, legt sich aufs Kanapee.
Gilda: It's true we have a gentleman's agreement, but unfortunately I am no gentleman!
Abblende.

Aber dann ist George verreist, und Tom kehrt überraschend zurück.

Dritter Versuch: Gilda und Tom ohne George (mit Sex)

Groß. Tom und Gilda.
Gilda: Tommy, I never forgot you. In fact, you never left me. You haunted me like a nasty ghost. On rainy nights I could hear you moaning down the chimney. Tommy! Tommy!

Doch das Überlaufen von George zu Tom wäre für Gilda keine Lösung. Sie erkennt es und verschwindet aus dem Leben der beiden Freunde.

Vierter Versuch: Gilda und Mr. Plunkett (eine bürgerliche Ehe)

Halbtotal. Ein Zimmer voller Blumensträuße. Gilda und Max Plunkett. Er im Frack, sie im Brautkleid.

Die bürgerliche Ehe, das ist die Ersatzlösung, die Gilda am wenigsten entspricht, die am meisten Selbstverleugnung von ihr verlangt. Natürlich hält auch sie nicht vor. Und das Ende sieht das Terzett erneut vereint.

Fünfter Versuch: Gilda und Tom und George (mit Sex? ohne Sex?)

Ganz nah. Gilda zwischen George und Tom auf dem Rücksitz eines Taxis, die Männer in Frack und Zylinder.
Gilda: Now we'll have some fun. Back to Paris!
Tom: To the same old studio?
Gilda: To the same old dump! And work!
George: Great!
Gilda, zu George: But you can't paint in that suit.
George: I'll burn it!
Gilda, zu Tom: And you can't write in that top hat.
Tom: In the ash can with it!
George: Let's hear, Gilda. Can you still say «rotten»?
Gilda: R-r-r-rotten! *Sie lachen.*
Tom: Gilda, are you going to criticize us with that baseball bat of yours?
Gilda: Till you say «Uncle!»
Tom, unter Lachen: Gilda!
Er küßt sie.

George: Dear critic!
Er küßt sie. Tom seufzt.
Gilda: But, boys, this is very important. There's one thing that has to be understood.
George: I know.
Tom: Yes, we know. It's a gentleman's agreement.
Sie schütteln sich die Hände. Abblende.

Aber Gilda ist noch immer kein Gentleman.

Deutlicher zu werden, hielt Lubitsch nicht für nötig. Er rechnete mit der Intelligenz des Zuschauers. Das Publikum ist bei ihm immer mit von der Partie.

Halbnah. Im Zuschauerraum eines Theaters. Volle Reihen. Man hört die Stimmen der Schauspieler von der Bühne.
Stimme «Bassington»: And what were you doing on the fire escape?
Stimme «Edgar»: Cooling off.

Die Zuschauer lachen. Im Hintergrund sieht man Tom im Seitengang stehen. Kamera langsam über die Köpfe der Zuschauer auf ihn zu, bis nah.

Der Bühnenautor Tom, der hier das Theater betritt, in dem sein Stück gespielt wird, das könnte Lubitsch sein, der im Kino die Reaktion seines Publikums prüft.

Halbnah. Die Zuschauer lachen.
Groß. Tom. Man hört das Lachen der Zuschauer und die Stimmen der Schauspieler von der Bühne.
Stimme «Bassington»: And what was your mandolin doing in my bed?
Stimme «Edgar»: I must ask you to leave my mandolin out of this.
Das Gelächter schwillt an ...

Kein Lubitsch ohne Publikum, aber Vorsicht, das Publikum gibt es nicht außerdem, es steckt mit drin, es ist ein Teil des Films. Zum Ton des Films gehört unser Lachen, sonst gäbe es den Film nicht. (François Truffaut)

Immer ist die Perspektive des Zuschauers eine andere als die der Helden.

[Aus ANGEL.*] Groß. Sir Frederick am Frühstückstisch. Er schlägt ein gekochtes Ei auf.*

Groß. Lady Maria Barker (Marlene Dietrich).
Lady Barker: Frederick?
Groß. Sir Frederick.
Sir Frederick: Yes, dear?
Groß. Lady Barker.
Lady Barker: Someone is in love with me. I'm crazy about him.
Groß. Sir Frederick.
Stimme Lady Barker: I've decided to leave you.
Groß. Lady Barker.
Lady Barker: I'm already packed.
Groß. Sir Frederick, beißt in seinen Toast.
Groß. Lady Barker.
Lady Barker: I wonder what you would do.
Groß. Sir Frederick.
Sir Frederick: I certainly wouldn't quarrel. It would be too late.
Halbnah. Beide im Profil, einander gegenübersitzend, sie links, er rechts. Das Gespräch geht weiter ...

Das Geständnis war nur Teil eines Spiels. Die beiden vorbildlichen Eheleute versuchten sich vorzustellen, was passieren müßte, damit sie Streit bekämen.

Sir Frederick: We might just as well face it. We're a hopelessly happy married couple.
Beide lachen, er greift zur Morgenzeitung, dann sie ebenfalls.

Was er aber nicht weiß, was sie weiß und was der Zuschauer weiß: Lady Barker ist wirklich nach einem anderen Mann verrückt.
Und nicht nur hat Lady Barker einen Liebhaber, was der Ehemann nicht weiß, auch vereint den Liebhaber mit dem Ehemann eine Beziehung, von der Lady Barker nichts weiß, eine Beziehung, in der ihr Verhältnis zu den beiden Männern vorgezeichnet war, ehe sie sie kennenlernte.

Groß. Sir Frederick, links, und Mr. Halton (Melvyn Douglas), auf einer Terrasse, stehend.
Mr. Halton: I'm very glad of this opportunity to meet you, Sir Frederick. As a matter of fact, I've been looking forward to it.
Sir Frederick: Thanks.
Mr. Halton: I have a feeling that you and I might find some very interesting things to talk about.
Sir Frederick: I'm quite sure we could. Yes, these are very exciting times. Hmm.
Mr. Halton: Sir Frederick?
Sir Frederick: Yes?
Mr. Halton: I wonder if you know who I am?
Sir Frederick: Why, certainly. Davington's been telling me about you. You're his house guest, aren't you?
Das Gespräch geht weiter ...

Beziehungen unter Männern haben bei Lubitsch oft einen erotischen Akzent, auch wenn das nie ausgesprochen wird. Reagiert nicht Sir Frederick auf Mr. Haltons Annäherung wie auf ein fragwürdiges Angebot?

Sir Frederick: I'm sorry – I'm at a complete loss.
Mr. Halton: Sir Frederick, you once deliberately stole my overcoat.

Sir Frederick: I beg your pardon!
Mr. Halton: However, I helped myself to a pair your gloves.
Sir Frederick: This sounds like a mystery story.
Mr. Halton: No – no, just a war anecdote.
Sir Frederick: Oh! What was your regiment?
Mr. Halton: I was in the Warwickshire 10th Bataillon.
Sir Frederick: I was Lesters – Machine guns. Let me see – I don't think the two regiments ever came together.
Mr. Halton: Neither did we. But during 1916 and '17, you went to Paris several times on leave.
Sir Frederick: Yes, that's right – I did.
Mr. Halton: We were young, and she was charming.
Sir Frederick: Who?
Mr. Halton: Paulette.
Sir Frederick: Do you mean Paulette – Fouchardière?
Mr. Halton: Paulette Fouchardière, Modiste – third floor – hemstitching and embroidery.

Sir Frederick: Are you Poochie?
Mr. Halton: Yes, Snooky.
Sie schütteln sich die Hände.
Sir Frederick, lachend: Well, let me have a look at you.
Das Gespräch geht weiter ...

Und wie Sir Frederick und Mr. Halton sich einst bei der Pariser Modistin die Klinke in die Hand gaben, so nun, ohne daß sie es noch wissen, bei Lady Barker, Sir Fredericks Gattin und Mr. Haltons Geliebter. Nur, daß sich das heitere Volksstück von einst nun, der gehobenen gesellschaftlichen Lage entsprechend, als Drama wiederholt.
ANGEL ist ein Spiel um die Identität einer Frau. So beginnt der Film.

Halbnah. Lady Barker kommt durch eine Drehtür in eine Hotelhalle herein, andere Leute verlassen sie auf demselben Weg. Straße in Rückprojektion. Lady Barker kommt ein paar Stufen herab und geht zum Desk des Portiers, Kamera schwenkt mit. Mehrere Leute am Desk.

Marlene Dietrich, die ihr Liebhaber später «Angel» tauft, die man noch später als Lady Barker wiedertrifft, nimmt ein Zimmer in einem Pariser Hotel.

Ganz nah. Lady Barker, der Portier von hinten im Anschnitt, im Hintergrund Hotelgäste.
Portier: Bonjour, Madame.
Lady Barker: Bonjour. I want a small suite, please. It must be quiet.
Portier: I have a very charming one facing the courtyard. Will Madame please sign her name?
Er gibt ihr einen Federhalter.
Ganz groß. Lady Barker.

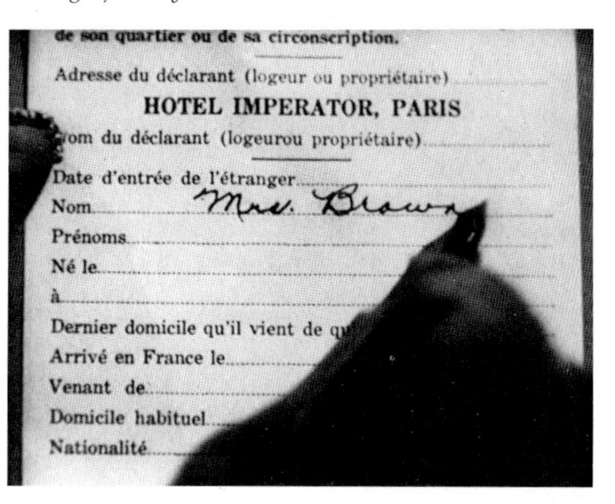

de son quartier ou de sa circonscription.
Adresse du déclarant (logeur ou propriétaire)
HOTEL IMPERATOR, PARIS
om du déclarant (logeurou propriétaire)
Date d'entrée de l'étranger
Nom Mrs. Brow
Prénoms
Né le
à
Dernier domicile qu'il vient de q
Arrivé en France le
Venant de
Domicile habituel
Nationalité

Ganz groß. Lady Barkers Hand unterschreibt den Meldezettel mit «Mrs. Brown».
Nah. Lady Barker, der Portier von hinten im Anschnitt. Sie reicht ihm den Federhalter.
Portier: Merci, Madame. In order to save inconvenience later, Madame, will you kindly leave your passport here?
Lady Barker: Passport? I just showed my passport at the airport.
Portier: I'm very sorry, Madame, but it's a Government regulation.
Lady Barker öffnet ihre Handtasche, entnimmt ihr ihren Paß und gibt ihn dem Portier.
Lady Barker: Oh! Travelling is becoming quite complicated these days, isn't it?
Nah. Der Portier, Lady Barker mit dem Rücken zur Kamera, ein Liftboy im Vordergrund.
Portier: Merci, Madame. *Zum Hausdiener außerhalb des Bildes:* S'il vous plait!
Der Hausdiener kommt ins Bild.
Hausdiener: Bonjour, Madame.
Portier: Will you show Madame two fifty-four?
Hausdiener: Par ici, s'il vous plait.
Lady Barker, der Hausdiener und der Liftboy aus dem Bild. Kamera fährt auf den Portier zu. Der nimmt den Paß, vergleicht ihn mit dem Meldezettel. Kamera fährt etwas zurück, Lady Barker kommt wieder ins Bild.
Lady Barker: Is there anything wrong?
Portier: Not at all. Everything will be all right. I assure you – Mrs. Brown.
Groß. Lady Barker, der Portier von hinten im Anschnitt.
Lady Barker: Thank you.

Seinen Namen verbergen, seine bürgerliche Identität verleugnen.

Das erste Rendezvous der Anonymen mit Mr. Halton. Er dringt in sie, fragt sie nach Namen, Beruf, Familienstand.

Groß. Lady Barker und Mr. Halton in einem Restaurant, sie Eis löffelnd. Musik.
Mr. Halton: Am I a success with you?
Lady Barker: Tremendous.
Mr. Halton: I wonder if I am.
Lady Barker: Why do you doubt it?
Mr. Halton: Because here we are at the dessert and we know nothing about each other. You won't tell me your name. You won't even let me tell you mine.
Lady Barker: Oh, dear! Didn't we settle all that at the soup – and again at the salad? Why spoil such a perfect evening with names? I don't want to know your name. Whatever it is, I know it wouldn't suit you.
Das Gespräch geht weiter . . .

Der Frau, der Unbürgerlichen, gilt der Augenschein mehr als die soziale Identität.

Lady Barker: Besides, I know all about you.

Sehr groß. Mr. Halton, Lady Barker angeschnitten im Vordergrund.
Mr. Halton: You do?
Sehr groß. Lady Barker, Mr. Halton im Vordergrund.
Lady Barker: Providence gave you gray eyes, brown hair . . .
Sehr groß. Mr. Halton, Lady Barker im Vordergrund.
Lady Barker: . . . a charming smile . . .

Sehr groß. Lady Barker, Mr. Halton angeschnitten im Vordergrund.
Lady Barker: . . . and great attraction. Everything else is unimportant and I'm content.
Groß. Lady Barker und Mr. Halton.
Mr. Halton: You're married?
Lady Barker: Back to the soup and the salad.
Das Gespräch geht weiter . . .

Seinem Verlangen nach der «Wahrheit» begegnet sie, indem sie ihm gleich mehrere, fiktive Identitäten vorschlägt.

Sehr groß. Mr. Halton, Lady Barker angeschnitten im Vordergrund.
Mr. Halton: Now tell me the true one.
Ganz nah. Lady Barker und Mr. Halton. Lady Barker kommt nach vorn, wendet sich und steht mit dem Rücken zur Kamera.
Lady Barker: Very well then. Perhaps it's dangerous for you to be with me. Perhaps I have a husband who will come in and shoot you.
Groß. Lady Barker.
Lady Barker: Perhaps I'm a spy – a thief.
Groß. Mr. Halton.
Stimme Lady Barker: The police may come in and arrest me.
Halbnah. Mr. Halton, Lady Barker im Vordergrund.
Lady Barker: Both of us.
Sie setzt sich an den Tisch. Er folgt ihr, setzt sich zu ihr auf die Stuhllehne.
Mr. Halton: You're none of those things. If you were, it wouldn't matter – now or any other time.

Da sie ihm ihren Namen verweigert hat, gibt Mr. Halton seiner Geliebten selbst einen Namen: «Angel» – Engel.

Groß. Lady Barker und Mr. Halton.
Mr. Halton: I love you. You'll never go out of my life! I'll never let you go! *Sie küssen sich.*

Aber «Angel» entzieht sich seinem Zugriff.

Halbnah. Eine Blumenfrau im Park. Es ist dunkel. Sie hält einen Strauß Veilchen in der Hand.

Halbnah. Lady Barker und Mr. Halton auf einer Parkbank. Er steht auf und geht nach rechts aus dem Bild. Total. Die Blumenfrau, Mr. Halton kommt im Vordergrund ins Bild, Kamera fährt mit ihm mit auf die Blumenfrau zu. Er gibt ihr Geld, nimmt einen Blumenstrauß. Sie will ihm Wechselgeld herausgeben.
Mr. Halton: Oh, merci, beaucoup!
Er geht nach links aus dem Bild.

Sie entzieht sich dem Blick des Mannes . . .

Die Blumenfrau tut das Geld in ihr Portemonnaie, Kamera auf sie zu.
Stimme Mr. Halton: Angel!

Lubitsch läßt auch Mr. Halton dem Blick des Zuschauers entschwinden . . .

Die Blumenfrau blickt suchend nach rechts und links. Sie senkt den Blick, sie sieht etwas, geht aus dem Bild.

Dann dem Blick der Blumenfrau . . .

Halbnah. Die Parkbank, die Blumenfrau kommt, bückt sich, hebt den Blumenstrauß, den sie da hat liegen sehen, auf, bläst den Staub von den Blumen.

Und schließlich entrückt der Film auch die Blumenfrau dem Blick des Zuschauers.

Die Blumenfrau entfernt sich auf dem Parkweg in die Tiefe des Bildes. Abblende.

Die Szene, die Leinwand, hat sich geleert. Ein Loch ist entstanden, das der Zuschauer mit seinen Erwartungen und Vorstellungen füllt.
Nicht nur gehört das Lachen des Zuschauers zum Ton der Filme von Lubitsch, zu deren Bildern gehören auch seine Vorstellungen.

Wie um eine plötzlich gerissene Lücke ein Sog entsteht.

[Aus MADAME DUBARRY.*] Nah. König Ludwig XV. (Emil Jannings) auf einer großen Parkbank, umgeben von der Königin, Höflingen und Dienern.*
Nah. Jeanne auf einer kleinen Parkbank, ohne Lehne. Groß, Iris-Cash. Der König blickt durch sein Lorgnon zu Jeanne hin.

Das Auge des Königs ruht wohlgefällig auf Jeanne.

Groß, Iris-Cash. Jeanne.
Groß, Iris-Cash. Der König mit Lorgnon.
Groß, Iris-Cash. Die Königin, sie schaut pikiert.
Groß, Iris-Cash. Der König setzt das Lorgnon ab und wendet sich an seine Umgebung.
Zwischentitel: «Eine so reizende Begegnung ist eine gute Vorbedeutung für den ganzen Tag.»
Groß. Ein Herr in des Königs Gefolge, der Minister Choiseul (Reinhold Schünzel), gibt einem Diener eine Anweisung, der Diener geht aus dem Bild.
Nah. Jeanne auf der Bank. Der Diener tritt zu ihr.
Zwischentitel: «Scheren Sie sich zum Teufel, Sie unverschämte Person.»
Nah. Jeanne steht auf und geht aus dem Bild.
Halbnah. Die Gruppe auf der großen Bank. Der König schaut wieder durch sein Lorgnon.
Nah. Die Bank, leer, auf der Jeanne gesessen hat.

Einen Augenblick schaut er nicht hin, da ist sie verschwunden.
Aber die Lücke, die sie hinterließ, verfolgt erst recht seine Imagination.
Und so geht es dem Zuschauer vor Lubitschs Filmen.

Im Emmentaler Lubitsch ist jedes Loch genial. (François Truffaut)

[Aus TROUBLE IN PARADISE, *1932.] Erst nur Gesang.*
Sopranstimme: I love you . . .
Groß. Noten auf einem Pult.
Sopranstimme: I love you, I love you . . .

Die Seiten werden, wie von einem stürmischen Wind, umgeblättert. Die Musik geht von Dur in Moll über.
Sopranstimme: I hate you!
Chor: She hates him!

Lubitsch zeigt Segmente, Aspekte. Die Vorstellung von etwas Ganzem, Fertigem, Festem, durchaus mit sich Identischem ist ihm fremd.

[Aus MADAME DUBARRY.*] Nah. Der König am Schreibtisch, liest ein Pergament, Jeanne schaut ihm über die Schulter, rechts hinter dem König der Minister Choiseul.*
Insert: «Im Namen des Königs.»

Etwas tritt an die Stelle von etwas anderem.

Groß, Iris-Cash. Jeanne, sie liest, ihr Gesicht wird ernst.

Wie Jeanne auf dem Schreibtisch des Königs Tintenglas und Streusandbüchse vertauscht, um ein Todesurteil zu verhindern.

Ganz nah. Choiseul schnupft.

Ganz nah. Der König schaut verliebt zu Jeanne hoch, sie lächelt ihn an.

Groß. Jeannes Hand vertauscht zwei Behältnisse auf dem Schreibtisch. Die Hand des Königs nimmt eins der Behältnisse und schüttet Tinte auf das Pergament.
Nah. Jeanne, der König und Choiseul. Der König schaut verwundert.

Beziehungsreich werden bei Lubitsch Personen durch Sachen vertreten.

[Aus Design for Living.*] Groß. Eine Schreibmaschine auf dem Fußboden eines Zimmers.*

Die Schreibmaschine hat Tom bei Gilda in Pflege gegeben.

Groß. Tom schaut, geht aus dem Bild.
Halbnah. Tom ins Bild, hebt die Schreibmaschine vom Boden auf, stellt sie auf ein Bett, Kamera schwenkt mit.

Groß. Toms Finger schlägt eine Taste an, nichts rührt sich. Seine Hand schiebt die Walze, macht eine resignierte Bewegung.

Der Mechanismus einer Remington Nr. 2 als Metapher für den Mechanismus der Liebe.

Ganz nah. Gilda kommt ins Bild, geht zu der Schreibmaschine auf dem Bett, Kamera schwenkt mit.
Groß. Tom.
Tom: You didn't keep it oiled!
Ganz nah. Gilda.
Gilda: I did for a while.
Groß. Tom.
Tom: The keys are rusty . . .
Ganz nah. Gilda.
Stimme Tom: . . . and the shift is broken.
Sie bewegt die Walze, es klingelt.
Groß. Tom.
Ganz nah. Gilda.
Groß. Tom.
Ganz nah. Gilda.
Gilda: But it still rings!
Groß. Tom, er steht auf.
Halbnah. Gilda. Tom kommt ins Bild.
Gilda: It still rings!
Kamera auf sie zu.
Tom: Does it?
Abblende.

Bei Gildas Hochzeit lassen sich Tom und George durch zwei Tulpen vertreten.

Halbnah. Gilda und Mr. Plunkett in ihrem Boudoir, er im Frack, sie im Brautkleid. Sie bückt sich nach einem Blumentopf am Boden.

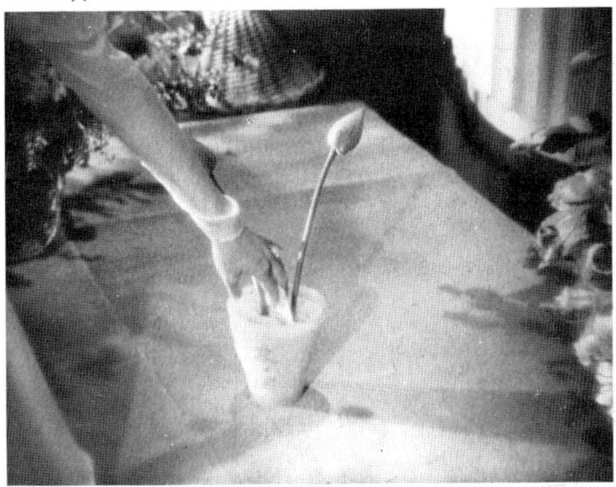

Groß. Der Topf mit zwei Tulpen, dazwischen ein Umschlag. Gildas Hand kommt ins Bild, nimmt den Umschlag.
Ganz nah. Gilda und Mr. Plunkett. Sie öffnet den Umschlag und liest.
Groß. Auf der Karte steht: All the way from China. Hello. Tom and George.

Was Gilda und ihr Mann den beiden Verehrern antun möchten, das tun sie den Tulpen im Topf an.

Halbnah. Mr. Plunkett und Gilda. Sie geht wütend auf und ab. Dann tritt sie gegen den Topf, dessen Inhalt – Blumen und Erde – sich über den Boden verstreut. Dann geht sie durch die Tür rechts ins Nebenzimmer.
Halbnah. Die Tür öffnet sich wieder, Gilda kommt herein, Kamera schwenkt mit. Gilda kniet sich auf den Boden, hebt die Blumen auf, sammelt die Erde und füllt sie wieder in den Topf, steckt die Blumen hinein.

Zwei Stengel in einem Topf – Lubitschs Hinweise lassen nichts an Deutlichkeit zu wünschen übrig.

Gilda richtet sich wieder auf, macht das Licht aus, geht wieder ins Nebenzimmer und schließt die Tür hinter sich, Überblendung.

Die Hochzeitsnacht. Ein schönes Beispiel für die «Löcher im Emmentaler Lubitsch».

Die Kamera bleibt auf der Tür, es wird hell. Die Tür öffnet sich wieder, Mr. Plunkett, im Pyjama, kommt herein, schließt die Tür hinter sich. Er macht einen mißmutigen Eindruck, geht ein paarmal auf und ab, holt aus und tritt seinerseits wütend gegen den Blumentopf.

Irgend etwas scheint schiefgegangen zu sein.

Abblende.

Unerschöpflich war Lubitschs Erfindungsgeist im Auffinden von Aspekten.

Variante 1. Man sieht etwas, hört aber nicht.

Halbnah. Ein Schaufenster mit einer Liege. Straßenlärm. Mr. Plunkett und Gilda kommen mit einem Verkäufer aus einem dahinterliegenden Raum ins Schaufenster. Nah. Sie treten neben die Liege. Der Verkäufer mißt mit einem Bandmaß die Breite der Liege, sagt etwas zu Mr. Plunkett. Der nimmt darauf das Bandmaß, mißt erst die Breite von Gildas Oberkörper, dann die des eigenen, schüttelt ablehnend den Kopf. Alle verlassen wieder das Schaufenster.

Der Zuschauer wird genötigt, in den Gesten zu lesen.

Variante 2. Man hört etwas, versteht aber nicht.

[Aus TROUBLE IN PARADISE.*] Ganz nah. Mme. Colet (Kay Francis) legt den Telefonhörer auf und wendet sich dem neben ihr stehenden Bolschewiken (Leonid Kinskey) zu.*
Mme. Colet: Yes?
Bolschewik: So you lost your handbag, Madame?
Mme. Colet: Yes.

Bolschewik: And it had diamonds in the back.
Mme. Colet: Yes.
Bolschewik: And diamonds in front.
Mme. Colet: Yes.
Bolschewik: Diamonds all over.
Mme. Colet: Yes, have you found it?
Bolschewik: No! But let me tell you, any woman who spends a fortune in times like these for a handbag – phooey! Phooey! And phooey!
Der Butler (Robert Greig) kommt ins Bild.
Butler: I must ask you . . .
Bolschewik, ihn wegschiebend: And as Leo Trotsky said: Kashdaya damitchka . . .
Er schimpft weiter auf russisch.

Man versteht die Wörter nicht, aber man versteht die Rede.

Bolschewik, wieder auf englisch: And that goes for you, too!

Variante 3. Man hört Stimmen, aber die Sprechenden bleiben unsichtbar.

Groß. Eine Uhr auf einem Schreibtisch. Sie zeigt fünf Uhr. Man hört Stimmen.

Fünf Uhr. Ein Mann, seine Chefin erwartend, verabschiedet sich von seiner Geliebten, die er als Sekretärin getarnt hat.

Überblendung.
Die Uhr zeigt jetzt zwölf nach fünf.

Zwölf Minuten später. Die Chefin fragt scheinheilig nach der Sekretärin und verabredet sich mit dem Mann zum Dinner.

Stimme Mme. Colet: Oh, that's too bad. I wanted to ask her to ask you if you would be good enough to go out to dinner with me tonight.
Man hört beide lachen.
Überblendung.
Die Uhr zeigt fünf nach neun. Man hört ein Telefon klingeln.

Fünf nach neun. Niemand da. Dinner Time.

Überblendung.
Musik. Die Uhr zeigt zehn vor elf. Man hört Lachen und die zärtlichen Stimmen der beiden. Licht fällt auf die Uhr, eine Tür ist geöffnet worden. Nun versteht man.
Stimme Gaston: Hmm, good night, Madame. And let me tell you again, you dance like a dream.
Stimme Mme. Colet: Oh, no, it's the way you lead.
Stimme Gaston: No, Madame, it's the way you follow.
Stimme Mme. Colet: No, Monsieur.
Stimme Gaston: Yes, Madame.
Stimme Mme. Colet: Well, the evening's still young. Let's go down to the living room and talk it over.
Überblendung.

Groß. Uhr im Wohnzimmer. Sie zeigt fünf vor zwölf. Schwenk über Blumenbank auf Champagnerkübel.
Überblendung.
Halbnah. Ein Fenster auf einen nächtlichen Garten, im Hintergrund ein Kirchturm. Kamera schwenkt weiter auf den Mond.

Oder das Ereignis, das zum Ende von Gildas bürgerlicher Ehe führte.

[Aus DESIGN FOR LIVING.*] Halbnah. Ein leerer Raum mit Treppe, rechts eine Tür. Man hört Musik.*

Tom und George sprengen die Party, die Gildas Mann seinen Geschäftsfreunden gibt.

Stimme Egelbaur, singend: . . .sky,
Goodbye summer,
Goodbye, good-bye, good-bye –
Die Stimmen von Tom und George, rauh in den Gesang einfallend: Egelbaur! Good-bye, good-bye!
Lauter Lärm.

Mr. Egelbaur war Mr. Plunketts bester Kunde.

Die Schlägerei selbst zeigt Lubitsch nicht. Aber er läßt dem Tonbild noch die Beschreibung folgen, die Tom und George dem entsetzten Mr. Plunkett geben.

Total. Das Partyzimmer ist ein Trümmerfeld. Mr. Plunkett kommt zur Tür herein.
Ganz nah. Tom und George, leicht zerzaust.
Groß. Mr. Plunkett geht aus dem Bild.
Ganz nah. Tom und George. Mr. Plunkett kommt ins Bild.

Mr. Plunkett: Where – where is everybody?
George: I think they've all gone home.
Mr. Plunkett: Gone home? What for? Why?
Tom: You should never have socked McGuire!

Mr. Plunkett: Socked McGuire?
George: I admit I was a bit careless, but how should I know Kaplan would creep up in the back?
Tom: That's partnership!
Mr. Plunkett: Kaplan? Creep up in the back?
George: Yes. But the real surprise of the evening was Egelbaur.
Tom: He starts slow.
George: But warms up. Wonderful footwork.
Mr. Plunkett: Uh – what – what happened? Was there a fight?
George: A marvellous fight!
Tom: Quite a demonstration.
Mr. Plunkett: Ohhh!
Nach links aus dem Bild.

Nicht das Ereignis interessiert Lubitsch, sondern der Umweg der Information vom Ereignis, von der Sache, über die Darstellung zum Betrachter.

[Aus DIE AUSTERNPRINZESSIN.*]*
Zwischentitel: Quaker diktiert seine Post.
Aufblende (Iris). Groß. Mr. Quaker, er raucht eine dicke Zigarre, die er mittels eines Halters hält. Er setzt die Zigarre ab, beginnt zu sprechen.

Halbtotal. Dreizehn Stenotypistinnen an kleinen Tischen. Alle schreiben mit.

Wenn Mr. Quaker, der Austernkönig, einen Brief diktiert, schreibt gleich ein Dutzend Stenotypistinnen mit.

Aufblende (Iris). Ganz nah. Quaker, von drei schwarzen Dienern umgeben, am Schreibtisch. Er diktiert weiter. Raucht. Ein Diener nimmt ihm die Zigarre ab, ein anderer reicht ihm eine Tasse, Quaker trinkt einen Schluck, ohne die Tasse in die Hand zu nehmen.
Halbtotal. Die Stenotypistinnen warten, dann schreiben sie weiter.
Ganz nah. Ein Diener putzt Quaker die Nase.
Halbtotal. Im Hintergrund Quaker mit den Dienern, davor, mit dem Rücken zur Kamera, die Stenotypistinnen.

Ständig sieht man in Lubitschs Filmen jemanden etwas diktieren. Was da diktiert wird, interessiert meist nicht. Interessant ist der Vorgang des Diktierens selbst.

[Aus DESIGN FOR LIVING.*] Aufblende. Halbnah. Tom, im Morgenrock, geht in seinem Hotelzimmer auf und ab. Kamera langsam auf ihn zu.*

Wenigstens zu *einer* Sekretärin bringt es Tom, der Bühnenautor. Früher sahen wir ihn beim Selbstdiktat.

Tom geht gut gelaunt auf und ab, diktiert, Kamera schwenkt mit.
Tom: «My dearest Gilda, and dear George. This is the first letter I've ever dictated, so kindly overlook its correct spelling and perfect punctuation. An honest heart still beats beneath.» Exclamation point, dash, paragraph.

Die Fortsetzung der Szene: eine weitere Variante der sprechenden Auslassung und Andeutung.

Ganz nah. Tom.
Tom: «My heart is in the highlands of Montmartre.»
Man hört es klopfen.
Tom: «And the . . .» – Come in! – «And the night finds me pale and thoughtful, waiting . . .»
Ein Bote bringt einen Brief und geht wieder.
Tom, diktiert wohlgemut weiter: «And the night finds me pale and thoughtful, waiting for the end of my exile when the three of us, Athos, Porthos and Mademoiselle d'Artagnan will . . .»
Er hat den Brief geöffnet und liest.
Tom, langsamer, automatisch: «. . . will sit in the Royal Box at the opening . . .»

Tom hat einen Brief bekommen. Der Zuschauer sieht ihn lesen, aber was er liest, suggeriert nur die Fortsetzung des Diktats – vor allem, *wie* Tom nun diktiert.

Tom setzt sich, er blickt mißmutig vor sich hin. Kamera langsam auf ihn zu.
Tom, ernüchtert: Start the letter over. «Dear George and Gilda. Good luck. As ever, Tom.» *Abblende.*

Variante 77. Man sieht, wie jemand jemanden sieht, der seinerseits etwas sieht.

[Aus Angel.*] Halbnah. Eine Menge am Rande einer Rennbahn. Kamera schwenkt, Wilton, Sir Fredericks Butler (Ernest Cossart), und seine Frau Emma (Dennie Moore) kommen ins Bild. Kamera auf sie zu. Wilton blickt durch sein Fernglas.*

Wilton: Now, let's see if I can find Lady Barker!
Nah, im Cash, «wie durch ein Fernglas». Zuschauer auf einer Tribüne, Kamera schwenkt, Lady Barker kommt ins Bild, wie sie eine Treppe herabsteigt.
Stimme Wilton: There she is!
Groß. Emma und Wilton, im Hintergrund Menschen. Er gibt ihr das Fernglas.
Wilton: The one in the black dress just in front of the staircase.

Durchs Fernglas sehen Sir Fredericks Butler und seine Frau Lady Barker.

Halbnah, im Cash, «wie durch ein Fernglas». Lady Barker und andere Tribünenbesucher.
Halbtotal. Menschenmenge auf der Tribüne. Fanfarenton.
Ganz nah. Lady Barker in der Menge. Sie schaut durch ihr Fernglas. Fanfarenton.

Wen aber sieht Lady Barker durch *ihr* Fernglas?

Groß. Wilton und Emma, Leute im Hintergrund.
Nah, im Cash, «wie durch ein Fernglas». Lady Barker läßt ihr Fernglas sinken.

Stimme Emma: Something must have happened. She looks excited.
Lady Barker geht nach links, Kamera schwenkt mit, auf Sir Frederick und einen anderen Herrn zu.

Variante 101. Aus einem bestimmten Aspekt einer Sache ziehen Personen im Film falsche Schlüsse. Der Zuschauer weiß es besser.

Nah. Eine Tür öffnet sich. Der erste Diener (Leonard Carey) kommt herein mit einem Teller, schließt die Tür hinter sich, geht weiter. Die Kamera schwenkt mit, Wilton kommt ins Bild.
Wilton: Whose plate is this?
Erster Diener: Her ladyship's.

Groß. Der Teller in der Hand des Dieners. Das Essen ist nicht angerührt worden.
Nah. Wilton und der erste Diener.
Wilton: But she hardly touched it. Can there be anything wrong with the meat?
Der Diener geht in den Hintergrund, zum Speiseaufzug,

setzt den Teller ab, kommt wieder nach vorn. Kamera schwenkt mit ihm zur Tür.
Erster Diener: I hardly think so, Mr. Wilton. Perhaps she just had late breakfast.
Die Tür öffnet sich wieder, der zweite Diener (Gerald Hamer) kommt herein, geht auf Wilton zu, Kamera schwenkt mit.
Wilton: Whose plate is this?
Zweiter Diener: Mr. Halton's.

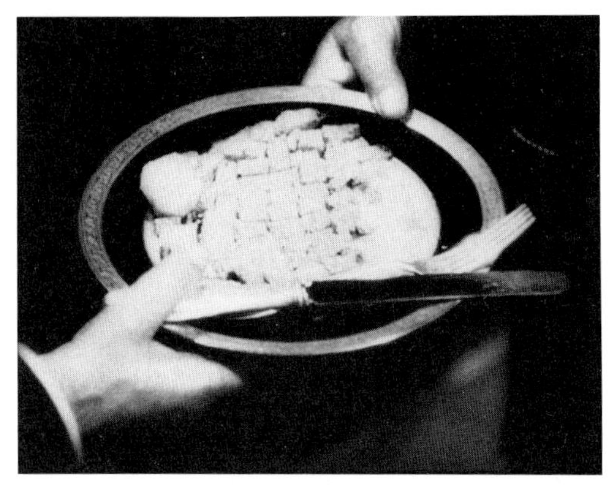

Groß. Der Teller in der Hand des Dieners. Das Fleisch ist in kleine Rechtecke geschnitten.
Stimme Wilton: But he hasn't eaten, either. It's obvious that he tried.
Groß. Wilton, der zweite Diener mit dem Rücken zur Kamera.
Wilton: Maybe there is something wrong!
Nah. Die Tür öffnet sich erneut, herein kommt der erste Diener mit einem Teller.
Stimme Wilton: Let's see Sir Frederick's plate.
Kamera schwenkt mit dem ersten Diener mit auf Wilton und den zweiten Diener.

Groß. Der Teller in der Hand des Dieners. Er ist leer.
Ganz nah. Wilton und die beiden Diener.
Wilton: No, it's not the meat. I tell you, Mr. Halton talked so much.
Zweiter Diener: Or maybe he doesn't like veal.
Wilton: That's quite possible.
Zweiter Diener: Um-hmm.
Wilton: At any rate, make a note. If Mr. Halton should come again – no veal.
Erster Diener: Very well, Mr. Wilton.
Kamera schwenkt. Wilton am Tisch vorbei, die beiden Diener in den Hintergrund zum Speiseaufzug.

Nicht immer weiß es der Zuschauer besser. Wie Lubitschs Helden, so wird auch er gefoppt, wenn seine Vorstellungskraft auf festen Schienen läuft.

[Aus TROUBLE IN PARADISE.*] Ganz nah. In einem Hotelzimmer. Lily (Miriam Hopkins) in einem Sessel, Gaston (Herbert Marshall) kommt ins Bild und setzt sich auf ihre Armlehne. Kamera fährt auf sie zu.*

Gaston: Don't stop. Keep right on complaining. It's beautiful.
Lily: You know, when I first saw you, I thought you were an American.
Gaston: Thank you.
Lily: Someone from another world – so entirely different. Oh! One gets so tired of one's own class – princes and counts and dukes and kings! *Sie seufzt.* Everybody talking shop, always trying to sell jewelry. Then I heard your name and found you were just one of us.
Gaston: Disappointed?
Lily: No. Proud, very proud.
Gaston küßt sie. Das Telefon klingelt. Er steht auf.
Nah. Gaston kommt ins Bild, hebt den Telefonhörer ab.
Gaston, in den Hörer: Hello. The Countess?
Nah. Lily.
Stimme Gaston: Just a moment.
Nah. Gaston.
Gaston, zu Lily: The Duchess of Chambro.
Nah. Lily. Sie steht auf und geht aus dem Bild.
Nah. Gaston, Lily kommt ins Bild, er gibt ihr den Telefonhörer, geht aus dem Bild. Kamera auf Lily zu.
Lily, in den Hörer: Hello, your Grace. Yes, your Grace. Well, how did you know I was here? Oh, the Marquis! Yes, your Grace, I see. Dinner tomorrow, at your Palace. Oh. *Sie lacht.* Well, I'd be delighted. *Lacht.*
Halbnah. Eine Frau im Morgenrock auf der Bettkante sitzend, Telefonhörer in der Hand.

Frau: Listen, Lily, when you come home, slip up the back way. I – I can't talk now, but do what I tell you. And listen, Lily. Do you know what that darn dog of yours did?

Man hat gesehen: Es ist riskant, von erlesenen Gewändern und Manieren auf anderes zu schließen als auf Gewänder und Manieren.

In dem Hotel ist ein Gast überfallen und beraubt worden.

Ganz nah. Gaston und Lily am gedeckten Tisch im Hotelzimmer. Kamera langsam auf sie zu.
Lily: I have a confession to make to you. Baron, you are a crook. *You* robbed the gentleman in two fifty-three, five, seven and nine. May I have the salt?
Gaston: Please. *Reicht ihr das Salz.*

Ob Baron oder Hochstapler, die feinen Manieren behalten ihr eigenes Recht.

Gaston: Countess, believe me, before you left this room, I would have told you everything. And let me say this with love in my heart. Countess, you are a thief.

Einige Monate später.

Halbnah. Lily. Gaston tritt zu ihr.
Gaston: Do you know who's here?
Es klopft an der Tür.
Gaston: Come in.
Halbnah. Eine Tür öffnet sich, der Butler tritt herein.
Butler: Monsieur Le Val, Monsieur Filiba would like very much to see you.
Ganz nah. Gaston und Lily.
Gaston: In a moment.
Lily: Filiba?
Gaston: Yes, Filiba! Venice – Grand Hotel – room two – fifty-three . . .
Lily: . . . five, seven and nine!
Gaston: Yes. Now, don't worry!
Geht aus dem Bild.
Ganz nah. Filiba (Edward Everett Horton). Gaston kommt ins Bild.

Filiba: I wanted to say goodbye to you.
Gaston: Goodbye, Monsieur Filiba.
Filiba: But before you go, and before I say goodbye, I want to ask you one question. Have you ever been in Venice?
Gaston: No.
Filiba: You've never been in Venice?
Gaston: No. Have you ever been in Vienna?
Filiba: No.
Gaston: Amsterdam?
Filiba: No.
Gaston: Constantinople?
Filiba: No.
Gaston: You've never been in Constantinople?
Filiba: No.
Gaston: But you have been in Venice?
Filiba: Yes.
Gaston: Then let me tell you, Venice can't compare with Constantinople.

Filiba: But . . .
Gaston: I don't care what you say. In Constantinople at least you have streets, sultans, pashas, turbans . . .
Filiba: And harems, hmm?
Gaston: All kinds.
Filiba flüstert Gaston etwas ins Ohr. Der nickt und wispert Filiba ins Ohr. Musik «alla turca». Sie schütteln einander die Hände.
Filiba: Well, Constantinople!
Kamera schwenkt mit Filiba zur Tür.
Groß. Gaston verbeugt sich.
Nah. Filiba zögert ein wenig, wendet sich dann und geht.

Die Vorstellungen und geheimen Wünsche des anderen ausnützen, ihn dabei packen und ihn überrumpeln.
Flucht nach vorn: Die Methode seiner Figuren ist nicht selten Lubitschs eigenes Stilprinzip.

Ganz nah. Lily auf der Couch im Hotelzimmer in Venedig. Gaston sitzt neben ihr, über sie gebeugt.
Gaston: I love you. I loved you the moment I saw you. My little shoplifter! My sweet little pickpocket! My darling!

Er küßt sie.

Hier sind wir noch im Hotelzimmer in Venedig. Die nächste Szene soll an einem anderen Ort, zu anderer Zeit, unter anderen Leuten spielen.

Überblendung.

Nah. Die Couch ist leer. Das Licht erlischt.

Halbnah. Ein Vorhang wird geöffnet. Draußen ist Nacht.
Nah. Hotelzimmertür von draußen. Gastons Hand kommt ins Bild und hängt ein Schild mit der Aufschrift «Don't disturb» auf. Die Hand verschwindet, die Tür wird geschlossen.

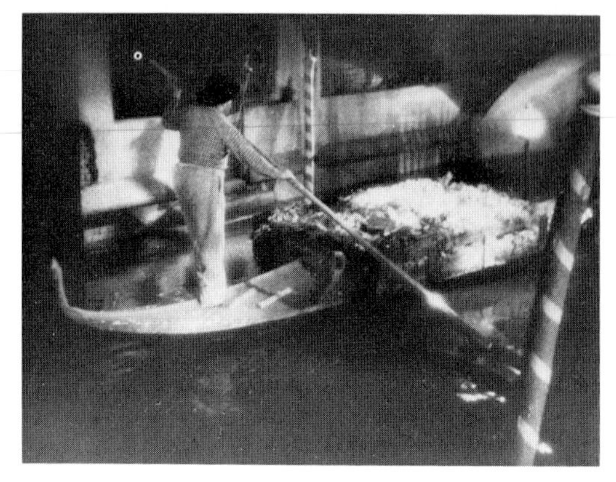

Halbtotal. Auf einem nächtlichen Canale eine Gondel mit Müll.
Gondoliere, singt: O sole mio!
Abblende.

Wie bewerkstelligt Lubitsch den Übergang von Gastons und Lilys Liebesnest in Venedig zu Mme. Colets Parfümfabrik in Paris?

Aufblende. Total. Paris mit Eiffelturm. Funksignale, Morsetöne.
Überblendung.
Ganz nah. Ein Rundfunksprecher vorm Mikrofon. Er liest vom Blatt.
Sprecher: Geneva. From Geneva comes the news that the famous international crook, Gaston Monescu, robbed the Peace Conference yesterday. He took practically everything except the peace. The police . . .
Er spricht weiter.

Vom leibhaftigen Meistergauner kommt er auf die Rundfunknachricht von einer seiner Taten. Welch ein Zufall, daß gerade der Pariser Sender die Meldung bringt.

Der Nachrichtensprecher wird vom Reklamesprecher abgelöst.
Reklamesprecher: Ladies and gentlemen. This program comes to you through the courtesy of Colet and Company, manufacturers of the most famous perfumes in the world. Remember, it doesn't matter what you say, it doesn't matter . . .
Er spricht weiter.

Vom Nachrichten- zum Reklamesprecher – ein winziger Schritt.

Reklamesprecher, singt: Colet! Colet! Colet and Company . . .
Halbnah. Leuchtreklame von Colet & Cie.
Stimme Reklamesprecher, singt: . . . are makers . . .
Nah. Leuchtreklame.
Stimme Reklamesprecher, singt: . . . of the . . .
Halbtotal: Leuchtreklame.
Stimme Reklamesprecher, singt: . . . best perfume.
Ganz nah. Der Reklamesprecher.
Er singt weiter.

Wieder ein glücklicher Zufall: Der Sprecher macht gerade für die Parfümfabrik Reklame, zu der Lubitsch hinkommen will.

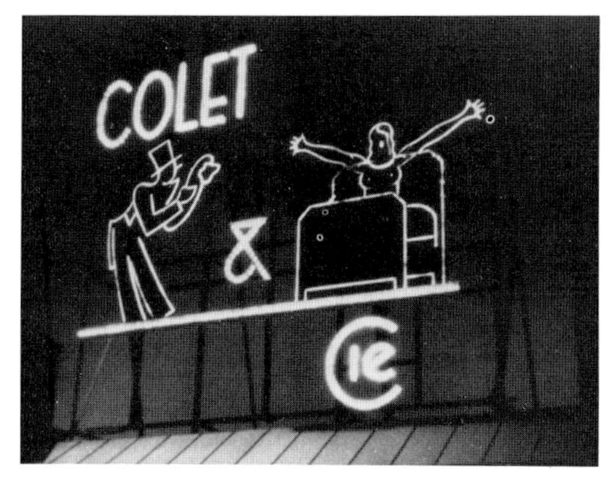

Halbnah. Leuchtreklame.

Stimme Reklamesprecher, singt: Permit us to suggest perfume.
Ganz nah. Der Reklamesprecher.
Reklamesprecher, singt:
Cleopatra was a lovely tantalizer,
But she did it with her little atomizer.

Sehr groß. Ein Mädchen mit Parfümflasche, Marke Colet & Cie.
Sehr groß. Ein anderes Mädchen.

Vom Reklame*funk* zum Reklame*film*, man hat es kaum gemerkt.

Total, in leichter Aufsicht. Fabrikhallen.
Kamera fährt aufwärts.
Total. Ein Fabrikgebäude. Arbeiter verlassen die Fabrik.
Kamera fährt aufwärts.

Und vom *Reklame*film zum *Dokumentar*film, der Unterschied ist auch nicht groß.
So hangelt sich Lubitsch von einem Motiv zum anderen, egal, wie wacklig die Verbindung ist.

Flucht nach vorn

Lubitschs Filme wie seine Helden bewegen sich im System einer gegebenen Ordnung, suchen deren Formen und Regeln für sich selbst zu nutzen.

Halbnah, leicht von oben. Mme. Colet am Fuß einer Treppe in ihrer Villa. Sie eilt leichtfüßig die Treppe herauf,

Musik unterstreicht die Bewegung, die Kamera schwenkt mit.
Stimme Gaston: Madame Colet?
Mme. Colet: Yes, Monsieur Le Val?

Halbnah, leicht von oben. Gaston am unteren Treppenende.
Gaston: Do you know my first name?
Halbnah. Mme. Colet am oberen Treppenende.
Mme. Colet: No. What is it? Tell me.

Halbnah, leicht von oben. Gaston eilt ebenfalls die Treppe hinauf und aus dem Bild, dieselbe Musik wie zuvor.

Halbnah, leicht von unten. Mme. Colet und Gaston am oberen Treppenende.
Gaston: Gaston.

Dem einzelnen ist es nicht möglich, aus dem System auszusteigen. Lubitschs Kino, das ist kein Kino der Revolte. Aber es treibt die Formen des Bestehenden, ihre Eigenbewegung nutzend, ein Stückchen weiter ihrer selbsttätigen Zerstörung entgegen.

Titelabspann. Schlußmusik von DESIGN FOR LIVING.

Ernst Lubitsch: Eine Lektion in Kino. Fernsehsendung von Enno Patalas. Schnitt Heidi Thoma. tvf Fernsehfilmproduktion. WDR Westdeutsches Fernsehen. Redaktion Werner Dütsch. Erstsendung im dritten Programm des WDF am 2. 6. 1971, überarbeitete Fassung im ersten Programm der ARD am 25. 4. 1982.

Frieda Grafe

Was Lubitsch berührt*

Ein Tischgespräch aus Hollywood, bei Hitchcocks. Zu einem anderen Gast, der sich darüber ausließ, daß eben auch Frauen eine Frage des Geschmacks seien, die einen möchten sie elegant gekleidet und aufgemacht, die anderen lieber kunstlos, gesund und einfach, Lubitsch ganz verwundert: «Who vants dat?» Sein Englisch soll all die Jahre geklungen haben, als spiele er den Deutschen.

Er und der Aufstieg des deutschen Films, das war fast eins. Durch ihn kam die Weltgeltung, das war damals das Wort. Mary Pickford, America's Sweetheart, eine tüchtige Geschäftsfrau, holte ihn sich nach Hollywood, 1922, als die Preußen in Amerika noch nicht gut gelitten waren. Man sähe ihm den Deutschen nicht an, hätte Pickford gesagt, nicht groß, nicht blond. Er hatte Augen wie Rosinen und eine große jüdische Kasperlnase. Wir in Berlin, erzählt Lubitsch, glaubten, Hollywood wäre eine Bretterstadt am Ende des Wilden Westens. Mary Pickford hatte noch 1976 ihre Enttäuschung mit Lubitsch nicht verwunden: ein schmieriger kleiner Typ, der unentwegt Bratkartoffeln, German fried potatoes, aß; außerdem waren ihm in seinen Filmen die Türen immer wichtiger als die Menschen. ROSITA, sein erster Film in Hollywood und ihr einziger gemeinsamer, zeigt Mary Pickford endlich erwachsen. Mit amerikanischen Mitteln konnte Lubitsch sein Konzept vom Großfilm, vom Massenfilm, vom Ausstattungsfilm optimal verwirklichen. In ROSITA ist Karneval in Sevilla, die befristete Zeit der Volksherrschaft. Die Menge lebt, der Dekor, das Ensemble. Der Star ist nur ein Teil.[1]

Großaufnahmen für Stars hat Lubitsch nie konzediert. Dagegen Gegenstände groß, das gibt es oft, bevorzugt Türen, Schlüssellöcher, Klinken. Und überhaupt verselbständigen die Objekte sich. Sie sind auch anzüglich – aber nicht symbolisch zu interpretieren, das führt nicht weit. Die Sprache hatte die Dinge vermenschlicht. Im Stummfilm sind sie für sich.

Hanns Sachs («Freud, mein Meister und mein Freund», zuerst in Englisch 1945), der zum Verdruß seines Lehrers sich mit dem Kino einließ, der sehr aufmerksam war für alle Zusammenhänge seiner Disziplin mit der neuen Kunst, er schrieb über Lubitschs Stummfilmkomödie THREE WOMEN. Da wird von einer Frau jemandem der Schlips aufgezogen. Der Mann ist uninteressiert und zieht ihn wieder fest. Seit Freud, sagt Sachs, weiß man, wofür der Schlips steht. Für Lubitsch ist der Vorgang in dieser Szene bedeutender als die Bedeutung. Typischer für seine Verwendung von Kinozeichen sind

* Zweite, erweiterte Fassung eines Artikels aus der «Süddeutschen Zeitung» vom 22./23. September 1979.

[1] Lubitsch hat keine Stars aufgebaut. Sie gehörten zum Material, das jeweils in den Studios zur Verfügung stand. Superstars sind für ihn Superobjekte. Womit er dartut, was aus den alten Helden geworden ist.

In seiner künstlichen, frivolen Welt wäre sogar eine Femme fatale noch zu sehr Schicksal. Das beste Beispiel: wie er die Garbo in NINOTCHKA einsetzt. Nicht anders als Henny Porten in KOHLHIESELS TÖCHTER. Auf Äußeres ist bei Frauen kein Verlaß, im Kino erst recht nicht. Schönheit spielt keine Rolle. Die Künstlichkeit verführt. Die aggressiven Frauen, denen ganz eindeutig Lubitschs Interesse gilt, sind reizvoll nicht, weil sie den Männern ähnlich sind, sondern weil sie beweisen, daß sie ein unbegrenztes Talent für Nachahmung haben. Moralisierende Begriffe wie Verstellung oder Lust verlieren im Zusammenhang mit ihnen ihren Sinn. Was heißt da noch Natur, wenn die Künstlichkeit als Instinkt ihnen eingeboren ist.

Josef von Sternberg hatte die synthetische Marlene erfunden, die bei ihm immer Spuren seiner Paranoia trägt; indem er sie männlich macht, eignet er sich selbst Züge von Weiblichkeit an. Bei Lubitsch wird Weiblichkeit zum Prinzip der Unsicherheit gemacht. Marlene in ANGEL ist eine Instant-Marlene, ein Konzentrat aus all ihren Rollen vorher.

andere Momente: Wenn Pauline Frederick am Morgen nach der ersten Begegnung mit ihrem stürmischen Verehrer in ihrem fashionablen Badezimmer steht und sich behutsam einen blauen Fleck überpudert.

Die Nebensächlichkeiten der anderen sind seine Schwerpunkte. Er wählte mit großer Sorgfalt seine Dekorateure und Architekten, weil ihre Arbeit bei ihm die der Schauspieler kreiert, begleitet und komplettiert. Der Dekor wirkt als Verteiler. Lubitsch arbeitet nur mit Hollywoods besten Couturiers, mit Travis Banton, mit Adrian, mit Irene. Grund genug, seine Filme nur bedingt ernst zu nehmen. Mode, um Stil sich bemühen, ist frivol. So sind nur selbstgenügsame, gesellschaftlich uninteressierte Frauen. Das stellt sich Lubitsch anders dar. Er weiß vor allem männliche Zuschauer zu gängeln, ohne daß sie es merken. Er läßt ihnen den Glauben, sie sähen das Wahre hinter den Kleidern.[2]

Society

Es wirkt zuweilen wie eine stille Rache derer, denen er so unerwünschte Wahrheiten klarmachte, daß sie ihm lebenslänglich Geschmacklosigkeit nachsagten. Herbert Ihering, der von Lubitschs Berliner Filmen sehr angetan war, schrieb, er brauche unbedingt einen Geschmacksberater. Lotte Eisner, auch Berliner Jüdin, machte Murnau, den erdverbundenen, mystischen, zu ihrem Filmhelden. Lubitsch war ihr zu jüdisch. Bloß ein Konfektionär vom Hausvogteiplatz, der alles versuche, um sich «in» zu geben. Die Türen! So gesehen sind die Türen vielleicht ein rassisches Problem.

Er und sein Erfolg waren Produkte der tobenden, brodelnden Zwanziger. Man lebte vom Schein, gefährlich, ohne Grund und Boden. Die Unsicherheit machte erfinderisch und erschütterte alte Gewißheiten.

Lubitsch hatte als Schauspieler bei Max Reinhardt begonnen und war da auch in Stücken aufgetreten, die heute auf seriösen Bühnen gar nicht mehr denkbar sind. In «Sumurun», einer Pantomime mit Riesenerfolg, spielte er einen buckligen Spaßmacher, seine Zweitbesetzung war Valeska Gert. Das war auch seine letzte Rolle, als er die Pantomime 1920 verfilmte.

Der stumme Film muß ein Schock gewesen sein für die Theaterleute, für die Sprechbühne. Mehr in Europa als in Amerika, wo es notwendig, selbstverständlich war, für ein großes, vielsprachiges Publikum nach nichtverbalen Bühnenausdrücken zu suchen. In Europa trieb der Stummfilm die alteingesessenen Mittel in die Krise. «Der Film zieht den

[2] Aus Walter Benjamins Passagenwerk, geschrieben zwischen 1927 und 1929 – so ernsthaft, so positiv hat Philosophie nie vorher über Mode reflektiert. Für Benjamin war sie eine Kreation des neunzehnten Jahrhunderts. Dem neunzehnten Jahrhundert ist Lubitsch über seine Operettenmentalität verbunden. Die Fledermaus, die er gleich zweimal verfilmte, ist eine Erfindung der Librettoschreiber Meilhac und Halévy.

«Die Mode ist in konstantem, präzisem Kontakt mit den kommenden Dingen kraft der unvergleichlichen Witterung, die das weibliche Kollektiv für das hat, was in der Zukunft bereitliegt. Wer diese geheimen Flaggensignale der kommenden Dinge zu lesen verstünde, der wüßte im voraus nicht nur um neue Strömungen der Kunst, sondern um neue Gesetzesbücher, Kriege und Revolutionen.»

An Mode bei Lubitsch läßt sich nichts Zukünftiges ablesen. Sie ist nicht beiläufig, aber auch nicht Zeichen für etwas. Sie ist Annonce, Versprechen und nicht Auskunft. Sie funktioniert nur sehr partiell wie die reale Mode. Sie ist nicht tragbar, in der Gesellschaft nicht und schon gar nicht auf der Straße – ganz wie die Räume bei ihm nicht zum drin Wohnen sind, sondern modisch stilisierte Bühne. Die Mode ist ein Code, kein geheimer, einer von mehreren, die seine Filme artikulieren. Und alle dienen der Verkünstlichung. Lubitsch möchte, daß der Zuschauer wie auf Mode schaut, wenn er auf seine Filme sieht, auf etwas Ephemeres, Momentanes, Oberflächliches.

Über die Vorstellung von Mode will er erreichen, daß man die Gegenstände in der Welt, die er bewegt, neu sieht, ihrer üblichen Sphäre entzogen. Ihr Tauschwert definiert nicht mehr ihr Wesen. Er möchte den Zuschauer anfällig machen für ihre verführerische Macht.

Es ist ein Machtbereich, der dem Verstand nicht zugängig ist, der seine eigenen Spielregeln hat und eine eigene Wahrheit, die unabhängig von den Werturteilen existiert, die die rationale, ökonomische Welt regeln. Es wird bei Lubitsch etwas geopfert und offensichtlich mit der größten Leichtigkeit: das Realitätsprinzip. Die Effekte triumphieren, der Schein. Ihre Selbstgenügsamkeit ist geradezu unverschämt.

Wie ein Zauberer läßt er die Körper hinter den Kleidern verschwinden, so daß man nur noch Augen für die Hüllen hat. Die Körper, ob wer mit wem ins Bett steigt, das ist zweitrangig. Er möchte es machen wie die Frauen, die mit allen ihnen zur Verfügung stehenden Mitteln von Simulation die Männer glauben machen können, daß auch sie nichts anderes im Sinn hätten als das, worauf die Männer scharf sind.

Lubitsch versteht die Kleider als zweite Haut der Frauen, die überhaupt erst von der ersten uns ein Gefühl gibt. Die Glanzlichter auf einem Kleid von Travis Banton sind gleichzeitig Hunderte von Signalen, die prekäre Präsenz der Bilder im Kino in Betracht zu ziehen. Es ist im Grunde nicht mehr als ein Moment zwischen Auftauchen und Verschwinden, den Lubitsch mit seinen Filmen zu fassen versucht. Wie Bilder scheinen.

Boden weg, aus Leibeskräften», schrieb 1920 Brecht. Der Wortzerfall, den Hofmannsthal im Chandosbrief beklagt, markiert das Ende einer Kultur, die um die Sprache kreiste. Der «Schwierige» geht, angewidert vom Geschwätz der Wiener Gesellschaft, in den Zirkus. Er läßt sich von den stummen Künsten unterhalten.

In Hollywood verfilmte Lubitsch 1925 LADY WINDERMERE'S FAN. Das war der Gipfel. Der Film bewies, daß Oscar Wildes berühmte Epigramme sehr wohl auch ohne Sprache existieren können. Er ist die reine Augenweide, auch heute noch. Der Film erklärt, was es mit Eleganz bei Lubitsch auf sich hat. High-Life-Dekor und extravagante Toiletten auch. Den Ausschlag aber gibt die Ökonomie der Mittel. Gleichungen, die aufgehen, ohne Rest. Der Eindruck von Leichtigkeit und das Vergnügen sind so intensiv, weil alles so schnell geht, aber nicht reibungslos. Es blitzt.

Lotte Eisner, mit ihrem Standardwerk über den frühen deutschen Film eine unschätzbare Quelle, weil sie selbst diese Filme zur Zeit ihrer Erstaufführungen noch gesehen hat und in ihren Urteilen der Zeitgeist sich mitvermittelt, mag an Lubitschs frühen Filmen gar nichts finden. Jüdischer Slapstick, sagt sie. Mit jüdischen Witzen haben diese Filme gemeinsam, daß Lubitsch in ihnen sich selbst statt anderer zum Gespött macht.[3] *Der Stolz der Firma*, eine Aufstiegsgeschichte mit ihm als Ladenschwengel und dann Compagnon, und SCHUHPALAST PINKUS, von ihm und mit ihm, auch wieder eine Erfolgsstory aus dem Milieu, das er als als Schneiderssohn gut kannte.

Prosperity

Wie man ein guter Konfektionär wird, das war für ihn ein absolut ehrenwertes Sujet. Als Siegi Lachmann oder als Sally Pinkus ist er im Kleinformat, was Groucho Marx später zu seiner riesengroßen Unverfrorenheit, Erfolgssucht und uneingeschränkten Selbstüberschätzung ausbaute. Er machte es mit Reden. Sally schmust, heißt es im Zwischentitel. Deshalb sieht man ihn noch lange nicht andauernd den Mund bewegen. Die Wirkung seines Schmusens, seiner Selbstreklame sieht man. Die andere Reklame gibt es in diesen Filmen auch schon. Die Namen der Berliner Firmen, die Kleider, Hüte und Schuhe zur Verfügung stellten, sind aufgeführt im Vorspann.

Slapstick trifft auch zu als Definition dieser Filme, Groteskfilm übersetzte man es damals, sie haben dessen Tempo und den Rhythmus. Nie vorher hatte in irgendeiner Kunst der menschliche Körper, wenn auch als Schatten nur, als Silhouette, diese Rolle gespielt; trotz körperlicher Präsenz, im Theater waren die Schauspieler hauptsächlich Lautsprecher. Emil Jannings ist in den Berliner Lubitsch-Filmen eine Masse, ein Trumm wie Fatty Arbuckle oder Oliver Hardy. KOHLHIESELS TÖCHTER ist allein durch ihn schon kinematographisch. Henny Porten als beide Töchter, das ist ein reiner Kinogag, und mit dem Schein zu spielen ganz Lubitschs Sache. Es bleibt zweideutig, ob der Effekt beabsichtigt ist, daß Henny Porten, wenn sie natürlich, wenn sie sie selbst sein soll, der reine Trampel ist, und wenn sie den Trampel spielt, auch für den Zuschauer den Charme entwickelt, dem Jannings schließlich unterliegt.

Der Film ist «Der Widerspenstigen Zähmung» popularisiert. Lubitsch machte damals häufig groteske Versionen von hoher Literatur, von Shakespeare und Königsdramen, von E. Th. A. Hoffmann – aber schon damals den «Erzählungen», der Operette näher als dem Original. Er greift bei seinen Vorlagen den Punkt heraus, den erst der Film manifest machen kann. Es geht um Wirkungen, schon lange nicht mehr um Charaktere, auch nicht um Abbildungen im alten Sinn. Es geht um einen neuen Humor, der auch noch, wenn die Filme auf dem Lande spielen, antifolkloristisch ist. Es ist eine urbane Kultur, die sich nicht scheut, zu funktionieren nach Gesetzen, die Städtisches in ganz banalen Bereichen regeln. Um das Publikum, ein möglichst großes, auf seine Seite zu bringen, ist fast alles erlaubt.

In einem Interview für eine amerikanische Zeitung von 1920 erklärt Lubitsch: «Es gibt auf der

[3] Der Witz ist seine Form der Abstraktion. Witzig ist, wie er schneidet, was er wegläßt, was er montiert. Das ist neben Mode, neben Theater ein Grundmuster seiner Ästhetik, ein visuelles Konzept.

Es ist die Kurzschlußtechnik, die Vermutungen, Anspielungen, Wünschen den Raum freimacht, den sonst die penetrante Realität mit ihren umständlich abgeleiteten Ursachen und Wirkungen besetzt hält.

Witz schaltet vor allem momentlang die vermittelnde Sprache aus und mimt mit Körpern und Dingen eine direktere Kommunikation. Diese Mitteilungen sind artikuliert in subtil bearbeiteten, tätowierten Körpern und Dingen. Inkongruente Dinge kommen in ansteckende Berührung. Ungleiches wird gleichgemacht. Das Spiel mit Sinn und Bedeutung ist eine Abwertung der Werte, die zum Lachen reizt, während gleichzeitig der vertraute Boden unter den Füßen wegsackt.

Bühne so viele Frauen, die ihre schlechten äußeren Mittel durch das große Talent ihrer Seele vergessen machen. Beim Filmschauspieler sind auch diese Äußerlichkeiten ungeheuer wichtig. Schönheit wird fast zum Talent.» Diese Äußerlichkeit wäre es, vor allem in Gestalt talentloser, hübscher, gut angezogener Frauen, die so viele Intellektuelle vom Kino abstieße. Vier Jahre später schrieb er aus Hollywood, nachdem er Adolphe Menjou in Chaplins *Woman of Paris* entdeckt hatte, dem Film der Lubitschs Karriere die Wendung zum modernen Gesellschaftsfilm gab: «Der Film ist eine visuelle Kunst, und wenn ein Schauspieler den Eindruck eines eleganten Lebemannes erwecken will, so genügt nicht nur seine seelische Ausdruckskraft, sondern auch die äußere Erscheinung muß sich mit dem darzustellenden Typ decken. Nicht nur Gehirn und Herz, sondern auch die Augen müssen befriedigt werden.»

Mir fällt gleich Brecht ein bei diesen Zitaten. Wie er sich bemühte, hinter das Geheimnis dieser primitiven, bei Chaplin oft melodramatischen Filme aus Hollywood zu kommen. Das Äußerliche, das ganz und gar Unanalytische fiel ihm auf, er registrierte die Erschütterung der alten Ordnungen durch das neue Medium. Aber er reagierte dann mit Schutzmaßnahmen. Er glaubte, Rationalität könne der veränderten Situation wieder Herr werden. Distanz, Verfremdung, das waren Strategien, gut gegen die alten Formeln des Theaters. Im Kino funktioniert es anders. Es lebt ganz prinzipiell von Suggestion, von Verführung, vom Angstmachen. Umwerfend neu, schrieb Ihering. «Die Zivilisation heute schirmt uns so ab, daß es kaum möglich ist, sich selbst noch eine Gänsehaut zu verschaffen.» Die heilsamen, moralischen Schocks, die Hitchcock seinen Zuschauern verpassen möchte, zielen auf denselben schwachen Punkt wie Lubitschs Touch – so nannte man bewundernd in Amerika sein Geheimrezept, mit dem er sein Publikum elektrisierte. Den Touch trennt vom Suspense im Grunde nur das Genre.

Fidelity

Von allen Lubitsch-Filmen mochte Hitchcock am liebsten den stummen MARRIAGE CIRCLE, eine Gesellschaftskomödie – die Bezeichnung sollte man goutieren, ehe man sie hinnimmt. Sie spielt im Schnitzler-Wien unter «Spezialisten für nervöse Leiden», die Schwierigkeiten mit ihren Frauen haben. Der Ringelreihn, auf den der Titel anspielt, ist eine ausgeweitete Dreiecksgeschichte. Es werden keine Konventionen spektakulär gebrochen, nur weiche Stellen berührt. Kurze stumme Momente von Verführung, von lustvollem Nachgeben wider Willen, mit zweideutigen, mißverständlichen Zeichen. Lauter Velleitäten, die Vergehen bleiben, trotz Standhaftigkeit. Die Regeln, nach denen diese Welt sich richtet, provozieren die ständigen Betrugsmomente. Das institutionalisierte Zusammenleben in der Ehe ist bei Lubitsch die Quelle von Übel. Die Ehe ist Zwangsjacke auch gerade, wenn Liebe mit im Spiel ist. In BLUEBEARD'S EIGHTH WIFE unterliegt Heinrich VIII., eine moderne Version. Seit Lubitsch in Amerika ist, haben die Verhältnisse sich verkehrt.

Er war mit seinen Filmen ein Kind der Inflation. Er blieb sein Leben lang abhängig von Krisenzeiten, sie inspirierten ihn zu seinen besten Filmen. Er profitierte von Instabilität, er war ein Depressionsgewinnler. Der Boß in seiner AUSTERNPRINZESSIN von 1919 hat alles vielfach, er verkörpert Billionenkaufkraft. TROUBLE IN PARADISE konnte in Amerika so impertinent nur entstehen während der Wirtschaftskrise. TO BE OR NOT TO BE verdankt seine Entstehung dem großen Diktator.

Riesige Zahlen, mit denen sich gar keine Vorstellung mehr verbindet, reizten ihn. «Filme machen für ein Publikum aus 25 000 000 Leuten.» Massenhaftes bedeutete ihm keineswegs Minderung von Qualität. Er träumte von Einmaligkeit als Allgemeingut, von Excellency als Commonplace. So hat Gertrude Stein Hollywood gesehen: die billigsten Dinge, hergestellt mit der größten Sorgfalt, aus den teuersten Materialien, von Künstlern, die dafür Spitzenbezahlung bekommen. Das Kino als Kunst des industriellen Zeitalters ist ein Geschäft. Geld ist für Lubitsch, in seinen Filmen, kein Fetisch, es stinkt auch nicht. Lady Erlynne in der Wilde-Verfilmung nimmt, ohne sich prostituiert zu fühlen, von einem relativ fremden Mann den Scheck, um ihre Kleiderrechnung zu bezahlen. Der Schwindler in TROUBLE IN PARADISE schickt seiner reichen Angebeteten eine Unmenge Rosen zu ihren Lasten, was ihr Vergnügen an ihnen nicht hindern wird.[4]

Während der ärgsten Inflation machte Lubitsch in Berlin Großfilme mit Riesenstatisterien, in denen Siegfried Kracauer die manipulierbaren Nazimassen angekündigt sieht. Lubitsch sagt, er habe

[4] Man könnte meinen, Lubitsch hätte die Geschäftswelt als Sujet kunstfähig gemacht, oder aber Geschäftsgebaren. Nur steht schon gleich am Anfang seiner Karriere der Siegi Lachmann aus Ravitsch, in *Der Stolz der Firma*, der

Geschichte humanisiert, verballhornt sagt Kracauer, in Madame Dubarry die große französische Revolution geschändet, indem er sie zum Rahmen für einen Kokottenaufstieg machte. In Filmen wie Anna Boleyn, Weib des Pharao ergeben sich immer von neuem Konstellationen von einzelnen mit Massen. Die Spitzen der Hierarchie sind nie beneidenswert. Sie haben Macht, sich zu beschaffen, wonach ihnen gelüstet. Willfährige gibt es genug.[5] Nur, unbehindert kühlen Lüste so schnell ab. Eiskalte Austauschbarkeit breitet sich aus. Wiedergabe von Geschichte ist nicht der Gegenstand der Filme, sondern wie Beziehungen sich auf- und abbauen. Die exemplarischen Figuren oben sind gute Paradigmen, Konzentrate. Später in Amerika, in Forbidden Paradise, in Love Parade, sind die Potentaten Frauen, die sich noch ungenierter nehmen, was sie haben wollen.

Lubitsch wechselte in seiner Berliner Zeit gern die Genres, Kammerspiele folgten auf Spektakelfil-

seinen unwiderstehlichen Aufstieg in der Geschäftswelt dem Umstand verdankt, daß er, statt brav eine Auslage zu dekorieren, eine Arbeitskollegin charmiert und dabei durch die Scheibe nach draußen fällt.

Zwischen den Ausschnitt, an den die Guckkastenbühne den Zuschauer gewöhnt hatte, und das Leinwandviereck schiebt Lubitsch, eine weitere Brechung, das Schaufenster. Die Bühne wird bei ihm zum Ausstellungsraum. In Design for Living rücken die Produkte und ihre Käufer in eine Ebene, Miriam Hopkins und E. E. Horton sind mit ihrem Schlafzimmer Teile der Warenwelt. Das hat der Blick von außen, der Blick durch die Kamera zuwege gebracht. Aperçus dieser Art hätten eigentlich die Zensoren mehr auf die Palme bringen müssen als alle Vorschläge für ein Leben zu dritt.

Lubitsch stattete seine Filme mit allen äußeren Zeichen von Industrieprodukten aus. Sie sprechen das Käufer-Publikum an, sie sind voller Verheißungen, mit Reklamemitteln hergerichtet, auf Blickfang aus. Das war wahrscheinlich auch der Grund, weshalb ihn Zukor 1935 zum Produktionschef der Paramount machte. Ein realistisches Mißverständnis seiner Filme, ihn für einen Geschäftsmann zu halten und seinen Kinosinn für Geschäftssinn. Seine Filme geben ein Bild davon, wie im Kino die Kunst von individueller Erfindung zur Industrie wurde, die Massenartikel produziert. Sie reflektieren in Bildern Filmgeschäft.

Gleichzeitig aber setzt Lubitsch alles daran, die ganze biedere Geschäftswelt mit Profitdenken und Mehrwertvorstellungen auf Abwege zu bringen, indem er deren Gesetze zu bloßen Spielregeln umfunktioniert. Seine Filme sind nicht die banale Feststellung, daß das Geschäft das ganze gesellschaftliche Leben strukturiert, sondern wie man diese ehernen Gesetze, deren Realität darin besteht, daß sie natürlich, rational und ökonomisch sind, parodiert, wie man sie unmöglich macht.

Das Unmoralische an seinen Filmen ist nicht, daß hinter vorgehaltener Hand Dinge geredet werden, die man offen nicht aussprechen darf, sondern daß er den Zuschauer mit Geschichten gefangennimmt, die sich um Wahrscheinlichkeit und Glaubwürdigkeit nicht kümmern, daß sie die Realität als Garanten gar nicht nötig haben.

Die Mode ist das ideale Paradigma für Erfindung und Freiheiten in der Massenkultur. Ihr Luxus, die Abweichungen, die sie ermöglicht, sind der potlach der Produktion. Und überhaupt, sagt Godard in seiner Filmgeschichte, war Hollywood ein beabsichtigtes Verlustgeschäft.

Der ständige Betrug, der keiner ist, das ist des Kinos offenes Geheimnis. Lubitsch inszeniert des Kinos hohlen Kern.

[5] Der Schein stellt eine reale Macht dar, in seinem Kunstlicht verblaßt die Realität. Die Originalität verschwindet, die Wurzeln. Nur noch Oberflächen schimmern. Man sollte Lubitschs Filme nur in Nitrokopien zeigen. Sie brauchen das Silber.

Die verwegene Künstlichkeit in diesen Filmen ist Strategie. Den Zeichen ist der Weg nach hinten oder nach unten abgeschnitten, und so bewegen sie sich in schwebender Zirkulation. Sie sind der Notwendigkeit enthoben, einen Sinn auszudrücken. Lubitsch nimmt ihnen die Unschuld. Er macht sie selbstgenügsam reflexiv.

Er charmiert die Zeichen, damit diese charmierten Zeichen den Zuschauer charmieren. Es ist ein einziges großes Ablenkungsmanöver, das mit seichter Scheinhaftigkeit beginnt und in Sinnlosigkeit endet.

Es ist ein ziemlich gnadenloser Kampf zweier Mächte – die Frau oder, besser, Weiblichkeit verkörpert die skandalöse Art von Macht, in der Authentisches und Maskerade sich unterscheidbar vermischen. Die Frauen mit ihrem Hang zur Künstlichkeit von Natur aus korrumpieren jede Vorstellung von Geradlinigkeit und Tiefe und alle klaren Unterschiede von falsch und richtig.

Die Potentaten bei Lubitsch, die Machtfiguren, Ludwig XV., Heinrich VIII., der Pharao Amenes, aber auch die Zarin Katharina und die Herrscherin über das Parfüm-Imperium Colet werden, auf Zeit, Opfer der anderen Macht, die ihre eigenen Regeln hat, die Verführung bemächtigt sich ihrer so sehr, daß sie selbst Verführer werden. Das bringt die Überraschung: selbst Jannings, der plumpe Jannings, kann überraschend einen Verführer spielen. Und Herbert Marshall, der Gentleman-Gauner in Trouble in Paradise, ist der verführte Verführer, anfällig für jeden Reiz. Er ist der ewig Unentschiedene zwischen zweien, wie Miriam Hopkins in Design for Living zwischen zweien und noch einem, wenn auch benachteiligten, Dritten.

Lubitsch paßt auf, daß seine Figuren von Rollen nur nicht zu Charakteren werden. Aufgemacht mit exzessiven Eigenschaften, die eigentlich eher Merkmale sind, demonstrieren sie den Sieg des Falschen, der Simulation. Weibische Männer, männliche Frauen. Hitchcock abgewandelt: die Anatomie soll nur nicht wagen, ihr häßliches Haupt zu zeigen.

me. Gleichgültig ob mit Massen oder wenigen Personen, die Stummheit vom Film ist nie Problem. Die Zwischentitel sind meistens witzig, aber sehr sparsam eingesetzt. Er operierte von Anfang damit, die Zuschauer stumm zu machen vor Staunen über die Aktivität der sprachlosen Gegenstände. Das bedeutet für ihn Visualisierung, nicht Überbrückung eines Mangels, sondern die Entdeckung der sprachlosen Welt.

Der Expressionismus als Idee ist voller Film, schrieb Herbert Ihering. Was der expressionistische Film daraus machte, war eine Sackgasse. Statt Äußeres zum Ausdruck kommen zu lassen, hatten die äußeren Zeichen nur wieder Innerlichkeit zu vertreten. Lubitsch erklärte, er fände aussichtsreicher als Expressionismus Stilisierung. Er machte die Gegenstände seiner Filme so intensiv, daß wie beiläufig der neue Lebensrhythmus sich den Augen mitteilt.

Der Film als technische Kunst konnte besser als andere Künste vorher Automatismen zeigen. Lubitsch machte Filme wie Mode gemacht wird, von Reaktionen, von Varianten lebend. Nicht Kreativität als originelle Urgewalt. Lubitsch soll anläßlich einer Vorführung von Dreyers *Jeanne d'Arc* ganz fürchterlich in Rage geraten sein: ein viel zu individueller Ausdrucksstil, wie soll man davon lernen können. Das Kino als Kunst der Selbstverwirklichung war für ihn Wahnsinn.

Publicity

Mode ist nicht Nachahmen zuerst, sondern Wechsel. Lubitschs bevorzugter Drehbuchautor in Hollywood, Samuel Raphaelson, erinnert sich, daß Lubitsch bei jedem Einfall immer zuerst sich vergewisserte, ob es auch *different* sei – was anderes. So kommt es zu dem mechanischen Rhythmus seiner Filme; die Formen schnurren ab, als brauchten sie sich um keine Inhalte zu kümmern. Seine Filme sind auskalkuliert, jiddisch: geklärt.[6]

Ihm ging es nicht wie anderen Stummfilmkünstlern, wie Griffith und Stroheim. Der Tonfilm war für ihn nicht das Verhängnis, sondern eine Herausforderung. Sich umzustellen, sich anzupassen, das Beste zu machen aus dem Neuen, war keine Erniedrigung für ihn. Er hatte keine Vorstellung von seiner Einmaligkeit. Bei pathetischen Situationen in seinen Filmen kann man ihn noch durch die Kamera kichern hören. Er war wirklich und mit Vergnügen prosaisch.

Mit dem Tonfilm begann er seine Operettenfilme, deren Stars Maurice Chevalier und Jeanette MacDonald waren. Kracauer zeterte, Lubitsch plus Hollywood hat Chevalier um sein Eigenstes gebracht, er hat ihn internationalisiert. Bei Lubitsch ist Chevaliers penetranter Pariser Charme nur stilisiert zum Markenzeichen. Von fern erinnert er an Sally Pinkus, den Ladenschwengel, der sich für ähnlich unwiderstehlich hält.

Was Lubitsch im Gewand idiotischer Librettohandlungen und eingepackt in Koloratur in balkanischen Königreichen oder in Wien sich abspielen läßt, sind unverschämte Sex- und Voyeurgeschichten, in die der Zuschauer hineingezogen wird. Man ist verwirrt über den ersten dummen Scherz, der einen zum Lachen bringt. Die Situation erinnert an die Geschichte vom Fürsten Metternich, der in Pa-

[6] Es gibt einleuchtende Theorien dazu, weshalb die jüdische Interpretationsweise so grundlegend verschieden ist von allen anderen, die im Westen praktiziert werden: die Juden hatten weder Kaiser noch Papst als Garanten und folglich auch nicht den Zwang zur Einheitsinterpretation, zum Einheitssinn.

Wenn Stil und Form nicht bloß dem Ausdruck dienen, werden sie autonom, sprechen sie für sich.

Die Kirchenväter warfen den Juden vor, die Schrift rein menschlich zu interpretieren, körperlich, von der Vernunft abgewandt. Daß die Filme in ihren Anfängen stumm waren, wurde von Regisseuren wie Lubitsch keineswegs als Mangel empfunden, vielmehr als Befreiung von den Zwängen, die über die Schrift die Sprache ausübte.

«I want all action to explain itself without titles», sagte Lubitsch einem Journalisten von der New York Times, der seinen Lesern ganz begeistert berichtete, daß im Gegensatz zu anderen Filmen, die bis zu 250 Zwischentitel hatten, Lubitsch in THE MARRIAGE CIRCLE nur etwa 54 brauchte und in THREE WOMEN gerade noch 42. Das ideale Filmscript, sagte er, wäre für ihn ohne Schrift.

Verführung passiert schnell und stumm. Sie geht über die Augen. Sie ist das Gegenteil von Kommunikation, ein Augenblick in unvermittelter Einigkeit. Im Hin und Her von Rede würde sich ihr Gegenstand verlieren.

In seinen Tonfilmen in den dreißiger Jahren verwendet er die Sprache eher mimisch, verführt zu einer Art Sprechgesang, der ohne großen Bruch in Arien und Musiknummern übergeht. Mit seinen Operettenfilmen weicht er ganz einfach dem Zwang aus, Sprache realistisch zu gebrauchen.

[7] Eine Gedenkminute für Jean Eustache, der über die französische Fassung von THE MERRY WIDOW spricht:

«Jedes Bild, selbst innerhalb einer Einstellung, ist eine Überraschung. Enttäuschend ist der Film nur für den, der keinen Spaß hat an der Schreibweise oder am Spiel der Darsteller, der nur der Geschichte folgt, der Anekdote, ohne zu sehen, wie sie erzählt und gespielt wird. Natür-

Ein Kleid von Travis Banton

ris mit seiner Frau der Uraufführung von Offenbachs «Schöner Helena» beigewohnt und nachher zu ihr gesagt haben soll: Es ist nicht angenehm für eine Frau, gewissermaßen offiziell in einem solchen Stück gewesen zu sein.[7]

Lubitschs Filme sind gemacht wie Mode und wirken wie Mode. Sie sind verführerisch. Sie wecken Wünsche und Lüste. Er demonstriert von innen, mit den Mitteln des Kinos, unsere Anfälligkeit für Ansteckung. Er zeigt ganz unverblümt, daß davon das Kino lebt. Wünsche und Lüste in der industriellen Gesellschaft sind nicht natürlich, sie sind berechnet.

Der Lubitsch-Touch ist das Unausgesprochene, das jedermann als solches versteht, und er ist eine Inszenierung, gedacht als Falle, fürs Unbewußte. Es stimmt nicht, was ein Zensor vom Hays Office meinte: Man weiß genau, was er sagt, aber man kann nicht beweisen, daß er es sagt.[8] Seine berühmten Auslassungen, seine Ellipsen, die ihren vollendeten Ausdruck in der Funktion der Türen in seinen Filmen finden, sind kein süffisantes, anzügliches Verschweigen. Alles liegt offen zutage in Bildern ohne Worte. Zu beiden Seiten der Türen ist außen. Man staunt oder man lacht laut auf, Augen und Mund weit offen.

lich ist das nicht rational, aber wenn man einen Film anschaut, ist nichts rational, niemals, keinen Moment lang. Lubitsch hat keine Angst vor langen Einstellungen, es passiert so viel, da braucht er den Blickwinkel nicht zu ändern. Der ganze Film ist exemplarisch. Seit '68 sind lange Einstellungen üblich, im französischen wie im amerikanischen Film, Einstellungen, die einem auf den Wekker gehen; man wartet darauf, daß die Rolle zu Ende ist, weil man weiß, sie dauert dreihundert Meter, und länger kann die Einstellung nicht sein. Wenn einer früher lange Einstellungen liebte, dann ging es nicht um die Dauer, sondern um das, was passierte. Um die fiktive Zeit, nicht die des Filmstreifens. Jetzt ist es nur noch ein Kraftakt . . .» (Cahiers du Cinéma, Nr. 320).

[8] Die Abmachung der Partner in Design for Living, die zu dritt ein neues Leben anfangen wollen, ohne immer von neuem den tristen Peripetien der alten Dreiecksgeschichten zu verfallen, lautet: Kein Sex.

Natürlich ist es ein Witz, ein falsches Schlußwort. Und wenn es Lubitsch doch ernst gemeint hätte? Nehmen wir's einmal an. Der Titel ist Design for Living.

Sex interessiert ihn nicht, weil er das Ende vom Spiel bedeutet. Sex ist ihm zu natürlich. In seiner Werteskala gehört er in eine Reihe mit Macht und Politik und Reichtum, zu all den Dingen, die eine Finalität in sich tragen. Bei Lubitsch wird mit der Lust gespielt, er schaut nicht auf den output. Wie Geld bei ihm nur dazu da ist, um sich in Luxus aufzulösen, und nicht, um sich in Reichtum zu akkumulieren. Er ist der große Konsument von dem, was andere zusammengetragen haben, zufrieden erst, wenn am Schluß nichts dabei herauskommt.

Die Szene, wenn in Trouble in Paradise die beiden Meisterdiebe nach allen Regeln ihrer Kunst einander beklauen, faßt diese Überlegungen elegant in einem Akt zusammen. Heute nennt man so etwas eine performance: wenn sich die Körper untrennbar mit Gedanken vermischen, wenn die Gesetze, die immer etwas mit Geschriebenem zu tun haben, außer Kraft gesetzt werden von freien Regeln, die sich alternativ ihren Ausdruck schaffen.

Dokumente – Erinnerungen – Hommagen

Dokumente. Ernst Lubitsch war gesprächig. Das dokumentiert ein Interview aus dem Jahre 1916 – es ist das früheste, das wir gefunden haben. Lubitsch war streitlustig. Das dokumentieren ein offener Brief, ein Leserbrief und eine Erwiderung auf Polemiken von Asta Nielsen, Hanns Heinz Ewers und Alfred Polgar. Lubitsch hat die Kritiker seiner Zeit herausgefordert. Das dokumentieren Texte von Herbert Ihering, Alfred Kerr und Kurt Pinthus über DAS WEIB DES PHARAO. Lubitsch war ein genauer Beobachter der Filmszene. Das dokumentiert sein Bericht «Unsere Chancen in Amerika» (1924). Lubitsch war ein intensiver Schauspielerregisseur. Das dokumentiert seine Schilderung der Arbeit mit Greta Garbo. Schließlich: Lubitsch war selbstkritisch und selbstbewußt. Das dokumentiert ein Brief, in dem er 1947, ein halbes Jahr vor seinem Tod, sein Werk resümiert hat.

Erinnerungen. Die Autoren Hanns Kräly und Samson Raphaelson, nacheinander über viele Jahre Mitarbeiter von Ernst Lubitsch, erinnern sich auf sehr persönliche Weise an den Regisseur. Der Schauspieler Emil Jannings und die Schauspielerin Pola Negri, in frühen Jahren Darsteller und gelegentlich auch Partner in Lubitsch-Filmen, erinnern sich an ihren Regisseur, indem sie sich vor allem an sich selbst erinnern. Manchmal sind solche Erinnerungen auch Dokumente, selbst wenn man nicht alles glauben darf, woran Schauspieler sich so genau zu erinnern glauben.

Hommagen an Ernst Lubitsch sind die beiden Aufsätze von Peter Bogdanovich und François Truffaut und ein Zitat aus einem Interview mit Billy Wilder – Äußerungen von Regisseuren, die sich auch in ihren Filmen gelegentlich an Lubitsch-Filme erinnern.

Ein frühes Interview

Julius Urgiß

Künstlerprofil: Ernst Lubitsch

Der kleine lebhafte, noch jugendliche Mensch hat nie Zeit. Er ist immer auf dem Sprunge, immer mit Plänen, Gedanken, Arbeiten beschäftigt, stets bereit, neue Betätigungsgebiete in sich aufzunehmen. Stets und an jeder Kunststätte. Als ich ihn im lebhaftesten Gewoge des täglichen Kaffeehausbetriebes traf, und ihm sagte, daß ich mich gelegentlich einmal mit ihm ernst über die Filmkunst und über seine Betätigung in ihr unterhalten möchte, da sagte er mir: «Was heißt ernst! Ernst habe ich genug in meinem Vornamen. Kommen Sie, das können wir gleich machen.» Und er schleppte mich eine Treppe höher, dieweil es dort ruhiger sein sollte. Aber auch dort störte mich der ungestörte Betrieb. Lubitsch jedoch kümmerte sich wenig um das, was dort um ihn herum vorging, und in der Tat, er sprach so interessant, er fesselte mich schnell so stark, daß auch ich bald nichts mehr anderes sah als das Objekt, vor dem ich saß.

Es entspann sich ungefähr folgendes Einleitungsgespräch: «Also was wollen Sie?», fragte er. «Nicht so stürmisch, junger Mann», sagte ich, «erst werde ich meinen Notizblock nehmen, dann werde ich meine Lanze, meinen Bleistift, zücken, und dann werden Sie mir schon auf das antworten, was ich Sie frage!» Aber da stand mein Lubitsch schon wieder. «Ich spreche ja viel zu schnell, das können Sie gar nicht aufschreiben. Und ich habe auch gar keine Zeit.» Mit sanftem Druck beförderte ich ihn erst einmal auf seinen Stuhl zurück. Dann hielt ich ihn nicht nur am Rockärmel fest, sondern ihm auch einen fünf Minuten währenden Vortrag über den Wert und Unwert der Zeit, und ich endete meine diesbezüglichen lichtvollen Ausführungen mit der Konstatierung der Tatsache, daß die Zeit überhaupt das einzige ist, was wir haben. Lubitsch sah mich sprachlos an. «Ja, ja», sagte ich, «nun finden Sie keine Worte.» Er schüttelte bedächtig den Kopf, und ich hörte, wie er vor sich hin murmelte: «Ich und keine Worte finden, das ist mir auch noch nicht passiert.» Und was so oft im Leben vorkommt, daß die widersprechendsten Eigenschaften sich plötzlich auf gemeinsamem Wege begegnen, auch hier bei uns trat dieses Ereignis ein, unsere Unterhaltung kam in den von mir gewünschten Fluß. Und die Unterhaltung wurde trotz des Vornamens des Künstlers dennoch ernst, sehr ernst.

Zum Fragen kam ich eigentlich gar nicht viel. Lubitsch sprach und sprach. Zuerst entlud sich alles, was er so an Kritik in sich aufgespeichert hatte. Er wandte sich vornehmlich gegen die, leider auch bei vielen Schauspielern, immer noch vorherrschende Ansicht, als ob für das Filmspielen eine geringere schauspielerische Begabung nötig sei als wie für die Bühne. Er nennt das eine durch nichts gerechtfertigte und durch nichts bewiesene Herabsetzung. Und gerade, weil unter den Bühnenkünstlern immer noch eine merkwürdige falsche Ansicht vertreten ist, die sie abhält, sich in der Filmkunst zu betätigen, oder gar auf sie von oben herabzusehen, dürften Dilettanten nicht an das Spielen vor dem Kurbelkasten gehen. Gewiß, so meint Lubitsch, ist die Theaterkunst nicht identisch mit der Filmkunst, der bedeutendste Unterschied liegt für ihn in der strafferen Szenenführung beim Filmstück. Und dann darf man jene Schwierigkeiten nicht verkennen, die darin bestehen, daß bei den Aufnahmen die Szenen nicht, wie sie uns später im fertiggestellten Film erscheinen, sondern nach der Reihenfolge des Ortes der Handlung aufgenommen werden. Dieses letztere Moment berührt natürlich im besonderen die geistige Fähigkeit des Darstellers, der seine Kunst so in der Gewalt haben muß, daß er sich zu jeder Zeit in die verschiedensten vorher dargestellten Situationen auch zurückzufinden vermag. Außer auf diese enorme Schwierigkeit, die nur der ganz würdigen kann, der sich reichlich, und je reichlicher mit desto mehr Erkenntnis mit ihr befaßt hat, weist Lubitsch darauf hin, daß genau wie der Schauspieler auf der Bühne das Gefühl haben muß, in welcher Tonstärke er in jeder Szene, ja in jedem Moment zu sprechen hat, auch der Filmschauspieler wissen muß, mit welcher Langsamkeit, Lebhaftigkeit oder Geschwindigkeit er Bewegungen zu machen hat. Hier an dieser Stelle muß sich nach Lubitsch's Meinung die Tüchtigkeit des Filmregisseurs, die sich ja auch in so vielen wesentlichen Punkten von der Tätigkeit des Bühnenregisseurs unterscheidet, erweisen. «Der Regisseur», sagt er, «ist auch so ein besonderes Kapitel. Meiner Meinung nach fehlen sie fast alle in einer wichtigen Grundfrage. Sie verwenden wohl durchweg, wenigstens in den Hauptrollen, festengagiertes Personal. Das ist falsch, ganz falsch. Beim Film, wo nur die Geste und die Mimik zu sprechen haben, wo also das Wort, ihr großer Bundesgenosse, fehlt, muß viel individueller jede Rolle besetzt werden. Der Regisseur hat gewissermaßen unter den Bestimmungen seiner Direktion zu leiden.» Andererseits spricht Lubitsch mit großer Anerkennung über die Filmregie und über die Filminszene. Auch er ist der Ansicht, daß die Ausstattung erstklassig, das heißt schön und stilgemäß sein muß. Aber der Ausstattungsgedanke darf nicht überwiegen, darf nicht, wie wir es so oft erleben, zur Hauptsache werden. Er meint, daß das Bestreben, große Dekorationen und tiefe Flächen auf das Bild zu bringen, eine Einstellung des Aufnahmeapparates bedingt, unter der das Spiel der Künstler vernachlässigt werden muß. Dieses Spiel aber bleibt doch wohl immer die Hauptsache, der Nerv des Ganzen. Deshalb sollte jede wichtige Szene nur ganz vorn durch premier-plan-Aufnahmen genommen werden. Dadurch kommen auch erst die feinsten Nuancen des Mienenspiels zu ihrer vollen Geltung. Die Maske allein ist nicht das Wesentliche, ja, Lubitsch macht, wenn es nur irgendwie angängig ist, überhaupt keine Maske, wodurch er übrigens ein schon vorhin erwähntes Prinzip unterstreicht, daß ein Darsteller nur Rollen spielen soll, die seiner Individualität liegen.

Lubitsch ist eine Individualität. Seine Domäne ist das Komische bis zum Grotesken. Er sieht darin zwei verschiedene Richtlinien. Bei der Filmgroteske ist jede Unmöglichkeit erlaubt, die Logik darf vollständig ausgeschaltet werden, beim Filmlustspiel hingegen muß die Handlung logisch aufgebaut sein. Eine Verquickung beider Arten ist künstlerisch ganz unmöglich. In beiden Arten aber ist Lubitsch Meister, und viele Beispiele hat er uns gegeben, die das dokumentieren.

Die Frage lag nahe, und eigentlich sollte sie die erste sein, die ich an ihn richten wollte, wie nämlich Lubitsch sich zu dem Film mit jüdischem Milieu stellt. In dieser Filmstückart hat er seine größten Triumphe gefeiert (man denke an die künstlerische Sensation *Die Firma heiratet*, man denke an *Der Stolz der Firma*, man denke an SCHUHPALAST PINKUS). Er kam in Erregung: «Es ist oft gesagt worden, daß an Filmen mit jüdischem Milieu Anstoß genommen wird. Das ist ja ein ganz unglaublicher Standpunkt. Wenn der Fall eintritt, daß solch ein Film Mißfallen erregt, dann liegt das einzig und allein an einer Darstellung, der das Wesen des jüdischen Humors entweder nicht liegt, dann aber soll der Künstler seine Hand von dieser Aufgabe lassen, oder aber an jener maßlosen Übertreibung, die jede künstlerische Leistung beeinträchtigt und ihrer Wirkung schädlich ist. Der jüdische Humor ist, wo er auch erscheinen mag, sympathisch und künstlerisch, und er spielt allüberall eine so große Rolle, daß es lächerlich wäre, wollte man ihn im Kino entbehren.»

Überhaupt wird Lubitsch noch lebhafter, wenn es heißt, den Humor in der Kunst zu verteidigen. Humor ist das Elixier, das alle seine Schöpfungen belebt, Humor in jeder Schattierung. Hier liegt der Grund auch für seine Erfolge, und wir verstehen diesen Erfolg, wenn wir jenes Satzes gedenken, den einst der alte Theaterpraktiker Heinrich Laube aufstellte, wenn er sagte: «Der Humor wirkt mächtiger im deutschen Publikum als die bloße Lustigkeit.»

(Der Kinematograph, Düsseldorf, 30. 8. 1916)

Lubitsch contra Asta Nielsen

Dr. Walter Steinthal
Bei Asta Nielsen
Ein Interview

[Der Autor beschreibt seine Eindrücke von Asta Nielsen, die ihm an einem Septembernachmittag in einem Berliner Hotel von ihrem *Hamlet*-Film erzählt. Dann zitiert er die Schauspielerin:]

«Unser *Hamlet* ist überhaupt *keine Shakespeareverfilmung*. Dagegen würde ich mich mit allen Kräften gewehrt haben. Wir verfilmen eine alte nordische Hamletlegende, die auch Shakespeare als Quell benutzt hat, an die wir uns aber ganz eng halten. Das Hauptmotiv ist Hamlets Travestitentum. Aus Thronpolitik wird die eben geborene Prinzessin als Knabe ausgegeben. Der Film folgt dann dem Leben des vermeintlichen Königssohns durch alle Phasen: Königsmord, Universität Wittenberg, die Ehe zwischen König Claudius und Hamlets Mutter, Hamlets Rachewerk. Das lyrische Motiv ist die Liebe zu Horatio. Während der Verfilmung stellte sich immer wieder die Versuchung ein, sich an Shakespeareszenen anzulehnen. Es wäre billig gewesen, aber ich habe es ausgeschlagen. Anklänge sind natürlich trotzdem da; der gemeinsamen Quelle wegen. Gerade an unserem Hamlet werden Sie sehen, wie ungemein stark Shakespeare, Gang für Gang, die alte Sage verwendet hat. Aber zu verfilmen ist Shakespeare nicht. Das wäre der Höhepunkt der an sich schon tief bedauerlichen *Amerikanisierung* des deutschen Films. Der deutsche Film hat seit sechs Jahren eine *Abwärtsentwicklung* genommen. Technisch natürlich nicht. Aber gerade die Hervordrängung des Technischen hat die Ausbreitung des Künstlerischen gehindert. Publikumsgeschmack leider. Das Publikum will immer nur Handlung, gedrängte Sensation im Geschmack der Yankeefilms. Zu schauspielerischer Vollentwicklung wird dem Künstler keine Zeit gelassen. Oder, wird sie ihm bei der Aufnahme gelassen, so nimmt die Schere des Regisseurs hinterher das Beste weg: als ‹überflüssig›. Ich habe beobachtet, wie empfindlich die Leistungen der besten deutschen Filmschauspieler, z. B. Wegeners oder Schünzels, hierunter leiden. Das ist heute ein Grundübel unseres Kinos, und ich meine, die Künstler selbst sollten sich dagegen auflehnen. Das Publikum selbst weiß nicht, um wie viel Besseres es sich durch diesen Terror schlechten Geschmacks betrügt. Es gibt nämlich Dichter, echte Dichter, die wirklich zu verfilmen sind. Zum Beispiel Strindberg. Der Sinn und der seelische Gehalt steht in den Strindbergdramen nicht neben der Handlung, sondern ist ganz direkt in ihr, in den Ereignissen und Sensationen. Deshalb ist es möglich, Strindbergfilme zu machen, und es ist eine meiner Lieblingsideen. Aber an diese Aufgabe, die ich früher einmal begonnen, würde ich künftig nur wieder herangehen, wenn Bearbeitung und Regie die Gewähr bieten, *daß dem Dichter gelassen wird, was des Dichters ist.*»

(Lichtbild-Bühne, 9. 10. 1920)

Ernst Lubitsch
Ein offener Brief an Asta Nielsen

Berlin, den 15. Oktober 1920

Sehr geehrte Frau Asta Nielsen!

Mit großem Interesse habe ich in der letzten Nummer der «L. B. B.» Ihr Interview gelesen und kann nicht umhin, Ihnen auf einige der von Ihnen angeschnittenen Fragen zu antworten: Sie schreiben z. B., daß es eine Ihrer Lieblingsideen wäre, Strindberg zu verfilmen, daß Sie aber nur an diese Aufgabe herangehen würden, wenn der Regisseur Ihnen Gewähr dafür bietet, daß dem Dichter gelassen wird, was des Dichters ist. – Sie lassen ferner ganz deutlich durchblicken, daß dies bei der Verfilmung Ihres letzten Strindberg-Films nicht geschehen ist. Der Strindberg-Film, um den es sich hier handelt, heißt RAUSCH und der Regisseur war – ich. Sie scheinen also mit mir nicht recht zufrieden gewesen zu sein, ganz im Gegensatz zu mir, der ich mit Ihnen außerordentlich zufrieden war. Eigentlich sollte ich meinen, daß Sie keinen Grund hätten, auf mich und meine Inszenierung böse zu sein, denn Sie können doch nicht leugnen, daß Sie mit diesem Film einen großen Erfolg gehabt haben. Nach RAUSCH haben Sie viele Filme gespielt, bei denen Sie Ihren Willen sicher stärker durchsetzen konnten, als bei dem vorgenannten Film. Den Erfolg von RAUSCH haben Sie aber seitdem weder überboten noch erreicht! Also scheint Ihnen meine Regie doch nicht allzu schlecht bekommen zu sein. – Ferner, der Vorwurf, daß ich dem Dichter Strindberg nicht gelassen habe, was des Dichters ist, ist nur ein Kompliment für mich. Es berührt mich sonderbar, daß eine Künstlerin wie Sie so etwas verlangen kann. Entweder müssen Ihre Beziehungen zu Strindberg sehr locker sein oder Sie müssen vom Wesen des Films eine ganz eigentümliche Auffassung haben, wenn Sie so etwas behaupten. So lassen Sie sich denn von mir gesagt sein, große Asta Nielsen, daß der eigentliche Strindberg gar nicht zu verfilmen ist! Strindbergs Kunst liegt im Gedanklichen, die Kunst des Films im Optischen! Gedankliche Probleme lassen sich nicht verfilmen! Doch ich kann mir vorstellen, wie Sie sich die Übertragung solcher Probleme auf den Film denken, nämlich in hochliterarischen Titeln, die Sie dann sprechen, minutenlang, stundenlang, 120 Meter lang, wie Sie mir selbst versicherten. Ich finde das entsetzlich und muß Ihnen ferner sagen, daß meiner Meinung nach dieser Darstellungsstil an der eigentlichen Filmdarstellung vorbeigeht!

Sie beschweren sich ferner, wenn auch nicht so offen, über meine Schere. Sie können es mir immer noch nicht verzeihen, daß ich Sie bei einer Großaufnahme statt 5 nur 2 Meter habe weinen lassen. Aber glauben Sie mir, Ihre Tränen kullerten so echt aus den Augen über die Backen auf die Bluse, daß das Publikum nach 2 Metern vollauf ergriffen war. Doch das sind Geplänkel zwischen uns Beiden, die die Allgemeinheit nicht interessieren. Deshalb will ich mit diesem Thema Schluß machen. Was aber die gesamte deutsche Filmindustrie angeht, so ist Ihr Ausspruch, daß sich der deutsche Film seit 6 Jahren in einer Abwärtsentwicklung befindet. Dagegen muß ich im Namen der deutschen Filmindustrie auf das allerenergischste protestieren. Sie beklagen sich über die Weiterentwicklung des Technischen im Film. So lassen Sie sich denn wiederum von mir gesagt sein, daß das Technische im Film gar nicht hoch genug entwickelt sein kann, denn um das Künstlerische im Film auszudrücken, braucht man vollendetste Technik. Das Künstlerische im Film hängt nicht nur vom Schauspielerischen ab, wie Sie irrtümlich annehmen, sondern noch von tausend anderen Dingen, von denen Sie anscheinend nichts halten. Doch das kann ich verstehen, denn Sie sind Schauspielerin und Star und wünschen, daß sich alles um Sie dreht. – Ich sah mir neulich nachmittags einen Film aus Ihrer früheren Zeit an, der zu den besten gehört, die Sie gespielt haben. Kurz darauf ging ich in ein Kino und sah einen Film, der nicht einmal der besten modernen Produktion angehört. Als ich aus dem Kino herauskam, sagte ich zu meinem Begleiter: Es ist kaum zu glauben, wie sich die deutsche Filmindustrie seit 6 Jahren entwickelt hat!!!

Mit vorzüglicher Hochachtung
Ernst Lubitsch

(Lichtbild-Bühne, 16. 10. 1920)

Asta Nielsen
Meinungsverschiedenheiten

Mein erster Film nach dem Krieg wurde also Strindbergs RAUSCH. Regie führte der neu aufgetauchte Ernst Lubitsch, dessen späterer Weltruf damit seinen Anfang nahm. Lubitsch und Kräly, der später auch in Hollywood landete, schrieben das Drehbuch, und dabei entstanden manche Meinungsverschiedenheiten zwischen ihnen und mir. Alles, was meiner Ansicht nach ausgeprägt filmisch und dazu für Strindberg bezeichnend war, wurde verworfen und im Drehbuch durch ganz alltägliche Einfälle ersetzt, die Strindbergs Geist und Stil so fern lagen wie nur möglich.

In dieser Verbindung möchte ich nur ein Beispiel nennen.

Jeder, der das Stück kennt, erinnert sich an den ersten Teil des zweiten Aktes im Restaurant. Maurice, Adolphe und Henriette haben verabredet, sich dort nach Maurices Premiere zu treffen, der Henriette beigewohnt hat. Maurice und Henriette sitzen an einem Tisch bei einer Flasche Sekt und drei gefüllten Gläsern. Adolphe, in dem Gefühl, daß Henriette ihm entgleitet und sich Maurice zuwendet, hält die Verabredung nicht ein, und so bleiben sein Glas und der leere Stuhl während der ganzen Szene wie ein mahnendes Gespenst zwischen den beiden anderen. Diese Situation, von symbolischer und geheimnisvoller Wirkung, echt strindbergisch und wie für den Stummfilm konzipiert, ließen die Drehbuchautoren ganz aus. Auf dem Wege vom Theater ließen sie Henriette vorschlagen, sie und Maurice wollten sich nicht an die Verabredung halten. Sie gehen in ein anderes Lokal, wo sie ungestört in nichtssagender Wirklichkeit soupieren. Eine falschere Auffassung Strindbergs und filmischer Wirkungen kann man sich kaum denken, Lubitsch aber ließ sich nicht erschüttern. Er äußerte sogar, er sei stolz darauf, daß er das Strindbergsche vermieden habe. Ich erlaubte mir den Einwand, dann hätte er sich ein anderes Thema für seine Regie wählen sollen, und bat Meinhard, meinen Vertrag zu lösen, aber vergebens. So mußte ich denn auch erleben, was sich die Herren Lubitsch und Kräly für Henriettes und Maurices Ausweisung aus dem nächtlichen Park ausdachten, die sie bildlich symbolisieren wollten. Sie hatten sie in vollem Ernst in die Vertreibung aus dem Paradies umgedichtet, darin Abel, der den Maurice spielte, und ich als Adam und Eva in den historischen Kostümen auftreten sollten. Natürlich lehnten wir das glatt ab. Gleichzeitig machte ich auf die Lächerlichkeit dieser idiotischen Paradiesszenen aufmerksam, aber auch hier war Lubitsch seiner Sache sicher. Selbstverständlich konnte niemand uns Schauspieler zwingen, aber die Paradiesszenen sollten nun einmal erscheinen, und man engagierte zwei Modelle von der Kunstakademie, die Adam und Eva darstellten.

Trotz aller Meinungsverschiedenheiten über das Drehbuch wurde es eine glückliche Zusammenarbeit mit Lubitsch. Seine hervorragenden Fähigkeiten als Regisseur waren mir sofort klar. Mit sicherem Instinkt führte er die Einstellungen auf den entscheidenden Höhepunkt zu, und er hatte Verständnis für die Schauspieler; darin vergriff er sich nie. Ihm eignete jenes Maß künstlerischer Auffassung der Technik – man kann auch sagen: der technischen Auffassung des Künstlerischen –, die eines wirklich guten Filmregisseurs eigentliche Begabung ausmacht.

Der RAUSCH, dessen Uraufführung in München stattfand, wurde ein epochaler Erfolg, ausgerechnet bis auf die Szenen im Paradies. Björn Björnson, der sich meine sämtlichen Filme ansah, berichtete mir später von der Premiere, das Publikum habe über die Szenen mit Adam und Eva vor Vergnügen so gewiehert, daß sie schon in der nächsten Vorstellung geschnitten waren. Ob mir Lubitsch aus diesem Anlaß wohl einen Gedanken geschenkt hat? Aber vielleicht glaubte er, das Publikum sei ebenso dumm wie ich.
(Die schweigende Muse. Berlin 1961)

Lubitsch contra Hanns Heinz Ewers

Hanns Heinz Ewers
Anna Boleyn

Sie veranlaßten mich, sehr geehrter Herr Dr. Wollenberg, durch Zusicherung eines besonders hohen Honorars (das ich Sie bitte, dem Schutzverband Deutscher Schriftsteller – z. Hd. des Herrn Hans Kyser – für seine Unterstützungskasse anweisen zu wollen) Ihnen eine Besprechung über den Film ANNA BOLEYN zu schreiben, der die große Sensation der diesjährigen deutschen Filmproduktion dargestellt. Sie legten mir dabei nahe, mich möglichst auf den Standpunkt des Kinobesuchers des Auslandes zu stellen, da ja mit besonderer Berücksichtigung der Verbreitung im Auslande dieser große Film geschaffen wurde. Sie nehmen – mit Recht, denke ich – an, daß ich den Geschmack und die Psyche des Auslandes in Film und Theatersachen einigermaßen kenne, daß mir der nötige Vergleichsmaßstab zur Verfügung steht und daß daher mein Urteil für die deutsche Filmindustrie, der durch die Abgeschlossenheit des Marktes während so vieler Jahre dieser Maßstab fehlt, von einigem Vorteil sein könnte.

Ich schreibe Ihnen dies Urteil ungern genug, da es mir weh tut, die gewiß großen Hoffnungen, die die produzierende Firma auf diesen Film setzt, gerade was das Ausland betrifft, einigermaßen zerstören zu müssen. Dieser Film wird nie ein «Auslandsgeschäft» werden. Der Grund hierzu liegt weder an den Autoren des Films, noch bei Regie und Darstellung, weder bei den Photographen, noch endlich bei der Arbeit der ausführenden Firma, die gewiß weder Mittel noch Kosten gescheut hat, sondern allein bei dem völligen Mißverstehen der «Psyche» des Auslandes durch alle diese Elemente.

Um gleich eines vorauszuschicken: die hier geleistete Arbeit verdient jede Anerkennung. Die Autoren *Orbing* und *Kräly* haben aus der Geschichte der ANNA BOLEYN herausgeholt, was sie nur konnten, haben dramatische Momente genug hineingelegt, um den Darstellern besondere Gelegenheit für ihre Kunst zu geben, haben, was wichtiger ist, es verstanden, auch der Gesamthandlung eine Art dramatischer Einheit zu verleihen. Die Schauspieler sind sehr geschickt ausgesucht, und jeder einzelne steht prächtig an seinem Platze. *Henny Porten* ist heute soweit, daß keine Kinospielerin in irgendeinem Lande sich auch nur entfernt mit ihr messen könnte. *Jannings* ist wundervoll echt, und wenn dieser Schauspieler erst einmal das strahlend-gewinnende Lächeln Douglas Fairbanks abgeguckt haben wird, und dann auf seine viel männlichere und zugleich viel intelligentere Art herausbringt, so wird er einer der ganz wenigen deutschen Spieler sein, die aus dem Dollarlande wirklich die geträumten Goldschätze herausholen können. Die Regie von *Lubitsch* steht auf gleicher Höhe. Seit er bei mir, vor etwa sieben Jahren, sein erstes kleines Filmröllchen spielte, ist was aus ihm geworden, weiß Gott! Wenn seine Frau oder seine Mutter ein hübsches Album hat, gefüllt mit Zeitungskritiken über seine Arbeit, so wird in dieser schönen Sammlung ja wohl kaum ein Lobspruch irgend welcher Art fehlen. Wenn er doch von mir ein besonderes hören will, das ihm noch kein anderer gesagt hat, so will ich ihm ins Album schreiben: er hat . . . «cojones», wie der Andalusier sagt. Das ist kurz genug und gibt denkbar größte Anerkennung. – Die Arbeit des Aufnahmeoperateurs ist ebenfalls über jeden Tadel erhaben; die Leistungen des Architekten *Richter* und des Malers *Hubert*, der das Kostümliche besorgte, sind erstaunlich gut. Man füge hinzu, daß die ausführende Firma, um dieser Fülle von Könnern ohne kleinliche Bedenken alles, was nötig war, in reichstem Maße zur Verfügung stellte und man wird begreifen, daß das, was entstand, schon etwas sein muß!

Alles in allem: keine ausländische Firma ist heute imstande, eine derartig gleichmäßig gute Gesamtleistung der Berliner Firma Meßter-Union nachzumachen!

Und dennoch weiß ich, daß dieser Film ein Fehlschlag sein wird.

Auf jede Art und Weise versucht die deutsche Filmindustrie in das «Auslandsgeschäft» zu kommen – vor allem natürlich in den amerikanischen Markt mit seinen einhundertundfünfzehn Millionen wohlerzogener Kinobesucher. Jedes Mittel ist ihr dazu recht; sie kämpft darum, wie Jakob mit dem Engel. Und vergißt nur eines dabei, das, was wir Deutschen leider so oft vergessen haben: das richtige Einschätzen der fremden Psyche. Dieser Fehler hat uns so unendlich viel Blut und Elend gekostet – und es scheint, daß wir trotz alledem immer noch nichts gelernt haben. Der Film ANNA BOLEYN beweist aufs neue, was das gesamte Ausland stets an uns bewunderte: «German efficiency» – deutsche Tüchtigkeit. Aber er beweist zu gleicher Zeit unseren völligen Mangel an psychologischer Einschätzung des Auslandes.

Diese völlig falsche Einschätzung setzt ein, noch ehe ein Fuß Film gekurbelt, noch ehe ein Wort des Manuskriptes geschrieben wurde. Wie ich höre, dachte die Firma zunächst an eine Verfilmung der Maria-Stuart-Idee – gedacht natürlich für ihre führende Spielerin Henny Porten. Daraus wurde dann, nach manchem Überlegen hin und her, die Idee: Anna Boleyn! Sicherlich vorzuziehen in kostümlicher und mancher anderen Richtung der «Maria Stuart» – und trotzdem schon bei der Konzeption des Gedankens den ganzen Fehlschlag in sich tragend. Man richte an irgend einen Amerikaner, Engländer, Franzosen, an irgend einen Ausländer überhaupt, die Frage, was er davon halte, wenn eine Firma seines Landes irgend ein großes historisches Drama eines deutschen Fürstenhauses heute verfilmen würde? – Er würde über den völlig unmöglichen Gedanken hellauf lachen! Und nun nehmen wir gar den Fall, daß dieser Krieg uns den Sieg, England aber den Versailler Frieden gebracht hätte: die englische Firma, die den monströsen Gedanken gehabt hätte, irgend ein historisches Drama der Habsburger oder Hohenzollern zu verfilmen, würde keine Schauspieler gefunden haben, die sich dazu hergegeben hätten, mitzuwirken. Und wenn irgendwie der Film dennoch zustande gekommen wäre, – das Publikum hätte die Theater boykottiert. Nun mag, wer will, es uns zum Ruhm anrechnen, daß wir über solch kleinliche Sachen hinaus sind, daß wir «großzügiger» denken, daß wir «Geschichte» als «Geschichte» werten und daß wir den gemachten «Haß» der Kriegsjahre längst überwunden haben! Die Massen des Auslandes denken jedenfalls nicht so! Sie folgern mit brutaler Einfachheit: wenn eine deutsche Firma mit großen Kosten und denkbar gut ein Drama aus dem englischen Königshause verfilmt, so tut sie es nur, weil sie glaubt, gerade damit Geschäfte zu machen! Man merkt die Absicht und wird sehr verstimmt. Die Tragödie ANNA BOLEYN von einer englischen Firma verfilmt, würde das englischsprechende Publikum zu beiden Seiten des Atlantik herzlich wenig interessieren – von einer deutschen Firma, mit dem Zwecke, den Markt zu erobern, produziert, wird sie dieses selbe Publikum abstoßen. – Wäre es noch Maria Stuart gewesen! Die ist durch Schiller, genau wie die Jungfrau, zu einer Art deutscher Heldin geworden – das weiß man auch im Auslande. Und darum hätte die Absicht nicht gar so verstimmend gewirkt!

[. . .] Von dem Augenblick der Konzeption des Gedankens ANNA BOLEYN an ist nun bei diesem Film alles außer acht gelassen, was die angloamerikanische Psyche vielleicht hätte gewinnen können. Die englischen Massen haben natürlich ihre eigene Tradition, die englische Geschichte zu sehen – und die ist anders, wie die unsere. Wir sehen mit dem Auge Shakespeares, der bei uns ganz anders populär ist, wie in England oder Amerika – die englischlesende Masse aber sieht mit dem Auge Walter Scotts. Ein englischer Bearbeiter, der sein Publikum kennt, hätte ANNA BOLEYN walter-scottisch erzählt, mit einem tüchtigen Schuß sentimentaler Limonade. Schöner wäre es dadurch gewiß nicht geworden – aber es hätte auf die Massen ganz anders gewirkt. Für *Lubitsch* ist das Turnier in dem prachtvoll echt gebauten Turnierhof ein grandioses Bild, zugleich ein Platz für das Fortschreiten der dramatischen Handlung: Anna – König Heinrich. Für den *englischen* Regisseur dagegen wäre es ein sportliches Ereignis geworden und weiter nichts. Bei *Lubitsch* sieht man zwei Ritter kämpfen – einer wird vom Pferde geworfen. Sportlich kann das den Zuschauer nicht interessieren, denn er weiß ja nicht, wer Ritter Norris ist, für den er Sympathie hat, und wer dessen Gegner. Der *englische Regisseur* hätte das Sportliche bis zum Letzten herausgeholt – zum Schaden des künstlerischen Eindrucks und der dramatischen Wirkung, gewiß, aber mit dem sichern Erfolge einer außerordentlichen Wirkung auf sein Publikum. Zunächst hätte er genau gezeigt, wie Norris und wie sein Gegner sich rüsteten. Der eine würde auf dem Helme einen riesigen Federbusch bekommen, der andere etwa den Ärmel der Königin. So, daß man beim Kampfe sie genau hätte unterscheiden, die Sympathie immer dem Ritter Norris zuwenden können. Und den Kampf selbst hätte er, mit Barrieren, denkbar nahe und deutlich gezeigt. Schöner und echter ist *Lubitsch's* Arbeit; aufregender für das englische Publikum wäre die Arbeit des englischen Regisseurs gewesen. Ähnliches fiel mir wieder und wieder auf; so zum Beispiel bei der Jagd des Königs. Keine Meute, kein Wild, kein Halali! Das ist für das in seinen Traditionen denkende englische und amerikanische Publikum genau so nötig, wie Messer und Gabel zum Essen. Es will wissen, wenn es eine Hetzjagd sieht, ob ein Fuchs oder eine Sau gehetzt wird: die Einzelheiten interessieren hier.

Bessere Typen zur Verkörperung der Anna und des Königs, wie Henny Porten und Jannings, hätte man kaum irgendwo finden können. Aber sie spielen: deutsch-shakespearisch! Gut, besser, ausgezeichnet, prachtvoll – alles, was ihr wollt – aber: nicht so, wie's die englische Tradition will. Sie können für uns sein: «Anna» und «König» – für die Massen englischer Kultur werden sie stets sein: zwei deutsche Spieler, die sich große Mühe geben, «Anna» und den «König» zu «spielen».

Und so geht es weiter ins kleinste Detail. Die Photographen arbeiten deutsch. Sie hüten sich, wie der Regisseur, wie die Spieler, vor allen unkünstlerischen Geschmacklosigkeiten und billigen Publikumseffekten. Vergessen dabei, daß es gerade *das* ist, was das amerikanische Publikum gewöhnt ist und außerordentlich liebt.

Man verstehe mich nicht falsch: ich sage ausdrücklich, daß alles das, was von Spielern, Regisseur, Photographen, kurz von allen Beteiligten hier geleistet wurde, ganz gewiß viel besser und sehr viel künstlerischer ist, als das, was eine englische oder amerikanische Firma daraus gemacht hätte. Nicht in meinen Augen sind hier Fehler über Fehler gemacht worden, sondern in den Augen einer Masse von vielen Millionen, die die Firma durch diesen Film zu gewinnen hoffte! Und auf die allein kommt's ja leider an – und nicht auf mich. [. . .]

Der Glaube an «deutsche Tüchtigkeit auf allen Gebieten» ist im Auslande und ganz besonders in Amerika, zum Volksglauben geworden, nicht zuletzt gerade durch englische Propaganda, der es ja daran liegen mußte, den Gegner möglichst gefährlich darzustellen. Ebenso wach ist überall das Interesse an allem Deutschen in aller Welt, gerade also der typisch deutsche Film wird im Auslande ganz anders interessieren als ein englischer oder französischer Film von deutschen Schauspielern gespielt und von deutscher Firma produziert. Damit ist natürlich nicht gemeint irgend etwas deutsch-nationalistisches, deutsche Art preisendes oder ähnliches: das würde heute nur verletzen im Auslande und hätte auch ohne allen Krieg nie Interesse im Auslande gefunden. Aber ein deutsch gemachter E. Th. Hoffmann-Film hat im Auslande viel mehr Chance als ein E. A. Poe-Film, ein Faust-Gretchenfilm wird im Auslande größeren Erfolg haben, als eine in Deutschland gemachte Verfilmung der Brüder Karamasow oder eines Zolaschen Romans. Es ist eben unmöglich, «Germinal» zum Beispiel in Berlin künstlerisch so zu erfassen, wie man es in Paris könnte, wie es unmöglich ist, in London etwa einen echten Werther-Lotte-Film zu schaffen.

Wir müssen unseren eigenen Kohl bauen und dem Nachbarn das Feld überlassen, das ihm gehört. Der einzige deutsche Film, von dem ich weiß, daß er im Auslande, überall, wirklich Eindruck gemacht hat und durch Jahre hindurch, selbst während des Krieges, gespielt wurde, war ein typisch deutscher Film. Es ist *Der Student von Prag*, und ich schrieb ihn selbst. Daß dieser Film noch heute, acht Jahre nach seinem Entstehen, viel gespielt wird, mag der deutschen Filmindustrie zeigen, worauf es letzten Endes ankommt, um mit einem Film einen dauernden Erfolg zu haben. Und diesen Film herzustellen hat der ausführenden Firma etwa den dreihundertsten Teil dessen gekostet, was ANNA BOLEYN kostete.

Nicht die grandiose Aufmachung erzwingt uns den Erfolg: darin können wir mit Amerika längst nicht mehr konkurrieren. Ebensowenig unsere allerbesten Spieler und Regisseure, unsere besten Aufnahmeoperateure und Architekten. Selbst wenn wir darin dem Auslande voraus sind, so hat dennoch die ausländische Konkurrenz ganz anders die Macht, durch zehnfältige Reklame ihre Mitarbeiter weit übers Maß hinaus hinaufzusteigern. Das einzige, was die deutsche Industrie auf die Dauer konkurrenzfähig halten kann, ist die *Idee* der Idee, die dem Film das gibt, was ihm gehört, die ihm sein eigenes Gebiet erschließt und seine letzten Möglichkeiten herausholt!

– – So, verehrter Herr Dr. Wollenberg, das ist länger geworden, als ich glaubte! Aber vielleicht hilft es ein wenig, vielleicht veranlaßt es einige der Häupter der deutschen Filmindustrie, sich auf sich selbst zu besinnen!

Mit ergebensten Empfehlungen

Dr. Hanns Heinz Ewers

(Lichtbild-Bühne, 18. 12. 1920)

Ernst Lubitsch
Brief

Sehr geehrte Redaktion!

Mit großem Interesse habe ich den Aufsatz von Herrn Hanns Heinz Ewers über den von mir inszenierten Film ANNA BOLEYN gelesen, und ich habe mit Freude zur Kenntnis genommen, daß die künstlerischen Qualitäten des Films den Beifall Ihres Referenten gefunden haben. Da ich allein die Verantwortung für die vielen Millionen trage, die mir von der Ufa für diesen Film zur Verfügung gestellt worden sind, so gestatten Sie mir, auf einige Punkte näher einzugehen.

Ihr Referent sagt mit absoluter Bestimmtheit, daß dieser Film ein Fehlschlag ist. Ob dieser Film ein Fehlschlag ist, darüber kann meiner Meinung nach Herr Hanns Heinz Ewers kein apodiktisches Urteil fällen, sondern einzig und allein die Geschäftsbücher der Ufa werden nach einem Jahr darüber Rechnung legen.

Ihr Referent leitet seine Kompetenz aus einer mehrjährigen Anwesenheit in Amerika her. Es muß mir gestattet sein, einige Skepsis gegen dieses Urteil zu hegen, da prominente Vertreter der amerikanischen Filmindustrie, die mit den dortigen Filmverhältnissen weit mehr vertraut sind, als Ihr Referent, Männer des öffentlichen amerikanischen Lebens, ihre Anerkennung über diesen Film mir und allen gegenüber in, ich muß sagen, enthusiastischer Form geäußert haben. Es ist vielleicht nicht ohne Bedeutung, darauf hinzuweisen, daß der Tenor dieses Urteils immer wieder dieser war, daß dieser Film gerade für das amerikanische Geschäft von ganz außerordentlicher Bedeutung sei. Die Argumente Ihres Referenten sind von den Tatsachen längst überholt. Er schreibt, z. B., daß das ausländische Publikum den Film schon alleine aus dem Grunde boykottieren würde, weil eine deutsche Firma englische Geschichte verfilmt hat. Das ist eine Naivität. Der Erfolg des Films MADAME DUBARRY in Amerika enthebt mich jeden Kommentars. Vielleicht darf ich zur Information Ihrer Leser hinzufügen, daß MADAME DUBARRY, der ja auch die Verfilmung fremdländischer Geschichte durch eine deutsche Firma darstellt, mit größtem Erfolg in dem ersten neuerbauten Capitol-Theatre in New-York läuft, nachdem er wochenlang im Strand-Theatre auf dem Broadway volle Häuser erzielt hat.

Ihr Referent erblickt ferner in der Verfilmung englischer Geschichte unsererseits einen Versuch, sich liebdienerisch einzuschmeicheln. Wer den Film ANNA BOLEYN gesehen hat, wird kaum auf den Gedanken kommen, daß wir die englische Geschichte dazu benutzt haben, um uns in unterwürfiger Form in die Gunst des ausländischen Publikums einzuschmeicheln. Die Geschichte der Völker gehört der Welt, und ich gedenke, mir meine Themen dort zu wählen, wo ich die fruchtbarsten Möglichkeiten für meine Arbeit sehe. Ihr Referent meint ferner, daß der Aufbau, die Regie und die Darstellung des Films künstlerisch einwandfrei, aber nicht genug Konzessionen an den Auslandsgeschmack stellt. Ich möchte Ihrem Referenten darauf antworten, daß der deutsche Film nur dann einen Erfolg haben wird, wenn er es vermeidet, das Ausland zu kopieren; denn dazu brauchen die Ausländer unsere Filme nicht. Ich sehe den Welterfolg des deutschen Films darin, daß er selbstschöpferisch sich auf eigene Füße stellt und somit dem ausländischen Repertoire eine Abwechslung bietet. Die bisherigen Erfolge, die ich mit einem großen Teil meiner Filme im Ausland gehabt habe, bestärken mich in meiner Meinung, daß ich den richtigen Weg gehe.

Gestatten Sie mir noch, Sie auf einen Punkt hinzuweisen, den ich mit außerordentlicher Befremdung zur Kenntnis genommen habe. Herr Hanns Heinz Ewers hat es für richtig befunden, nachdem er einige Seiten über den Film ANNA BOLEYN gesprochen hat, über den großen Welterfolg seines eigenen Films *Der Student von Prag* (dessen Hauptanteil Paul Wegener gebührt) zu berichten. Es galt bisher nicht für besonders vornehm, auf Grund der Ablehnung eines anderen Werkes sein eigenes anzupreisen. Jedenfalls hat Herr Hanns Heinz Ewers den Zweck erreicht: die Filmindustrie weiß, daß er wieder da ist!

Und wenn er am Schluß schreibt: «vielleicht veranlaßt das einige der Häupter der Filmindustrie, sich auf sich selbst zu besinnen», so ist ihm offensichtlich ein kleiner Schreibfehler unterlaufen: es soll wohl vielmehr heißen: «auf mich selbst zu besinnen!»

Ernst Lubitsch

(Lichtbild-Bühne, 25. 12. 1920)

Lubitsch contra Alfred Polgar

Alfred Polgar
Film

Motto: «Die edelste Sache ... in eure Hände gegeben, ist sie gewest wie ein Kleinod im Saustall.» (Florian Geyer)

Von hundert Filmen sind neunundneuzig so erbärmlich dumm, roh, läppisch, ein so ekliger Brei aus Saccharin, Pomade, Kanthariden und elendem Deutsch, daß Sonne und Jupiterlicht sich schämen sollten, solchen Greuel an den Tag gebracht zu haben. Die Menschen schämen sich nicht.

Daß die, denen der flimmernde Mist vorgesetzt wird, ihn gierig fressen, ist erklärlich: ewig infantile Lust an Bildern und Geschichten kann sich hier in einem Atemzug üppig sättigen, und das Heimweh nach Märchen erfährt sachte Linderung. In der beglückend wahren Unrealität der Erscheinungen auf weißer Fläche wird die Wirklichkeit ja viel mehr aufgehoben als durch die besten Illusionen der Bühne. Das «Bild des Lebens», das diese gibt, bindet und beschwert den Zuschauer. Die «Bilder von den Bildern des Lebens», die der Kinematograph an die Wand wirft, lösen und befreien ihn. Der Ballast, den seine Sinne zu tragen haben, wiegt federleicht, die Phantasie spürt den Reiter nicht, der sie spornt. [...]

Die Wiese im Kino duftet besser, als die auf der Bühne, weil ich dort eine wirkliche, echte Wiese sehe, der ich den Duft ohne weiteres zutraue und ihn nun so vollkommen, als eine durch nichts gestörte Phantasie das nur vermag, meiner Nase suggeriere.

Sie duftet aber auch besser als die natürliche, lebende Wiese, weil diese niemals so lieblich und unvermischt Extrakt duften kann, wie meine blühende Kinowiese, die ist und doch nicht ist!

Die Welt im Kino: eine Welt ohne dritte, aber mit einer vierten Dimension.

Die ganze Erde, Wald und Fels und Wasser und Straße und Menschenhaus ist Dekorationsmagazin für den Film, Gott ist Ausstattungschef. Der Fundus der Natur steht zur Regieverfügung und ebenso die Unendlichkeit der Kulturdinge, der Räume, in denen Menschen leben, leiden, völlern, werken, Schicksal schmieden, sterben, verwesen.

Was tun die Filmemacher? Sie bauen Städte aus Pappendeckel und Gebirge aus Papiermaché. Sie zaubern – diese törichten Entzauberer des Kinos – nachgeahmte Welten her, Schöpfungen einer kläglichen Praterbudenimagination. Ihre Zeitungsromanphantasie bricht den Phantasiewillen des Zuschauers und entlockt allen Erscheinungen – nach dem Gesetz der Polarität – die letzte Nüchternheit.

Gibt es etwas Törichteres als einen Gärtner, dessen Sinn nach Papierblumen steht, der seine Düfte von der Parfümeriehandlung bezieht und seine Früchte vom Wachszieher?

Der schäbigste Berliner Straßenwinkel (im Film) regt meine Phantasie tausendmal mehr an als das kostspieligste Pappendeckel-Indien. Eine Hökersfrau, die ihre Notdurft verrichtet, scheint interessanter als die Thronbesteigung des Maharadschas Gunnar Tolnaes unterm Jubel braungestrichener Moabiter Untertanen.

Die Kinoschauspieler haben es noch nicht heraus, daß für den Film spielen nicht Pantomime spielen heißt.

In der Pantomime sind die Schauspieler stumm – im Kino die Zuschauer taub! Das bedingt eine wesentlich verschiedene Technik für jene und für dieses.

Solchen Widersinn zu überbrücken – daß wir, Kinozuschauer, hören und doch taub sind – ist die Musik da. Die bewegten Bilder überklingend, schafft sie gleichsam einen zulänglichen Grund, warum der Film uns stumm bleibt. Sie erlöst in ihr Medium das verhexte Schweigen der Lebendigkeiten, die über die weiße Wand ziehen. Sie ist die natürliche Atmosphäre, in der das Kinobild atmen kann.

Schrift auf der weißen Wand ist gewissermaßen schon chirurgischer Eingriff, Tracheotomie, Atmung durch die Kanüle.

Der dumme Film! Er weiß zwar keine rechte Verwendung für sein zauberisches Vermögen, Zeit in Raum, Erzählung in Aktion zu verwandeln, seine Dinge und Menschen nie aus dem optischen Griff zu lassen – aber er hat den Hochmut dieses Vermögens und protzt mit ihm recht wie ein eingebildeter, lächerlicher Parvenü. Würde er sonst immer und immer wieder beflissen sein, nicht nur zu zeigen, daß Herr A. jetzt in X. und jetzt in Y. ist, sondern auch immer zu zeigen, wie Herr A. in Y. das Automobil besteigt, wie das Automobil in Y. ankommt und wie Herr A. dem Automobil entsteigt? Armseliger Stolz des Films, daß er auch die mechanischen Hilfs- und Zwischenlinien des Geschehens zeichnen kann, die das Theater sich versagen muß, auch wenn es, artis causa, sie sich nicht versagen müßte.

Woher diese Freude der Kinozuschauer – oft laut das dumpfe Lust-Unlustgefühl unterbrechend, das ihre von der Sinnlichkeit des Filmbildes gekitzelten, von dessen Abgeschmacktheit beleidigte Nerven verspüren – wenn die weiße Wand, jenseits aller Absicht des Filmstücks, die nicht gespielten Drolerien eines Kindes, die Herzigkeit oder Possierlichkeit eines Hundes (glückliche Zufälle des ablaufenden Filmbandes) zeigt? Es ist die Freude an der unverhofften Begegnung mit einem Stück Natur in einer Sphäre ödester Künstlichkeiten. Es ist eine Sekunde wirklichen Zaubers inmitten langer Viertelstunden läppischsten Hokuspokus.

Das Kino steckt noch in seinen Anfängen. Es hat sich nur materiell-mechanisch kompliziert; indem es sich aber so komplizierte, ging es in die trostloseste Irre, fiel einer Industrie in die Hände, wurde seiner eigentlichen Stärke beraubt, entgeistet, muß mit der Kraft, die lebendigste Magie, Magie des Lebens wirken könnte, Welten aus Pappendeckel und Trikot ins Leben rufen.

Die zwei großen Möglichkeiten des Films: höchste Lebenstreue und höchste Phantastik. Durch Kreuzung der beiden könnte wohl etwas wie eine neue Kunst gezüchtet werden. Was aber die Filmindustrie mißgebärt, sind Romane oder Theaterstücke mit lebenden Illustrationen. Die «stimmungsvollen» Regisseure fügen hinzu: lebende Vignetten und lebende Randleisten.

Solange nicht aus der besonderen Wesenheit des Films das Filmwerk inspiriert wird, das heißt, solange nicht der Film selbst dichtet, sondern für ihn gedichtet oder vorhandene Literatur aus- und umgeschnitten wird, solange wird das Kinostück eine hoffnungslose Angelegenheit sein, der mit Kritik nachzugehen nicht der Mühe lohnt.

Völlig ungebraucht läßt der Film seine Fähigkeit, Innenvorgänge nach außen zu projizieren. Wenn ich traurig bin, zeigt mir mein Zimmer ein anderes Gesicht als dasselbe Zimmer mir zeigt, wenn ich guter Laune. Warum nützt das Kino nicht diese unerhörte Chance, die Welt aus der besonderen Perspektive eines besonderen Charakters aufzubauen? So bekäme das freche Sakrileg eines Hamlet-Films einen Schimmer Rechtfertigung. So geriete vielleicht ein «expressionistischer» Film, nicht durch schiefe Dekorationen und kubisch geschachtelte Landschaften. Um ein simpelstes Beispiel anzuführen: das Theater kann mir den Betrunkenen nur zeigen, wie er betrunken ist. Der Film könnte mir zeigen, wie ihm, dem Säufer, die Welt erscheint: labil, verdoppelt, ulkig, sonderbar die Sinne agazierend. Oder das schlichte, furchtbar tragikomische Thema: der Neurastheniker. Die Dinge aus der Optik des Neurasthenikers. Oder: der Hundefilm. Die Welt aus des Dackels Perspektive.

Oder: Erlebnisse eines Mannes, der sich vorgenommen, vierundzwanzig Stunden lang nur die Wahrheit zu sprechen.

Oder: Ein richtiges Traumstück. Mit aller Antilogik, Fülle, Absonderlichkeit und Bizarrerie des Traumes.

Dramatische Möglichkeiten stäken für den Film auch in der Verwendung des Leitmotivs. Wenn Siegfried, strahlend von Leben und Jugend, zum erstenmal Gunters Halle betritt, spielt das Orchester Siegfrieds Todesmotiv. Die Musik zeichnet visionär den Schicksalsknoten, ehe ihn das Drama noch geflochten hat. Sie präsumiert, wissend, tiefe Zusammenhänge enthüllend, das Kommende. Solches Verfahren, ins Optische übertragen, läge auch in den Möglichkeiten des Films. Sein ist die unbegrenzte Macht der Bewegung, der Vorausnahme des Kommenden und Erneuerung des Gewesenen. Die Schwerkraft ist für ihn aufgehoben, er kann Berge versetzen, Tag und Nacht tauschen, die Erde von Ost nach West drehen, die Sonne stillstehen heißen im Tale Gideon oder in welchem Tal sonst er will.

Aber so weit reicht sein plumper Caliban-Ehrgeiz nicht. Der begnügt sich, Autos herumzujagen und den schönen, in gefährlichsten Lebenslagen und Unternehmungen stets wundervoll elegant gekleideten Gentlemanhelden das Maul edelironisch verziehen und hinterm Monokel ein sieghaft kälbernes Auge wälzen zu lassen. Das sind Andeutungen, laienhafte Anregungen zu einer Therapie des endemischen Kinoschwachsinns. Gewiß werden einmal diese Andeutungen ihre Verwerter finden, noch gewisser wird auf mich, den Anreger, nichts von der Glorie und am allergewissensten nichts von dem Geld kommen, das die Verwerter in Kübeln scheffeln werden.
(Berliner Tageblatt, 1. 9. 1921, Abend-Ausgabe)

Ernst Lubitsch
Erwiderung

Sehr geehrter Herr Polgar!
Sie haben recht. Es wird im Film viel «Mist» produziert. Aber nur im Film? Nicht auch im Theater und in der Belletristik? Sie wohnen in einer reizvollen Stadt, die den Vorzug hat, das Geburtsland der deutschen Operette zu sein. Sollten Sie nicht, sehr geehrter Herr Polgar, auf der Operettenbühne einige Beobachtungen gemacht haben, die in dieser Richtung eigentlich sehr unterrichtend hätten wirken müssen?

Sie werden den Beifall aller besseren Menschen finden, wenn Sie gegen den Schund protestieren. Aber es scheint mir eine gewisse Voreingenommenheit darin zu liegen, Ihre Entrüstung allein auf den Film zu häufen. Das tun so viele, daß es schon nicht mehr originell ist. Aber wenn Ihre Attacke wenigstens neue Anregungen bringen würde, ließe sich vieles Ungerechte und Schiefe übersehen. Aber Ihre, ach so bedeutsam betonten neuen Richtlinien sind entweder nicht neu oder bestimmt unfruchtbar. Auch Ihre Einwände scheinen mir auf einer sehr schmalen Basis zu wackeln und höchst angreifbar zu sein. Sie schreiben, daß die Natur der reizvollste Filmfundus sei und alles Pappmaché-Indien und Kunstgebirge illusionsraubend sei. Das scheint mir nicht ganz zu stimmen. Wenn ich einen Film zu inszenieren habe, der in einer indischen Stadt spielt, so genügt es keineswegs, daß ich ganz allgemein Indisches zeige, sondern der Film verlangt konzentriertes Indien, sozusagen stärksten visionären Extrakt. Die Straßenzüge von Bombay sind leider nicht für die Filmperspektive gebaut und zwischen typisch Indischem stehen Architekturen, die Ihnen bestimmt die Illusionen rauben würden. Wenn ich heute eine Straßenflucht bauen lasse, so bin ich in der Lage, Nebensächliches aus dem Bilde verschwinden zu lassen und das Wesentliche stark zu unterstreichen. Ich kann Kostüme und Bauten in der Farbe so abtönen lassen, daß eine einheitliche, geschlossene Bildwirkung herauskommt. Daß diese Architekturen «gebaut» sind, merken Sie meistens deshalb, weil Sie es wissen. Es gibt aber außer Ihnen noch eine beträchtliche Anzahl Leute, die weniger Gelegenheit hatten, in eine Filmwerkstatt hineinzusehen. Und auf dieses Publikum wirken diese Bauten «echt». Wir machen nämlich unsere Filme nicht nur zur kritischen Betrachtung für ein paar Dutzend Eingeweihte, sondern für die vielen Millionen Menschen, die am Film eine Freude haben wollen.

Sie erlauben mir, diese Erörterung durch ein praktisches Beispiel zu illustrieren. Einer der erfolgreichsten Filme der letzten Zeit wurde in Spanien aufgenommen. Technische Schwierigkeiten machten es unmöglich, daß der Regisseur alle Aufnahmen an Ort und Stelle machen konnte, und so ließ er sich in Tempelhof – wie nennen Sie es doch? – ein Pappmaché-Spanien aufbauen. Kein Mensch spürte den Unterschied zwischen dem Original und dem Nachgebauten. Auch Sie würden ihn nicht bemerkt haben. Wenn Sie es bezweifeln, so bitte ich Sie, mir die Freude zu machen, sich den Film mit mir anzusehen und ich würde mehr als überrascht sein, wenn Sie doch einen Unterschied herausfinden würden.

Ein Freund drastischer Vergleiche, schreiben Sie, daß es Sie mehr interessiert, eine Hökersfrau bei der Verrichtung ihrer Notdurft zu sehen, als die Thronbesteigung des Maharadschas Gunnar Tolnaes. Ohne mich über Ihre seltsame Vorliebe unterhalten zu wollen, erlauben Sie mir zu bemerken, daß auch ich die Thronbesteigung Gunnar Tolnaes gerade nicht für den Rekord künstlerischer Filmdarstellung halte. Aber vergessen Sie nicht, daß diese Szene tausende kleiner Mädchenherzen erfreut. Nehmen Sie diesen kleinen Backfischen ihre Freude nicht. Ihnen bleibt es unbenommen, sich anzusehen, wie die Hökersfrau ihre Notdurft verrichtet, und seien Sie überzeugt, daß die Backfische Sie nicht dabei stören werden.

Ich schätze Sie viel zu sehr als einen der feinnervigsten Theaterkritiker deutscher Sprache, als daß ich es unterlassen dürfte, Sie auf einen zwar theatralischen, aber nichtsdestoweniger entscheidenden Irrtum hinzuweisen. Die Feststellung, daß im allgemeinen die Filmdarsteller Pantomime spielen, findet in der Praxis keine Begründung. Gerade mit Pantomime hat die Darstellung im Film nichts zu tun; ihr gegenüber wirkt sie als ein besonderer, den Forderungen des Films entsprechend modifizierter Naturalismus. Aber auch Ihre praktischen Anregungen kann ich nicht als originell oder wegweisend empfinden. Wie dem Säufer die Welt erscheint – ach, wie oft ist dies schon gemacht worden! So alt ist es schon und so oft gemacht worden, daß die Filmleute seit Jahren darüber nachdenken, ob man nicht endlich einmal etwas neues machen könnte. Und mit überlegen betontem Neid blicken Sie heute schon auf die Ausbeuter Ihrer Ideen, die das Geld mit Kübeln scheffeln werden. Ich fürchte sehr, daß mit diesen Ideen nichts zu scheffeln ist. Nicht einmal Ruhm, noch viel weniger Geld.

Es ist schade, daß ein Mann wie Sie über den Film nichts anderes zu bringen hat als eine Kanonade von Verwünschungen. Damit steigen Sie nur in einen Topf, in dem Sie wahrlich nicht die beste Gesellschaft finden werden. Und, ganz allgemein gesagt, wem heute ernsthaft und von Herzen an der Entwicklung des deutschen Films gelegen ist, der muß mit einer großen, neuen, tragfähigen Idee kommen, aber nicht mit kleinen, witzigen Extempores.

Mit ausgezeichneter Hochachtung
Ernst Lubitsch

(Berliner Tageblatt, 9. 9. 1921, Abend-Ausgabe)

Drei Kritiken

Herbert Ihering
Das Weib des Pharao

Wo liegt der Maßstab für diesen Film? In seiner eigenen Gattung. DAS WEIB DES PHARAO ist ein historisch-romanhafter Film. Soll diese Art weiterentwickelt werden? Nein. Aber diese Art ist hier zur Vollendung gekommen.

Es ist seltsam, wie der Film in seiner Weise die Literaturgeschichte wiederholt. Der historische Roman stand früher in Blüte. Der historische Film kommt jetzt auf seine Höhe. Das Buch von Norbert Falk und Hanns Kräly ist stärker und geschlossener als ANNA BOLEYN. Es hält vor allem seinen Aufbau bis zum Schluß durch. Es gibt Ernst Lubitsch die Möglichkeit, zu variieren und die Handlung in Kurven zu führen. Es gibt die Möglichkeit, die Einzel-, Ensemble- und Massenbilder organisch auseinander zu entwickeln. Wie immer im historischen Roman ist auch hier der Liebeskonflikt eine starke Konzession an das Publikum. Der ganze Handlungskomplex des Schatzhausbaumeisters, seines Sohnes und der griechischen Sklavin ist mühsam und kitschig. Nicht mißlungen aber sind die Bildkompositionen, die er veranlaßt. Hier ist oft Außerordentliches geglückt. Pharao in der Ruhe, Pharao im Sturz, Pharao unerkannt zurückkehrend – hier ist das Manuskript deshalb gut, weil es in bildhaften Kontrasten empfindet, weil es Situationen gibt, die einfach, klar und filmmäßig suggestiv sind. Wird man den historischen Film dadurch steigern, daß man die Liebeshandlung wegläßt oder sie – wie die Zwischentexte – weniger banal aus dem Kostüm der historischen Zeit empfindet? In der Zukunft muß die ganze Gattung umgestellt werden: auf die Ballade.

Was Lubitsch hier mit Falk und Kräly als Verfassern, Stern als malerischem Architekten, Sparkuhl als Operateur geschaffen hat, ist technisch vollkommen. Auch hier zeigt sich, daß der Film die Entwicklung, die andre Künste durchgemacht haben, für sich noch einmal durchmacht. DAS WEIB DES PHARAO ist reinhardtisch empfunden. Aber die Massenszenen – die Aufbrüche zur Schlacht, die Schlacht selbst, die Flucht – sind gegliederter, aufgelöster als zuletzt bei Lubitsch. Die Form ist lockerer geworden. Die Bewegungslinien übersichtlicher. Die Lichtwirkung gestufter. Lubitsch hat im WEIB DES PHARAO den Ausgleich von Ruhe und Bewegung gefunden: die wichtigste Bedingung für einen Film. SUMURUN war zu unruhig, zu hastig. ANNA BOLEYN zu breit, zu gemessen. DAS WEIB DES PHARAO ist in seinem Wechsel von Ruhe und Bewegung rhythmisch empfunden.

Höher aber als dieses stelle ich die Arbeit, die Lubitsch mit den Schauspielern geleistet hat. Bewundernswert, wie er Jannings als Pharao zusammengerissen und intensiviert hat. Selten habe ich Jannings im Gesicht so ehern beherrscht, so gestrafft im Körper gesehen, und niemals hat er so den Übergang aus dem Statuarischen in die Verwüstung des Zusammenbruchs gefunden. Ausgezeichnet, wie Biensfeldt von der Grimasse zum Ausdruck gebracht, wie Wegener als Äthiopierkönig humoristisch gelockert, wie Dagny Servaes (Titelrolle) gehalten war. Dagny Servaes hat wenig Variationen, aber sie war diesmal von allen Gewaltsamkeiten frei. An Harry Liedtke allerdings werde ich mich, besonders in einer Kostümrolle, niemals gewöhnen. Und Bassermann ist – das muß deutlich gesagt werden – im Film unmöglich. Er zieht das Gesicht in Falten und hält das für Ausdruck. Er wirkt auf der Bühne körperlich (wenn er spricht), im Film wirkt er unkörperlich. Im Kostümfilm besonders. Er spricht mit seinen Gliedern Dialekt.

Lubitsch, der technisch alle Mittel des Films mit solcher Sicherheit beherrscht, könnte auf Kinkerlitzchen verzichten, die die Spannung abreagieren sollen, in Wahrheit aber unterbrechen. Die humoristischen Einlagen – an sich seine Stärke – sind hier billig. Und die Szenen des Kindes sind Kitsch. Lubitsch braucht einen Geschmacksregulator.

(Berliner Börsen-Courier, 15. 3. 22, Abend-Ausgabe)

Alfred Kerr
Das Weib des Pharao

I

Ein Film; von Norbert Falk und Hanns Kräly. Mit vier Merkmalen: Spannungsfilm. Ägypterfilm. Massenfilm. Viertens: Kanonenfilm; Namen «wie» Wegener, Jannings, Bassermann, Dagny Servaes, Liedtke . . . (Pschsch!)

Spannungen. Ein junger Ägypterich, Namphis, liebt eine junge Griechin, Theonis. (Sie entfloh dem Nubierfürsten). Schwur des Pharao: sie auszuliefern; – ohne sie zu kennen. Erste Spannung: der Pharao sie sehn und lieben, ein Augenblick.

Zweite Spannung: sie und ihr Jüngling zum Tode verurteilt; schon sieht man, wie auf den Jüngling eine hydraulische Presse langsam hinabsinkt. (Sherlock Holmes: «The engineer's thumb», wo auch jemand von einer hydraulischen, langsam sinkenden Presse zerbreit werden soll, bis im letzten Augenblick . . .)

Elfte Spannung: nur begnadigt, wenn sie dem Pharao zu Willen! (Marion Delorme von Victor Hugo; Tosca von Puccini). Vierzehnte Spannung: der Jüngling im Steinbruch; Theonis totgeglaubt . . . Sie wird jedoch halt Königin. (Auch der Jüngling wird später zufällig durch seine Tüchtigkeit halt einmal König von Ägypten.) Handlungsfortschritt: einem Freunde der Liebenden, dem Baumeister, die Augen ausgestochen.

II

Siebzehnte Spannung: Krieg mit Nubien – wegen der Königin. Der Pharao, seinerseits, totgeglaubt, aber lebendig. Schwur des Jünglings, die (ihm unbekannte, ungeahnte!) Königin zu töten; schon zückt der Jüngling den Mordstahl, – da.

Dreißigste Spannung: der totgeglaubte, doch lebende Fürst, seinerseits, kehrt zurück. Der Ägypterjüngling entsagt der Krone, will mit seinem Lieb davon. Das Volk steinigt den Verräter und sein Lieb.

Endspannung – und Entspannung: der Pharao wiederum, seinerseits, jener, wird auf dem Thron teils wahnsinnig, teils stürzt er als Leiche die Stufen nicht nur gellend und schrill und schollernd, sondern auch mit einem jähen Mißklang hinab.

III

Ich sah dies im Hause der Filmgesellschaft «Ufa», am Zoologischen Garten (zuerst von einem schoflen Seitensitz, den einzunehmen eine Zumutung ist), – und dachte still zusammenfassend: Eine Steinigung; zweitens: eine Blendung; drittens: eine hydraulische Presse . . . Doch gegen SUMURUN ein Fortschritt. Weil nirgends Langeweile. Schlankerer Bau. Glänzende Massenzähmung. Und Anlaß zu künstlerischem Gesichterschneiden. – Für wen?

IV

Also für Wegener: Nubiens Wildling; aus einem Guß; (nicht photographiert – sondern leibhaft gewachsen).

Für Jannings: filmspürig; sparsam an Bewegung; ägyptenstill; verkommen-rätselhaft; (aber manchmal photographiert).

Für Dagny Servaes: wundervoll, als eine Beseelung – neben der Augenfreude.

Der Filmer Liedtke: im Heiteren frisch; im Tragischen heiter.

Bassermann: als alter Freund liebenswert; als Geblendeter wirkungslos.

Biensfeldt: zurechtgesetzt; sehr photographiert; Kühne jedoch als Landespfaff' bohrend-starr: also filmsam.

V

Hauptirrtum des Einübers Lubitsch: die Bedingungen dieses Kinobuchs um drei kleine Stufungen verkannt zu haben. Denn wann ist es denkbar? –

Als Märchen? Ja. Als Roman? Im geringsten nicht. Fast unnütz, festzustellen, daß von den zwei Verfassern wenigstens der erste geistig über seinem Werk steht: – wie Leute, die zu Kindern sprechen.

. . . Aber warum, warum, warum zu Kindern? Es gibt längst einen Film für Erwachsene.

(Berliner Tageblatt, 15. 3. 1922, Abend-Ausgabe)

Kurt Pinthus
Lubitsch in Ägypten

Selbst zu Reinhardts bester Zeit waren die Premieren nicht so bestürmt wie dies WEIB DES PHARAO. Am Tage der Erstaufführung wurden 1000 Mark für eine Eintrittskarte geboten. Hätte ich also meine beiden Plätze verkauft, so würde ich das vielfache des Honorars für diesen Artikel erzielt haben und könnte mir 8 Dollar oder eine Frühlingsreise dafür leisten. Und ich müßte nicht nachts nach der Vorstellung diese kritische Abrechnung halten, während ich fühle, wie mich jener goldbronzierte Pharao aus dem Düster meines Zimmers drohend anglotzt, der im Vestibül des Ufa-Palastes zwischen den beiden Kassahäuschen besucherumströmt wie das goldene Kalb hockte.

Indien mit seinen ewig-beturbanten Maharadschas und Wunder-Yoghis ist von den melkenden Filmkühen bereits abgegrast. Drum wird jetzt das Land der Fleischtöpfe kultiviert, jenes Mizrajim-Ägypten, nach dem sich nicht nur die Juden des Alten Testaments zurücksehnten, sondern auch Ernst Lubitsch und die Generaldirektoren der Efa . . . das Land, wo die Pharaonen blühn . . . Kennst du das Land?

Man kannte es nicht – und konnte auch nicht hinreisen; aber Lubitsch, der unerbittlich Arbeitsame, baute es einfach im märkischen Wüstensande auf, mit Palästen und Tempeln und der sagenhaften Stadt Theben, mit Volk, König und Priestern. Archäologen und Museen sorgten dafür, daß alles historisch getreu und stilecht schien; Ernst Stern, Kurt Richter, Ali Hubert stilisierten Bauten und Kostüme ein wenig ins Zeitlos-Epochenferne. Und nun bestaunen den bisher größten deutschen Monumentalfilm zu gleicher Frist die Bewohner Alaskas wie die von Hinterpommern.

Kann man ein Filmwerk wirklich kritisch betrachten? Dann darf man sich nicht damit begnügen, die geniale Regie der Massenszenen zu bewundern, und zu erzählen, wieviel Tausend Statisten mitwirkten und wieviel Millionen der Film kostete. Sondern man muß mit subjektiver Sachlichkeit sagen, was man auf Grund kritischer Erfahrungen und besonders auf Grund seiner Filmkenntnisse im Anblick des Filmwerks ernst und heiter empfindet.

Die Fabel von jener schönen Sklavin, die wider Willen und Wissen unsägliches Unheil über Könige, Völker und Länder bringt, ist nicht aus dem Lande Ägypten erwachsen; sie könnte in jedem anderen Königreich des Altertums spielen. Das WEIB DES PHARAO ließe sich auch benennen «Die verhängnisvollen Schwüre». Alles Unglück wird nämlich bewirkt durch Schwüre, die nicht gehalten werden können. Der Sohn des pharaonischen Schatzhausbaumeisters entführt die griechische Sklavin des Äthiopierkönigs, der gerade den Pharao besucht, um ihm Bündnis und Tochter anzubieten. Jüngling und Sklavin schwören sich ewige Liebe. Der Pharao aber schwört dem Äthiopier, daß er ihm die Sklavin zurückbringen würde. Entbrennt aber selbst in Liebe zu der Sklavin, die dadurch das Leben des Geliebten rettet, daß sie unliebend die Frau des Pharao wird. Ihr zuliebe zieht der König in den Krieg gegen die Äthiopier; weil nun aber die junge Frau ihm nicht die ewige Treue schwören will, läßt er sie im Schatzhaus einmauern und sticht dem Baumeister, der allein den geheimen Zugang kennt, die Augen aus. Der begnadigte Jüngling, der seine Geliebte tot glaubt, entkommt aus den Steinbrüchen und schwört seinem geblendeten Vater, das unselige Weib des Pharao zu töten. Er findet den geheimen Zugang, zückt den Dolch und erkennt . . . Führt dann die geschlagenen Ägypter zum Sieg, wird selbst Pharao; der alte, ebenfalls tot geglaubte Pharao aber ist gar nicht gefallen, kehrt als Bettler zurück, fordert das Weib, erhält jedoch von seinem Nachfolger nur – die Krone. Am Schluß müssen alle sterben, teils von geschleuderten Steinen, teils vom Schlag getroffen . . . (Solchermaßen ist heutzutage der Inhalt eines Monumentalfilms beschaffen.)

Dies Manuskript, so erkennt jeglicher, ist sehr gewaltsam, und mit der Aufzählung der Unwahrscheinlichkeiten würde man ein Quartal dieser Zeitschrift füllen können. Manuskript und Regie begehen den Fehler, daß für sie das ganze unendliche Ägypten sich eigentlich nur in dieser vorgeführten Kleinstadt darstellt und mit Raum und Zeit so leichtfertig hantiert wird, als ob Einstein im Regiekollegium gesessen hätte, um die Relativitätstheorie im Film praktisch auszuprobieren.

Man müßte unterscheiden: was ist in diesem Film ägyptisch, was ist berlinisch? Es sei nur festgestellt, was berlinisch ist . . . was alles dann übrig bleibt, mag als ägyptisch gelten. Berlinisch ist der Jargon der Zwischentitel, sowohl der heiteren, wie der kitschigen, z. B. «Was sind die Augen eines Menschen wert – wenn ein König bangt um sein Weib?» (Was würde der Kritiker Norbert Falk, der mit H. Kräly das Manuskript schrieb, äußern, wenn er diesen Satz auf der Schaubühne hören müßte?) Berlinisch ist mancherlei in der Darstellung, insbesondere der vortreffliche Harry Liedtke; trotz der geringen Bekleidung eine bezaubernde Berlin W-Type; nicht nur mit dem Mund, sondern auch mit den Augen so reizvoll lächelnd, daß er vergeblich in den Nil springt – man weiß doch, es ist Spree oder Havel. Berlinisch ist auch – und das ist die Hauptsache – die Regie Ernst Lubitschs . . . berlinisch im guten wie im bösen Sinne.

Dreierlei Regiefähigkeiten begründeten (mit Recht) Lubitschs Glanz und Ruhm: erstens die sogenannten Einfälle, zweitens die sorgfältige und hinreißende Durcharbeitung der Spielszenen, drittens eine noch nicht dagewesene exakte Abrollung der Massenszenen. An detaillistischen Einfällen ist das WEIB DES PHARAO nicht reich, da die komplizierte Intrige zu viel Arbeit verschlingt. Auch die Spielszenen sind infolgedessen mehr zurückgedrängt als in Lubitschs früheren Filmen; in den ersten Akten sind diese Spielszenen zu gedehnt und durch zu häufige Großaufnahmen unterbrochen. Dieser hauptsächlich mit amerikanischem Gelde, hauptsächlich für Amerika gedrehte Film mußte natürlich Massenszenen darbieten, wie man sie in Europa noch nicht erblickte: in Tempo, Mannigfaltigkeit, Menge der Komparserie und historischer Interessantheit. Und so sieht man in rascher Folge flink vorüberflitzend jene von oben aufgenommenen pompösen Empfänge, Aufzüge, anrückende Heeresmassen, Schlachten, Durcheinanderrasen des Volkes . . . Alles wunderbar exakt gemacht, tadellos klappend, verblüffend in der wirbelnden und doch übersichtlichen Bewegung. Aber wir haben dies alles in Lubitschs früheren Filmen und in denen seiner Nachfolger schon oft gesehen, wenn auch noch niemals so technisch vollendet.

Und ich fühlte beim Zuschauer beinahe visionär, wie Sie, Meister Lubitsch, wiewohl ich Sie noch niemals bei der Arbeit sah, klein und zappelnd auf der Regietribüne standen, sprudelnd und explodierend von Energie und Intensität, mit Stimme und Geste zauberhaft die Massen dirigierend wie ein kolossaler Stratege. Haben Sie, Meister Lubitsch, weil auch Ihr Name mit den beiden Buchstaben Lu beginnt, den Ehrgeiz, der Ludendorff des Films zu werden? – Bedenken Sie, welches Unheil Ludendorff zeugte, weil er allzu sehr der Regie der Massen vertraute.

Es ist selbstverständlich, daß Sie, Ernst Lubitsch, wieder viele schöne Dinge: Landschaften, Bauten, Raumaufteilungen, Belichtungen, Bewegungen dem Auge zum Entzücken und zur Erregung boten.

Sie hantieren nunmehr die Regie Ihrer Filme so sicher wie ein Virtuose den Flügel. Aber es ist Gefahr vorhanden, daß Ihre Regiekunst zu technischer Virtuosität erkaltet, daß das von Ihnen einst Geschaffene zum Schema erstarrt, daß die Bewältigung des ungeheueren Apparats zum Endziel und daß die Bestandteile Ihres Films, trotz sorgsamen Schneidens und Klebens, nicht mehr zum organischen Ganzen zusammenwachsen. Der historisch-romanhafte Massenfilm ist, auch für Sie, nicht mehr steigerungsfähig.

Sie haben, Meister Lubitsch, zu nächtlicher Stunde in der kleinen Kneipe mir gegenüber sitzend, oftmals Ihre leidenschaftliche Überzeugung verfochten, daß der Film eine «Kunst» werden müsse. Sie waren in Deutschland der Erste und sind bislang fast der Einzige geblieben, der dies Ziel wirklich verwirklichen wollte. Jetzt sitze ich zu nächtlicher Stunde Ihrem Pharao, den ich bewundere, gegenüber und muß Sie fragen, weil ich Sie verehre: Wollen gerade Sie es sein, der den jungen Film durch Übereifer und Überarbeit mit der Riesenhaftigkeit des Apparats und der aufs Äußerste angespannten Technik tothetzt? Ängstigt Sie, der von gesundem Ehrgeiz getrieben ist, nicht die Gestalt Ihres schwedischen Kollegen Mauritz Stiller?

Lubitsch wurde diesmal von seinen Schauspielern nicht hinreichend unterstützt, trotzdem man überall merkte, wie er versuchte, das Letzte aus ihnen herauszulocken. Das Bemühen, Dagny Servaes als großen Filmstar zu managen, mißlang; sie sieht manchmal, besonders im Profil, stumm aufblickend oder lächelnd, sehr schön aus, aber ihr Gesicht und ihr Körper geben doch nicht genug für das Filmspiel her. Der herrliche Histrione Bassermann war auffallend matt; Biensfeldt bot als speichelleckerhaft-durchtriebener Vertrauter des Pharao eine gut herkömmliche Charge ebenso wie Kühnes Oberpriester. Liedtke: in tragischen Szenen unmöglich.

Wegener allerdings warf sich grandios in barbarisch-schmieriger Wildheit als Äthiopierkönig umher – aber seine Rolle ist nur klein. So bleibt als Leistung ersten Ranges allein der Pharao des Emil Jannings. Nicht ein überkultivierter, zartnerviger Pharao vom Typ des Sonnenkönigs Amenophis IV., sondern derb an Gestalt, von schwerem Blut durchtobt, mit der hoffnungslosen Melancholie uralter Inzucht, ein Tyrann nicht aus Bösartigkeit, sondern aus selbstverständlicher Überlegenheit, aus Tradition und Langeweile. Das spärliche Mienenspiel des glattrasierten glänzenden Schädels sprach mehr als lange Monologe und Ausbrüche von Ironie, Liebesschmerz, Verzweiflung.

Lubitschs großartiges Filmwerk, mit ungeheurem Fleiß, in langwieriger Arbeit technisch einwandfrei durchgeführt, eine bewunderswerte Leistung berlinischer Energie, schwerflüssig einsetzend, dann bunt und mannigfach zerflatternd, wäre vielleicht noch mehr auseinandergesprengt worden, wenn nicht Eduard Künnekes wunderschöne Musik, die in motivischer Verknüpfung schmiegsam und melodiös die Handlung begleitet, alles zusammengehalten hätte.

(Das Tage-Buch, 18. 3. 1922)

Drei Texte von Ernst Lubitsch

Ernst Lubitsch
Unsere Chancen in Amerika

Hollywood, April 1924

Lieber Wolffsohn!

Ich erhalte soeben Ihr Telegramm, daß Sie nicht nach Hollywood kommen. (Unser Verleger Wolffsohn ist bekanntlich doch nach Hollywood gereist, nachdem er ursprünglich die Absicht gehabt hatte, schon von New York aus nach Europa zurückzukehren. Die Red.)

In Ihrem Telegramm wünschen Sie außerdem einen Artikel von mir, sowohl über die *Arbeitsmethoden in Hollywood*, wie auch über meine Ansicht, wie ich über *die Möglichkeit des deutschen Films in Amerika* denke.

Sie bitten mich in Ihrem Telegramm, frei von der Leber weg zu reden. Ich muß gestehn, daß ich mich diesem Auftrage ungern unterziehe, denn wer wahre Kritik übt, ist meistens nicht beliebt – am wenigsten in der Filmindustrie. Aber ich stimme mit Ihnen überein, daß es für die deutsche Filmindustrie wichtig ist, endlich zu erfahren, wie ihre Möglichkeiten in Amerika wirklich aussehen.

Ich habe mit Interesse die Artikel der «Lichtbild-Bühne» verfolgt, die diesen Punkt streiften, und ich stimme mit Ihnen vollkommen überein, daß die Art und Weise, wie die deutschen Filmindustriellen mit Amerika Geschäfte tätigten, nicht von großzügigem weitausschauendem Geiste getragen war. Auf der Basis dieser *Zufallsgeschäfte* kann man Amerika als feststehendes Absatzgebiet nicht erschließen. Gewiß freut sich der einzelne Fabrikant, wenn er ein paar tausend Dollar von einem Outsider bekommt, aber dem Ansehen der deutschen Filmindustrie wird damit nicht geholfen. Es ist in deutschen Zeitungen vielfach zum Ausdruck gebracht worden, daß die Amerikaner die deutsche Filmindustrie prinzipiell nicht aufkommen lassen wollen. Daran glaube ich nicht. Die Frage, weshalb so wenig deutsche Filme hier eine Absatzmöglichkeit finden, will ich in Folgendem versuchen klarzulegen:

Wer die amerikanische Filmindustrie einigermaßen kennt, weiß, daß die großen Konzerne der maßgebende Faktor des amerikanischen Filmmarktes sind. Will die deutsche Filmindustrie wirklich Geschäfte mit Amerika machen, so soll sie nicht nach einem Zufallskäufer aussehen, sondern sie muß in *Fühlung mit einem dieser Konzerne* kommen und womöglich eine *feste Verbindung* anstreben. Natürlich wird diese Verbindung nicht so leicht sein, denn die einzig wichtige Frage ist die: gefallen die deutschen Filme in Amerika oder gefallen sie nicht.

Und diese Frage kann ich leider nicht bejahen. Die Anfangserfolge, die die deutschen Filme hier in Amerika gehabt haben, sind nicht fortgesetzt worden, und die meisten der letzten Versuche, deutsche Filme hier zu zeigen, waren nicht von Erfolg gekrönt. Auch hierfür ist der Grund leicht zu finden:

Die deutsche Filmindustrie verdankt ihre großen Erfolge dem *Kostümfilm*. Nachdem der italienische Spektakelfilm seine Anziehungskraft verloren hatte, wagte sich niemand mehr an historische Aufgaben heran. In diesem Moment hatte die deutsche Filmindustrie den Mut, von neuem an die Hersteller historischer Filme auf menschlicher Grundlage heranzugehen. Sie hat mit dieser neuen Art des Kostümfilms seiner Zeit die Welt überrascht und so auch Amerika.

Deutschland bleibt und ist für die Herstellung solcher Kostümfilme ein ideales Land, und so konnte es die deutsche Filmindustrie auf diesem Gebiete zu einer unerhörten Meisterschaft bringen.

Inzwischen sind aber nicht nur von der deutschen, sondern auch von der amerikanischen Filmindustrie unzählige Kostümfilme hergestellt worden, so daß das amerikanische Publikum dieses Genres müde ist. *Das amerikanische Publikum ist momentan gegen die Kostümfilme*. Selbst für den amerikanischen Produzenten bedeutet die Herstellung eines Kostümfilms ein so großes Risiko, daß fast keiner mehr dieses Wagnis eingehen will. Einer der bedeutendsten Filmproduzenten erzählte mir zum Beweis neulich folgende Geschichte:

Er hatte einen Kostümfilm mit einem der bekanntesten Stars in der Hauptrolle hergestellt. Einige der Theaterbesitzer, die diesen Film spielten, baten ihn um Übersendung von Photos des Stars in modernen Kleidern, denn wie die Theaterbesitzer behaupteten, würden sie ihr Publikum verscheuchen, wenn sie diese Kostümphotos ausstellten. Und dies bei einem Star, der als einer der größten Kassenmagneten Amerikas anzusehen ist.

Wenn man bedenkt, daß *die deutschen Stars hier völlig unbekannt* sind, so kann man ermessen, wie gering erst die Aussichten für den deutschen Kostümfilm hierzulande sein müssen.

Ich habe das Empfinden, daß die deutsche Filmindustrie sich zu einseitig entwickelt hat, und wenn sie wieder ihre alte Geltung zurückerobern will, so muß sie sich, wohl nicht für immer, aber doch für eine Zeitlang vom historischen Film losreißen.

Abgesehen von einigen wenigen Ausnahmen (siehe May) ist *der moderne Film* der schwache Punkt der deutschen Filmindustrie.

Ich las in einer deutschen Zeitung, daß die deutsche Filmindustrie endlich daran denken müsse, ihr *Schauspielermaterial* zu vergrößern und neue interessante Persönlichkeiten dem Film zuführen müsse.

Es gibt wohl niemand auf der Welt, der die deutschen Schauspieler mehr schätzt und liebt als ich, doch muß ich dem Schreiber des vorgenannten Artikels beipflichten. Vor allen Dingen muß die deutsche Filmindustrie danach trachten, sich *weibliche Stars heranzuziehen, deren Persönlichkeit in der Welt interessiert*. Hier ist der schwächste Punkt der deutschen Industrie. Es ist geradezu erstaunlich, welchen Überfluß die amerikanische Filmindustrie an weiblichen Darstellern hat. Man erzähle mir nicht, daß es in Europa keine schönen begabten Frauen gäbe. Schuld ist nur die Gleichgültigkeit, die man in Deutschland dem *Nachwuchs* entgegenbringt. Die Anfängerin hierzulande hat es besser als in Deutschland. Es ist für eine Anfängerin hier durchaus nichts kompromittierendes, Statisterie mitzumachen, denn die meisten Stars haben hier so angefangen. Gloria Swanson, Mabel Normand, Marie Prevost und viele andere waren Bathing Girls bei McSennet.

In Deutschland schämt man sich zu sagen, wenn man Statist war, hier sagt man mit Stolz: ich war Statist, seht her, wie weit ich es gebracht habe. In Deutschland wird durch *die unerfreuliche Atmosphäre der Statistenbörse* usw. so manches begabte Mädchen vom Film ferngehalten, denn ein wirklich hübsches begabtes Mädchen wird sich bedanken, das unerfreuliche Dasein in einer berliner Statistenbörse zu fristen. In diesem Punkte muß die Reformierung der deutschen Filmindustrie beginnen. Es muß den jungen Anfängerinnen nicht zur Qual gemacht werden, am Film mitzuwirken, sondern zur Freude. Daß meine Ausführungen richtig sind, beweist der Erfolg des amerikanischen Nachwuchses, der zum größten Teil so herangezogen wird.

Die deutsche Filmindustrie hat zwei wirklich internationale Frauen hervorgebracht: Vor 1914 *Asta*

Nielsen, nach 1914 *Pola Negri*. Und dies ist für eine ganze Filmindustrie zu wenig. Will der deutsche Film mit Erfolg sich dem Gesellschaftsfilm zuwenden, so müssen *auch die männlichen Darsteller* auf die Höhe gebracht werden, die die internationale Welt verlangt. Es soll dabei an der Tüchtigkeit und teilweise an der Genialität der deutschen Darsteller nicht im mindesten gezweifelt werden. Der Film ist aber eine *visuelle Kunst*, und wenn zum Beispiel ein Schauspieler den Eindruck eines eleganten Lebemannes erwecken will, so genügt nicht nur seine seelische Ausdruckskraft, sondern auch die äußere Erscheinung muß sich mit dem darzustellenden Typ decken. Der moderne Gesellschaftsfilm ist nun einmal in der Welt der große Trumpf und wird es vorläufig wohl auch bleiben.

Die deutsche Filmindustrie muß für dieses Genre ihr Darstellermaterial besonders vorsichtig auswählen und teilweise neu heranziehen. Es ist zum Beispiel falsch, wenn, wie es oft geschieht, der sogenannte «Frauenverführer» durch einen Charakterspieler schweren Formats dargestellt wird. Wenn die Heldin des Films den «idealen Liebhaber» verläßt, um dem «Verführer» in die Hände zu fallen, so muß rein vom bildhaften Standpunkt aus dieser «Verführer» zum mindesten ebenso verführerisch aussehen wie der «Liebhaber».

Der deutsche Gesellschaftsfilm braucht mehr Eleganz. Ich verstehe unter Eleganz dabei nicht ein übertriebenes lächerlich zugeschnittenes Jacket, sondern ein mehr selbstverständliches, selbstsicheres Auftreten im Salon. Gerade das forcierte elegante Benehmen wirkt unelegant. Der amerikanische Darsteller, auch der eleganteste wird sich immer in den Grenzen des Vernünftigen kleiden. Die übertriebene auffällige Kleidung wirkt hier lächerlich. Ich muß noch einmal betonen, daß der Film eine visuelle Kunst ist: nicht nur das Gehirn und Herz, sondern auch die Augen müssen befriedigt werden.

Deshalb kann ich nur immer wieder betonen, daß eine Filmindustrie, die auf einen Welterfolg rechnet, ihre *Photographie vervollkommnen* muß. Deutschland hat in letzter Zeit eine Reihe amerikanischer Filme gesehen. Ich kann nicht beurteilen, wie diese Filme kopiert worden sind, und es ist daher zweifelhaft, ob man in Deutschland die wirklich große Qualität der amerikanischen Photographie hat kennenlernen können. Es unterliegt keinem Zweifel, daß die amerikanische Photographie führend ist, und es ist kaum zu verstehen, daß ein so hoch technisch entwickeltes Land wie Deutschland diese Höhe nicht erreichen konnte. Gewiß gibt es einzelne deutsche Filme, die vom photographischen Standpunkt sicher erstklassig sind. Die Allgemeinheit der Photographie hält mit der hiesigen aber nicht Stand.

Als ich zum ersten Mal in einem amerikanischen Atelier arbeitete und die unendlich vielen Nuancierungen und kleinen *Sorgfältigkeiten bei der Beleuchtung* sah, glaubte ich an «Kokolores». Als ich aber nachher die Resultate sah, war ich überrascht und begeistert. Ich stehe mit dieser Behauptung nicht vereinzelt da, sondern noch zwei andere deutsche Filmmänner, die hier arbeiten, teilten nach dem ersten Aufnahmetag im Atelier meine Meinung.

Nicht nur im Atelier ist die Ausrüstung eine besonders mannigfaltige, sondern ebenso bei den Außenaufnahmen. Nicht die kleinste, billigste Einakterfabrik zieht hier ins Freie, ohne ihre vollkommene Ausrüstung mit Blenden, Spiegeln und Gasen usw. Man wird mir entgegnen, das können wir in Deutschland auch – aber man kann mir nicht erzählen, daß der deutsche Durchschnittsfilm von dieser Art der indirekten Beleuchtung bei Außenaufnahmen ständig Gebrauch macht. Gewiß hat sich seit meiner Abwesenheit viel geändert, aber ein vor kurzem aus Deutschland hier zugereister Regisseur versicherte mir, daß in dieser Beziehung in Berlin immer noch nach dem «alten Stiebel» gearbeitet wird.

Ein anderes Kapitel ist die hochentwickelte amerikanische *Trickphotographie*. Wenn man durch die amerikanischen Studios geht, wundert man sich, wie niedrig die *Außenbauten* sind, und daß sie nach oben hin gar keinen architektonischen Abschluß haben. Der Amerikaner baut seine Dekorationen nur so hoch, als unbedingt nur zum Spiel nötig ist. Das heißt: Wenn bei einer Hausdekoration die Darsteller nur auf der ersten Etage zu spielen haben, denkt er gar nicht daran, die höheren Stockwerke zu bilden. Alles höherliegende, was nicht von Menschen betreten wird, wird durch die vor den Apparat gestellten Miniaturen photographiert oder auf Glas gemalt, die mit den gebauten Dekorationen perspektivisch zusammenlaufen.

In dem Film *Beau Brummel* wurde die Hafenstadt Calais gebraucht. Gebaut wurde in Wirklichkeit nur eine Reihe weniger Häuser bis zum ersten Stock. Alles andere, wie z. B. die Fortsetzung der Häuser, die dahinter aufsteigende Stadt mit ihren Kirchtürmen usw., wie der Hafen mit den unzähligen Schiffen wurden auf Glas gemalt. Diese Idee war so kühn, daß ich zuerst an ihr Gelingen nicht glauben wollte. Die Vorführung des Films war so verblüffend, daß der Unterschied von Gebautem und nicht Gebautem überhaupt nicht zu merken war. Mit einigen wenigen niedrig gebauten Dekorationen hatte man also die ganze Hafenstadt Calais hergestellt. Vielleicht wird diese Art jetzt auch schon in Deutschland verwendet, hier sind diese Tricks aber Alltäglichkeiten und bedeuten keine Experimente mehr. Es ist gar nicht auszurechnen, wieviel durch diese Trickphotographie gespart wird.

Die Bedeutung des Wortes *Sparen* hat hier in Amerika mehr Bedeutung, als man drüben glaubt.

In einer Berliner Tageszeitung erschien neulich ein Artikel, in dem der Verfasser die Güte der amerikanischen Films darauf zurückführte, daß der hiesige Regisseur ein bis zwei Szenen nur am Tage zu drehen braucht. Diese Auffassung vom amerikanischen Filmbetrieb ist absolut irrig. Gerade weil das Produzieren hier unerhört teuer ist, versucht jeder so schnell wie möglich zu arbeiten. Für die Aufnahmedauer wird dem amerikanischen Regisseur nicht mehr Zeit gelassen als dem deutschen. Drei Monate Aufnahmezeit werden nur für einen ganz großen Film bewilligt. Ein moderner Gesellschaftsfilm der ersten Klasse dauert ungefähr 6–8 Wochen. Ein guter Durchschnittsfilm wird aber auch schon in 4–5 Wochen hergestellt. Die kleineren Gesellschaften arbeiten teilweise noch schneller.

Allerdings kann der amerikanische Regisseur, auch wenn er große Stars in seiner Besetzung hat, Punkt neun anfangen. Es bedarf keiner besonderen Einladung, um *sämtliche Schauspieler in Kostüm und Maske früh morgens pünktlich zur Stelle* zu haben. Fünf Uhr nachmittags ist der früheste Schluß der Aufnahme. Es wird aber meistens bis 6 oder 7 gearbeitet. Nachtaufnahmen, auch selbst bei Innendekorationen, sind keine Seltenheit. Ich habe bei ROSITA selbst von abends 7 bis zum anderen Morgen um 8 gearbeitet. Ich möchte also eher der Ansicht zuneigen, daß in Amerika mehr gerechnet und schärfer kalkuliert wird als in Deutschland.

Der amerikanische Film ist momentan in Deutschland sehr erfolgreich. Ich glaube, daß der Erfolg dieser amerikanischen Films nicht darauf beruht, weil die Manuskripte anders sind als die deutschen. Was aber dem deutschen Publikum so gefällt, ist die erstklassige Ausführung im Technischen, der Einfall im Detail und die darstellerischen Persönlichkeiten und Typen, die der amerikanische Film zu versenden hat.

Ich hoffe nun, daß meine Zeilen nicht mißverstanden werden. Die Situation der deutschen Filmindustrie ist, wie Sie mir mitteilen, ernst. Ich habe mit diesen Ausführungen weiter nichts versucht, als durch ein paar offene, aber gutgemeinte Worte einen Teil der Krankheitssymptome der deutschen Filmindustrie festzustellen, und ich hoffe, daß meine Freunde in Berlin diese Zeilen so auffassen werden.

Mit besten Grüßen, Ihr
Ernst Lubitsch.

(Lichtbild-Bühne, 17. 5. 1924)

Ernst Lubitsch
Meine Arbeit mit Greta Garbo

Obwohl ich Greta Garbo persönlich kannte, war ich nie ihr Regisseur, bis mich die Metro für NINOTCHKA engagierte. Die Zusammenarbeit hat mir einen gewissen Einblick in ihren Charakter gegeben.

Ich glaube, daß die Garbo so ziemlich der gehemmteste Mensch ist, mit dem ich je gearbeitet habe. Der nächste ist Gary Cooper. Beide sind Schauspieler, die ihre Gefühle am Broadway nie haben richtig ausdrücken können.

Sie können sich nicht vor ein Publikum hinstellen und mimen. Sie sind überhaupt keine Exhibitionisten. Dieser Typ Schauspieler muß zum Spielen überredet werden. Aber wenn die Szene einmal fertig ist, ist sie gestaltet und nicht der Routine entsprungen. Das ist meiner Ansicht nach einer der Gründe für die einzigartige Anziehungskraft der Garbo.

Sie ist eine sehr ungewöhnliche Frau. Vor allem macht sie sich viele Gedanken über ihre Szenen. In NINOTCHKA zum Beispiel hatte sie eine Betrunkene in einem Restaurant zu spielen. Aber ich fand bald heraus, daß sie voller Hemmungen war und nicht vor der ganzen Statisterie spielen wollte. Sie kam also zu mir und meinte: «Ich fürchte, ich kann das nicht spielen.»

Das war das Signal für mein Eingreifen.

«Schauen Sie», sagte ich, «ich tue für Sie, was Sie wollen, ich ändere das Manuskript und den Dialog, aber gerade das kann ich nicht ändern. Es ist zu wichtig. Sie müssen sich damit abfinden.»

Ich ließ zwei Wochen verstreichen, bis ich mit der Arbeit an der Szene wieder begann. Die Garbo war sehr zaghaft. Aber schließlich brachte ich sie dazu, sich ganz zu entspannen. Und ich gab ihr Ratschläge: «So sehe ich die Szene. Jetzt gehen Sie mal fort und überlegen Sie es sich.» Darauf ging sie in eine einsame Ecke und fing an zu brüten. Und dann wiederholte sie die Szene.

Wenn es noch nicht ganz richtig war, sagte ich, ganz beiläufig im Vorübergehen: «Sehr gut – aber wenn Sie vielleicht noch ein bißchen mehr so . . .» Dann ließ ich sie wieder allein. Auf diese Weise gab ich ihr langsam Selbstvertrauen, und als sie dann an

Ninotchka: *Greta Garbo und Ernst Lubitsch, Arbeitsfoto*

die Trink-Szene kam, war sie vollständig locker. Wenn Sie sich den Film ansehen, werden Sie finden, daß sie das entzückend spielt. So echt. Nicht mit der üblichen Routine eines Schauspielers. Eben darum ist es charmant.

Es ist also gar nicht schwierig, mit der Garbo zu arbeiten. Nur mit einem muß man sich abfinden: Um fünf Uhr bricht sie ab, und nichts in der Welt kann sie dazu bringen, weiterzuarbeiten. Selbst wenn die Szene nicht fertig ist. Sie muß dann eben auf den nächsten Tag verschoben werden. Das klingt einem Regisseur im ersten Augenblick schlecht in den Ohren, so als wäre sie eigenmächtig. Aber andererseits ist sie punkt neun Uhr früh fertig zur Aufnahme, angezogen und geschminkt. So arbeitet sie von neun bis fünf, und das ist eben alles, was sie physisch aushalten kann.

Ich habe schon mit vielen weiblichen Stars gearbeitet und herausgefunden, daß eine der Hauptschwierigkeiten ihre sklavische Abhängigkeit vom Spiegel ist. Manche brauchen eine Ewigkeit, um sich zwischen den Szenen zu pudern und zu schminken. Sie sind mit ihrer Aufmachung so beschäftigt, daß sie dadurch ihre schauspielerische Vitalität erschöpfen. In den acht Wochen der Zusammenarbeit mit Greta Garbo schaute sie solange in keinen Spiegel, bis ich sie darum bat. Niemand weiß die Bedeutung dieser Tatsache mehr zu würdigen als der Filmregisseur.
(Der Aufbau, New York, 15. 11. 1939; englisch zuerst in: The New York Times vom 22. 10. 1939)

Ernst Lubitsch
Rückblick 1947

10. Juli 1947
Lieber Mr. Weinberg!

Beiliegend schicke ich Ihnen die Kopie eines Briefes, den ich Mr. Theodore Huff geschickt habe. Ich möchte wiederholen, daß ich Mr. Huffs Kritik für seriös und sehr gut halte, doch gibt es einige Punkte, in denen ich wohl anderer Meinung bin, aber das ist nur natürlich. Der Zweck dieses Briefes ist nicht, seiner Kritik zu widersprechen, sondern so unparteiisch wie möglich (wenn dies überhaupt möglich ist) zu beschreiben, welches nach meiner Meinung die wichtigsten Abschnitte meiner Laufbahn gewesen sind.

Wenn ich von den Filmen spreche, die ich in der Vergangenheit gemacht habe, so urteile ich natürlich nach der Erinnerung und nach der Wirkung, die sie zu der Zeit hatten, als sie produziert wurden, und nicht nach gegenwärtigen Maßstäben.

Der verstorbene Victor Arnold, der bekannte Schauspieler, der in Ihrem Index erwähnt wird, war mein Lehrer. Er hatte auf meine gesamte Laufbahn und meine Zukunft großen Einfluß. Nicht nur stellte er mich Max Reinhardt vor; indem er mir die Rolle des Lehrlings in *Die Firma heiratet* verschaffte, war er auch für meinen ersten Filmerfolg verantwortlich.

Obwohl ich in dem nächsten Film, *Der Stolz der Firma*, Hauptdarsteller war und der Film Erfolg hatte, kam meine Filmlaufbahn zu einem Stillstand. Ich war abgestempelt, und niemand schien eine Rolle zu schreiben, die mir angemessen war. Nach zwei Erfolgen war ich vollkommen draußen, und da ich nicht aufgeben wollte, sah ich mich genötigt, selbst Rollen für mich zu schaffen. Zusammen mit einem Freund, dem inzwischen verstorbenen Erich Schönfelder, schrieb ich eine Serie von Einaktern, die ich an die Union-Gesellschaft verkaufte. Ich inszenierte sie und spielte in ihnen die Hauptrolle. Und so wurde ich Regisseur. Wäre meine Schauspielerkarriere glatter verlaufen, wäre ich vielleicht nie Regisseur geworden.

Nachdem ich diese Serie von Lustspiel-Einaktern beendet hatte, beschloß ich, zum Spielfilm zurückzukehren. Wie jeder Komiker, wollte ich gern eine ernste Hauptrolle spielen, eine Art «Bonvivant»-Rolle. So schrieb ich mit meinen Mitarbeitern ein Drehbuch mit dem Titel *Als ich tot war.* Der Film war ein völliger Fehlschlag, weil das Publikum nicht bereit war, mich in einer ernsten Rolle zu akzeptieren.

Ich beschloß, mit dem Film SCHUHPALAST PINKUS zu der Art von Rollen zurückzukehren, die mir den ersten Erfolg gebracht hatten. Der Film war ein großer Erfolg, und ich schloß mit der Union-Gesellschaft einen neuen Vertrag für eine Serie von Filmen dieser Art. Ich möchte erwähnen, daß solche Filme damals als Spielfilme betrachtet wurden und die Hauptattraktion waren.

Zu dieser Zeit geschah es, daß ich Ossi Oswalda entdeckte und ihr die Hauptrolle in einem meiner Filme gab. Sie hatte solchen Erfolg, daß ich beschloß, sie in eigenen Filmen herauszustellen und nur als Regisseur zu fungieren. Schließlich interessierte mich die Regie zunehmend mehr als die Schauspielerei, und nachdem ich meinen ersten dramatischen Film mit Pola Negri und Jannings gedreht hatte, verlor ich jedes Interesse daran, Schauspieler zu sein. Erst 1919, glaube ich, als ich in SUMURUN spielte, stand ich wieder vor der Kamera. Mein letzter Bühnenauftritt war 1918 in einer Revue, «Die Welt geht unter», im Berliner Apollo-Theater.

Meiner Meinung nach waren die drei wichtigsten Lustspiele, die ich als Regisseur in Deutschland gemacht habe, DIE AUSTERNPRINZESSIN, DIE PUPPE und KOHLHIESELS TÖCHTER. DIE AUSTERNPRINZESSIN war mein erstes Lustspiel, in dem sich ein bestimmter Stil andeutete. Ich erinnere mich an eine kurze Szene, die damals viel diskutiert wurde. Ein armer Mann mußte in der glanzvollen Empfangshalle im Haus eines Multimillionärs warten. Der Parkettfußboden bestand aus einem sehr komplizierten Muster. Um seine Ungeduld und seine Scham nach Stunden des Wartens zu bezwingen, schritt der arme Mann die Linien des ausgeklügelten Parkettmusters ab. Es ist sehr schwer, diese Nuance zu beschreiben, und ich weiß nicht, ob es mir gelungen ist, aber es war das erste Mal, daß ich mich von der Komödie der Satire zugewandt hatte. DIE PUPPE war in einem gänzlich anderen Stil. Wie DIE AUSTERNPRINZESSIN war sie in jeder Hinsicht ein Erfolg. Es war reine Phantasie; die meisten Dekorationen waren aus Pappe, einige sogar aus Papier. Selbst heute noch halte ich diesen Film für einen meiner einfallsreichsten.

Doch die populärste Komödie, die ich in Deutschland gemacht habe, war KOHLHIESELS TÖCHTER. Es war «Der Widerspenstigen Zähmung», in die bayrischen Berge versetzt. Der Film war typisch deutsch. Er ist seither drei- oder viermal neugedreht worden.

Aus der Periode meiner historischen Filme und Kostümfilme waren, würde ich sagen, die drei hervorragenden CARMEN, MADAME DUBARRY und ANNA BOLEYN. Meiner Meinung nach bestand die Bedeutung dieser Filme darin, daß sie sich vollständig unterschieden von der damals sehr gängigen italienischen Schule, die der Großen Oper verwandt war. Ich versuchte, meine Filme zu ent-opern und meine historischen Gestalten zu vermenschlichen – die intimen Nuancen nahm ich ebenso wichtig wie die Massenbewegungen und versuchte, beide zu mischen. In diesem Zusammenhang muß ich SUMURUN erwähnen, ein spielerisch-phantastisches Stück nach der Inszenierung von Max Reinhardt. Es war erfolgreich, doch nicht in dem Maße wie die drei zuvor erwähnten Filme.

Der Film DIE BERGKATZE war ein vollständiger Fehlschlag, und doch besaß dieser Film mehr Einfallsreichtum und satirischen Bildwitz als viele meiner anderen Filme. Kurz nach dem Kriege, als der Film herauskam, befand sich das deutsche Publikum nicht in der Stimmung, einen Film zu akzeptieren, der Militarismus satirisch behandelte.

Zwei weitere Filme meiner deutschen Periode sind meiner Meinung nach nicht richtig gewürdigt worden, RAUSCH und DIE FLAMME. Ich empfand die Notwendigkeit, als Gegengewicht zu den großen Historienschinken ein paar kleine «Kammerspiele» zu machen. Beide Filme waren sehr erfolgreich. Natürlich war das Spiel von Asta Nielsen, Alfred Abel und Carl Meinhard wie auch der übrigen Besetzung in RAUSCH hervorragend und wurde seinerzeit als beispielhaft für den Charakter eines «Kammerspiels» anerkannt.

Dasselbe gilt für DIE FLAMME mit Pola Negri. Die in Amerika verliehene Fassung hatte ein anderes Ende und war verstümmelt, sie vermittelte nicht die leiseste Vorstellung vom dramatischen Wert und Gehalt, die dieser Film in seiner Originalfassung gehabt hatte.

In meiner Stummfilmperiode in Deutschland sowohl als auch in Amerika versuchte ich, immer weniger Zwischentitel zu verwenden. Mein Ziel war, die Geschichte gänzlich mit Hilfe bildhafter Nuancen und der Mimik meiner Darsteller zu erzählen. Es gab sehr oft lange Szenen, in denen Leute sprachen, ohne daß sie durch Zwischentitel unterbrochen wurden. Die Lippenbewegung wurde als eine Art Pantomime eingesetzt. Nicht, daß ich die Zuschauer im Lippenlesen unterrichten wollte, aber ich versuchte, der Sprache ein solches Tempo zuzumessen, daß das Publikum mit den Augen hören konnte.

Über meine amerikanische Periode sind Sie natürlich gut informiert, deshalb kann ich mich hier kürzer fassen. Ich möchte nur darlegen, welches meiner Meinung nach die wesentlichsten Filme meiner amerikanischen Periode waren.

Aus den stummen Tagen möchte ich THE MARRIAGE CIRCLE, LADY WINDERMERE'S FAN und THE PATRIOT nennen und auch KISS ME AGAIN.

Die Tonfilmzeit ist Ihnen und Mr. Huff zu bekannt, als daß ich darauf ausführlich eingehen müßte, und ich will gleich zu der Zeit übergehen, die im Index als die Periode meines «Niedergangs» beschrieben wird.

Es mag zutreffen, daß meine Laufbahn sich abwärts neigt, und ich will nicht versuchen, es zu bestreiten. Dennoch möchte ich darauf hinweisen, daß ich gerade in jener Periode vier wichtige Filme gemacht habe, von denen drei nach Meinung vieler Leute die besten drei Filme meiner ganzen Laufbahn waren: TROUBLE IN PARADISE, NINOTCHKA und SHOP AROUND THE CORNER.

Was reinen Stil angeht, so habe ich wohl nichts Besseres gemacht als TROUBLE IN PARADISE und auch nichts gleich Gutes.

Was Satire angeht, so glaube ich, daß ich wahrscheinlich nie schärfer war als in NINOTCHKA, und ich meine, daß ich die sehr schwierige Aufgabe bewältigt habe, eine politische Satire mit einer romantischen Geschichte zu verbinden.

Was menschliche Komödie angeht, so war ich wohl nie so gut wie in SHOP AROUND THE CORNER. Ich habe nie einen Film gemacht, in dem die Atmosphäre und die Gestalten authentischer gewesen wären als in diesem Film. Der Film, der in sechsundzwanzig Tagen mit einem sehr bescheidenen Etat produziert wurde, war kein sensationeller, aber ein guter Erfolg.

HEAVEN CAN WAIT – ihn betrachte ich als eine meiner Hauptproduktionen, weil ich in verschiedener Hinsicht aus der etablierten Filmkonvention auszubrechen versuchte. Ich stieß auf teilweise großen Widerstand, ehe ich diesen Film machte, weil er keine Botschaft hatte und keine Aussage welcher Art auch immer. Der Held war ein Mann, den es allein interessierte, gut zu leben, der nicht darauf aus war, etwas zu vollbringen oder etwas Edles zu tun. Als ich vom Studio gefragt wurde, warum ich einen derart nichtssagenden Film machen wolle, antwortete ich, ich hoffte das Kinopublikum mit einigen Leuten bekanntzumachen, und wenn das Publikum sie liebenswert finden würde, wäre das für den Erfolg des Films ausreichend. Und wie sich herausstellte, hatte ich zum Glück recht. Übrigens zeigte ich die glückliche Ehe in einem wahrheitsgetreueren Licht, als es sonst in Filmen geschieht, wo eine glückliche Ehe nur allzuoft als eine sehr langweilige und freudlose Heimchen-am-Herd-Affäre dargestellt wird.

TO BE OR NOT TO BE hat einigen Widerspruch hervorgerufen und ist meiner Meinung nach zu Unrecht angegriffen worden. Dieser Film machte sich an keiner Stelle über die Polen lustig, lediglich Schauspieler behandelte er satirisch und den Nazi-Geist und den faulen Nazi-Humor. Obwohl er eine Farce war, zeichnete er ein wahreres Bild des Nazismus als viele Romane, Magazingeschichten und Filme, die das gleiche Thema behandelten. In diesen Geschichten wurden die Deutschen als ein Volk gezeigt, das von der Nazibande belagert wurde und diese Herausforderung im Untergrund zu bekämpfen versuchte, wo immer es möglich war. Ich habe nie daran geglaubt; und jetzt ist es endgültig bewiesen, daß dieser sogenannte Widerstandsgeist im deutschen Volke nie existiert hat.

In den letzten Jahren wurde meine Arbeit leider durch lange und wiederholte Krankheiten sehr beeinträchtigt, aber ich hoffe, in nächster Zukunft mit THAT LADY IN ERMINE beginnen zu können, meinem ersten Musicalfilm seit fünfzehn Jahren.

Ich stimme mit Mr. Huff von ganzem Herzen darin überein, daß ich manchmal Filme gemacht habe, die nicht meinem Standard entsprachen, aber schließlich läßt sich nur von einem mediokren Talent sagen, daß alle seine Werke seinen Standard erreichen.

Beiliegend finden Sie eine Liste mit korrigierten Daten. Ich möchte Ihnen denselben Vorschlag machen wie Mr. Huff: Wenn Sie mit meinen Anmerkungen nicht einverstanden sind, werfen Sie sie in den Papierkorb. Aber ich wäre Ihnen sehr dankbar, wenn Sie mich wissen ließen, welche Berichtigungen Sie eventuell vornehmen wollen und wann der Index in England veröffentlicht werden wird.

Ihr sehr ergebener
Ernst Lubitsch

(Zuerst veröffentlicht in: Filmculture, Nr. 25, Frühjahr 1962; deutsch von Enno Patalas in: Filmkritik, Februar 1970; für dieses Buch überarbeitet).

Zwei Autoren erinnern sich

Hanns Kräly
Er haßte Improvisation

Später erfuhr ich, daß der junge Mann, der so beharrlich an seiner Zigarre gezogen hatte, Ernst Lubitsch war. Das war 1913 in Berlin; die alte Union Film drehte ein abendfüllendes Lustspiel, es hieß *Die Firma heiratet*, und Victor Arnold spielte die Hauptrolle. Lubitsch hatte die Rolle eines Lehrlings in einem Großhandelsunternehmen, und ich spielte einen Verkäufer. Diese kleine Rolle war Lubitschs Sprungbrett zum Ruhm, trotzdem hätte ich mir damals nicht träumen lassen, daß er und ich so viele Jahre zusammenarbeiten würden.

Ein paar Monate später war ich dabei, für den deutschen Komiker Albert Paulig eine Serie von kurzen Filmkomödien zu schreiben. In der Zwischenzeit hatte auch Lubitsch begonnen, Einakter zu drehen. Eines Tages kam er mit der Frage auf mich zu, ob wir nicht gemeinsam einen Film machen könnten. Ich sagte zu, obwohl die Firma mir als Autor nur 25 Mark für das ganze Drehbuch zahlen konnte. Lubitsch räumte ein, daß die Summe ziemlich unattraktiv sei, versprach aber, das Angebot zu versüßen: Er ernannte mich zu seinem Regieassistenten und ließ mich auch eine kleine Rolle in dem Film spielen.

Von der Zeit an arbeiteten wir zusammen, 17 Jahre lang.

In jenen Tagen wurden die Rollenbesetzungen in den Cafés in der Gegend um die Friedrichstraße herum abgesprochen. Um zwei Fliegen mit einer Klappe zu schlagen, regte Lubitsch an, unsere Arbeit in den Cafés zu erledigen. Dort entwarfen wir an einem Tag die Story und am anderen Tag schrieben wir sie nieder. Im Durchschnitt schafften wir zwei vollständige Kurzfilme pro Monat. Doch bald hatten die Schauspieler spitzbekommen, was wir da trieben, und sie machten es sich zur Gewohnheit, an unserem Tisch vorbeizuschauen, um nach Rollen zu fragen. Lubitsch, der eine ungewöhnliche Konzentrationsgabe besaß, fühlte sich durch diese Unterbrechungen gestört. Er scheute von Natur aus davor zurück, andere zu verletzen. So löste er das Problem, indem er von einem obskuren Café ins andere flüchtete, den Schauspielern immer um eine Nasenlänge voraus.

Nach dreißig oder vierzig solchermaßen improvisierten Produktionen überredete Lubitsch seinen Produzenten, Paul Davidson, ihn lange Filme, Dreiakter machen zu lassen. Der erste hieß SCHUHPALAST PINKUS und war ein bemerkenswerter Erfolg.

Nicht lange danach erzählte mir Davidson, daß er sich entschlossen habe, Lubitsch ein Drama inszenieren zu lassen. Das war eine wichtige Entscheidung. Lubitsch war mit seinen Lustspielen so erfolgreich gewesen, daß mir die Idee gar nicht gefiel. Aber Paul Davidson sagte: «Sehen Sie mich nicht so an. Er kann es! Ich weiß es!» Ich sollte bald feststellen, daß ich mich getäuscht hatte. Das Drama, das Lubitsch drehen sollte, war DIE AUGEN DER MUMIE MÂ mit Emil Jannings und Pola Negri. Es sollte sich als das erste Filmdrama erweisen, das von der deutschen Presse ernst genommen wurde.

Es folgten dann in rascher Folge Filme wie DIE PUPPE, DIE BERGKATZE, KOHLHIESELS TÖCHTER, RAUSCH, CARMEN, SUMURUN, MADAME DUBARRY, ANNA BOLEYN, DIE FLAMME, DAS WEIB DES PHARAO und andere.

Von diesen Filmen werden hierzulande einige unter ihren englischen Titeln in Erinnerung bleiben: *Passion, Deception, Gypsy Love, One Arabian Night* und *The Loves of Pharao.*

Ich werde niemals vergessen, welch Vergnügen es war, mit Lubitsch zu arbeiten. An keinem Drehbuch saßen wir länger als sechs Wochen. Und pro Tag arbeiteten wir selten mehr als ein paar Stunden. Zugegeben, die Zahl der Zigarren, die dabei in

Rauch aufgingen, war enorm. Zwar war unsere reine Arbeitszeit kurz, aber Lubitschs Konzentration so stark, daß er nach ein paar Stunden erschöpft war. Dann fragte er unweigerlich, ob ich nicht vielleicht müde sei!

Zu dieser Zeit arbeiteten wir natürlich nicht mehr in Cafés, sondern suchten uns ein Domizil im Gebirge.

Für mich als Autor war es eine zusätzliche Freude, daß jedes Wort des endgültigen Drehbuchs auch tatsächlich in Bilder umgesetzt wurde. Hatte Lubitsch einmal mit den Dreharbeiten begonnen, nahm er keine Änderungen mehr vor. Folglich haßte er auch Vorschläge, die von den Schauspielern am Drehort gemacht wurden und auf Improvisation hinausliefen.

Eine weitere schöne Erinnerung betrifft Lubitschs immer gegenwärtigen Sinn für Humor. Es machte ihm Spaß, seinen Freunden kleine Streiche zu spielen. Emil Jannings beispielsweise hatte einen Horror vor Särgen. In MADAME DUBARRY gab es eine Szene, in der ein Sarg durch den Palast getragen werden sollte. Lubitsch gab vor, daß der Sarg für ein letztes liebevolles Lebewohl von der Dubarry geöffnet werden solle. Jannings erkannte sofort die dramatischen Möglichkeiten einer solchen Szene und ließ sich bereitwillig von Lubitsch überreden, sich in den Sarg zu legen und den Deckel schließen zu lassen. Doch kaum war Jannings im Sarg eingeschlossen, beendete Lubitsch für diesen Tag die Dreharbeiten. Schnell war das Studio menschenleer, bis auf Lubitsch, der hinter der Dekoration hockte und den Sarg im Auge behielt. Nichts geschah. Als Lubitsch hastig den Sarg öffnete, fand er Jannings bleich wie einen Leichnam und rasend vor Wut über die Falle, in die er gelockt worden war.

Obwohl Lubitsch nicht im üblichen Sinne religiös war, nahm er doch nichts Wichtiges in Angriff und begann keinen Drehtag, ohne zuvor für eine halbe Minute zu einem kurzen stillen Gebet innegehalten zu haben. Nur wenige Leute wußten das. Er sprach nie darüber.

Passion und *Deception* brachten Lubitsch nach Hollywood. Er hatte einen Vertrag mit Mary Pickford, um bei ROSITA Regie zu führen.

Ich erinnere mich genau an den Morgen seiner Abreise. Als das Schiff in Bremerhaven ablegte, mit Lubitsch an Bord – der Hoffnung und dem Stolz der deutschen Filmindustrie –, stand eine kleine Gruppe von uns am Pier, um ihm Bon Voyage zu wünschen und Lebewohl zu winken.

Sein Vater war den Tränen nahe bei der Vorstellung, sein Sohn fahre nach Kalifornien in eine Welt voller Indianer, Berglöwen, Klapperschlangen und einer Unzahl anderer wilder Tiere.

Doch Ernst Lubitsch sollte nicht in der Wildnis verloren gehen. Er ging neuen Triumphen entgegen.

(The Screenwriter, Januar 1948. Hier erstmals auf deutsch).

Samson Raphaelson
Ein großer Künstler und Mensch

Lubitsch liebte Ideen mehr als alles auf der Welt, seine Tochter Nicola ausgenommen. Dabei spielte die Art der Ideen keine Rolle. Er konnte sich ebenso leidenschaftlich für den Schlußmonolog einer Figur aus einem gerade entstehenden Drehbuch begeistern wie für die Verdienste von Horowitz und Haifetz, die Ästhetik der modernen Malerei oder für die Frage, ob es der richtige Zeitpunkt sei, um Immobilien zu kaufen. Und seine Begeisterung übertraf gewöhnlich die aller anderen, so daß er in einer Gruppe meist dominierte. Dennoch sah ich sogar auf diesem Tummelplatz der Egoisten nie jemanden, der nicht in Lubitschs Gesellschaft vor Vergnügen strahlte. Nicht seine Brillanz oder seine Unfehlbarkeit bereiteten uns dieses Vergnügen – denn unfehlbar war er in der Tat nicht, und auch sein Witz hatte schwache Momente, schließlich war er ein Mensch –, sondern das reine, kindliche Entzücken an seiner lebenslangen Liebesbeziehung zu Ideen.

Eine Idee war ihm wichtiger als beispielsweise der Weg, den seine Gabel voll Essen gerade nahm. Dieser Regisseur, der einen so sicheren Blick für Stil hatte – von den Äußerlichkeiten wie Kleidung und Manieren bis hinein in die subtilsten Regungen eines aristokratischen Herzens –, griff in seinem Privatleben mit Vorliebe nach der nächstbesten Hose und Jacke, ob sie nun zusammenpaßten oder nicht, brüllte wie ein König oder Bauer (aber nie wie ein Gentleman) und ging durchs Leben, vieler Feinheiten und Schattierungen ungeachtet und mit jener Unbeholfenheit, die den aufrechten Mann kennzeichnet. Er hatte keine Zeit für Manieren, doch seine innere Grazie war unübersehbar, und ein jeder wurde von ihr angesteckt, ob Laufjunge oder Mogul, Techniker oder Künstler. Sogar die Garbo lächelte in seiner Gegenwart, und auch Sinclair Lewis und Thomas Mann. Er war mit der glücklichen Gabe geboren, sich sogleich und allen aufzuschließen.

Als Künstler war er raffiniert, als Mensch fast naiv. Als Künstler durchtrieben, als Mensch einfach. Als Künstler verhielt er sich ökonomisch, präzis, anspruchsvoll; als Mensch vergaß er ständig seine Lesebrille, seine Zigarren, Manuskripte, und meist fiel es ihm schwer, sich seine Telefonnummer zu merken.

Wie groß die Filmhistoriker ihn eines Tages auch einschätzen, als Mensch war er größer.

Ich bezweifle, daß je ein Mensch sein Handwerk besser verstanden hat. Ich war bezaubert von Charles Bracketts Vorstellung von Lubitsch, wie er durch das Himmelstor schreitet und die anderen Showleute trifft: Molière, Congreve, Shakespeare. Auch wenn sie nie von ihm gehört haben sollten, weiß ich, daß er zehn Minuten später einer von ihnen sein würde. Ich bin sicher, daß mit der Zeit viele von ihnen, nachdem sie ihn besser kennengelernt hätten, fühlen würden – wie die sterblichen Autoren, die Lubitsch wirklich kannten –, daß hier einer ist, der die Kunst des Schreibens zutiefst achtet und versteht.

Er war von echter Bescheidenheit. Er strebte nicht nach Ruhm und war nicht auf Preise aus. Er war unfähig, für sich selbst Reklame zu machen. Man konnte ihn nie verletzen, wenn man kritisch über seine Arbeit sprach. Und irgendwie verletzte auch er seine Mitarbeiter nie mit seiner unschuldigen Direktheit. Wenn er dich akzeptierte, dann weil er an dich glaubte. Folglich konnte er sagen: «O, ist das lausig!», und gleichzeitig spürtest du, wie sehr er deine verborgenen Qualitäten (auf die du hofftest) schätzte. Ein großartiger Schauspieler, war er völlig unfähig, in seinen persönlichen Beziehungen zu schauspielern. Er ging mit den Großen nicht anders um als mit den Kleinen, benahm sich im Salon nicht anders als in der Kneipe. Er war frei von Arglist und Scheinheiligkeit, so wie man es von Kindern sagt, und das machte ihn unendlich vielseitig und liebenswert.

Es tut mir leid, daß ich ihm all dies nicht zu sagen vermochte, als er noch lebte.
(The Screenwriter, Januar 1948. Hier erstmals auf deutsch)

Zwei Stars erinnern sich

Emil Jannings
Meine ersten Filme

In meinen Filmanfängen habe ich recht sonderbare Leute kennengelernt. Mir ist es heute noch schleierhaft, wie sich aus den Händen der damals bunt zusammengewürfelten Gesellschaft der deutsche Film zu der Kunstform entwickeln konnte, die er heute darstellt. Sicher, es gab einige wenige, die nicht nur Geschäftssinn, sondern auch Talent besaßen, beispielsweise der Generaldirektor der späteren Ufa, Paul Davidson, der ursprünglich ein Gardinenreisender gewesen war. Er hatte in Paris ein «Magisches Theater» gesehen, das Filme vorführte, und witterte mit sicherem Instinkt das große Geschäft. Kurz entschlossen brachte er die neue Sache nach Deutschland. Alles klappte großartig, und Groschen und Fünfpfennigstücke mußten des Abends mit Waschkörben zur Bank geschleppt werden. [. . .]

Eines Tages trugen ihm der Autor Kräly, der Regisseur Lubitsch und der Dramaturg Kurtz einen Stoff für Pola Negri vor, den sie nach dem berühmten polnischen Nationaltanz «Krakowiak» genannt hatten. Er hörte sich den Inhalt geduldig an und war mit allem einverstanden. Man sprach über die Besetzung und begann die Rollen zu verteilen, aber je weiter man kam, um so nervöser wurde der hohe Herr. Plötzlich schimpfte er höchst erbost: «Alles schön und gut meine Herrschaften! Sie reden ununterbrochen von der Besetzung – aber wollen Sie mir nicht gefälligst endlich einmal verraten, wer den ‹Krakowiak› spielen soll! Schließlich bin ich der Generaldirektor und habe das Recht, alles zu erfahren!»

Ich filmte damals mit Ossi Oswalda kleine Lustspiele. Sie war ein hübsches, blondes Mädchen, das dem Publikum sehr gefiel. Als Star stand sie im Vordergrund, während ich mit meiner Rolle zur Unterhaltung beitragen mußte. Mit ihr drehte ich unter der Regie von Lubitsch auch mein erstes größeres Lustspiel: WENN VIER DASSELBE TUN. Ich hatte einen unternehmungslustigen Bürger mit riesigem Schnurrbart darzustellen und auf Abwege zu geraten! Wie sehr ich mich im Stillen mit dieser Rolle herumquälte, vermag ich kaum zu sagen. Ich wollte die Kreuz- und Quersprünge dieses Herrn charakterlich motivieren, damit er menschliche Umrisse bekam. Es gelang mir, und ich wurde plötzlich, da derartige Bestrebungen damals beim Film noch völlig unbekannt waren, von allen Seiten bestaunt und bewundert.

Mein endgültiger Durchbruch gelang mir in einem Film, der nach der Operette «Die Fledermaus» gedreht wurde. Ich hatte den ewig betrunkenen Gefängniswärter «Frosch» zu spielen, eine Rolle, in die ich mich schon so oft gestürzt hatte, daß ich ein bereits feststehendes Gesicht in ihr bekam. Das gefiel mir nun ganz und gar nicht, und ich nahm mir vor, etwas Besonderes, den Frosch der Frösche, aus ihr zu machen. Jede Bewegung durchdachte ich, und jede Pointe schälte ich heraus. Als ich in der sorgsam vorbereiteten Maske das Atelier betrat, starrten mich die Anwesenden verwundert an. Sie erkannten mich nicht und merkten erst, wer vor ihnen stand, als ich den Mund auftat. Ein Sturm der Begeisterung brach los und Lubitsch rannte enthusiasmiert aus dem Atelier, um alle möglichen Leute zu holen, die mich unbedingt sehen sollten. Von diesem Tag an schwor man auf mich.

Es hat wenig Sinn, alle großen und kleinen Filme aufzuzählen, die ich in jener Zeit gespielt habe; doch ein Film scheint mir noch erwähnenswert. Sein Titel hieß spukhaft geheimnisvoll: DIE AUGEN DER MUMIE MÂ. In diesem, von Lubitsch wohl zum ersten Mal bewußt hergestellten «Großfilm», hatte ich einen bösen Farbigen zu spielen. Man holte an Schauspielern heran, was gut und teuer war, und ließ es kosten, was es wollte. Das Manuskript schrieb kostspielige Dekorationen, unter anderem Palmen in den Rüdesdorfer Kalkbergen vor, die auch besorgt wurden, und – was noch wichtiger war – man machte sichtbar den Versuch, wirkliche Charaktere zu gestalten. Darüber hinaus wurde der Film für mich noch besonders bedeutungsvoll, denn ich hatte eine Schauspielerin als Partnerin, die ein ganz großes Filmtalent war: Pola Negri!

Sie war damals noch wild und ungebärdig, platzte vor Temperament und befand sich dauernd auf Hochtouren. Ihr bekannter, dunkler Kopf ist unvergeßlich. Das nachtschwarze Haar lag dicht über ihren großen, ausdrucksvoll blauen Augen, und ihr wunderbar gezeichnetes Gesicht hatte etwas Asiatisches. Sie spielte einen dämonischen Vamp, aber die Rolle gewann unter ihren Händen ein sprühendes und vibrierendes Leben, das auf alle übersprang.

Man würde heute über diesen Film sicherlich lachen, doch damals war er eine Sensation! Die Theaterbesitzer waren außer sich vor Begeisterung, und selbst in den Kritiken, die zu dieser Zeit noch von den jüngsten Reportern geschrieben wurden, war eine Verwunderung zu spüren: Der Film entwickelte sich zum Kunstwerk.

Die Eigengesetzlichkeit der Filmdramaturgie stellte uns alle vor neue Aufgaben. Für mich kam die große Herausforderung mit einem Film, der mit einem Schlage die Welt erobern sollte: MADAME DUBARRY. Riesige Beträge wurden für ihn bereitgestellt, denn inzwischen war die Ufa gegründet, und ein Millionenkapital stand zur Verfügung.

Ich las das Manuskript und war von der Rolle Ludwig XV. fasziniert. Zum ersten Mal, seitdem ich im Film spielte, sah ich eine Gestalt mit all ihren Leidenschaften, Launen und Tücken vor mir. In ihr lag das Tragische wie Humorvolle, und ich wollte diese Rolle unter allen Umständen spielen. Aber der Regisseur Lubitsch war anderer Meinung. Er hatte sich die Figur höfischer, leichter und diplomatischer vorgestellt. Ich beschwor ihn und führte endlose Unterhaltungen, aber mit keinem Schritt näherten sich unsere Ansichten. «Laß es mich versuchen!» bettelte ich. «Laß mich nur eine einzige Szene spielen! Wenn ich dir nicht gefalle, kannst du dir immer noch einen anderen holen!»

Lubitsch gab unter meinem pausenlosen Drängen nach. Ich spielte eine Szene, in der ich sowohl den äußerlich gelassenen Ludwig als auch den Dämonen zeigen konnte. Meine Gestalt bekam Hintergrund und Leuchtkraft, und als die wenigen Meter im Vorführraum gezeigt wurden, gab es keine Diskussion mehr. Ich bekam die Rolle, die mein erster Welterfolg als Filmschauspieler werden sollte. [. . .]

Mit MADAME DUBARRY erkämpfte sich die lebende Photographie» ihre Stellung im deutschen wie im ausländischen Kunstleben. Der Film wurde unter dem Titel *Passion* die Sensation am Broadway, und es war das erste Mal nach dem Krieg, daß eine deutsche Leistung im Ausland gewürdigt wurde. Pola Negri, Lubitsch und ich wurden mit allen Superlativen überschüttet, die die amerikanische Sprache besitzt. Wir waren stolz, daß unser Film das Steuer in Amerika herumwarf und einen neuen Blickpunkt schuf.

Nach Ludwig XV. spielte ich in ANNA BOLEYN Heinrich VIII. Die Rolle wurde eigens für mich geschrieben, da die Filmautoren mich nun kannten und alle Möglichkeiten zur Entfaltung meiner Begabung erschöpft werden sollten. Dieser Prasser, Fresser und Diplomat, dieser Tyrann, in dem zu gleicher Zeit das Kind sichtbar wurde, war keine monumentale Attrappe, sondern ein lebenssprühender Charakter welthistorischen Formats – einer jener Großen, bei denen man nicht unbedingt nach Recht oder Unrecht fragt, sondern einfach fasziniert ist. Holbein hat ihn mit einem Gesicht gemalt, in dem alles geschrieben steht – Humor und Brutalität, Genußsucht und Verschlagenheit, eine bis zum Rande mit Vitalität gefüllte Persönlichkeit, der trotz aller Wildheit nicht jener Humor fehlt, der das Dasein solcher Gestalten künstlerisch erträglich macht.

Heinrich VIII. hat mich förmlich verfolgt. Ich habe über ihn nicht nur nachgedacht, sondern Geschichtsbücher um Geschichtsbücher gewälzt, um zu erfahren, was ich erfahren konnte. Immer wieder betrachtete ich Holbeins Meisterwerk und vertiefte mich in die breitschultrige Gestalt mit den gesträubten Augenbrauen und dem elektrischen Lachen. Ich ging über die Straße und sah, wie er mit bösem Gesicht Todesurteile unterschrieb oder Völker in Blut und Verderben jagte. Ich fuhr im Auto und sah ihn im prunkvollen Gewand neben mir sitzen, mit der Linken in einer Schüssel mit Fleisch wühlen, während die Rechte einen Knochen fortwarf, den er abgenagt hatte. Jede Einzelheit sah ich vor mir und immer mehr verdichtete sich das Gesamtbild, das ich benötigte.

Es war ein Glück für mich, alles, was in mir brodelte und kochte, unverzerrt auf die Leinwand bringen zu dürfen. Vielleicht war es das erste Mal in der Welt, daß im Film eine Gestalt geschaffen wurde, die einen Vergleich mit großen Darstellungen auf der Bühne ertrug. Zumindest drängt sich mir diese Ansicht auf, wenn ich Kritiken lese, die damals in aller Welt geschrieben wurden. Denn auch dieser Film ging in die große Welt hinaus und lief unter dem Titel *Deception* monatelang am Broadway.

(Emil Jannings: Theater/Film – Das Leben und ich. Autobiografie, bearbeitet von C. C. Bergius. Berchtesgaden 1951; unser Zitat stammt aus der [erweiterten] Taschenbuch-Ausgabe: Mein Leben. München 1979).

Pola Negri
Gefahr, Angst – Erfolg

Die Arbeit an meinem ersten deutschen Film, DIE AUGEN DER MUMIE MÂ, begann im Mai 1918. Die Filmstudios waren in Berlin-Tempelhof, ein ganzes Stück vom Zentrum der Stadt entfernt. Um rechtzeitig im Studio zu sein, mußte ich morgens vor Sonnenaufgang aufstehen und mit dem Verkehrsmittel vorliebnehmen, das gerade zur Verfügung stand. Es war reine Glückssache. Es gab keine Taxis, und bei den Straßenbahnen mußte man damit rechnen, daß sie anhalten und irgendwo auf der Strecke stehengelassen würden. Wenn das, wie nur allzuoft, geschah, bedeutete es einen langen und angstvollen Fußmarsch durch eine arme und spärlich besiedelte Wohngegend. Vor jedem Schatten, der sich im morgendlichen Schummerlicht bewegte, lief ich weg, so schnell meine Beine mich trugen. Auf diesen Wegen von Charlottenburg nach Tempelhof sprach ich alle Gebete, die ich kannte. Die meisten jungen Schauspielerinnen beten um Erfolg, ich wünschte mir nur, heil im Studio anzukommen.

DIE AUGEN DER MUMIE MÂ war kein weltbewegendes Meisterwerk, aber ein großer Erfolg. Es war ein romantisches pseudo-orientalisches Gemälde, in dem Jannings mich liebte, und ich liebte Liedtke, und am Ende ging es für alle schlecht aus. Auch wenn der Film nicht der beste aller Zeiten war, mein Instinkt in bezug auf Lubitsch war richtig. Mit ihm zu arbeiten, war ein faszinierendes Erlebnis. Wir ergänzten einander vollkommen. Er wußte, daß sein analytisches Vorgehen leicht kalt und distanziert wirken würde, wäre es nicht mit meiner Emotionalität gekoppelt. Von Anfang an zeigten sich in seiner Arbeitsweise gewisse Konstanten, die bis zum Ende seiner Karriere anhielten. Er verfolgte die satirische Linie, bis sein Publikum vor Lachen nicht mehr konnte, um es dann unvermittelt mit einer tragischen Wendung zu konfrontieren, so daß es sich fragen mußte, was denn so amüsant gewesen sei. Er sorgte für ersteres, während ich letzteres beitrug. Das war die Grundlage unserer glücklichen Zusammenarbeit und einer der Gründe, warum wir zusammen niemals Mißerfolg hatten. In den folgenden Jahren sollte ich viele Filme ohne ihn machen und er ohne mich. Einige waren gut, einige waren schlecht. Als Team waren wir jedoch immer erfolgreich.

Obwohl um uns herum die Welt in Stücke ging, gab es zwischen Lubitsch und mir in jenen frühen Ufa-Tagen viele urkomische Momente bei den Dreharbeiten. Vielleicht konnten wir uns nur im damaligen Berlin so erfolgreich entfalten. Die Tragikomödie des Lebens in Deutschland war unser Metier. Sogar unsere Witze hatten einen Hauch von Fatalität.

Auf dem Höhepunkt der AUGEN DER MUMIE MÂ hatte Emil Jannings mich oben an einer steilen Treppe zu erdolchen. Lubitsch wollte, daß ich rückwärts taumelte, doch ich hatte eine bessere Idee. An dem Morgen, an dem die Szene gedreht werden sollte, lief ich aufgeregt zu ihm. «Hör' mal», sagte ich, «wenn Emil mich erdolcht, werde ich die ganze Treppe hinunterstürzen.» «Und dir das Genick brechen? Nein! Vielleicht brauche ich dich noch für Nachaufnahmen.» Ich seufzte ungeduldig. «Es ist ein alter Akrobatentrick. Jeder Tänzer kann das.» «Für dich mag dieser Film der Höhepunkt deiner Karriere sein. Doch für meine ist er nur der Anfang. Ich will kein Finale, bevor der Film beendet ist.»

Wir stritten uns weiter. Es wurde spät, und Emil wurde ungeduldig, weil er die Szene abdrehen und nach Haus gehen wollte. Jannings gehörte zu den Schauspielern, die die blendendste Vorstellung der Welt geben konnten, ohne dabei die Uhr aus den Augen zu verlieren. Er mag gelegentlich überchargiert haben, aber niemals in Überstunden. Lubitsch blieb hart, und ich beschloß, die Sache selbst in die Hand zu nehmen. Wenn ich recht hätte, würde es einen großartigen Effekt geben. Sollte ich unrecht haben – wie die Russen sagen: ein Leben, eine Kopeke.

Alles war fertig für die Aufnahme. Ich stieg nach oben auf den Treppenabsatz, wo Jannings auf mich wartete. Lena, meine Garderobiere, wußte, was ich vorhatte, und war ebenso besorgt wie Ernst. Als wir begannen, flitzte sie mit einem Haufen weicher Kissen in die Dekoration und verteilte sie am Fuß der Treppe. Lubitsch schrie voller Wut: «Was zum Teufel macht die Frau da? Holt sie aus der Dekoration!»

Jannings und ich nahmen unsere Plätze ein. Lubitsch rief: «Kamera!» Die Musik, die uns in die richtige Stimmung bringen sollte, setzte ein. Jannings zog seinen Dolch und stach zu. Entsetzt riß ich die Arme hoch und stolperte rückwärts. Mein Hacken muß sich in meinem Rocksaum verfangen haben, und ich verlor die Kontrolle über den Sturz. Allen im Studio stockte der Atem. Das wär's, dachte ich – mein Ende. Und armer Ernst – auch seines!

Ich lag benommen am Fuß der Treppe. Die ganze Crew hatte sich um mich versammelt, überzeugt, ich sei ernstlich verletzt oder gar tot. Wäre Lena nicht so vorausschauend gewesen, hätten sie recht gehabt. Lubitsch fluchte lauthals, erst über mich und dann über Jannings, weil er mich nicht aufgefangen habe. Jannings blökte: «Wie sollte ich wissen, was sie vorhatte? Hab' ich gebeten, diese verrückte Polin zu engagieren?»

Nach ein paar Augenblicken öffnete ich die Augen. Lubitsch rief aus: «Kleine Pola, ist alles in Ordnung mit dir?» Ich legte eine meiner besten Sterbeszenen hin. «Sorgen Sie sich nicht um mich. Haben Sie den Sturz?» Doch dann konnte ich nicht umhin, boshaft zu lächeln und hinzuzufügen: «Oder möchten Sie, daß ich die Szene wiederhole?»

Bei keiner Vorführung verfehlte die Szene ihre Wirkung auf die Zuschauer. DIE AUGEN DER MUMIE MÂ war ein enormer Publikumserfolg, der sich auf die Karriere aller, die daran beteiligt waren, auswirkte. Einer der Gründe dafür war sicherlich, daß der stark romantische, orientalische Fatalismus des Films genau die Art von Wirklichkeitsflucht bot, nach der ein kriegsmüdes Volk sich sehnte. Ein weiterer Grund war, daß die Leute, die anfingen, den Film als Kunstform ernst zu nehmen, hier Techniken entdeckten, die allem, was zu der Zeit in Deutschland gemacht wurde, weit voraus waren. Bestimmte Einstellungsgrößen und Kamerapositionen, die Lubitsch damals entwickelte, gehören noch heute zum filmischen Vokabular. Seine fließenden Übergänge von der Tragödie zur Komödie beeinflussen noch immer viele Regisseure, wie beispielsweise die Franzosen Truffaut und Godard oder den Amerikaner Billy Wilder, der ja vieles von dem, was er weiß, direkt von Lubitsch gelernt hat, als er als Drehbuchautor für ihn arbeitete. Ernsts spätere brillante Arbeit als Regisseur leichter Komödien verstellt allzuoft den Blick auf seinen früheren Beitrag zur Innovation der Regiekunst.

Paul Davidson war entzückt von den Ergebnissen unserer Zusammenarbeit und drängte uns, möglichst bald mit einem neuen Film anzufangen. Wir trafen uns zu einer Besprechung unseres nächsten Projekts. Sie waren ganz begeistert von der Idee, einen Film nach «Carmen» zu drehen. Ich hatte Zweifel und fragte, ob sie glaubten, daß es wirklich ohne die Musik funktionieren würde. Davidson antwortete: «Geraldine Farrar hat vor ein paar Jahren in Amerika in einer Carmen-Version gespielt; und wenn sich eine große Opernsängerin wegen der fehlenden Musik keine Sorgen gemacht hat, warum sollten Sie's dann?» Lubitsch fügte hinzu: «Und das war ein schlechter Film. Wir werden einen guten drehen. Wir sind an der Handlung interessiert. Mérimées Geschichte war ein Klassiker, lange bevor Bizet eine Oper daraus gemacht hat.»

Davidson bekräftigte seinen Glauben an den Film durch ein riesiges Budget. Nur für eine Außenaufnahme gingen wir an den Kalksee, einen tiefen See außerhalb Berlins, mit rauhen Hügeln im Hintergrund, die als Versteck der Schmuggler dienen konnten. Alle übrigen Schauplätze von CARMEN wurden auf dem Studiogelände in Tempelhof eigens gebaut.

Für den Abend des 8. November 1918 luden wir die Presse und die leitenden Leute der Ufa zu einer Sondervorstellung von CARMEN in den Vorführsaal des Studios ein. Lubitsch war noch mit dem endgültigen Schnitt beschäftigt, mir wurde für die Vorführung ein neues Abendkleid geschneidert, und das Studio bereitete einen Champagner-Empfang vor. Keiner von uns schenkte den umwälzenden Ereignissen, die sich überall abspielten, viel Aufmerksamkeit. Wenn man am Rande des Abgrunds lebt, nimmt man ihn bald nicht mehr wahr, und wenn Zeitungen tagtäglich von Katastrophen voll sind, hört man bald nicht mehr hin. [. . .]

Am Morgen jenes Vorführungstages hatte München von Berlin die bayerische Unabhängigkeit gefordert. Überall gärte es, und die Roten wie die Weißen – die Sozialisten wie die Royalisten –, all die verschiedenen politischen Fraktionen des Landes waren bereit, nach einem Staatsstreich zu rufen. Deutschland war völlig demoralisiert von der bevorstehenden Niederlage. Und wir bereiteten eine Party vor . . .

An jenem Abend war mein Lamé-Kleid ein glitzernder Triumph. Der Champagner war perfekt gekühlt und löste die Zungen: Gelächter, Scherz und

Plauderei. Das Studio-Orchester spielte Melodien aus «Carmen», um uns in die richtige Stimmung für den Film zu versetzen. Die Konversation floß so frei und prickelnd wie der Champagner. Sogar die düsteren Ahnungen der Bankiers, die der Ufa die Kredite gegeben hatten, wurden vom Glanz der Zusammenkunft überdeckt.

Wir nahmen im Vorführsaal Platz, und der Film begann. Bei meinem ersten Auftritt gab es Beifall. Durch den Applaus und noch einen Moment danach hörte ich in der Ferne ein schwaches Geräusch. Es klang – doch das konnte nicht sein – wie Gewehrfeuer. Ich sah mich um, ob andere es ebenfalls wahrgenommen hatten, aber da war nichts als intensive Konzentration auf den Film, unterbrochen nur durch gelegentlichen Beifall für bestimmte filmische Effekte. Als Escamillo auftrat, intonierte das Orchester die markige «Torero-Arie». Minuten später wiederholte sich das Geräusch. Diesmal wurde es nicht vom Klatschen übertönt. Ich lehnte mich hinüber zu Lubitsch und flüsterte: «Ernst, hast du gehört . . .» Seine Antwort kam schnell und knapp. «Ja, seht! Da kann keiner was machen. Sieh dir den Film an.»

Das entfernte Gewehrfeuer rückte jetzt näher und untermalte fortwährend den Film. Jeder im Publikum mußte es bemerkt haben, aber man starrte weiterhin auf die Leinwand, und keiner verriet auch nur mit einer Kopfbewegung seine Wahrnehmung. Ich kauerte mich auf meinem Sitz zusammen, entsetzt über unsere ruhige Selbstbezogenheit, über die Tatsache, daß wir alle wußten, was vorging, doch lieber so taten, als geschehe nichts. Es war ja so viel einfacher, die Augen zu verschließen, als Fragen zu stellen.

Am Ende des Films gab es enthusiastischen Applaus. Alle blieben im Vorführsaal, scheinbar, um uns zu gratulieren, tatsächlich aber, weil sie nicht wußten, was sie sonst tun sollten. Das Gewehrfeuer dauerte an. Wir konnten nicht sicher sein, was uns außerhalb dieses angenehm fensterlosen Raums erwartete, also tranken wir weiter und lachten fröhlich und diskutierten über den Film.

Paul Davidson schlich sich für ein paar Minuten fort. Als er zurückkehrte, winkte er mich beiseite und sagte: «Es ist ein Gefecht zwischen den Roten und den Weißen. Diese Irren beschießen sich gegenseitig von den Dächern aus.» «Was sollen wir tun?» «Wenn wir alle auf einmal weggehen, bieten wir ein zu deutliches Ziel. Wir gehen am besten einzeln oder zu zweit. Was ist mit Ihnen? Wie kommen Sie nach Haus? Es gibt keine Taxis. Ich halte es nicht für sicher zu fahren. Soll ich Ihnen ein Zimmer im Adlon besorgen?» «Nein, nein, ich bin in Charlottenburg besser aufgehoben. Wenn die U-Bahn fährt, kann ich die nehmen.»

Davidson schickte seinen Assistenten los, um die Verkehrsmöglichkeiten zu erkunden. Die U-Bahn fuhr, und ich wollte lieber gehen, solange ich noch konnte. Als ich mich still verdrückte, war die Party noch in vollem Gange, als sei nichts auf der Welt in Unordnung. Die Straßen waren vollkommen verlassen. Die einzigen Geräusche kamen von den Gewehrschüssen direkt über mir, die mit ohrenbetäubendem Krach durch die Luft peitschten. Um nicht von einer verirrten Kugel getroffen zu werden, bewegte ich mich in kurzen, seitlichen Schritten vorwärts, den Rücken immer dicht an einer Hauswand. Der halbe Block bis zur U-Bahn-Station war der längste Spaziergang meines Lebens. Als ich endlich dort ankam, war ich schweißgebadet. Gefahren hatte ich schon vorher gekannt, aber niemals war der Tod so nah gewesen, daß er neben mir herzulaufen schien. [. . .]

(Sechs Jahre später)

Lubitsch kaufte das Haus neben meinem am Beverly Drive, und es war nur natürlich, daß wir unsere alte Berliner Beziehung voller Wärme und gegenseitigem Vertrauen wieder aufnahmen. Er hatte gerade THE MARRIAGE CIRCLE für Warner Brothers fertiggestellt und war äußerst enttäuscht von der Reaktion. Obwohl die intellektuellen Kritiker den Film bejubelt hatten – einer von ihnen spielte sogar zum erstenmal öffentlich auf den später gefeierten «Lubitsch-Touch» an –, waren die Einspielergebnisse dürftig.

Ernie war Pragmatiker genug, um zu wissen, daß in Hollywood selbst der größte Kritikererfolg der Welt nichts zählt, wenn der Film nicht auch an der Kinokasse Erfolg hat. Seine charakteristische Überschwenglichkeit war einer depressiven, freudlosen Stimmung im Hinblick auf seine Aussichten in Amerika gewichen. Ich machte mir große Sorgen um ihn. Ein Lubitsch ohne seinen spezifischen Witz war so mitleiderregend wie ein Amputierter.

Er hatte mir in der Vergangenheit durch so viele schwierige Zeiten geholfen, daß ich verzweifelt nach einer Möglichkeit suchte, wie ich es ihm vergelten könnte. In dieser Stimmung fiel mir eine Ausgabe von Lajos Birós und Melchior Lengyels Satire über das Leben von Katharina der Großen, «The Czarina», in die Hände. Noch bevor ich es halb durchgelesen hatte, wußte ich, daß ich gefunden hatte, wonach ich suchte, und lief in langen Sprüngen über den Rasen zu seinem Haus, das Buch wie eine Trophäe schwenkend. «Ernie!» rief ich, «Ernie, ich hab's!»

Er sah fragend auf, als ich ihm das Buch entgegenstreckte. «Das wird unser nächster Film. Ich muß einfach die Katharina spielen. Und du wirst mein Regisseur sein.» Er kaute auf seiner unvermeidlichen Zigarre, und zum erstenmal seit Monaten huschte ein Lächeln über sein Gesicht, aber schnell war es wieder verschwunden, und er verfiel erneut in Trübsinn. «Es hat keinen Zweck. Lasky wird sein wertvolles Geld nie einem Versager anvertrauen.» «Das überlaß' nur mir. Die glauben, die Swanson hat Temperament, Valentino sei schwierig ...» Ich lächelte rätselhaft. «Nun, die werden sich noch wundern.» «Was hast du vor?» «Nichts, Ernie», antwortete ich ganz ruhig, «ich werde nur deinen Rat befolgen und mich wie ein Star benehmen.»

In den folgenden Wochen war ich mit allem unzufrieden, was das Studio machte. Ich lehnte Drehbücher mit den bissigsten Kommentaren ab; ich erhob Einspruch gegen jeden Studioregisseur; es gab keinen Hauptdarsteller, für den ich etwas anderes als Geringschätzung zeigte. Schließlich fragten sie entnervt, was mich glücklich machen würde. Als ich antwortete, sie sollten die Rechte an «The Czarina» kaufen und Lubitsch ausleihen, damit ich unter seiner Regie die Rolle spielen könnte, war ihre erste Reaktion, das sei unmöglich. Ich antwortete: «Sie vergessen, meine Herren, ohne Lubitsch wäre ich heute nicht hier. Kein Lubitsch, keine Arbeit. Ich warte das Ende meines Vertrages ab und gehe nach Europa zurück.»

Mein Gesichtsausdruck muß ihnen gezeigt haben, wie ernst es mir war, und so waren sie gezwungen zu kapitulieren. Weitere Hindernisse gab es nicht. Warner Brothers war nur zu glücklich, Ernie für einen Pola-Negri-Film ausleihen zu können, weil die Gesellschaft hoffte, das werde seinen Ruf in Amerika aufpolieren und damit seinen Wert für sie steigern. Was Famous Players anbetraf, wurde ich so zahm wie ein Lamm und kooperierte ohne Einschränkung mit allen Abteilungen, die mit dem Film befaßt waren, der als FORBIDDEN PARADISE bekannt werden sollte.

Noch bevor alle Rollen besetzt waren, beschäftigte ich mich mit den Kostümen und Make-up-Tests. Ich hatte schon früher mit Adolphe Menjou zusammengearbeitet und war glücklich, als er für die Rolle des verschlagenen Ministers ausgewählt wurde. Er war ein Amerikaner mit enormem Savoir-faire, der alle Schliche seines Handwerks kannte und unglaublich professionell in seiner Arbeitsauffassung war.

Das einzige noch ungelöste Problem war die Besetzung der männlichen Hauptrolle. Das Studio wußte, daß ich keinen großen Namen zur Steigerung des Kassenerfolges nötig hatte, und schlug deshalb beständig seine neuen, noch unbekannten Vertragsschauspieler vor: Sie würden wenig Geld kosten und möglicherweise durch ihr Auftreten mit mir eine eigene Anhängerschar erwerben. Wir probierten Dutzende aus, doch sie waren alle nicht akzeptabel. Die Rolle des Alexei war sehr schwierig, sie erforderte einen Schauspieler, der feurig, romantisch, vor allem aber auch fähig sein mußte, eine doppelbödige Komödie zu spielen.

Eines Abends stieg ich nach anstrengenden Anproben und PR-Fotoaufnahmen gerade in meinen Wagen, als Rod La Rocque zu mir herüberschlenderte. Wir hatten uns flüchtig im Studio kennengelernt, und ich hatte ihn immer als einen sehr angenehmen jungen Mann empfunden. Mit seinem dunkeläugigen südeuropäischen Aussehen hatte er sich bei amerikanischen Kinogängern einen Namen als romantischer Liebhaber gemacht. Dem geübten europäischen Auge verriet eine amüsante Kombination von Wohlgelauntheit und unkomplizierten Umgangsformen allerdings den typischen amerikanischen Mann. Er sagte: «Sie sehen aus, als hätten Sie einen furchtbaren Tag hinter sich.» Ich lächelte müde. «Stimmt.» «Warum fahren Sie dann nicht mit mir spazieren? Die frische Luft wird Ihnen guttun.» «Das ist eine famose Idee», sagte ich, erstaunt über seine Frage.

Die Zeit verging wie im Fluge, während wir miteinander lachten und scherzten, und ich wurde daran erinnert, wie angenehm die Gesellschaft eines Mannes ist, der Nonchalance mit Aufmerksamkeit verbindet. Als sich unsere Fahrt ausdehnte und wir in einem kleinen Restaurant am Meer dinierten, fiel mir auf, daß das Eindrucksvollste an Rod war, daß er niemals versuchte, Eindruck zu machen. Jungenhaft und männlich, feurig, romantisch, amüsant – natürlich! Hier saß mein Alexei.

Ich berichtete Lubitsch von meiner Idee, und er stimmte sofort zu, verwundert, weshalb wir nicht früher darauf gekommen waren. Alles fügte sich jetzt wunderbar zusammen. Wir begannen die Dreharbeiten zu FORBIDDEN PARADISE im Zustand der Euphorie und waren überzeugt, der Kette unserer Erfolge ein weiteres Glied anzufügen.

Es war etwa in der Mitte der Dreharbeiten; wir bereiteten eine Szene vor, in der ich durch schier unendliche Korridore laufen und eine gewundene Treppe in den prachtvollen Dekorationen, die das Sankt Petersburger Winterpalais darstellten, hinabschreiten sollte. Mein Kostüm war ein reich mit Brokat geschmücktes Morgenkleid mit einer langen, zobelumsäumten Schleppe. In der Garderobe schien es absolut perfekt, aber als ich mich in der

Forbidden Paradise: *Pola Negri und Ernst Lubitsch in einer Drehpause*

Dekoration bewegte, wurde mir klar, daß es sich als hinderlich und möglicherweise gefährlich erweisen würde. Ich wandte mich an Ernie und sagte: «Wenn ich in diesem Ding die Treppe hinunterlaufe, könnte ich stürzen und tot sein.»

«Bestimmt nicht», sagte er sehr bestimmt, «du wirst das perfekt hinkriegen.» «Laß mich etwas ohne Schleppe anziehen. Wenn sie sich am Geländer verfängt, breche ich mir den Hals.» «Was ist los mir dir? Erinnerst du dich nicht an den Sturz in den AUGEN DER MUMIE MÂ? In Berlin haben wir viel gefährlichere Sachen gemacht.» «Ich war jünger damals.» «Sechs Jahre jünger.» «Damals habe ich gelernt, nichts zu riskieren.» Etwas hinterhältig fügte ich hinzu: «Und außerdem ist mein Hals heute wertvoller.»

«Komm, gib mir das Morgenkleid. Ich zeig' dir, wie man's macht.» Er schnappte sich das Kleidungsstück und schlüpfte hinein. Es war wie in alten Tagen. Wir stritten uns wieder in einem Atelier und genossen es unglaublich. Gewandet in meine atemberaubende Kreation, seine unvermeidliche Zigarre paffend, eilte Ernie die Treppe hinunter, den Korridor entlang und wieder zurück. Er gab mir das Kostüm mit den Worten: «Siehst du, wie einfach das ist?»

Der gesamte Aufnahmestab tobte vor Vergnügen, und ich sagte, mein eigenes Gelächter unterdrückend: «Danke. Du hast mich überzeugt. Und die Zigarre ist brillanter ‹Lubitsch-Touch›. Genau richtig für Katharina.»

Die Negri-Lubitsch-Kombination triumphierte erneut. FORBIDDEN PARADISE wurde als Meisterwerk der Filmkomödie gepriesen und als mein bis dahin bester amerikanischer Film. Aber noch größere Genugtuung empfand ich, weil der Film so sehr dazu beigetragen hat, Ernsts Ruf als subtilsten Schöpfer romantischer Komödien zu begründen, und in den darauffolgenden Jahren drehte er dann so großartige Filme wie LADY WINDERMERE'S FAN, THE STUDENT PRINCE, THE LOVE PARADE und NINOTCHKA.

(Pola Negri: Memoirs of a Star. Garden City, New York 1970, S. 137–143 und 243–248)

Drei Hommagen

Peter Bogdanovich
Ernst Lubitsch

Als ich neulich mit Jack Benny sprach, erzählte er mir von seiner Arbeit mit Ernst Lubitsch. Der Regisseur hatte Benny 1939 angerufen und gefragt, ob er eine Rolle übernehmen würde. «Ich sagte: ‹Das mach' ich.› Und er sagte: ‹Aber Sie haben das Drehbuch doch noch gar nicht gelesen?› Und ich sagte: ‹Ich *brauche* das Buch nicht zu lesen, wenn Sie mich für eine Rolle wollen, will ich sie spielen!› Ich wäre ein *Idiot* gewesen, hätte ich irgend etwas anderes gesagt. Es war für Komiker wie mich oder Hope nahezu ausgeschlossen, einen guten Regisseur zu finden – darum haben wir so lausige Filme gemacht – und da ruft plötzlich *Ernst Lubitsch* an, heiliger Herrgott, und fragt, *ob ich* einen Film mit ihm machen wolle. Wen *kümmert* da das Drehbuch!»

Der Film war To Be or Not To Be (Carole Lombards letzter – sie starb noch vor der Premiere bei einem Flugzeugabsturz), und er löste damals ziemliche Kontroversen aus, weil er den Nationalsozialismus scheinbar zu leichtfertig anging: Handelte er doch von einer polnischen Theatergruppe im besetzten Warschau und ihrer heiterkeiterregenden Konfrontation mit Hitlers Gauleitern. Doch alle Einwände gingen am Wesentlichen vorbei, da sie Thomas De Quinceys berühmte Maxime vernachlässigten: «Beginnt ein Mensch erst einmal zu morden, scheint ihm Raub bald kaum der Rede wert; und vom Rauben kommt er zur Trunksucht und zur Mißachtung des Sabbats, und von da zur Unhöflichkeit und Faulheit.» Für Lubitsch war die verdammenswürdigste Sünde der Nazis ihr schlechtes Benehmen, und To Be or Not To Be überlebt nicht nur als Satire, sondern auch als Hohelied auf den unbezwingbaren Mut und Humor der Menschen im Angesicht des Unglücks – überlebt auf eine Weise, die vielen ernsten und hochambitionierten Werken über den Krieg versagt ist. Lubitsch führt seine europäischen Schauplätze gern ein, indem er eine Reihe von kleinen Läden zeigt, die alle schier unaussprechliche Namen tragen. So macht er es auch in To Be or Not To Be und läßt später eine identische Sequenz folgen, die dieselben Läden nach der Bombardierung zeigt. Die Einfachheit dieser Einstellungen ist zutiefst bewegend, vor allem, wenn man bedenkt, welche Bedeutung darin für Lubitsch gelegen haben muß, der schließlich selbst Europäer war und für den diese ‹komischen› Namen – wie sein eigener – mehr bedeuteten als der Spaß, den er seinen amerikanischen Zuschauern damit bereitete.

«Der Lubitsch-Touch» – das war ein ebenso berühmtes Markenzeichen wie Hitchcocks ‹Meister des Suspense›, nur vielleicht nicht so oberflächlich. Der Begriff deutet auf etwas Leichtes, merkwürdig Undefinierbares und doch Berührbares, und wenn man Lubitsch-Filme sieht, spürt man – mehr als in dem Werk fast jedes anderen Regisseurs – diesen Geist; nicht nur in der taktvollen und immer angemessenen Position der Kamera, der subtilen Ökonomie seiner Handlungsführung, den doppelbödigen Dialogen, die alles sagen, ohne es zu sagen, sondern auch – und vor allem – in der Darstellung jedes einzelnen Schauspielers, gleichgültig, wie klein die Rolle ist. Jack Benny erzählte mir, Lubitsch habe alles bis ins Detail vorgespielt – oft in aller Breite, aber immer genau auf den Punkt –, wohl wissend, sagte der Komiker, daß er die Anweisung in seine eigene Art übersetzen und umsetzen würde. Dies muß Lubitschs Methode bei all seinen Schauspielern gewesen sein, denn in einem Lubitsch-Film spielt jeder – ob Benny oder Gary Cooper, Lombard oder Kay Francis, Maurice Chevalier oder Don Ameche, Jeanette MacDonald oder Claudette Colbert – in demselben, unverwechselbaren Stil. Trotz ihrer individuellen Persönlichkeiten – und Lubitsch unterdrückte diese nie – sind sie so durchdrungen von der Weltsicht des Regisseurs, daß sie sich anders verhalten als in ihren übrigen Filmen.

Das war nicht imitierbar. Obwohl Lubitsch im Laufe der Zeit viele Nachahmer fand, gelang es keinem, das Wesentliche zu erfassen. Stil ist schwer zu beschreiben. Er entsteht von innen heraus, durch das feinverästelte Wirken von Herz und Verstand, nicht aus dem, was offen zutage liegt – wie etwa Lubitschs Hang, als Kontrapunkt zu den Machenschaften seiner Figuren mit der Kamera auf unbelebten Gegenständen zu verweilen. Sicherlich, Lubitsch war berühmt dafür, eine geschlossene Tür zu zeigen, während sich dahinter stumm oder kaum hörbar eine Krise abspielte, oder seine Figuren durch geschlossene Fenster nur beim Gebärdenspiel zu beobachten. Das war gewiß ebensosehr Teil seines Stils wie ein Zeichen seines Takts und guten Geschmacks und der grenzenlosen Zuneigung und Achtung, die er den oft leichtsinnigen und frivolen Männern und Frauen entgegenbrachte, die in seinen herrlichen Komödien und Musicals für uns ihre Scharaden spielten.

Nein, viel wesentlicher (wenn auch nicht das wahre Geheimnis, denn das starb wohl mit ihm – wie das Geheimnis eines jeden großen Künstlers) war seine geradezu wunderbare Fähigkeit, zu spotten und zu preisen, und zwar gleichzeitig und mit solcher Perfektion, daß man nie wirklich sagen kann, wo die Satire endet und die Glorifizierung beginnt. In MONTE CARLO (1930) singt Jeanette MacDonald, allein im Zugabteil, «Beyond the Blue Horizon» auf die ihr eigene pseudo-opernhafte Art, die manchmal ans Lächerliche grenzt, und von Beginn an spürt man, daß Lubitsch sie nicht trotz, sondern gerade wegen der Fragilität ihres Talents liebt: Ihre Art zu singen war untrennbar mit einer schon todgeweihten Ära verbunden, deren Anmut Lubitsch so gern bewahren und preisen wollte, obwohl er sie auch transzendieren konnte. Mochte Jeanette MacDonalds Gesang auch altmodisch sein (aber man sehe sie sich nur in den Nelsons-Eddy-Filmen an, die sie gemacht hat, und beachte den Unterschied), Lubitsch machte daraus eine der größten Filmsequenzen. Während sie sich aus dem Zugfenster lehnt – ihr Schal weht im Fahrtwind –, winkt sie den Bauern auf dem Felde zu und diese winken – ein magischer Triumph der Kunst über die Wirklichkeit – zurück und stimmen in den Refrain ihres Liedes ein. Natürlich macht sich Lubitsch darüber lustig, ebenso aber *ist* es ihm eine Lust – und gerade aus dieser Spannung zwischen seiner Liebe zu so altmodischen Operettenformen und dem Bewußtsein ihrer Absurdität gewinnen seine Musicals Charme und Witz. Dabei gibt er sich niemals gönnerhaft, weder gegenüber seinem Publikum noch seinen Figuren, und wenn Miß MacDonald und der spröde, nette Jack Buchanan am Ende von MONTE CARLO noch einmal jenes Lied singen – jetzt zusammen aus dem Zugfenster gelehnt – und den Leuten, an denen sie vorbeifahren, freundlich zuwinken, dann ist das sowohl eine Geste voller Unschuld und Fröhlichkeit als auch in tieferem Sinne eine Geste des Abschieds von vergangenen Zeiten – vermittelt durch Lubitschs unbeschreiblichen ‹Touch›.

Aus all dem folgt natürlich, daß Lubitsch die besten musikalischen Komödien drehte – nicht nur das erste großartige Werk im ersten vollen Tonfilmjahr, THE LOVE PARADE (1929), sondern auch die schlichtweg beste Reihe: MONTE CARLO, THE SMILING LIEUTENANT, ONE HOUR WITH YOU, THE MERRY WIDOW. Keiner hat ihren besonderen Glanz übertroffen oder auch nur erreicht. (*Singin' in the Rain* von Stanley Donen und Gene Kelly nach dem Drehbuch von Comden und Green ist wohl das beste ‹moderne› Filmmusical, ich mag es sehr, doch es ist wirklich aus einem anderen Stall.) Um die Wahrheit zu sagen, keiner kam ihnen auch nur nahe. Die Astaire-Rogers-Shows aus den Dreißigern – mir gefallen Mark Sandrichs *Top Hat* und George Stevens' *Swing Time* recht gut – erscheinen im Vergleich wie billiger Flitter; und obwohl viele sich Rouben Mamoulians Film *Love Me Tonight* – eine unverblümte Lubitsch-Imitation mit dessen Stars Chevalier und MacDonald – mit Vergnügen erinnern, wirkt er heute neben dem echten Lubitsch doch reichlich angestrengt.

Lubitsch hatte einen gewaltigen Einfluß auf den amerikanischen Film. Jean Renoir hat nur wenig übertrieben, als er kürzlich zu mir sagte: «Lubitsch hat das moderne Hollywood erfunden», denn sein Einfluß war – und ist weiterhin – spürbar in der Arbeit sogar vieler sehr eigenwilliger Regisseure. Hitchcock hat mir das eingeräumt, und ein Blick auf Lubitschs TROUBLE IN PARADISE (1932) und Hitchcocks *To Catch A Thief* (Über den Dächern von Nizza, 1955 – in beiden Filmen geht es um Juwelendiebe, der Vergleich fällt also leicht) enthüllt, wie gut er von Lubitsch gelernt hat, obwohl beide Arbeiten eindeutig die Handschrift ihrer Schöpfer tragen. Billy Wilder, Co-Autor einiger Filme von Lubitsch, darunter dem wundervollen Film NINOTCHKA (1939), unternahm mehrere respektable Ausflüge in dessen Welt, andere versuchten es mit weniger bemerkenswertem Resultat. Selbst zwei so eigenständige Filmemacher wie Frank Borzage und Otto Preminger, die bei Filmen Regie führten, die Lubitsch nur produzierte – *Desire* und *A Royal Scandal* –, standen hierbei unter seinem stilistischen Einfluß, und das macht diese Filme erinnerungswürdiger als die ihren Regisseuren sonst zugeschriebenen Qualitäten. Übrigens erscheint Lubitsch im Vorspann von THAT LADY IN ERMINE, doch war das eine sentimentale Geste. Er war während der Dreharbeiten einem Herzanfall erlegen. Preminger hatte dann die Regie übernommen.

Sex, wie Lubitsch ihn in seinen Filmen mit Meisterschaft handhabte, konnte von der Beschränktheit der Zensoren, die Anfang der dreißiger Jahre das Sagen bekamen, nicht eingeschränkt werden, denn seine Methode war so indirekt und beschwingt, daß ihm fast alles durchging. Und das galt für vieles, was er tat. So konnte beispielsweise kein anderer Regisseur eine Figur direkt zum Publikum sprechen lassen (wie Chevalier in THE LOVE PARADE und ONE HOUR WITH YOU) und damit durchkommen. Das hat immer etwas Affektiertes und Gekünsteltes an sich, aber Lubitsch hielt genau die Balance zwischen Realismus und Theatralik – noch der frechste Kunstgriff wirkte wie selbstverständlich; nichts hinderte den Erzählfluß, und obwohl Lubitschs Regie spürbar war, sichtbar sogar, war sie doch nie aufdringlich.

Aber schließlich war das auch eine ganz andere Welt; es ist kein Zufall, daß mehrere von Lubitschs Filmen in märchenhaften Operettenmonarchien spielen und daß seine ‹realen› Schauplätze nicht weniger phantastisch erscheinen. Lubitsch schuf sich – was nur den besten Künstlern gelingt – ein eigenes Universum, in dem er selbst alle Regeln und Verhaltensweisen bestimmte. Jean Renoir sagte kürzlich in einem Interview: «Realität mag sehr interessant sein, doch ein Kunstwerk ist eine Schöpfung. Wenn man die Natur kopiert, ohne die eigene Persönlichkeit einfließen zu lassen, schafft man kein Kunstwerk . . . Die Realität ist für den Künstler nur das Sprungbrett . . . Das Endergebnis aber darf nicht die Wirklichkeit sein, sondern nur das, was die Schauspieler und der Regisseur oder Autor des Films daraus auswählen und sichtbar machen.» Lubitsch formulierte es auf seine Weise: Garson Kanin erzählte er einmal: «Ich war in Paris in Frankreich und ich war im Paris von Paramount. Ich glaube, ich ziehe das Paramount-Paris vor . . .»

Lubitsch hatte die einzigartige Begabung, dem leichtesten Stoff Gewicht und Nachhall zu geben, weit über den Inhalt hinaus. In Lubitschs Händen wird aus THE SHOP AROUND THE CORNER (1940) – einer bezaubernden Liebes- und Verwechslungsgeschichte, die in einem Budapester Warenhaus spielt – sowohl eine klassische Gesellschaftskomödie als auch eine bewegende Studie menschlicher Schwächen und Torheiten. Noch ein anderer Film, *In the Good Old Summertime* (Zur guten alten Sommerzeit, 1949), und ein Bühnenmusical, «She Loves Me», basieren auf derselben Story, doch sie verhalten sich zu Lubitsch wie George S. Kaufman zu Molière. Am deutlichsten wird dieser besondere Aspekt seiner Arbeit in HEAVEN CAN WAIT (1943). Aus einer lächerlich einfachen und anspruchslosen Geschichte vom Leben und Sterben eines ziemlich unbedeutenden Mannes macht Lubitsch ein bewegendes Zeugnis unserer täglichen Oberflächlichkeit und Eitelkeit, unserer kleinen Krisen und Unbesonnenheiten und unserer tiefen Verletzlichkeit der eigenen Schönheit. Das ist Lubitschs ‹göttliche Komödie›, und niemand sonst ist je so behutsam und bedacht mit den menschlichen Schwächen umgegangen. Als der Held des Films hinter einer natürlich geschlossenen Tür stirbt, zieht sich Lubitschs Kamera langsam zurück, um einen Ballsaal zu erfassen, und ein alter Walzer, den der Mann liebte, erklingt, und der Tod hat keine Gewalt mehr. Mir fällt kein Wort ein, das angemessener und bewegender Lubitschs Großzügigkeit und Toleranz vermittelt: Ein Mensch ist gestorben – lang lebe der Mensch.

Nach Lubitschs Beerdigung im Jahre 1947 gingen seine Freunde Billy Wilder und William Wyler traurig zu ihrem Wagen. Schließlich, um das Schweigen zu brechen, sagte Wilder: «Kein Lubitsch mehr», und Wyler antwortete: «Schlimmer – keine Lubitsch-Filme mehr.» Im darauffolgenden Jahr schrieb der französische Regisseur und Kritiker Jean-Georges Auriol eine liebevolle Würdigung, die in dieselbe Richtung weist; unter dem Titel «Chez Ernst» findet sie sich in Herman Weinbergs Sammlung «The Lubitsch Touch». Nachdem Auriol die Welt des Regisseurs mit einem besonders guten Restaurant verglichen hat, wo das Essen perfekt und die Bedienung tadellos war, fährt er fort: «Wie kann ein Kind, das am Ende der Sommerferien weint, getröstet werden? Man kann ihm erzählen, ein anderer Sommer werde kommen, der genauso wundervoll sein werde. Doch daraufhin weint es noch mehr, unfähig zu erklären, daß es nie wieder dasselbe Kind sein wird. Lubitschs Publikum empfindet wie dieses Kind, und es weiß nur allzu gut, daß ‹Ernst's› wegen Todesfall geschlossen ist. Dieses einzigartige Restaurant wird nie wieder öffnen.»

(Zuerst in: Esquire, November 1972, nachgedruckt in: Peter Bogdanovich: Pieces of Time. New York 1973. Hier erstmals auf deutsch)

François Truffaut
Lubitsch war ein Fürst

Zunächst ist da das ganz besonders leuchtende Bild der Vorkriegsfilme, ich liebe es sehr. Die Personen sieht man als kleine, dunkle Silhouetten auf der Leinwand. Sie treten durch Türen in die Dekoration, die dreimal so groß sind wie sie selbst. Wohnungsnot gab es damals nicht, und in den Straßen von Paris war, weil überall an den Häusern stand: «Wohnung zu vermieten», das ganze Jahr hindurch 14. Juli.

Die großen Filmdekorationen von damals stahlen den Stars die Schau, der Produzent ließ sie sich etwas kosten, ins Auge fallen mußten sie, denn der Mann mit der Zigarre wollte etwas sehen für sein Geld, und ich bin sicher, er hätte den Regisseur vor die Tür gesetzt, der sich getraut hätte, einen Film nur in Großaufnahmen zu drehen.

Damals setzte man die Kamera, wenn man nicht genau wußte, wohin mit ihr, möglichst weit weg, heute pflanzt man sie im Zweifelsfall dem Schauspieler unter die Nasenlöcher. Von der bescheidenen Unzulänglichkeit ist man übergegangen zur anspruchsvollen.

Diese wehmütige Vorrede ist bei einer Vorstellung Lubitschs durchaus angebracht, der nämlich war fest davon überzeugt, es wäre besser, in einem Palast zu lachen, als im Hinterzimmer eines Eckladens zu weinen. Ich merke schon, wie André Bazin sagte, es bleibt mir nicht die Zeit, es kurz zu machen.

Wie alle Stilisierungskünstler fand Lubitsch, bewußt oder unbewußt, zur Darstellungsweise der großen Märchenerzähler zurück. In ANGEL vereint ein peinliches und unerquickliches Essen Marlene Dietrich, Herbert Marshall, ihren Ehemann, und Melvyn Douglas, ihren Liebhaber für eine Nacht, den sie nie wiederzutreffen glaubte und den ihr Mann ganz zufällig zum Essen mitgebracht hat. Wie so oft bei Lubitsch, verläßt die Kamera in dem Augenblick, in dem die Situation ihren Siedepunkt erreicht, die Gartenseite und nimmt uns mit zur Hofseite, wo wir um so besser die Folgen genießen können. Wir sind in der Küche. Der Butler kommt und geht, zuerst bringt er Madames Teller: «Komisch, Madame hat ihr Kotelett nicht angerührt.» Dann der Teller des Gastes: «Sowas, der auch nicht.» (Tatsächlich hat er sein Kotelett nicht gegessen, aber in hundert kleine Stücke zerschnitten.) Der dritte Teller kommt leer zurück: «Aber Monsieur scheint das Kotelett geschmeckt zu haben.» Das ist genau «Lockenköpfchen» im Haus der drei Bären: Papa Bärs Brei war zu heiß, Mama Bärs Brei war zu kalt, Baby Bärs Brei ganz genau richtig. Gibt es überhaupt eine notwendigere Literatur als diese?

Hier nun war der erste gemeinsame Punkt zwischen dem Lubitsch-Touch und dem Hitchcock-Touch, der zweite ist wahrscheinlich die Art und Weise, wie sie das Problem des Drehbuchs angehen. Scheinbar geht es darum, eine Geschichte in Bildern zu erzählen, und auf diesem Punkt bestehen beide auch in ihren Interviews. Das stimmt aber nicht. Sie lügen nicht zum Vergnügen, auch nicht, um sich über uns lustig zu machen, nein, sie lügen der Vereinfachung halber, weil die Wirklichkeit zu kompliziert ist, und es steht eher dafür, seine Zeit auf die Arbeit zu verwenden und darauf, sich zu perfektionieren, denn mit Perfektionisten haben wir es in ihrem Fall zu tun.

In Wahrheit geht es darum, gerade keine Geschichte zu erzählen, vielmehr das Mittel zu suchen, sie überhaupt nicht zu erzählen. Es gibt natürlich die Grundlage des Drehbuchs, die sich in ein paar Zeilen zusammenfassen läßt; meist geht es darum, wie eine Frau einen Mann verführt, von dem sie nichts wissen will, oder umgekehrt, oder um die Einladung zur Sünde einer Nacht, zum Vergnügen, dieselben Themen wie bei Sacha Guitry. Das Entscheidende ist, daß das Sujet nie direkt abgehandelt wird. Wenn wir nun vor den Zimmertüren stehenbleiben, während alles drinnen passiert, wenn wir bei den Dienstboten sind, während alles im Salon passiert, und im Salon, wenn es auf der Treppe passiert, und in der Telefonzelle, wenn es im Keller passiert, so deshalb, weil sich Lubitsch ganz bescheiden sechs Wochen am Schreibtisch den Kopf zerbrochen hat, um am Ende den Zuschauern zu gestatten, sich selbst das Drehbuch zu konstruieren, gleichzeitig mit ihm, während auf der Leinwand der Film abläuft.

Es gibt zwei Arten von Filmemachern, und das trifft genauso auf Maler und Schriftsteller zu: die einen, die auch auf einer einsamen Insel weiterarbeiten würden, ohne Publikum, und die anderen, die aufhören würden: was solls? Also kein Lubitsch ohne Publikum, aber aufgepaßt, das Publikum kommt nicht hinzu zum schöpferischen Akt, es steckt mit drin, es ist ein Teil des Films. Zum Ton eines Lubitsch-Films gehören der Dialog, die Geräusche, die Musik und unser Lachen, das ist ganz entscheidend, sonst gäbe es den Film nicht. Die sagenhaften Drehbuchellipsen funktionieren nur, weil unser Lachen die Brücke von einer Szene zur anderen schlägt. Im Lubitsch-Emmentaler ist jedes Loch genial.

Der so viel und falsch gebrauchte Ausdruck «Inszenierung» bedeutet endlich etwas, hier ist sie ein Spiel, das man nur zu dritt spielen kann und nur solange der Film läuft. Wer die drei sind? Lubitsch, der Film und das Publikum.

Das hat nun alles nichts mehr zu tun mit dem Kino von der Art des *Doktor Schiwago*. Wenn Sie mir sagen: «Ich habe gerade einen Lubitsch gesehen, in dem es eine überflüssige Einstellung gibt», werde ich Sie einen Lügner schimpfen. Dieses Kino ist nämlich das genaue Gegenteil alles Vagen, Ungenauen, Unformulierten, es enthält keine bloß dekorativen Einstellungen, nichts was nur da wäre, um Eindruck zu schinden: nein, von Anfang bis Ende steckt man bis zum Hals im Wesentlichen.

Auf dem Papier existiert eine Lubitsch-Geschichte gar nicht, sie hat auch keinen Sinn mehr nach der Vorführung, alles passiert, während man den Film sieht. Eine Stunde, nachdem Sie ihn gesehen haben oder ihn auch zum sechsten Mal wiedergesehen haben, wette ich mit Ihnen, daß es Ihnen absolut unmöglich ist, die Handlung von TO BE OR NOT TO BE nachzuerzählen.

Wir, das Publikum, wir waren da, im Dunkeln, die Situation auf der Leinwand war klar, sie spannte sich zum Zerreißen; um uns zu beruhigen, wollten wir die folgende Szene vorwegnehmen, wobei wir natürlich auf unsere Erinnerungen als Zuschauer zurückgriffen. Aber Lubitsch, wie alle Genies vom Widerspruchsgeist besessen, hatte auch selbst schon alle vorhandenen Lösungen für sich Revue passieren lassen, um auf die zu kommen, die vor ihm noch niemand eingefallen war, die undenkbare, die ungeheure, köstliche und verwirrende. Stürmisches Gelächter – ja, wenn sich die «Lubitsch-Lösung» offenbart, dann bricht das Gelächter wirklich los wie ein Sturm.

Man könnte natürlich, wenn man diese Arbeitsdisziplin beschreibt, von «Respekt vor dem Publikum» sprechen, aber die Wendung hat zu oft als Alibi herhalten müssen für die schlimmsten Dokumentarfilme und schlechthin unverständliche Fiktionen. Lassen wir sie beiseite und bringen wir statt dessen ein treffendes Beispiel.

Während einer Cocktailparty in TROUBLE IN PARADISE schaut Edward Everett Horton mißtrauisch auf Herbert Marshall. Er sagt sich, daß er dieses Gesicht schon irgendwo gesehen hat. Wir wissen, Herbert Marshall ist der Taschendieb, der zu Beginn des Films im Zimmer eines Hotelpalasts in Venedig den armen Horton niedergeschlagen und bestohlen hat. Horton muß sich nun irgendwann erinnern, und was würden in dem Fall neun von zehn Filmern, diese faule Bande, was würden wir wahrscheinlich machen? Man zeigt jemanden, der in seinem Bett liegt und schläft, es ist Nacht; mitten im Schlaf fährt er hoch und schlägt sich vor die Stirn: «Das war's! Venedig! Oh, der Schuft!» Wer ist hier der Schuft? Doch wohl der, der sich mit einer so willkürlichen Lösung zufrieden gibt. Das ist nichts für Lubitsch, der sich eine Wahnsinnsmühe gibt, der sich ein Bein ausreißt und denn auch zwanzig Jahre zu früh stirbt. So macht es Lubitsch. Er zeigt Horton, wie er eine Zigarette raucht und sich offensichtlich fragt, wo er Herbert Marshall früher schon einmal gesehen hat, er zieht nochmals nachdenklich an seiner Zigarette, dann drückt er sie in einem silbernen Aschenbecher aus, der die Form einer Gondel hat . . . Einstellung auf den Gondel-Aschenbecher, dann wieder das Gesicht, wieder der Aschenbecher . . . Gondel . . . Venedig! Verdammt, Horton hat begriffen, bravo, und jetzt gonduliert sich das Publikum vor Lachen, und Lubitsch ist vielleicht da, hinten im Dunkel des Saales, beobachtet seine «audience», wie Fredric March in DESIGN FOR LIVING, oder er wirft ein Auge auf den Souffleur, der Hamlet auf die Rampe zugehen sieht und ihm aufs Geratewohl souffliert: «To be or not to be!»

Ich habe von dem gesprochen, was man lernen kann, ich habe vom Talent gesprochen, ich habe davon gesprochen, was man sich notfalls auch kaufen kann, wenn man bereit ist, etwas springen zu lassen, aber was man weder lernen noch kaufen kann, das ist der Charme und die Boshaftigkeit, Lubitschs boshafter Charme: Er hat aus ihm wirklich den Fürsten gemacht.
(Cahiers du Cinéma, Februar 1968. Deutsch von Frieda Grafe und Enno Patalas in: François Truffaut: Die Filme meines Lebens. München 1976, S. 58–62)

Billy Wilder
«. . . und auf einmal war es Lubitsch»

Heinz-Gerd Rasner/Reinhard Wulf: Kann man aus der Tatsache, daß die Regisseure Ihrer ersten beiden Drehbücher selbst deutsche beziehungsweise österreichische Emigranten waren, schließen, daß die Emigranten sich gegenseitig bei der Suche nach Jobs unterstützt haben?

Billy Wilder: Nein, überhaupt nicht. Eigentlich war man da ziemlich auf sich allein gestellt, lag jeder in Konkurrenz mit dem anderen. Aber es war natürlich für mich schon leichter, bei einem deutschen Regisseur einen Job zu kriegen, der meine Arbeit kannte, als bei einem Amerikaner, für den ich ein völlig Unbekannter war. Jeder wollte natürlich für Lubitsch arbeiten, aber das war sehr schwierig. Ich kannte Lubitsch zwar von Parties her, aber Lubitsch hat bewußt keine deutschen Drehbuchautoren engagiert, weil er bei den Amerikanern nicht den Eindruck erwecken wollte, er würde da irgendwie Protektion oder Nepotismus pflegen.

Rasner/Wulf: Sie haben es dann schließlich doch geschafft, zwei Drehbücher für Lubitsch zu schreiben, BLUEBEARD'S EIGHTH WIFE und NINOTCHKA.

Wilder: Ja, das war aber wirklich nicht leicht, und Lubitsch war auch am Anfang etwas skeptisch. Später, bei NINOTCHKA, waren wir sogar zwei Deutsche, der Reisch und ich, und dann noch der Brackett. Aber nach ein, zwei Wochen hat es Lubitsch gefallen, was wir ihm da gebracht haben. Die Wahrheit ist natürlich, daß Lubitsch selbst der beste Drehbuchautor seiner Filme war, obwohl sein Name nie auf der Leinwand erschien in dieser Funktion. Es gab keinen Autor und keinen Regisseur, der für diese Art von Filmen, die er machte, besser war als Lubitsch selbst.

Rasner/Wulf: Hat Lubitsch während des Drehens die Drehbücher verändert oder hat er in der Entstehungsphase mitgearbeitet?

Wilder: Während des Drehens nicht, nie. Aber er hat regelrecht am Drehbuch mitgeschrieben, saß tagelang mit uns zusammen, bei beiden Filmen. Er war ein vollwertiger Mitarbeiter ohne credit. Und es war immer wieder überwältigend mitzuerleben, was dem Mann da spontan so alles einfiel. Der hat ein ganz anderes Gehirn gehabt als gewöhnliche Menschen! Wenn wir eine Szene geschrieben hatten, der Brackett und ich, dann kam Lubitsch dazu, hat es irgendwie ein bißchen geknetet, hat es ein bißchen gedreht und hat so ein paar kleine Lichter draufgesetzt, hat es noch etwas eleganter gemacht, und auf einmal war es Lubitsch. Ein ganz besonderes, seltenes Talent. Und das hat er mit ins Grab genommen.

Rasner/Wulf: Kannten Sie Lubitsch schon von seinen deutschen Filmen her?

Wilder: Natürlich kannten wir die großen Lubitsch-Filme. Er war doch schon Lubitsch in Deutschland gewesen. An KOHLHIESELS TÖCHTER erinnere ich mich, mit der Henny Porten und dem Jannings. Und dann all die Filme, die nach Deutschland kamen: THE MARRIAGE CIRCLE, THE LOVE PARADE, MONTE CARLO . . .

Die große Lubitsch-Idee ist doch, daß das Publikum für ihn arbeitet. Ein mittelmäßiger oder auch ein guter Regisseur sagt dem Publikum: «Zwei und zwei ist vier.» Aber der Lubitsch ist gekommen und hat nur gesagt: «Zwei und zwei . . .», und das Publikum hat es selbst zusammengezählt: «Aha, vier!» Er hat sie dazu gebracht, sein Spiel mitzuspielen, er hat es nicht einfach so flach serviert. Da wurde immer die Phantasie des Publikums miteinkalkuliert. Die mußte natürlich vorher stimuliert, unmerklich in eine ganz bestimmte Richtung gelenkt werden. Und das steckte schon alles in den Drehbüchern drin. Lubitsch war ein Mann, der vollständig vorbereitet war, wenn er ans Drehen ging. Nicht einer der Scherze in seinen Filmen wurde da erst am Drehort erfunden.

Immer wenn ich eingeladen werde, vor Filmstudenten zu sprechen – was ich nicht besonders gern tue –, wenn ich dann keine Lust mehr habe, über meine eigenen Filme zu reden, sage ich: «Passen Sie auf, wir sprechen lieber über Lubitsch.» Und dann führe ich immer so ein bißchen vor, wie der Lubitsch mit einem gearbeitet hat: «Wir haben folgende Situation. Da ist ein König, gespielt vom Georges Barbier, diesem großen, dicken Schauspieler; wir haben eine Königin, das ist die Una Merkel; und wir haben einen Leutnant, das ist der Chevalier. Ich möchte jetzt, daß Sie mir dramatisieren, daß der Leutnant ein Verhältnis mit der Königin hat und daß der König es eines Tages durch Zufall herausfindet. Heute ist Freitag, kommen Sie am Dienstag mit der fertigen Szene, ich möchte sie dann sehen.»

Wenn man eine solche Ausgangssituation an fünftausend Autoren verteilte, keiner würde herausfinden, wie es der Lubitsch gemacht hat. Die Szene ist aus THE MERRY WIDOW und ist, glaube ich, ein sehr schönes Beispiel für die Technik Lubitschs, obwohl man aus jedem seiner Filme ein Dutzend gleichwertiger Beispiele anführen könnte: Man sieht ein Schloß, ein Schlafzimmer, den König und die Königin. Die Königin liegt noch im Bett, der König zieht sich an, küßt seine Frau und geht aus dem Zimmer. Draußen vor der Tür steht der Chevalier auf Wache. Der König geht vorbei, der Chevalier salutiert, der König verschwindet um die Ecke. Im gleichen Augenblick dreht sich der Chevalier um und geht ins Schlafzimmer zur Königin. Er macht die Tür zu, der Zuschauer sieht nichts, nur die Tür von draußen, die Kamera geht nicht mit ihm hinein. Jetzt wieder der König: Er geht die Treppe hinunter und merkt, daß er vergessen hat, seinen Säbel umzuschnallen. Also geht er langsam wieder die Treppe hoch, Richtung Schlafzimmer, das Publikum wartet schon auf den Knall, den es da geben wird. Er macht die Tür auf, geht hinein, macht die Tür zu. Wir sind wieder draußen, malen uns aus, was jetzt im Zimmer passiert. Die Tür geht wieder auf, der König kommt heraus, seinen Säbel in der Hand, er lächelt. Nichts gemerkt, kein Knall. Er geht langsam weg, will den Säbel umschnallen – der Gürtel ist viel zu eng, es ist gar nicht seiner! Und jetzt durchschaut er die Situation, geht zurück und findet den Chevalier unterm Bett. Jeder hätte es anders gelöst, aber keiner hätte es so elegant, so witzig und so spannend fürs Publikum gemacht wie der Lubitsch.

Rasner/Wulf: Es gibt ja mindestens einen Film von Ihnen, bei dem die Anklänge an den Lubitsch-Touch sehr deutlich sind, das ist *Love in the Afternoon.*

Wilder: Ja, ein bißchen. Ich hab's natürlich auch versucht, immer wieder versucht. Besonders die Szene, in der der Cooper im Hotelzimmer sitzt, sich betrinkt, und die Zigeuner spielen. Der Gag mit dem Wagen, den Flaschen und den Gläsern, die sich dauernd hin und her schieben. Man versucht doch immer, die Meister zu kopieren, und manchmal ist die Sache sogar ganz erfolgreich. Aber es ist immer nur «wie Lubitsch», Lubitsch-Schule, nie Original-Lubitsch. So wie bei Rembrandt und seinen Schülern. Ich wollte, er wäre nicht so früh gestorben und ich hätte seine Technik noch etwas länger studieren können. [. . .]

(Heinz-Gerd Rasner/Reinhard Wulf: «Ich nehm' das alles nicht so ernst . . .». Gespräch mit Billy Wilder. In: Billy Wilders Filme. Berlin 1980)

Filme von Ernst Lubitsch

45 Kommentare

41 von den fast siebzig Filmen, die Ernst Lubitsch zwischen 1914 und 1947 inszeniert hat, sind uns erhalten und konnten für die Arbeit an diesem Buch besichtigt werden. 21 Autorinnen und Autoren wurden von den Herausgebern eingeladen, über einen oder mehrere dieser Filme zu schreiben. Die Texte sind so verschiedenartig ausgefallen, wie wir es erwartet haben. Zu vier verlorengegangenen, aber für Lubitsch besonders wichtigen Filmen fanden wir zeitgenössische Kritiken, die einen Eindruck von den Filmen vermitteln. Zu allen anderen Titeln, vor allem aus den Jahren 1914 bis 1918, die auch in der damaligen Fachpresse nur unzureichend beschrieben wurden, gibt es Hinweise in der Filmografie (Seiten 200–222). Sie enthält auch die einschlägigen Stab-, Darsteller- und Produktionsangaben zu den 45 Filmen, die hier kommentiert werden.

Schuhpalast Pinkus (1916)

«Lubitsch war Berliner und blieb Berliner bis an sein Lebensende. Schon als Lehrling im Konfektionsgeschäft seines Vaters wußte er genau, was er wollte. Ernst wollte Komiker werden», schrieb Kurt Pinthus in seinem Nachruf. Die besten Komödienregisseure waren selber Komiker.

Ein sagenhafter Aufstieg vom Lehrling zum Inhaber eines Schuhsalons. Salomon, genannt Sally Pinkus (Ernst Lubitsch), verbummelt lieber sein Leben, als sich dem Drill kaiserlich-deutscher Erziehung zu Ordnung und Pünktlichkeit zu unterwerfen. Aus der Schule geflogen, findet er unverhofft eine Lehrstelle im Schuhgeschäft, wo er mit der Tochter des Chefs flirtet und überhaupt, wo immer er unter Frauen auftaucht, Hahn im Korb wird. Auch wo ihn die Umstände gerupft entlassen, steigt er die Leiter des Erfolges hoch. Einer eleganten Kundin macht er den Hof, schwatzt ihr eine falsche Schuhgröße auf, vermasselt seinem Chef die Tour und bringt die Kundin schließlich dahin, ihm einen Kredit einzuräumen, mit dem er seine eigene Firma gründen kann. Anstatt den Kredit zu tilgen, heiratet er die kreditgewährende Partei. So tilgt er den Vorschuß mit erotischem Versprechen. «Dann bleibt's in der Familie», das Geld.

Die Sensation des Augenblicks lenkt Sallys Leben. Die Anforderungen der allgemeinen Ordnung, die einen Blick auf lange Sicht propagieren, unterläuft er. Er ist ihnen nicht gewachsen, das heißt nicht groß genug, weder körperlich noch seelisch, um seinen Bedürfnissen einen Aufschub zu gewähren. Er taxiert die Gegenwart, er tastet sich in keine Zukunft. Er hat keine, deshalb kann er sich im Augenblick so voll entfalten. Der Schüler Sally zettelt viel Bewegung in wenig Raum an, das ist seine erste Eroberung: Räume nicht zu beherrschen, sondern ihrer Enge zu entgehen. Die Überstürzung macht ihm Beine. Er flieht das Elternhaus, die Schule und bringt, hält er sich zeitweilig dort auf, Unordnung in die Ordnung. Bettenschlacht zu Hause, Gerangel in der Schule.

Sally geht lieber in die Höhe als geradeaus. Beim Bockspringen versagt er, beim Klettern ist er schnell oben auf der Stange. Von dort fällt sein Blick über die Mauer zu den Mädchen, die ihm lachend Äpfel zuwerfen. Der Lehrer wittert Gefahr und will die erotischen Freiheiten, die sich der Schüler herausnimmt, unterbinden. Eine komische Gegenbewegung: Sally ist längst auf dem Boden, als der Lehrer oben keuchend seinem unverschämten Blick nachsieht.

Am Eisstand ist Sally umringt von Mädchen. Sie füttern ihn. Er läßt es sich gefallen: verbotene Früchte, die eben noch nicht greifbar waren. Er sondiert seine Welt mit der Zunge. Dieser Komiker hat ein paradiesisches Potential, Schule und Arbeit zu transzendieren durch die lockende Unmittelbarkeit, der seine Begierden sich allerorten anheften.

Sein Körper schlägt unentwegt Rad. so demonstrativ sind die Signale des Wohlbefindens, der

Überlegenheit, der Grandiosität. Freude über eine wahrgenommene Sinnlichkeit wird durch die herausgestreckte Zunge angezeigt, was im nächsten Augenblick auch «diebische» Freude bezeichnen kann. Die Daumen, die Hände fahren ungeniert in den Mund («Nachdenken»), kratzen am Hinterkopf («Verlegenheit»), kitzeln die Kundin an der Fußsohle («Vorlust»).

Die Glieder dieses Komikers führen ein Eigenleben. Sie können aus der Haut nicht fahren, wohl aber aus der Fasson fallen, und das tun sie bei Lubitsch auf das Heftigste. Jede seiner Gesten geht einher mit zwingender Eindeutigkeit, so daß sein Interesse sich durchsetzt, noch ehe es verbal artikuliert differenzierter ausfiele. Die Gesten gelten den sogenannten Grundbedürfnissen nach Schlafen, Essen, Lieben. Als komisch gilt, wenn diese unverblümt sich ausdrücken. Dabei wird im Lachen über die Krudheit des zwingenden Ausdrucks leicht übersehen, daß jede dieser Gesten vom Reich der Notwendigkeit – eben Arbeit und Reproduktionssphäre der Menschen – entschieden ablenkt, um ins Reich der Freiheit zu locken.

Schuhpalast Pinkus: *Ernst Lubitsch (links)*

Wenn das auch schon verbaut ist, darf man wenigstens, ist die Lektion, einen Blick ins verbotene Paradies riskieren – um den Preis der Bestrafung, der Vertreibung und sozialen Ächtung. Sally Pinkus liebt das Risiko.

Er flirtet mit der Tochter des Schusters und glaubt sich dabei hinter einer Wand von Schuhkartons geborgen. Er ist aber bloß vorübergehend fremden Blicken entzogen. Denn sein Übereifer läßt ihn die lose Wand einreißen, weil es ihn hinriß. In Verfolgung seiner Glücksinteressen hat er Pech. Bleibt er darin unbeirrbar, gibt es wohl Rückschläge, aber kein ernsthaftes Hindernis. Also bleiben nur komische Hindernisse wie Autoritäten oder Konventionen. Sally spielt alle Väter an die Wand. Das verschafft ihm Autorität bei den Frauen.

Hier herrschen zwei Arten der Choreographie. Sally erzählt den ihn umringenden Verkäuferinnen im Schuhsalon einen vermutlich schlüpfrigen Witz, um dann, als der Substitut die Frauen zur Ordnung ruft, selber flüssig unter denen wegzutauchen. Die Frauen sind für sein Interesse bloß ein körperliches Element, in dem er störungsfrei erscheinen und verschwinden kann, weil er sich selbst zum Teil jener Masse macht. Sally Pinkus ist ein Künstler der Amalgamation. Die disparatesten Räume verschmelzen in der Bewegung seiner Glieder.

Schuhpalast Pinkus: *Ernst Lubitsch*

Im moralischen Urteil wäre Sally Pinkus ein wendiger Opportunist. Aber Lubitsch fällt keine moralischen Urteile, die Menschen einteilen in gut und schlecht. Sie *sind* einfach gut und schlecht; mit dieser Diagnose machte Lubitsch Aufsehen. In Wahrheit handelt Sally als aufgeklärter Gefangener seiner Sinnlichkeit, ist also auch ein Zerrissener, den die anstürmenden Begierden beuteln.

Zu dieser Szene schafft Lubitsch eine Gegenszene, die einer anderen Choreographie folgt. Sally ist jetzt Chef des Schuhpalastes, aber noch ein Chef auf Pump, deshalb «ganz» Chef. Von der Freitreppe im Laden hat er einen langen Gang in den Vordergrund. Seine Angestellten schrecken bei diesem Defilee aus ihrer Privatheit in sein Profitinteresse hoch. Er maßregelt nun die Unordnung, die er früher selber überall anzettelte. Die Angestellten verschwinden, einer nach dem anderen, von der Bildfläche. Der Chef steht allein da. Die Arbeit wird nicht sichtbar um ihn. So muß er einen Ausweg suchen.

Er verfällt auf eine Reklame, durch persönlichen

Einsatz: Er verschafft sich einen husarenhaften Auftritt in einer Theaterloge und stellt die Darbietung auf der Bühne damit in den Schatten. Immer muß er mehr scheinen als sein, um mehr zu werden. Aus einem Schuhsalon macht er einen Schuhpalast. Aus einem Schuhverkauf macht er eine Stiefelschau. Er fetischisiert seinen eigenen Ort des Begehrens. Sally Pinkus ist Reklame und Ware zugleich, ein fleischgewordenes Versprechen.

Ernst Lubitsch verkörperte den sinnlichen Mehrwert, den das Kino immer verspricht und selten einlöst.

KARSTEN WITTE

Wenn vier dasselbe tun (1917)

Ein Film wie aus einer anderen Welt; seine Bilder reden immer auch von der Attraktion ihrer bloßen Existenz, die dem Zuschauer als Ereignis übermittelt wird. Das Vertrauen in die Kraft der Imagination ist noch unvollkommen. Mit dem auf die Kamera gerichteten Spiel vergewissern sich die Szenen ihrer Wirkung, so als ob die Reaktionen des Publikums ihre Folge beeinflussen könnten. In solchen Bruchstellen, die hier noch als Spuren vorhanden sind, ist die Archäologie des Films überliefert. Was uns fremd erscheint, sind die Anfänge einer Sprache, die einmal zu uns gehört hat.

Die dramaturgische Konstruktion von Lubitschs späteren Komödien ist hier aufs nackte Gerüst reduziert. Die Vervielfachung von Verhaltensformen und die ironisch versöhnende Verdoppelung von Handlungsverläufen sind in diesem Film als mechanisches Nebeneinander angelegt, das nur in wenigen Momenten sich zueinander wendet.

Die Geschichte erzählt von einem Witwer (Emil Jannings), der seine Tochter (Ossi Oswalda) aus dem Mädchenpensionat nach Hause holt, weil er sich einsam fühlt. Die Tochter provoziert im Zug die Aufmerksamkeit eines Dichters (Fritz Schulz), der als Gehilfe bei einer Buchhändlerin (Margarete Kupfer) seinen Unterhalt verdienen will. Sie, eine etwas sauertöpfische Witwe, bestimmt mit erhobenem Zeigefinger die Beziehung zu ihrem Gehilfen: Sie ist die Chefin und auch seine Zimmerwirtin. Freude herrscht dagegen im Haus des Witwers, der mit seiner Tochter gar nicht genug Küsse tauschen kann. In der Buchhandlung lernen sich die Paare näher kennen. Auf Tanzbällen finden Ossi und der Dichter, der Witwer und die Buchhändlerin zusammen. Eine Doppelhochzeit besiegelt den endgültigen Wechsel der Partner.

Von vornherein verhalten sich die vier zueinander, als gehörten sie zu einer Familie. Die Entwicklung der wechselnden Zweierbeziehungen steht unter dem Druck, ein ehrbares Ende herbeiführen zu müssen. Die solchem äußeren Zwang gehorchende Handlung funktioniert unter der Voraussetzung statischer Charaktere, deren Fundament ihr sozialer Status innerhalb der Familie ist. Die Attribute des sozialen Standes – der Bart des Witwers, die Kette der Buchhändlerin, die Locken des Dichters und der Matrosenanzug von Ossi Oswalda – wirken gleichzeitig als sexuelle Zeichen. Als der Witwer und die Buchhändlerin sich kennenlernen, zwirbelt er das erste von vielen Malen seinen Bart, und sie spielt verlegen-hoffend mit ihrer Perlenkette. Und das asexuelle Pathos des Dichters korrespondiert mit der ins Kindliche verharmlosten Sexualität der Tochter. In der Maske der Unschuld darf sie die Röcke fliegen lassen, im Nachthemd ein Rad schlagen und ihre Freundinnen mit einem Schlag auf den Po begrüßen. Daß das Kostüm der Unschuld bewußt gewählt ist, damit es um so ungestrafter gelüpft werden kann, versteht sich von selbst.

Möglicherweise ist der Zwangscharakter der sich kreisförmig schließenden Handlung und der rastlosen Inszenierung typisch für die deutsche Filmproduktion in der letzten Phase des Weltkriegs. Im Gefühl des Ausgeliefertseins an anonyme Instanzen läßt sich schwerlich spielerische Phantasie entwikkeln. Wo das Individuum aus eigener Kraft nichts mehr zu bewegen vermag, bietet die Komödie einen ins Leere gerichteten Aktionismus auf; mit ihm soll das Bewußtsein der Lähmung verscheucht werden, und er bringt doch nur die Sinnlosigkeit jeglicher Aktivität um so deutlicher ans Licht.

WERNER SUDENDORF

Das fidele Gefängnis (1917)

Es sind Komplizenschaften, aus denen Verwechslungskomödien erst entstehen: Beim Frühstück Kitty Dewalls tiefer Augenaufschlag für das Dienstmädchen und im langen Korridor mit den vielen Zimmern das gemeinsame Suchen nach Schnucki, dem Hausherrn. Die schelmische Frage durch die noch geschlossene Wohnungstür, wo er denn heute nacht gewesen sei, und unser Wissen, daß im Treppenhaus der Postbote steht, auf dessen Gesicht die kühnsten Erwartungen dann spielen. Vor allem aber – nachdem die beiden Frauen die Suche aufgegeben haben – die kleine Kameraneigung von der am Schreibtisch den Haftbefehl lesenden Dewall auf den berauscht schlummernden Ehemann Harry Liedtke zu ihren Füßen. Und auch kurz darauf sein gequälter Blick ins Publikum: «Mir ist ja soo schlecht.» Dazwischen groß die Mausefalle, unerwartet hinter den Draperien und Fauteuils, der

Chaiselongue und dem Fernsprecher, hinter den Requisiten luxuriöser Eleganz; Zeichen dafür, daß der Lubitsch-Film weitergeht, den langen Weg vom Boulevardtheater zum Kino und den kurzen Gang durch Haus-, Küchen-, Boudoir-, Mädchenkammer- und Schlafzimmertüren. Bis hinaus auf die Straße, wo die Vielfalt des Geschehens herausfordert zum ironischen Vergleich.

Jeder Raum führt in einen anderen; die aufwendigen Ausstattungen präsentieren das Versteckte, das sich in immer neuen Kostümierungen verheimlicht; selbst die Gefängniswände sind stilvoll dekoriert. Wenn die Kulissen von sich reden machen, wenn ihr verschwiegenes Konspirieren mit den unausgesprochenen Wünschen raffiniert sich äußert, dann verführt der Blick in den Spiegel durch das Schaufenster des Hutgeschäfts zum Ehebruch, und jede Schokoladenkonfiserie gefährdet die öffentliche Moral. Oder: Die reizvolle Ehefrau zeigt sich mit schwarzer Maske, der elegante Salonlöwe probiert das Proletenkostüm, die kesse Mizzi poussiert im glitzernden Abendkleid, und der herausgeputzte Parvenü flaniert als aufdringlicher Schürzenjäger, gibt den gockeligen Liebhaber, spielt den Part des Ehemanns, läßt sich anstelle Liedtkes arretieren, wird also von den Knastbrüdern als erfolgreicher Hochstapler anerkannt – zu allem ähnelt er noch dem Regisseur. Die Konventionen geraten ins Taumeln, berauscht liebt der einsame Gefangenenwärter seinen Direktor, und die Landessitten des Fürsten Zsbrschowsky weitherzig auslegend, küßt der Gast die Frau des Gastgebers.

Je attraktiver die Besucher des Festes beim Fürsten, desto eiliger stürzen die Pagen herbei, und nach Kitty Dewalls Auftritt steckt ein Pulk stattlicher schwarzer Männer verzückt die Köpfe zusammen: Das Begehren pulsiert in den Dekors; Liedtke entwindet sich dem Kreis der vielen Frauen, skrupellos drängt er seinen besten Freund von der Seite der hofierten Unerkannten, um, während die fließenden Ornamente der Rollschuhballetteusen und das dichte Wirbeln der tanzenden Paare übers Parkett gleiten, im Séparée leichtfertig zu flirten mit der Maskierten – dabei das verleugnete Pfand seiner ungewußten Treue einbüßend.

So verdreht waren die Verhältnisse, daß sie nicht mehr ganz dieselben sind, auch wenn schließlich jeder und alles seinen Platz findet: Die Verehrer fliegen die Treppe hinunter samt Blumenstrauß, der Ehering steckt am Finger des Ehemanns, das Dienstmädchen verschwindet mit dem zwielichtigen Galan, die Geliebte entlarvt sich dem Liebhaber als seine Ehefrau, und zu allerletzt beglückt Harry Liedtke Kitty Dewall lächelnd mit einem diskreten Versprechen, dessen wortloses Geheimnis wir erahnen dürfen in den vagen Falten des Kinovorhangs.

Michael Esser

Ich möchte kein Mann sein (1918)

Anläßlich seines Films *The Scarlet Empress* nimmt Josef von Sternberg für eine kurze Massenszene ein paar Meter aus dem Lubitsch-Film The Patriot und fügt sie so geschickt ein, daß es niemand bemerkt, nicht einmal Lubitsch selbst. Er wird sogar von Lubitsch, damals Produktionschef der Paramount, der Extravaganz bezichtigt, für eine so kurze Szene einen derartigen Aufwand zu treiben. Sternberg hat nie versucht, den wahren Sachverhalt zu erklären. Der Meister der Kalkulation mit seinen eigenen Mitteln geschlagen. Lubitsch ist ein sorgsamer marktbewußter Kaufmann. Das Konkurrenzprinzip und immer neue technische Innovationsschübe sind für Lubitsch unverzichtbare Antriebskräfte. «Nach zwei Erfolgen war ich vollkommen draußen, und da ich nicht aufgeben wollte, sah ich mich vor die Notwendigkeit gestellt, selbst Rollen für mich zu schaffen.» Die Filme von Ernst Lubitsch sind geprägt von einer Aufsteiger-Obsession, der Angst, das einmal Erreichte wieder zu verlieren. Der junge Lubitsch muß frech und geistesgegenwärtig sein, weil er sich auf neuem und unsicherem Gelände bewegt. Er muß aufpassen, daß er nicht fällt, nicht in plötzlich auftauchende Löcher abstürzt. Komplementär zum Frechdachs/Komiker Lubitsch ist Hermann Thimig in Die Bergkatze und Die Flamme. Thimig ist eine männliche Jungfrau, die dem Phänomen Frau, der Sexualität, mit Unsicherheit, Verschämtheit, Angst begegnet. Emil Jannings als versoffener kindhafter Gefängniswärter Frosch in Das fidele Gefängnis küßt seinen Direktor, weil der so «nett» ist.

Curt Goetz, der «Vormund», trägt Hosen, die etwas zu kurz geraten scheinen. Hochwasser. Wie ein Storch im Salat. Oder war das damals Mode? (In Richard Oswalds Homosexuellenfilm trägt Conrad Veidt Handschuhe mit einem Muster, das das Skelett einer Hand nachahmt. Das gibt der Figur etwas Unheimliches. Aber diese Handschuhe waren die Mode von 1920.) Das «Mündel» Ossi Oswalda, als Mann verkleidet, wird gemahnt, nicht so zimperlich zu sein: «Sie sind doch ein Mann!» Antwort: «Das sagen Sie so!» – In einem Bumslokal küßt der Vormund das verkleidete Mündel, ohne zu wissen, wen er küßt und daß der Geküßte eine Frau ist. Er küßt also einen Mann. Der Droschkenkutscher über die Travestie-Oswalda: «Ossi heißt der!» – Nach durchsoffener Nacht schläft der Vormund in Ossis Bett, Ossi im Bett des Vormunds.

Wann spielt der Film? Es herrschen die Puppchen-Seligkeit der Zeit vor 1914 und Inflationsunbedenklichkeit gleichzeitig. Auguste-Viktoria-Frisuren und -Taillen und Streß und Hektik der Roaring Twenties. Wer Zeitschriften der Jahre 1900 bis 1920 durchblättert, wird feststellen, daß es damals schon Dinge gab, die wir heute erst in die zwanziger Jahre datieren. Der Film spielt in Berlin. Du Stadt mit dem Mördergesicht! Die Türen und Tore der Wohnungen und Gebäude – Möglichkeiten, um möglichst schnell ins Draußen zu gelangen, zu dem, was da gleißt und lockt. Die Straßen und Boulevards sind Verbindungslinien von einer Lokalität zur anderen. Die Masse, die Anonymität können eine Schutzdecke sein auch für Außergewöhnliches, aus der Art Fallendes. Die vielen Bahnhöfe des alten Berlin müssen für ständige Zufuhr, für Zirkulation sorgen. Fortschritt. Es darf keinen Stillstand geben. Sagt auch Lubitsch. Brechts Mahagonny, die Netzestadt: «Vor allem aber achtet scharf / Daß man hier alles dürfen darf.»

«Ach, mir ist ja so schlecht!» – diese Klage kommt aus dem Mund sowohl der älteren als auch der jüngeren Herrschaften. Das Cafard, die Reue, die Übelkeit sind manchmal der Aufpreis für die Ware Vergnügen. Risikobereitschaft muß sein.

Curt Goetz, der spätere Theaterautor, will als Frauenarzt Dr. Praetorius die Mikrobe der menschlichen Dummheit entdecken. Er werde sie nie finden, sagt seine Frau, weil er zu dumm dafür sei. Darüber muß Praetorius so lachen, daß er seinen Wagen an einen Baum fährt; Praetorius stirbt. In einer Goetz-Komödie tritt der leibhaftige Tod auf, «Freund Hein». Ein Curt-Goetz-Satz: «Man muß den Dreck anfassen, mit dem man wirft.»

Ulrich Kurowski

Die Augen der Mumie Mâ (1918)

Ein Titel wie ein Plakat. Ein Film wie eine Orientzigarette. Wo Sand ist, kann die Wüste nicht weit sein, also findet der Berliner Bonvivant Wendland (Harry Liedtke), was er sucht – Abenteuer. Die Szene ist Ägypten: Grand-Hôtel, Basar, Karawanen.

Graf Hohenfels (Max Laurence) will zur geheimnisvollen Königin Mâ aufbrechen, das hohe Tier zum Tierweib, das Gerücht zum Geheimnis. Man rät ab, schließlich könne man die desaströsen Folgen eines solchen Ausflugs an einem Hotelgast besichtigen, der vor Entsetzen gelähmt in seinem Liegestuhl nur noch zu stammeln weiß: «Die Augen leben!»

Bonvivant Wendland will es wagen. Niemand aus dem Volk will ihm den Weg weisen. Doch mit Geld (Bakschisch), wie von Karl May beschrieben, gelingt's.

Vor dem herannahenden Berliner flüchtet der finstere Ägypter (Emil Jannings), die wehrlose Schöne über sein Pferd geworfen, in die nahe Grabkammer. Wendland ihm nach. Nach kurzem Kampf und kaltblütig standgehaltenem Blick aus den toten, plötzlich lebenden Augen in der Gruft, entführt Wendland die verängstigte Sklavin (Pola Negri), und die Domestikation darf beginnen.

Wendland mit Mâ auf dem Luxusliner Richtung Europa, ihre orientalischen Züge verblassen etwas auf der Reise. Auch dem schurkischen Ägypter gelingt es, nach Berlin zu kommen. Er findet eine Anstellung als Diener im Hause des Grafen Hohenfels.

Bestaunung der Mâ durch die hiesige Bohème. Fabelhafte Party-Attraktion. In großer Gesellschaft fällt es einem ein, zum Pianisten zu sagen: «Spiel was Orientalisches», und Mâ tanzt. Tanzt, tanzt, tanzt und ist schon in Trance. Der wie zufällig anwesende Varieté-Agent: «Das Mädel muß zum Varieté» / «Was soll ich denn da?» / «Tanzen, tanzen!» – und schon können wir sie in der ‹Alhambra› tanzen sehen. Publikum begeistert. Sie fällt in Ohnmacht, weniger aus Erschöpfung, eher weil sie, mit feinfühliger Angst begabt, die Nähe ihres früheren Peinigers(?) ahnt, wittert.

Antisezessionistische Kunstausstellung. Die Szene soll Berlin sein. Graf Hohenfels erwirbt ein Porträt der Mâ. Als der Graf, Wendland und die Mâ beim Tee sitzen, erscheint im Spiegel des Salons der Ägypter. Mâ schwinden erneut die Sinne.

Mâ erkrankt. Wieder erscheint geisterhaft der Osirisdiener. Mâ bittet Wendland, er möge Hohenfels überreden, den Kauf des Porträts rückgängig zu machen. Doch das Verhängnis usw. usw.

Der Osirisdiener hat mittlerweile die Fährte zu seiner früheren Geliebten(?) gefunden.

Als Wendland den Grafen aufsucht, schleicht der Ägypter durch den Grunewald, dringt in Wendlands Haus ein – im Hause Hohenfels ist Mâ in der Zwischenzeit *in effigie* erdolcht worden –, will Mâ entführen. Als Mâ sich seinen Armen entwindet, stürzt sie, die Treppe hinab, zu Tode.

Alles äußerst unwahrscheinlich, doch sehr plausibel. Erotik ganz auf die Negri projiziert, welche sie verschluckt wie ein schwarzes Loch. Liedtke wie vom anderen Ufer. Um die Frau gekämpft hat nur Jannings, Liedtke eher um sein Renommee. Das nächste Abenteuer – wo Sand . . . – wird nicht lange auf sich warten lassen.

Hanns Zischler

Carmen (1918)

«Nur was ich nie gesehen habe, erkenne ich wieder.» (Diane Arbus)

«Die Geschichte enthält viele Details aus dem Zigeunerleben – Mérimée hatte Bücher von Borrow und anderen Zigeunerforschern gelesen, um seine eigenen Beobachtungen zu ergänzen.» (Francis Steegmüller: Mérimée und Carmen)

Das deutsche Kinopublikum am Ende der zehner Jahre hatte sicher kaum Überprüfungsmöglichkeiten exotischer Realitäten. Wenn es in Lubitschs 1918 in den Unionateliers (Berlin-Tempelhof) und den Rüdersdorfer Kalkbergen gedrehtem Carmen-Film Sevilla «wiedererkannt hat», dann höchstens das Sevilla der eigenen Träume aus Fernweh und Oper. Denn Ernst Lubitsch ist sicher nicht so vorgegangen wie Prosper Mérimée. – Die «Berliner Volkszeitung» schrieb am 24. 4. 1917, der deutsche Film müsse dazu beitragen, «allüberall im Auslande das Verständnis für deutsches Wirtschaftsleben und deutsche Kultur zu heben und zu fördern . . . um den Irrglauben der Völker an die Überlegenheit der romanischen und englischen Kultur zu zerstören . . .» Aus diesem Auftrag und Konzept heraus wurde der deutsche Film zum Werkzeug der psychologischen Kriegsführung. Inwieweit die Produktion der Lubitsch-Carmen von diesen Richtlinien abhängig war, läßt sich schwer beurteilen, zumal der Film mit sehr deutschen Mitteln ein «*romanisches* Thema» verarbeitet. Lotte Eisner schrieb über die Filme von Ernst Lubitsch aus dieser Zeit, sie seien derb und schwerfällig – «erst mit seinen amerikanischen Filmen wird der Regisseur sich bewußt, wie er den Stil seiner Inszenierungen verfeinern kann».

In seinem Carmen-Film ist die Hauptfigur niemals Liebende, sie nutzt ihre weiblichen Kräfte als Lockvogel für die Banditen, zur Verführung eines Gefängniswärters und zur flüchtigen selbstbetrügerischen Annäherung an das Establishment: berühmter Stierkämpfer und Offizier. Den Höhepunkt ihrer Lust erleben wir beim Kuchenkauf: Auf dem Markt greift sie ins volle, kauft Kuchen um Kuchen, ist ausgelassen und fröhlich; ein kulinarischer Hinweis auf eine spätere Orgie, die nie stattfinden

Carmen: *Harry Liedtke, Pola Negri*

wird, da jeder der Bewerber Carmen für sich allein besitzen möchte. So wird aus der möglichen Liebe eine Schlägerei. Frustrierend wie diese Szene ist auch der innere dramatische Duktus des Films: Keiner der Protagonisten erreicht unser Herz, da ihnen selbst keines gegeben wurde. Pola Negri als Carmen hat ein breites slawisches Gesicht, zwei mit Spucke oder Mastix festgeklebte Sechserlocken und das aggressive Auftreten einer schon im Ansatz plump angelegten Weiblichkeit. Don José (Harry Liedtke), im Make-up und mit Perücke von Josef Schmidt und Richard Tauber, leidet als fülliger Schrebergärtner in der Erinnerung an seinen sonnenblumigen Vorgarten und die dickbezopfte unberührte Dolores (Grete Diercks). Im Kampf mit einer unsichtbaren preußischen Kuh siegt Escamillo, ein freundlicher Mann mit grimmigem Blick, stolz, mit Bierbauch: Leopold von Ledebour. Unbeteiligt wie alle Figuren in diesem Film überläßt er Carmen und Don José ihrem traurigen Schicksal. Don Cairo und seine gefährlichen Grenzjäger sind ein wilder verschlampter Haufen, der in keinem Moment die sternenklare Struktur des Bizetschen Schmugglerquintetts erreicht, in dem Carmen und die Banditen ihre eigene sinnliche Identität ausstellen dürfen. Auch fehlt das leuchtende Bekenntnis zur Freiheit als Lebensstimulans, als notwendige Definition des Menschseins: «Le ciel ouvert! la vie errante/ Pour pays, tout l'unvers/ Pour loi, sa volonté/ Et surtout la chose enivrante:/ La liberté! la liberté!» (Georges Bizet, Carmen 1874)

Lubitschs Verbrecher kommen nicht als Außenseiter einer repressiven Gesellschaft, sondern als Unholde zum Vorschein, deren Motive im dunkeln bleiben. Sie sind ohne Lebensethos. Auch das häusliche Milieu der Zigeunerin Carmen (Mutter Alkoholikerin, Vater verschwunden) schafft einen nur theatralischen Hintergrund. Vielleicht mußte ein solches Melodram dem Anspruch eines Publikums genügen, das im letzten Jahr des Weltkriegs keine Gelegenheit hatte, durch Reisen oder Berichterstattung fremde Realitäten kennenzulernen. Trotzdem darf man annehmen, daß die erotische Vorstellungskraft auch des damaligen Zuschauers mit Pola Negris Kosakentänzen unbefriedigt blieb. Diese in ihrer Beziehungslosigkeit berserkerhafte Carmen hätte als unverschämten Gegenspieler ihren späteren Verlobten gebraucht, den berühmten «powder puff» Rudolph Valentino, oder besser noch ihren Geliebten Charles Chaplin, um irgendeine erotische Spannung zu erzeugen. Mit Harry Liedtke als Don José erlebt sie eine dumpfe Bauchlandung. Pola Negri galt als verführerische Diva östlicher Geheimnisse. Allein in einer einzigen Großaufnahme entwickelt sie mit ihrem Regisseur das Flair des späteren Lubitsch-Touchs, zumal das fragwürdige Filmmilieu aus Berliner Statisterie, spanischem Spitzwegdekor und Großfilmkostümen in diesem Augenblick aus dem Bild ist. Sonst ist der Film statisch flach fotografiert und in simpler Und-dann-und-dann-Montage konstruiert, die die Handlung schleppend vorwärtsbringt und die Entwicklung der Charaktere vergißt. Oft habe ich mir vermessen die falsche Stummfilmvorführgeschwindigkeit der sechziger Jahre gewünscht, die 24 zu schnellen Bilder pro Sekunde.

Das mediterrane Helle von Nietzsches Carmen-Bild, das er in Bizets Oper verwirklicht sah, fehlt Pola Negri und diesem Film überhaupt. Nicht Leidenschaft in gleißender Leuchtkraft, sondern düstere, quallige Folklore. Ebenso wie Carmens Bekenntnis zur Freiheit ist auch ihre Schicksalsgläubigkeit ausgeklammert. Bei Mérimée glaubt sie an magische Zeichen, folgt aber ihrem Willen zu eigener Entscheidung. Sie lebt, weil sie sich zwischen Grenzen bewegt, deren Fragwürdigkeit sie erkannt hat und damit überwindet, auch wenn es für sie den Tod oder schlimmer, die Erkenntnis ihrer eigenen Grenzen bedeutet: «Mais que je vive ou que je meure/ Non! Non! je ne te céderai pas!/ Jamais Carmen ne cédera/ Libre elle est née et libre elle mourra!» (Bizet)

Pola Negris Carmen hat in der letzten Auseinandersetzung mit Don José ebensowenig zu sagen wie er. Ein triviales: «Er will noch, sie hat keine Lust mehr.» Bizet folgt der ursprünglichen Idee von Mérimée, der Carmen die Würde der Freiheit gibt. Eine Erotik ohne Wohnküche und Pantoffel. Ein Tod ohne Zufall.

Ernst Lubitsch kann nicht überzeugen, weil er dem Zentrum seines Films unzureichende Dimensionen gibt. Aus Gefälligkeit und Zugeständnissen an den Zeitgeschmack erwürgt er seine Carmen. Ohne den eleganten kreativen Zynismus seiner späteren, amerikanischen Jahre ist er hier auf verlorenem Posten. Ihm fehlt das, was er Th. Dreyer anläßlich der Uraufführung des Jeanne d'Arc-Films vorgeworfen hat: «Es ist eine brillante Tour de Force, aber es bringt den FILM nicht weiter. Man kann nichts daraus lernen – es ist ein zu individueller Ausdrucksstil.» Lubitsch wird diesen «individuellen Ausdrucksstil» schließlich für sich selber finden. In Amerika. Mit ANGEL und TO BE OR NOT TO BE, nicht im Dunstkreis seiner eigenen Gebrauchsware aus der Weltkriegszeit. Seine Carmen ist also weniger von bedingungsloser amour fou bestimmt als durch das Produktionsumfeld anderer Lubitsch-Filme jener Zeit, in deren thematische und stilistische

Grobschlächtigkeit sie sich einpaßt: DAS FIDELE GEFÄNGNIS, DIE AUGEN DER MUMIE MÂ, KOHLHIESELS TÖCHTER. WERNER SCHROETER

Die Austernprinzessin (1919)

Die Figuren in Lubitschs ‹Filmlustspielen› sind nicht richtig erwachsen. Sie verkleiden sich, tauschen spielerisch die Rollen, schlafen mit Teddybären. Ihre Wünsche drängen auf sofortige Erfüllung, ihre Drohgebärden sind trotzig oder jähzornig. Dies alles wird dem Publikum aufdringlich offeriert, die Dramaturgie schnurrt ab in kurzen Einstellungen, als riefe das Publikum unentwegt ‹nochmal›. Fast immer zuschlagende, direkte Komik. Schlüssellochcashs wirken wie umständliche Zitate aus einer anderen Filmwelt. Man ist aufgefordert, direkt zu verstehen, direkt hinzulangen, geil, schadenfroh; überlegen ist man allemal.

Ein Dreigroschenmärchen: Heiratswillige Milliardärstochter sucht Prinzen, der seinen Diener vorschickt, der ungeschickterweise seine wahre soziale Herkunft verrät. Im «Club der Milliardärstöchter zur Rettung Alkoholkranker» trifft das richtige Paar aufeinander: Sie, die Gewinnerin eines Damenboxkampfes, stemmt den Prinzen als Trophäe ins Bett.

Das Handlungsgerüst einer abgespielten Verwechslungsklamotte ist mehr Vorwand als Begründung für die Flut von Einfällen, die bis zu jenem Punkt ausgekostet werden, an dem sie sich gegen die Handlung vollends zu verselbständigen scheinen. Tanznummern, unwahrscheinliche, unwahrscheinlich dekorative und ornamental auschoreographierte Situationen werden plausibel, gerade weil sie Wahrscheinlichkeit auf die Probe stellen.

Die scheinbar maßlose Übertreibung, sarkastisch überdrehte Darstellung, aber auch bereits die Motivwahl der Filme Lubitschs enthalten immer auch ein realistisches Moment. Der Austernmilliardär, Vater des Luxusgeschöpfes, handelt mit Luxus, ist eine irreale Figurenerfindung, in der reale Erfahrung aufscheint: die Inflation. Für alle ist scheinbar alles und gar nichts möglich. Krisenphantasie, ökonomische Verhältnisse lächerlich machend.

Daß die ‹Austernprinzessin› auf einen Prinzen setzt, weil sie gegenüber ihrer Konkurrentin, die sich einen Grafen geschnappt hat, einen Zug gutzumachen hat, scheint auf den ersten Blick gesuchte beziehungsweise offensichtlich gemachte, der Überlegenheit des Zuschauers zuzwinkernde Konkurrenz-Mechanik zu sein. Auf den zweiten Blick paßt der Filmplot zu Milieu und Prestigephantasie der Filmemacher: Hollywood lebt seinen maßlos übertriebenen Filmsujets nach; Pola Negri, in der Rolle als Privatfrau, liefert sich einige Jahre später mit Gloria Swanson ein PR-Duell, wenn sie wie ihre Rivalin einen Adelstitel heiratet.

Der Aufwand einer Massen bewegenden Regie wird rückprojiziert auf Bilder des realen Reichtums. Legionen von Dienern erscheinen auf der Szene, werden zum Ornament, der gewöhnliche Feudalismus arbeitet dagegen mit kleiner Besetzung. Das Prunken mit Dekorationen und Regieeinfällen ist ambivalent, es denunziert Reichtum als sinn- und maßlos und verführt die Zuschauer zugleich, ihn als filmische Sinnlichkeit zu genießen. Solche Ambivalenz reflektiert 1919 kein Blatt so marktnah wie der «Film-Kurier», dessen Untertitel «Film, Varieté, Kunst, Mode, Sport, Börse» die Lubitsch-Welt ausruft.

DIE AUSTERNPRINZESSIN, das «größte und eleganteste Lichtspiel», wird wirkungskalkulatorisch im Scheingegensatz amerikanischer Quantität und deutscher Qualität rezensiert: «250 000 Mark! Unerhörte Aufmachung! 300 Diener. Warum das? Nur weil Amerika in das Horn der Superlative stößt? Hat man von den Filmstädten in Amerika, von den 70 000 Mitwirkenden im Film *Intolerance* gelesen? Größenbeurteilung von Zahlen ist subjektiv. Da werden wir doch nie mitkönnen. Unsere Stärke liegt auf ganz anderem Gebiet. Hier mitrennen zu wollen, ist aussichtslos. Dies alles zu sagen wäre vor drei Jahren überflüssig gewesen. Aber es wird jetzt aktuell, wo unsere Filme Exportware werden sollen (vielleicht die einzige). Will man denen drüben *damit* imponieren? *Uns* kann man es. Noch. Man *könnte* es mit dem ‹wie›. Und man wird es bei diesem Film mit der Eleganz, dem Stil, dem Tempo, wie man es in unserem Film-*Drama* mit dem oft zitierten sogenannten ‹logischen Spiel› und der unerhörten Lebendigkeit und Schmiß einer Pola Negri in CARMEN kann.» (B. E. Lüthge, Film-Kurier vom 22. 6. 1919) UTA BERG-GANSCHOW

Rausch (1919)

[. . .] Asta Nielsen. Diese Frau ist der Film. Sie ist nicht eine von unseren größten Filmschauspielerinnen, sondern sie steht ganz außerhalb von diesen. Wer sagt, daß der Film stumm ist? Daß sich tote Lippen bewegen, daß man nichts hört? Asta Nielsen *lebt* vor uns. Sie schmettert Worte von der Leinwand, die die Musik übertönen. Es lodert, wenn ein Schreck sie durchzuckt. Man *hört* sie keuchen, wenn sie ringt. Man *hört* ihren Atem, wenn sie Abel anfährt, und ihre Sohlen klirren auf dem Pflaster, wenn sie aus dem Gefängnistor wankt.

Sie spricht. Man brauchte gar keine Worte, gar keine Titel. Man versteht sie, denn ihr ganzes Wesen schreit. Sie spricht nicht nur Worte, sondern einen Dialog in *ganz bestimmtem Stil*, zögernd, mit eigenartig gesetzten Worten, ruckweise, wie die Sprache Hasenclevers oder Strindbergs. Ihre Bewegungen sind Reflexe innerer Vorgänge. (Sie *persönlich* löst das Problem des Sprechens beim Film. Für andere bleibt es bestehen.) Sie springt aus der Leinwand heraus. Ihr Gesicht lodert, zuckt, schmerzt, brüllt, lacht. Wenn sie weint, so weint ihr ganzes Ich. Dann sind ihre Wangen geschwollen und die Lippen dick. Hat man es gesehen, daß im fünften Akt ihr Gesicht ganz anders war als im ersten Akt? Nicht in einer Szene, sondern andauernd: haß- und schmerzerfüllt, als hätte das Erlebte die Spuren hineingegraben in den ganzen Ausdruck des Gesichts.

Bei dieser Frau vergißt man ganz die Körperlichkeit, sieht nicht ihre Kleider und ihre Figur. Man ist allein von dem «Wie» befangen, dem ganzen Fluidum, das sie umgibt. In jedem Bild bringt sie Nuancen. Sie spricht mit Adolphe und spielt währenddessen mit seinem Kragenrevers. Oder sie streichelt ihn unterm Kinn. Oder sie legt ihre Hand auf seine und fühlt da irgend etwas, was ihre Aufmerksamkeit ablenkt. Wegen *einer* solchen Nuance hat man früher ganze Filme und Schauspielerinnen gelobt. Sie macht diese Dinge hintereinander. Und wenn sie nichts tut und nur wartend dasitzt, sprüht es wie Funken von ihr . . .

Die Regie dieses Films ist ein Meisterwerk von Ernst Lubitsch. Die Technik ist hier ganz eigenartig, die Form des Einschneidens originell und neu. Oft jagen sich die verschiedensten Bilder blitzartig hintereinander, fast expressionistisch durch ihre Aufeinanderfolge in der Gesamtheit einen kaleidoskopartigen Eindruck erweckend. Gegensätze in Bildern werden frappierend aufeinandergestellt und dadurch eine ganz eigenartige Denkweise dem Zuschauer aufoktroyiert; ein ganz bestimmter Stil und beabsichtigter «getonter» Eindruck. Ein großer Teil der Titel könnte noch weggelassen werden, wenn – wir Filmkammerspiele haben werden. Es werden ziemlich hohe Ansprüche an das Denken des Durchschnittskinobesuchers gestellt (Titel sind Ausruhepunkte). Die Großaufnahme ist hier oft nicht Prinzip des Opernglases. Wir werden oft absichtlich woanders hingewiesen (das spielende Kind). Aber es wird dadurch ein eigener Eindruck erzielt. Oft werden längere Handlungen, die gleichzeitig laufen, nicht eingeschnitten, sondern nacheinander gebracht, in größeren Teilen. Nur bei größerem Tempo geht es Zug um Zug. Diese Art des Einschneidens ist äußerst originell. Aber vielleicht könnten trotz des Grundsatzes, ein Bild schon abzuschneiden, wenn es noch im höchsten Maße fesselt, einige Bilder *ein wenig* länger sein, wohlgemerkt nur da, und nur ganz wenig. [. . .]

B. E. Lüthge

(Film-Kurier vom 3. 8. 1919)

Madame Dubarry (1919)

«Wer die Welt vor der Revolution nicht gekannt hat, hat die Süße des Daseins nicht geschmeckt», sagt Talleyrand, der bekanntlich nicht nur den französischen Königen, sondern auch der Republik, dem Parvenü Napoleon, dessen Entmachtung und der Restauration gleichermaßen gedient hat. Immerhin schaffte er es, aus dem in die Knie gezwungenen Frankreich beim Wiener Kongreß fast eine Siegermacht zu machen, einfach dadurch, daß er seinen Beruf – den des Diplomaten – und die Menschen kannte, letztere durchschaute, ein bißchen zynisch sogar.

Ernst Lubitsch hat mit dem großen Frauenliebhaber Talleyrand sicherlich dieses Kredo gemeinsam, das geradezu leitmotivisch sein Werk durchzieht: Sehnsucht nach der alten, vorrevolutionären Welt, nach ihren verfeinerten, dekadenten Genüssen, nach ihrer subtilen Verehrung dessen, was eine Frau sein kann: Lächeln, Duft, Rauschen von Seide, Verführung. Alles Fremdwörter im nachrevolutionären Vokabular, das er dann später, in Ninotchka, noch einmal durchbuchstabiert hat.

Lubitschs Film Madame Dubarry, 1919 im revolutionären Nachkriegsdeutschland gedreht, schaffte auf kulturellem Gebiet, was über hundert Jahre vorher Talleyrand für Frankreich auf diplomatischem Gebiet erfochten hatte: gleichberechtigte Anerkennung des besiegten Landes. Den rauschenden Erfolg des Films, der monatelang nicht nur im «Ufa-Palast am Zoo» in Berlin, sondern auch im «Capitol» lief, dem damals größten Kino New Yorks, kann man sich heute kaum noch vorstellen.

Die Franzosen, die damals staunend sahen, mit welcher Bravour da ein Berliner sich über ihre Geschichte hermachte, gaben schließlich ohne Bedauern und ohne Neid zu, dieser Deutsche habe nichts von der teutonischen Schwere, wie man sie sonst aus Filmen von jenseits des Rheins gewohnt war.

In keinem Moment ruht Lubitsch sich in diesem Gemälde einer Epoche aus. Mit eleganter Schnelle bleibt er nirgends länger als nötig stehen – weder im Hutsalon, in dem die junge Jeanne Blumen an die Hüte der adligen Damen näht, noch in der Kammer des Studenten, der in sie ebenso verliebt ist wie sie in ihn, noch im Salon des spanischen Gesandten, mit dem sie ihr erstes Souper im tête-à-tête hat, in das der Graf Dubarry hineinplatzt, der, als der spanische Gesandte von dem eifersüchtigen Studenten erstochen worden ist, die Stelle des reichen Gönners bei Jeanne einnimmt. So reich ist er dann aber gar nicht, weshalb er Jeannes Schönheit einzusetzen versucht, um beim Minister Choiseul eine Geldforderung an die französische Staatskasse durchzusetzen, die mehr als windig ist, weshalb der Minister auch nicht daran denkt, sie zu bewilligen. Im Garten, in dem die abgewiesene Jeanne ihren Kummer ausweint, fällt der Blick ihres Königs in einem Maße, daß ihr von nun an jeder Wunsch von den Augen abgelesen wird. So verwandelt sich die geplante Hinrichtung des Studenten, ihres ersten Liebhabers aus einer Zeit, als Geld und Macht noch keine Rolle spielten, in eine Begnadigung und schließlich sogar in eine Beförderung, sehr zum Ärger des Ministers Choiseul, der an Jeannes Stelle lieber seine Schwester, die Marquise Gramont, gesehen hätte und dem die Genugtuung für den Tod des spanischen Gesandten daher besonders am Herzen liegt.

Der Student, nunmehr Leutnant der Leibwache,

Madame Dubarry: *Bernhard Goetzke (ganz links), Harry Liedtke und Pola Negri (Mitte)*

durchs Lorgnon auf die junge Schönheit. Da sie unzweifelhaft ein Mädchen aus dem Volk ist, trotz ihres eleganten Kostüms, wird ihr unadliger Anblick aus seinem Gesichtskreis entfernt, was er sehr bedauert, denn: Wie soll sein Volk ihn lieben, so argumentiert er, wenn nicht einmal ein schönes Mädchen aus dem Volk sich ihm nähern darf?

Jeanne wird also wieder vor ihren König zitiert, der – wie alle Männer mit Ausnahme des gepuderten Choiseul und ihrer späteren Henker – von ihrem Anblick hingerissen, überwältigt, beglückt ist, wird mit verbundenen Augen zur ehemaligen Geliebten, jetzigen Mätresse des Königs und nunmehr auch Gräfin Dubarry geführt. Aber aus der Umarmung, die sie sich vorgestellt hat, wird nichts. Er flüchtet vor ihr und will auch die Leutnantsstelle, die er ihrer Hurerei zu verdanken hat – so sein Gesichtspunkt –, nicht haben. Zwingt ihn diese Stelle doch auch, in die wütenden Massen von Paris zu schießen, die auf Jeanne und den König Spottlieder singen. Mit diesen Massen verbündet er sich nun.

Als eine Abordnung von ihnen im Palast vorstellig wird, sehen die hungernden Unterhändler des Volkes ihren König im Garten Blindekuh spielen. Die alberne Maskerade verwandelt sich aber plötzlich in Entsetzen: Der König fällt zu Boden, windet sich in Schmerzen. Die schwarzen Blattern haben ihn befallen. Jeanne wird sofort aus seinem Gesichtskreis entfernt – übrigens auch die ungehörten Bittsteller –, und er krepiert, grauenhaftes Bild der Häßlichkeit in einem Schönheitskult ohnegleichen, ebenfalls in seinen letzten Bitten ungehört, allein.

Allein bleibt auch Jeanne, die, unverzüglich aller Macht entkleidet, aus dem Schloß geworfen wird. Sie ist offenbar die einzige, die um den verstorbenen König wirklich trauert, während draußen die Massen von Paris die Macht in den Straßen erobern und schließlich auch die Bastille stürmen. Sie sieht ihren Studenten wieder, der zum Richter des revolutionären Tribunals ernannt worden ist. Er versucht sie unmittelbar vor der Hinrichtung aus der Todeszelle zu befreien, wird dabei von seinen Mitkämpfern überrascht und getötet, und Jeanne muß nun doch den Karren besteigen, der zur Guillotine fährt, auf der sie enthauptet wird. Der Henker zeigt ihr abgeschlagenes Haupt den jubelnden Massen. Groß: Jeannes abgeschlagener Kopf. Ende.

So eiskalt und so liebevoll geht Lubitsch mit seiner Heldin um. Sie ist eine andere Jeanne als die, die dreihundertfünfzig Jahre vorher ihr Volk befreite. Von dieser Jeanne hier wird behauptet – nicht vom Film, nicht vom Regisseur –, sie habe ihr Volk ins Unglück gestürzt. Armand, der Student, behauptet es aus Eifersucht, Choiseul, der Minister, behauptet es, weil er seine Schwester an ihrer Stelle sehen möchte, die «Massen» auf den Straßen behaupten es, weil alle Frauen da sein möchten, wo sie ist, weil alle Männer sie gern besitzen möchten. Und da haben wir ihn: den Lubitschschen Zynismus, der doch eigentlich die Menschen nicht verachtet, sondern sie nur, jeden einzelnen, in ihren verborgenen Wünschen und Absichten erkennt, wie sie hinter den eleganten Gesten der Höflinge ebenso lauern wie hinter den tönernen Parolen der Volksführer.

Verrückt genug, daß die Unschuldigste in diesem ganzen Spiel die ist, die auf dem Weg zur Macht durch alle Betten geht – aber sie tut es ohne Hintergedanken, ohne Rankiüne: Die Männer, wie sie da einer nach dem anderen ihren schönen Augen, ihrem hinreißenden Lächeln erliegen, gefallen ihr irgendwie alle. Und obwohl es offensichtlich der Student Armand ist, der bis zum Schluß ihr Herz besitzt – wenn sie so etwas hat –, entscheidet sie sich doch, als es zum erstenmal um die Frage geht, die Tugend anläßlich eines Rendezvous mit dem spanischen Gesandten zu brechen oder andernfalls mit dem Studenten in Unschuld, Jugend und Armut den Sonntag zu verbringen – da entscheidet sie sich doch für den spanischen Gesandten, obwohl der eher ein alter Knacker und etwas dürre ist. Aber: Langweilig wird er nicht sein, und das ist der Student mit all seiner Liebe denn doch; und hier ist einer der wichtigsten Drehpunkte in der Konstruktion des Films – und natürlich auch des Lebens dieser unheiligen Jeanne, die den skeptischen Lubitsch zweifellos mehr interessieren mußte als ihre Vorgängerin in der Nähe des französischen Throns, die Heilige, der genau 113 Jahre vor ihr Schiller ein nationales Befreiungsdrama abgerungen hatte, das auf seine Weise ebenso Furore machte wie Lubitschs Film. Es ist schon ein bißchen merkwürdig, daß die Deutschen, wenn ihr Selbstbewußtsein sehr lädiert ist – und das war es zur Zeit der napoleonischen Besetzung 1806 ebenso wie nach dem verlorenen Krieg 1919 –, eine französische Jeanne brauchen, um sich daran aufzurichten.

Nun liegen freilich zwischen Schiller und Lubitsch Welten. Was Schiller immer ein bißchen abging in seinem idealistischen Schwung, nämlich Menschen aus Fleisch und Blut abzubilden, das gelingt Lubitsch ganz und gar, der in diesem Punkt, wie amerikanische Kritiker schon 1919 erkannten, Shakespeare und Aristophanes verwandter ist als den deutschen Klassikern. Mag sein Witz und seine Sinnlichkeit dazu dem jüdischen Erbe zu verdanken sein – es gibt in seinen Arbeiten auch immer einen Untergrund gallischer Rationalität, eine durchsichtig-glasklare Konstruktion, die ansonsten den germanischen Szenaristen des Films und des Theaters immer etwas schwerzufallen scheint. Die Verbindung aller dieser eigentlich gar nicht deutschen Eigenschaften ist es, die MADAME DUBARRY zu einem der großen Meisterwerke des deutschen Stummfilms macht, das bis heute in seiner Vollkommenheit erstaunlich bleibt. Gerade heute, wo wir durch Wajdas *Danton* wieder mit der Problematik der französischen Revolution konfrontiert worden sind, wo Abel Gances monumentaler *Napoleon* monumentale Wiederaufführungen erlebt, wirkt Lubitschs Film zugleich komplexer und bescheidener, sinnlich faßbarer und vielschichtiger.

Glanz und Elend einer kleinen Aufsteigerin, die den Weg nach oben, ganz im Sinne des amerikanischen Traums, Stück für Stück macht, bis hin zu einem König, der wider Erwarten seines Volkes dieses gar nicht verachtet, sondern es lieben möchte – wenigstens in Form dieses kleinen köstlichen Körpers mitsamt den samtenen Augen und dem strahlenden, ewig unschuldigen Lächeln. Dieser König, auch das eine der vielfältigen Tragödien, die der Film mit all seiner Heiterkeit ganz nebenbei erzählt, betreibt entsprechend seiner Epoche einen in der ganzen Menschheitsgeschichte sonst so nicht mehr erreichten Schönheitskult – in dem Jeanne nur das köstlichste Stück ist, die lebendige frische Rose, der singende Vogel –, und er endet dafür in ekelhafter Häßlichkeit jener Krankheit, mit der sein Jahrhundert geschlagen war wie das neunzehnte mit der Tuberkulose und unseres mit dem Krebs: den schwarzen Blattern. In all dieser Schönheit häßlich, sterbend, das grausamste Urteil. Ebenso wie Jeanne, die Aufsteigerin, von ihresgleichen mehr gehaßt wird als die Herzoginnen. Ebenso wie Armand, der Idealist, am Ende schuldiger dasteht als sie, deren Schuldhaftigkeit er immer mit ausgestrecktem Zeigefinger nachzuweisen bemüht war.

Was für ein unmoralischer, menschenliebender Film!

MADAME DUBARRY wurde in einem Deutschland gedreht, das von den Steckrübenwintern, den Entbehrungen des Krieges, den Demütigungen der Nachkriegszeit, der Revolution und der Exilierung des Kaisers gezeichnet war. Es ist auch das Jahr der Ermordung Rosa Luxemburgs, dieses Jahr 1919, in dem ein fanatischer Regisseur, ein paar Schauspieler, unzählige Statisten und ein Heer von Ausstattern einen Film machten, dessen Luxus ein Hohn ist auf die frierende Bevölkerung jener Tage, dessen Inhalt blanker Zynismus ist angesichts dessen, was damals in Deutschland vor sich ging.

Und doch, oder gerade deswegen, erreichte der Film Besucherrekorde. Sein verführerischer Zauber ließ Hunger und Frieren vergessen, und wenn auch die linke Presse wetterte, er verhöhne die Revolution, so war doch offenkundig, daß er das nicht tat, sondern sie mit dem gleichen schier unbestechlichen Blick zu sehen schien wie die Kälte des Königshofes, in dem auch ein sterbender König keinen Pfifferling mehr wert ist, eben weil er stirbt und deshalb nichts mehr zu sagen hat.

Und man konnte mit diesem Film Staat machen. Pola Negri ist auch heute noch hinreißend schön, Emil Jannings könnte heute nicht gleichwertig besetzt werden – und die zarte Dekadenz des erlesenen Potsdam mit seinen Gärten und Schlössern läßt die Süße des Daseins in der Welt vor der Revolution vollkommener schmecken als die realen historischen Bauten in Versailles, die gegen das köstlich blasierte Rokoko des latent homosexuellen großen Friedrich eher klotzig und protzig wirken, weshalb man froh sein kann, daß Lubitsch seinen Film in Potsdam und nicht in Versailles gedreht hat. Verrückterweise sind die Szenen, die das Leben des Volkes und das Aufflackern der Revolution zeigen, im Gegensatz zu den höfischen Szenen alle im Studio hergestellt, was leider gar nicht anders geht, denn es bleiben halt die Paläste stehen und nicht die Hütten in den Kriegen ... weshalb es, wie auch Brecht bemerkte, viel teurer ist, die Armut darzustellen als den Reichtum. Lubitsch kommt für seine Pariser Massenszenen mit einem einzigen Platz aus, der für alles dient: Aufmärsche vor der Revolution, Volksgebrodel während und nach der Revolution. Dennoch gelingt ihm eine Authentizität in den Massenszenen, wie sie das heutige Kino kaum zustande bringt. Das sind keine hilflosen Statisten, sondern sorgfältig durchinszenierte Figuren, jede einzelne, auch bei Szenen, in denen Hunderte vorkommen.

Und diese Massenszenen enthüllen einmal mehr, wieviel menschlicher dieser Regisseur denkt und arbeitet als der größere Teil seiner damaligen Kollegen. Fritz Lang in *Metropolis* ordnet die Massen zu dekorativen Architekturen, und auch Eisenstein tut in *Oktober* und *Panzerkreuzer Potemkin* und später in *Iwan der Schreckliche* nicht viel anderes. Menschen fügen sich in diese Bilder wie Muster, wie Teile einer grafischen Komposition.

Ganz anders bei Lubitsch, der in den wirren Haufen seiner Pariser Volksmassen jedem einzelnen einen Antrieb, eine Geschichte, ein Gesicht gibt. Sein Zynismus dabei ist, daß er den einzelnen den Idealismus nicht ganz abnimmt, der sie auf die Barrikaden treibt. Seine Menschenliebe ist, daß er zugleich mitleidlos und mit grenzenlosem Verständnis diese einzelnen zeigt. In jedem von ihnen könnte eine Geschichte stecken, wert, in einem Film erzählt zu werden. Skeptisch setzt er sich über ihre großen Reden hinweg. Liebevoll sieht er ihre Schwächen. Deshalb sind sie ihm zu schade als ornamentales Material. Das ist seine Art von «Moral», und damit macht er unmoralische Filme.

Und daß er die Frauen besonders liebt und ihre spezielle Unmoral besonders schätzt, daran läßt er gleichfalls keinen Zweifel. Mit Ausnahme von Marlene Dietrich, die auch bei ihm nicht aufregender war als bei Josef von Sternberg, gibt es keine Schauspielerin einschließlich der Garbo, die bei ihm nicht schöner, komplexer, reicher gewesen wäre als bei jedem anderen Regisseur. Neben seinen Frauengestalten kommen die Männer, so sorgsam er auch mit ihnen umgeht, immer ein bißchen schlechter weg. Es ist kein Zweifel, daß, wenn es in MADAME DUBARRY jemanden gäbe, dem er recht geben sollte, es Jeanne wäre, mitsamt ihrer Unbedenklichkeit, mitsamt ihrer Aufrichtigkeit aber auch. «Ihr wird viel vergeben werden, denn sie hat viel geliebt», könnte sein abschließender Satz über sie sein. Nur würde er ihn viel zynischer formulieren: «Wieso soll ihr noch was vergeben werden? Geliebt hat sie ja wenigstens. Und reichlich.»

Wobei wir bei seiner Berliner Abstammung wären. Denn dies ist allemal berlinisch.

HELMA SANDERS-BRAHMS

Die Puppe (1919)

Die Dekoration wie aus dem Weihnachtsmärchen – Komik wie auf dem Bauerntheater. Der Charme von Kindlichkeit, von laienhafter Unbeholfenheit wird beschworen, eine ausgestellte Märchendraperie, Pappmachéphantasie. Der Regisseur baut sie eigenhändig als Modellszenerie zusammen – und schon plumpst ein Schauspieler ins spritzende Atelierwasser. Kein Gag, eher ein Coup de Théâtre. Ums Saufen, Fressen geht es, ums Geld, um Liebe und darum, daß die praktischste Frau eine Puppe ist. Diese hier ist weder seelenlos böse noch schicksalsgetrieben, lediglich ein wenig ungezogen und ungelenk. Ein Mäuschen genügt, um sie als lebendiges, ängstliches Mädchen zu entlarven.

Das Personal: ein Puppenmacher, seine hübsche Tochter, eine Puppe, die dieser Tochter zum Verwechseln ähnlich sieht, ein unverschämter Lehrling, der beiden nachstellt und die Puppe im Tanz zerbricht, ein Muttersöhnchen, das nicht zur Heirat taugt, ein Erbonkel, der seines Neffen Glück durch Mitgift erzwingen will, worauf sich die Memme, von vierzig Jungfrauen gehetzt, ins Kloster flüchtet zu bigotten Mönchen, die ihr opulentes Leben durch eben diese Mitgift zu finanzieren gedenken und einen folgenreichen Schwindel mit der Puppe vorschlagen.

Ein Lehrling, der es dick hinter den Ohren hat, der die ‹jugendliche Naive› am Kinn kitzelt, frech die ‹komische Alte› küßt. Er spielt die alten Rollenfächer an die Kulisse und wäre schneller Sieger, stellte er sich nicht immer wieder selbst ein Bein. Bös-sympathische Jungenstreiche, ob er den Chef spielt, Porzellan zerschlägt oder Luftballons zerschießt, als einziger darf er Rollennormen in Frage stellen. Eine Figur, die direkt ist, wo das Naheliegende Taktik wäre, die sich traut, was die Zuschauer wünschen.

Zur ältesten Motivschicht dieser ‹Filmoperette› gehört die schamlose Lust an menschlicher Unzulänglichkeit, an Freßsucht, Geiz, Geldgier. Ein ostentatives Desinteresse an psychologisch nachvollziehbarer Motivation bestimmt die Filmszene. Lubitsch jongliert mit den uralten Späßen des Unterhaltungstheaters: plumpen Scherzen, unverblümten Sexualanspielungen, Überrumpelungskomik. Ein Dauerkontrast von märchenhafter Harmlosigkeit und bloßstellender Komik.

Die Puppe

Der eingefahrene Varieté-Witz wird zur Filmattraktion, die wörtlich genommene Redensart vor

Augen gebracht: das in die Hose gerutschte Herz etwa oder der vor Kummer ergraute, beim Happy-End wieder Farbe annehmende Vater. Brechstangenphantasie, so erscheint es heute. Damals rühmte man Lubitschs Eleganz, Raffinement, phantasievolle Erfindung einer neuen Lustspielvariante. Die Erinnerung ans gröbere proletarische Attraktionsmedium ist noch frisch.

Daß dieser Film die Zuschauer zu Kindern macht mit staunenden Augen, ist Aufforderung und Versprechen einer jeden Märchenszene. Nur wer daran glaubt, hat etwas davon: vom Mädchen, das wie eine aufgezogene Puppe tanzt, vom Menschen, der an einem Bündel Luftballons emporschwebt, von Pferden, die verkleidete Menschen sind und die Hochzeitskutsche ziehen. Das ausgestellte ‹Als-ob› des Films stört nicht die Faszination, sondern begründet sie; es wird als neuer filmischer Märchenreiz offeriert. UTA BERG-GANSCHOW

Kohlhiesels Töchter (1920)

Auf seinen Film KOHLHIESELS TÖCHTER zurückblickend, schreibt Ernst Lubitsch 1947: «Es war ‹Der Widerspenstigen Zähmung›, in die bayrischen Berge versetzt.»

Anfangs, wenn die ungleichen Schwestern Gretel und Liesel eingeführt werden, erinnert ein fliegender Händler von fern an Shakespeare. Nachdem er Gretel, die ganz versessen darauf ist, eine Brosche angedreht hat, geht er zu Liesel in den Kuhstall. Ein Aschenputtel sitzt da auf dem Schemel und melkt. Ihr Kleid ist unansehnlich, ihre Haare sind strähnig und nachlässig verknotet, das Gesicht mürrisch verkniffen. Sie nimmt dem Handelsmann kurzerhand seine Waren weg und schmeißt sie vor die Tür. So demonstriert sie drastisch ihre Haltung zu jenen Accessoires der Weiblichkeit, mit denen ihre Schwester sich an den Mann bringen will. Ähnlich macht es Petruchio mit den Händlern, die in sein Haus kommen. Die widerspenstige Katharina heißt bei Lubitsch Liesel – und Bianca, die fügsam Liebliche, von den Männern Begehrte, ist hier Gretel. Beide werden von derselben Darstellerin verkörpert, von Henny Porten, die wir manchmal sogar in doppelter Gestalt auf der Leinwand sehen können. Zum Beispiel am Mittagstisch. In der Mitte Vater Kohlhiesel, links von ihm Gretel, rechts Liesel. Gretel sitzt und ißt sittsam, während Liesel sich lümmelt und aus der Schüssel mampft. Die gute und die schlechte Tochter also? Es ist nicht ganz so einfach wie im Märchen, denn der Gastwirt Kohlhiesel braucht beide Töchter für sein Geschäft. Beim Sonntagstanz steht zuerst die Liesel griesgrämig hinter der Theke und leert ein großes Glas Bier in einem Zug; den Männern vergeht da der Durst. Dann stellt der Vater die Gretel hinter den Tresen, und sofort fließt das Bier in Strömen. Später, nach Feierabend, muß die Liesel wieder her, um den letzten Betrunkenen aus der Wirtschaft zu befördern.

Kohlhiesels Töchter

Wie Shakespeares Edelmann Baptista will auch der Plebejer Kohlhiesel seine umschwärmte Tochter erst verheiraten, wenn er die unattraktive losgeworden ist. Aber die möchte natürlich keiner zur Frau haben, nicht einmal für viel Geld. Die Männer lachen über die Liesel, weil sie plump und häßlich aussieht, aber sie macht ihnen auch Angst, weil sie sich ihnen gewachsen zeigt. In der Darstellung durch Henny Porten nimmt diese Figur die meiste Aufmerksamkeit in Anspruch. In gebückter Haltung, die Arme leicht vom Körper abgehoben, ein wenig humpelnd: So geht sie oft aus dem Bild, und wir sehen ihr nach mit einer Mischung aus Lachen und Mitgefühl. Wir ahnen etwas von den Verletzungen, die man ihr zugefügt haben muß. Gretel hingegen ist unkompliziert, entspricht den Erwartungen der Männerwelt. Mimik und Gestik bestehen aus einer Koketterie, die sich als Schüchternheit und Naivität tarnt. Der Xaver des Emil Jannings scheint der richtige Mann für sie zu sein. Ein Kerl, der nicht lange fragt, der sich nimmt, was er will, seine männliche Potenz aufdringlich zur Schau stellend. Was sich ihm in den Weg stellt, das stößt er zur Seite. Bei einem wilden Tanz mit der Gretel-Porten fegt er die ganze Tanzfläche leer. Gleich darauf, draußen im Schnee, macht er ihr den Heiratsantrag. Sie fällt vor Überraschung den Abhang hinunter, er rollt hinterher, auf sie zu, und ein derbes Liebesspiel beginnt.

In seiner Erinnerung bemerkt Lubitsch ironisch: «Der Film war typisch deutsch.»

Von dem später berühmt gewordenen ‹Lubitsch-Touch› ist hier noch nichts zu spüren, es dominiert eine gewisse Schwerfälligkeit. Je gröber ein Gag konstruiert ist, desto sicherer die Lacher im Publikum. Lachen heißt andere auslachen. Da wird gerempelt, gestolpert, gefallen, geschluchzt, gebalgt und geknutscht. Eine Ausnahme ist Gustav von Wangenheim als Xavers Freund Seppel: weich und sehr traurig, da er keine Chancen bei der Gretel hat. Gegen Jannings' Kraftmeierei kann er sich nur mit einer List behaupten. Er rät dem Xaver, doch erst die Liesel zu heiraten; die werde ihn sowieso bald rausschmeißen und dann könne er sich ja die Gretel nehmen. Xaver geht in die Falle und macht einen Antrag. Dabei ergeht es ihm wie Petruchio und Katharina. Liesel schüttet ihm einen Eimer Wasser über den Kopf, zieht ihm den Stuhl unterm Hintern weg, schlägt ihm ins Gesicht, tritt ihm auf die Füße. Er jedoch läßt sich nicht abschütteln, so daß schließlich ein muffiges Paar den Hochzeitszug anführt. Noch auf dem Hochzeitswagen nimmt Liesel kurzentschlossen die Zügel in die Hand, sobald sie aber im Hause ihres Mannes unter seiner Obhut steht, kippt die Situation um, und der Dressurakt beginnt, an dessen Ende ihre völlige Unterwerfung steht.

Xavers rohe männliche Gewalt zeigt ihr, wer der Herr im Hause ist. Er zerschlägt das Geschirr, demoliert die Möbel, manifestierend, daß er mit seinem Eigentum machen kann, was er will. Und zu diesem Eigentum gehört auch seine Frau. Während er wütet, springt sie erschrocken auf die Sitzbank, duckt sich zusammen, die Hände schützend vors Gesicht gehalten. Er genießt seinen Triumph in vollen Zügen, behaglich auf dem Sofa sitzend, die Beine ausgestreckt, eine Zigarre paffend: sein Lieblingsrequisit, Symbol der männlichen Überlegenheit. Unter dem Sofa, zwischen seinen Beinen, guckt ängstlich die Liesel hervor. Aus der eigensinnigen, verschlossenen Frau ist ein eingeschüchtertes Weibchen geworden, das vorsichtig von der Seite die Gesichtszüge seines Herrn beobachtet, das ihm ergeben folgt, wohin er auch geht, treppauf, treppab. Er übersieht sie demonstrativ. Breitbeinig, die Hände in den Taschen, bewegt er sich wie ein Dompteur, der stolz seinem Publikum vorführt, welch gefährliches Raubtier er gezähmt hat. Nur einmal ist er verunsichert, als nämlich die Liesel ihm sagt, daß sie ihn lieb hat. Mit Gefühlen kann er offensichtlich nichts anfangen. Er geht weg, weil er es nicht aushalten kann, daß sie verzweifelt ist und weint. Seine Verlegenheit kommt zum Ausdruck, indem er ihr fast zärtlich zum Abschied auf den Po klopft.

Liesel, in ihrer Hilflosigkeit, wendet sich an Seppel. Der zeigt ihr ein Bild von Gretel: So mußt du aussehen, wenn du einem Mann gefallen willst. Tatsächlich braucht sie sich nur noch äußerlich ihrer neuen Rolle anzupassen. Sie putzt sich, zieht sich ein Dirndel an, macht sich die Haare zurecht, und aus dem Gegenbild ist das Ebenbild ihrer Schwester geworden. Xaver läßt vor Überraschung die Kaffeetasse fallen: «Viel besser als Gretel!» Die braucht er jetzt nicht mehr, denn er hat sie noch einmal geschaffen. Keine Frau wird ihm bedingungsloser zu Willen sein als diese hier. Sie ist so leicht handhabbar geworden, daß er sie am Ende gar Huckepack nehmen und mit ihr durchs Zimmer hüpfen kann.

GEROLD DUCKE

Romeo und Julia im Schnee (1920)

Alles gerät hier ins Wanken und meint doch, jederzeit auf festem Boden zu stehen. Aus dem Gleichgewicht gerät eine Haltung, die wider alle Vernunft in festgefahrenen Konventionen ihre Sicherheit sucht. In einer Sequenz führt Lubitsch diesen schmerzhaften Lernprozeß geradezu penibel vor; die von einem Fest heimkehrenden Gäste rutschen einer nach dem anderen auf ein und derselben abschüssigen Wegstelle aus; nur der Bauer Capulethofer ist schon vorher ausgeglitten und saust, gleichsam im freien Fall, auf seinem Hinterteil ins Tal.

Lubitsch läßt die Geschichte von Romeo und Julia in einem winterlichen Alpendorf spielen; der ländliche Charakter dieser Szenerie gilt als Zeichen für eine intakte Welt, die im Einklang mit der Natur steht. In Schwarmstedt, so der Name des Dorfes, leben die Familien Capulethofer und Montekugerl in anhaltender Feindschaft. Die hübsche Julia Capulethofer soll dem debilen Paris angetraut werden; sie aber verliebt sich in Romeo, den aus der Fremde zurückgekehrten Sohn des Bauern Montekugerl. Capulethofer muß schon mit drastischer Strafe drohen, ehe Julia der Verlobung mit Paris zustimmt. Während sich die Gäste an der Festtafel niederlassen, wollen Romeo und Julia in einer Scheune Selbstmord begehen. Ein Abschiedsbrief läßt die Eltern Capulethofer und Montekugerl zur Scheune eilen, wo das Liebespaar wie tot ins Heu gestreckt ist. Der Verlust der Kinder versöhnt die Eltern. Aber schnell stellt sich heraus: Sie sind gar nicht tot – statt Gift hatten sie vom Apotheker nur Zuckerwasser bekommen. Nun dürfen sie zusammenbleiben.

Capulethofer kämpft einen ungleichen Kampf gegen eine Natur, deren stärkster Verbündeter robuste sinnliche Empfindungen sind. Wie ein Kompaß der Gefühlswelt zeigen sie Zuneigung und Abneigung. Aber Vorsicht! Ein reiner Tor ist, wer sich ihnen gänzlich ergibt. In Paris' zügellosem Appetit auf leibliche Genüsse, der in seltsamem Kontrast zu seiner hageren Gestalt steht, ist die Torheit des korpulenten Capulethofer in monströser Vergrößerung gespiegelt. Als flügellahmer Engel erscheint Paris auf einem Fastnachtsball: Sinnbild debiler Unschuld. Binnen weniger Minuten verliert er das Engelskostüm an Romeo, der sich nun ganz ungeniert mit Julia vergnügen kann. Wohl widersetzt sie sich zunächst der Umarmung jener ihr bekannten Gestalt, in der sie noch die Torheit wähnt. Sein leckerer Kußgeschmack aber sagt ihr deutlich: Das ist der Richtige für mich.

Neffe Tübalder, der von Capulethofer immer dann gerufen wird, wenn es zu Raufereien kommt, verkörpert in seinem Ritterkostüm das gepanzerte Gemüt, an dem die Vernunft zerschellen soll. Mit gezogenem Schwert treibt er den entlarvten Engel aus dem Paradies der Liebe; die biblische Szene wird gleich darauf ins Profane gewendet. In seiner Wohnung benutzt Tübalder das Schwert als Brotmesser.

Lubitsch hat sich einen Jux daraus gemacht, theatralische Elemente der Vorlage durch burleske Späße, durch den Mummenschanz der Kostümierung und durch übertriebene Gestik zu persiflieren. Mit Parallelmontagen, die nicht auf einen platten Kontrast der Charaktere, sondern auf eine ironische Auflösung ihrer Handlungsabsichten hinauslaufen, und mit einer Spielführung, in der die Körpersprache als zentrales Ausdrucks- und Verständigungsmittel gleichzeitig den Verfall verbaler Ausdrucksfähigkeit dokumentiert, entgeht Lubitsch dem Niveau von Plotten über die Beschränktheit ländlicher Verhaltensweisen. Dennoch scheint das Ganze nicht mehr als eine Fingerübung gewesen zu sein. In dem nach Art des Kammerspiels inszenierten Prolog zeigt sich ein anderes Talent. Winzige Nuancen des Mienenspiels des Richters und des Schreibers reichen aus, die satirische Skizze einer Gesellschaft zu zeichnen, in der die formale Gerichtsbarkeit nichts mehr zu tun hat mit der Idee von Gerechtigkeit. Aber mit der Weiterentwicklung *dieser* Geschichte wäre ein anderer – und gar nicht mehr so volkstümlicher – Film entstanden.

WERNER SUDENDORF

Sumurun (1920)

Das stumme Kino und das stumme Theater: Wechselseitig irritierten und aktivierten sie einander, zu Beginn dieses Jahrhunderts, bei der Erprobung neuer Formen. Und keiner riskierte mehr bei seinen Versuchen, ohne Worte und Bedeutungen auszukommen, als Max Reinhardt. Er liebte den Karneval, war versessen auf die Pantomime. Friedrich Freksas «Sumurun» hat er mehrmals inszeniert; es war das erste Stück, das unter seinem Namen am Broadway herauskam.

Reinhardt brachte seine versierten Bühnenstars mit Vorbedacht dazu, daß sie auf ihr Produktionsmittel verzichteten, die Sprache und ihre Artikulation, daß sie sich auf ihren Körper reduzierten, die Gebärden und Mienenspiele. «Die Gebärde», sagt Julia Kristeva, «ist eine Produktivität ohne Produktion, in ihrem Bereich kann sich das Individuum nicht konstituieren.»

Den Leuten des Kinos war die Sprachlosigkeit der Filme eher suspekt, dieser Mangel an Identität; sie versuchten, die Bewegungen des Körpers zu einer eigenen Sprache zu machen. In der Stummheit des Theaters artikulierte sich ein freiwilliger Verzicht, da wurde etwas verschenkt. In der Stummheit des Kinos steckte mehr an Unvollkommenheit und Hysterie: ein Phantomdasein. Lubitsch spielt selbst in seinem SUMURUN den buckligen Bettler, sein Spiel ist wie ein infantiles Plappern, mit seinem verdrehten Kopf und den verrenkten Gliedern. Eine Werbung um die Tänzerin Pola Negri, er will sie durch seinen Körper seine Gefühle verstehen lassen. Richtig graziös ist er erst, als er vor dem Publikum eine Puppe tanzen läßt oder als die Alte aus der Truppe mit seinem reglosen Körper tanzt.

Die Schauspielerei ist erdverbunden in SUMURUN, es wird gekrochen, geklettert, gebuckelt. Mehr jüdisch-germanische als arabische Nächte, es fehlen die Höhenflüge des Kino-Karnevals. Wie den Autoren der damaligen Zeit, speziell Hofmannsthal, die Worte fehlten, um das Versagen der Sprache positiv zu formulieren als neugewonnene Freiheit. Auf Reinhardts Bühne hatte Lubitsch vor allem Diener und Narren gespielt, seine Rolle in SUMURUN ist wie eine Abschiedsvorstellung angelegt.

Gaukler und Haremsmädchen, das Gedränge der Basare und Paläste, die Handlung ist mehr ein Nebeneinander als ein Nacheinander, geht ruckartig vor sich auf verschiedenen Ebenen, wie die Bewegung des Malteserkreuzes: Pola Negri rennt durch die Straßen der nächtlichen Stadt, hetzt unter einem steinernen Brückenbogen durch, über den gerade ein Sack gezerrt wird, in dem der bewußtlose Bucklige steckt. Für diese pure, sinnlose Bewegung unter den Figuren des Spiels sorgen eine freche Haremsdame und zwei unverschämte Kaufmannsdiener: Sie inszenieren keine eigentlichen Intrigen, sondern Deplazierungen, Verschiebungen, Perspektivwechsel. Der Film spielt vor den flächigen Sandhügeln der Wüste und den grauen Mauern des Palastes einerseits, zwischen dem Gitterwerk, den Vorhängen und Stellwänden innerhalb des Palastes andererseits.

Die Träger der richtigen «Handlung» sind ein eifersüchtiger Scheich und ein geschäftstüchtiger Sklavenhändler. Die eine Substitution arrangieren: Der Scheich ist mit seiner Lieblingsfrau unzufrieden, und die Tänzerin Pola Negri soll deren Platz einnehmen. Aber wie immer bei Lubitsch, landen auch hier die Tauschobjekte nicht bei den Adressaten. Vor dem Bett, auf dem der Scheich entschlummert ist, treibt es die Tänzerin mit seinem Sohn.

Daneben gibt es die wahren Liebenden, die in ihrer perplexen Feierlichkeit noch stummer und unbeweglicher sind als die anderen Figuren. Die Liebe ist ein Fest, das ist die Moral aus Tausendundeiner Nacht. Im Palast des Sultans sind die Liebenden endlich vereint; eine Halbtotale von oben: die riesige Rosette des Bodens, schräg dazu ein Teppich, im Hintergrund die Truhe, in der der Geliebte eingeschmuggelt wurde. Die Mädchen häufen Kissen auf den Teppich, bereiten das Lager. Die zwei Liebenden treten hinzu, sie lassen sich nieder, und die Mädchen stehen fröhlich um sie herum. Eine richtige Gemeinschaft, ein Tableau jenseits der Geschichte.

FRITZ GÖTTLER

Anna Boleyn (1920)

Die Kogge. An die Horizontlinie gedrückt. Das große Wasser, das kleine Schiff. Anna Boleyn mit den Ihren auf dem rauhen Ärmelkanal. Der Mann im Mast – «Dover!». Die kräftig geschwungene Reling. Dahinter das Wasser, als ob es vorbeifließe. Der Arm des Mannes. Die Fahrtrichtung. Der Arm von Heinrich Norris, dem Kindergespielen Anna Boleyns. Anna und die Zofe. Anna selbdritt. Der Blick aus drei Augenpaaren. Das kleine Spalier, das sich bildet, wenn sie als letzte vom Schiff gehen. Das Leben im Hafen. Das große Tor, wie es sich wie von selbst öffnet. Festland. England.

Der Herzog von Norfolk. Krocket. Die Meldung der Ankunft seiner Nichte Anna. Die Unterbrechung des Spiels. Der Onkel, der am Fenster zu Annas Gemach lehnt. Die zarten Liebesbekundungen zwischen Anna und Norris. Norfolk, der die Verliebten im Schatten des Weins überrascht. Die gespielte Beschwichtigung der Belauschten. Der unbeschwichtigte böse Blick der nahen Verwandten.

Der Vorhang, der sich zur Bühne öffnet. Katharina von Aragonien, die Gemahlin Heinrichs VIII. Ihr Namenstag. Der versammelte Hofstaat. Die stockende, nicht in Gang kommende Zeremonie. Die Bitterkeit der Königin. Ihr Groll. Heinrich, der König, welcher fehlt. Draußen ist, irgendwo, mit anderen, bei der Jagd oder schlimmer.

Das Saufgelage. Die grölende Tafelrunde. Der König und der Narr.

Die Reiter, die durch Feld und Wald jagen. Wo ist der König? Grunewald à l'anglaise.

Der König, wie er aufbrechen will. Zu spät. Unwillig. Die letzte, krönende Überraschung. Die Riesentorte. Das leichtbekleidete Mädchen, das aus der Torte dem König in die Arme plumpst. Der trotzige Beginn der Gratulationscour bei Hof.

Der Narr, der ein Spottlied vorträgt: «Heinrich lach', die Sonne scheint / Kath'rinchen sitzt zu Haus und weint / Geh nach Haus zur Käthe / Laß uns die Pastete.»

Der Abbruch der Gratulationscour. Jäh. Norfolk, der seine Nichte vergeblich der Königin vorstellen will. Der spät eintreffende König. Seine Übellaunigkeit. Die Verachtung der Hofdamen. Seine Lust, andere zu demütigen.

Annas Versuch, vor dem Streit zwischen dem König und der Königin zu entweichen. Der bauschige Rock, der von der sich schließenden Tür eingeklemmt wird. Der lüsterne Blick des Königs auf den gefangenen Stoff. Der barsche Schritt dorthin, wo das Geheimnis gelüftet werden kann – weg von der Königin, ins nächste Abenteuer. Die unzeremonielle Annäherung, wie zur Fleischbeschau, an die Boleyn. Die störende Anwesenheit Norfolks. Die dreiste Ernennung Annas zur ersten Hofdame Katharinas.

Im Freien. Die Höflinge, die vor dem höher sitzenden Königspaar Lawn-Tennis spielen. Der hinter dem Rücken der Königin nach Anna gierende Blick des König Heinrich. Anna im Single mit ihrem Jugendfreund Norris. Der Ball, der sich in den Schoß des Königs verirrt. Der König Heinrich, der an Heinrich Norris' Stelle das Match fortsetzt. Der Ball, der sich in das nahe Gebüsch verfliegt. Der zögernde Schritt Annas dorthin. Die rabiate Geste des Königs, mit der er das Racket fortschleudert, um ihr ins Gebüsch nachzueilen. Der dreiste Zugriff. Ihr Widerstand. Der unvermutet auftauchende Narr als Störenfried. Der König als Narr des Narren. Anna Boleyn als in den Augen des Hofes Verworfene. Die Ohnmacht der Königin. Die Auflösung des festlichen Spiels. Der Gang Annas durch die abweisende Gesellschaft. Allein mit Norris. Die erneute Zurückweisung. Anna der Ohnmacht nahe. Der Narr, der Norris zurechtweist.

Der jähzornige König. Die vermehrten Versuche, den Scheidungsbrief an Katharina zu schreiben. Die Verkündung der Scheidung durch den Lordkanzler. Katharina, die vehement dagegen aufbegehrt. Die Einberufung des Ehescheidungsgerichts ohne päpstliche Autorisation. Anna Boleyn, die Hofdame. Ihre Zurücksetzung durch die schon geschwächte Katharina. Norfolk, der Onkel, der heftig, von links, auf Anna einredet. Heinrich, der König, der in Schalmeientönen, von rechts, ihr Worte ins Ohr säuselt. Der Taumel, der Anna dabei erfaßt. Das abgenötigte «Ja» zur «heiligen Pflicht», England einen Thronerben zu schenken.

Anna Boleyn: *Paul Hartmann, Emil Jannings, Ferdinand von Alten, Henny Porten, Paul Biensfeldt*

Anna in ihrer Kammer. Die vermummte Gestalt, die nächtens Einlaß begehrt. Das Entsetzen Annas, als sich ihr nicht der erwartete Heinrich Norris, sondern König Heinrich zu erkennen gibt. Annas schroffe Abweisung des dreisten Heinrich. Der zu spät eintreffende, gleichfalls vermummte Norris. Seine Niedergeschlagenheit. Der vergebliche Versuch Annas, ihm ihre Lage zu schildern. Ihre Drohung, «Königin» zu werden. Die höhnische Geringschätzung aus Norris' Mund.

Das Ehescheidungsgericht. Der Bruch mit der römischen Kirche. Die abgefeimten Kardinäle. Der Treueid auf Heinrich und England. Die Niederlage des Kurienkardinals Campeggio.

Der Hofdichter Smeton. Anna und Norris, von Smeton belauscht. Annas «Zu spät!» zu Norris. Norris' Zurechtweisung durch Norfolk. Die Prinzessin Maria, die Tochter aus erster Ehe, die verjagt werden soll. Ihr kühner Stolz. Die Vorbereitung für die Krönung. Die Lenkung der Massen. Die Niederhaltung der Erinnerung an die Königin Katharina. Die Lanzen und Spieße der Garden. Das wogende Volk. Anna im Krönungsornat. Der Jubel – für Katharina. Das große Spalier, der breite Weg zur Kirche. Die Krönung. Der schrille Auftritt der verjagten Prinzessin Maria: «Reißt ihr die Krone vom Haupt!» Das große Kirchenschiff. Marias Entweichen in die dunkle Sakristei. Die herrische Gebärde des Königs, als er seine neue Gemahlin in die Arme schließt, vor allen. Das Brautpaar vor der Kirche. Heinrich Norris' Ohnmachtsanfall. Sein Körper, wie entseelt, auf dem großen Vorplatz. Maria in der leeren Kirche. Verwaist. Das Hochzeitsmahl. Die nicht enden wollenden Gänge. Annas Schwermut. Ihre Appetitlosigkeit. «Bist du nicht glücklich, Anna?» «Ich bin doch Königin von England.» Die Hochzeitsnacht. Wie der König ihr die Krone vom Haupt nimmt. Sein raffender Blick.

Anna, wie sie stickt. Der König, der ihr unbemerkt den Faden durchschneidet. Das Lachen daraufhin. Der Dichter Smeton, der das Gedicht vorträgt: «Aus welchen Himmeln raub' ich Sphärenklingen / Der Königin Schönheit zu besingen. / Des Mundes Rosen, goldner Locken Flimmer / Des Busens Schnee, des Nackens Marmorschimmer.» Die parodistischen Sprünge des Narren. Der Auftritt Norris', der sich wieder in den Dienst des Königs stellen will. Der König, der Norris ablehnt. Der eifersüchtige Blick Smetons, als Norris schließlich doch aufgenommen wird. Der Narr als Souffleur. «Hütet Euch vor Smeton.» Smeton, der das Gedicht zu Ende vortragen will. Der Unmut des Königs. Der Fußtritt. Der kriecherische Smeton. Sein Vorschlag, «ein Frühlingsfest» zu veranstalten. Die Erwähnung der Nymphen und Feen. Der geile König. Die eitle Miene Smetons bei der Vorbereitung des Festes. Der Blick, en passant, in den Handspiegel. Das Fest am See. Das Haschespiel des Königs. Die eroberte Fee. Annas Entsetzen. Das Zwiegespräch Annas mit Norris. Smetons brennende Neugier. Sein Annäherungsversuch. Seine Drohungen. Annas Ohnmacht. Der Hof, wie er aufgescheucht der Königin beistehen will. Der König, wie er die Fee zu Boden plumpsen läßt. Der Narr, der alle beobachtet.

Anna im Bett. Der beruhigende Blick des Arztes. Die Mitteilung an den König, daß Anna schwanger sei. Die Aufforderung des Königs, für die Geburt eines Sohnes zu beten. Der Tag der Geburt. Der König, wie er aus dem Schloß zum Volk hinabblickt. Die Erregung vor der Geburt. Der Arzt, der dem König die Geburt einer Tochter mitteilen läßt. Das Volk: «Heil Königin Anna!» – Der König: «Jagt das Volk zum Teufel!» – Die Hofdame Johanna, die dem König das neugeborene Kind bringt. Wie der König sich in die vergafft. Wie sie mit ihm tändelt. Wie er den «Balg» wie ein sperriges Ding in einem Stuhl verstaut. Wie er sie bedrängt. Die Einladung zum Jagdausflug.

Der König, der alle viere von sich streckt und sich ankleiden läßt. Zur Jagd.

Der leere große Raum, in welchem das Kindlein liegt und schreit. Die hinzustürzende Mutter. Ihr schieres Entsetzen. Norfolk, der Anna warnt, den König allein ausreiten zu lassen. Das mahnende Geschick Katharinas. Die Königin, wie sie der Jagdgesellschaft hinterhereilt. Die Hetzjagd durch den lichten Wald. Der Schmaus im Freien. Johanna neben dem prahlenden König. Ihre Genußsucht. Die hinzutretende Königin. Die höfliche Aufforderung, die Königin in die Stadt zurückzubegleiten. Johannas Demütigung. Der König abends beim Spiel. Norris, der verliert. Smeton: «Unglück im Spiel, Glück in der Liebe.» Das Saufgelage. Smetons Spottlied: «War einmal eine Königin / Ki-Ka-Königin / Die zogs zu einem Ritter hin / Ri-Ra-Ritter hin / Der Ritter war nicht zag und zahm / Was ihm die Holde bot / – er nahm / Dem König aber heijuchhei! / Wuchs bald ein mächtiges Geweih.» Smeton, wie er das Lied abbricht – «Ritter Norris kennt das Ende des Liedes.» – Norris, der ihn verfolgt und stellt.

Das große Treppenhaus. Smeton, von Norris zu Boden geschleudert. Smeton wieder beim König. «Held des Liedes ist Heinrich Norris.» Der König, wenn er fragt: «Und wer ist der König?» – Die Verleumdung Annas und Heinrich Norris' durch Smeton. Smetons Verhaftung. Der König, der nachts um Johanna buhlt. Annas Schrecken und Verwirrung vor den beiden. Ihre Bitte, dem Treiben ein Ende zu machen. Der König, wenn er vor Annas Augen Johanna zur schönsten Dame des Turniers ernennt. Der Alptraum in Annas Gebärden.

Der Tag des Turniers. Der hohe Innenhof. Die versammelte Ritterschaft. Anna, wie sie sich putzt. Der finstere Blick Norfolks, wenn er dem Reiter befiehlt, Norris zu töten. Das Turnier. Die schwere Verletzung Norris'. Annas Klage um Norris. Der erboste König. Sein fauchender Abgang. Annas Arretierung noch während des Festes. Anna im Tower.

Das Gericht. Norfolk, der Onkel Annas, der Ankläger. Der gefolterte Norris. Sein Schweigen. Sein Tod auf den Stufen des Gerichts. Die Smeton abgefolterte Aussage gegen Anna. Norfolk, wenn er befiehlt, ihn zu hängen. Das Todesurteil über Anna. Der erhängte Smeton. Die Abwesenheit des Königs. Ihr Wunsch, die Tochter noch einmal zu sehen, Elisabeth. Der Gang zur Hinrichtung. Die zwei Henker. Das Tor, wie es sich öffnet und den Blick auf einen kahlen Platz freigibt. HANNS ZISCHLER

Die Bergkatze (1921)

Der Film beginnt mit einem parodistischen Selbstzitat: Ein Leutnant wird wie ein Potentat verabschiedet, ein Marktplatz voller Taschentücher schwenkenden Frauen. Eine Szene wie aus einem kolossalen Historienschinken. Die Funktionsweise von Massenregie und zugleich ein Frauenklischee freilegend, läßt der Regisseur einen Hut voll Mäuse los und der Choreographie ihren Lauf.

Um die Liebe einer Räuberin und eines Offiziers geht es, aber der Fortgang der Handlung ist wenig mehr als der zurückgelegte Weg zwischen zwei Schauplätzen, dem Schneegebirge, in dem die Räuber hausen, und der Kaserne, in der das Operettenmilitär exerziert. Abschweifungen, Einlagen, Anekdoten säumen den Weg, wie die Geschichte vom Räuber, der im Kintopp seine Zeit verschwendet, oder die Kitschpostkarte, die, aus einer Jackentasche gefördert, ihre eigene Geschichte erzählt. Regieeinfälle melden den Plot ein ums andere Mal ab: die purzelbaumschlagende und schlittenfahrende Räuberschar, die geländeuntauglich durch Eis und Schnee stolpernde Militärtruppe, die im Tiefschnee aufeinander zu und dann umschlungen davonrollenden Verliebten, der Schmelzbach der Tränen, der sich durch den Schnee windet und der Räuberbraut den Heimweg weist.

Gegenüber früheren Filmen ist Lubitschs Komik hier vielschichtiger. Sie entfaltet sich als slapstickartige Militärparodie, zeigt das Militär als unmartialische, operettenhaft sich bewegende Musikkapelle oder als Parodie der ritualisierten ‹zivilen› Beziehungsformen. Im Verhalten der Filmheldin, der Räuberbraut ohne Kinderstube, legt der Film den Verhaltenskodex mit Anstand ans Werk gehender Erotik als absurd offen, spekuliert dabei aber keineswegs auf den Charme unsublimierter Natur als positiver Seite. Auch die Räuberstochter – wenngleich mit entgegengesetztem Vorzeichen – handelt nach einem festen Verhaltenskodex, wenn sie pflichtbewußt und mit professionellem Ernst stiehlt. Die weinende Gegenspielerin von Herzen tröstend, streift sie ihr doch gleichzeitig die Ketten vom Hals.

Ein durchgängig komischer Effekt entsteht durch die Ausstattung dieses Films (Ernst Stern). Gegen das Klischee heroischer Hochgebirgsschönheit ist ein Zuckerbäckerbau in die Schneelandschaft gesetzt, eine Kulisse, die ihren Kulissencharakter offen zeigt, die authentische Landschaft zugleich in Staffage verwandelnd. Auch Dekoration, Requisite und Kostüm werden den gesamten Film hindurch als eigene, gegenüber dem Plot relativ verselbständigte Ebene ausgespielt: Einfälle wie die zehn Öfen im Schnee, die überraschende Verwandlung von Architekturdekor in praktikable Schaukeln, die – durch Kameraoptik verzerrten – Zitate expressionistischer Filmausstattung, die Attraktion des – kolorierten! – Feuerwerks.

Bei aller Verschiedenheit und Vielschichtigkeit parodierender und komifizierender Szenen interessiert Lubitsch – auch die Zwischentitel lassen daran keinen Zweifel – vor allem eins, das eindeutige Spiel mit Erotik. Dem Leutnant reißt die Räuberbande die Kleider vom Leib. Während man in der Kaserne die Unterhosengestalt durchs Schlüsselloch bewundert, heftet die ‹Bergkatze›, Pola Negri, die Hose an die Zeltwand, die Photographie des Geliebten eingerahmt von den Hosenbeinen.

Am Ende wird die Liaison von Räuberpistole und Militärklamotte wieder getrennt. Der düpierte Leutnant akzeptiert lustlos die ihm zugedachte Frau, und auch der Räuberin bleibt nur die zweite Wahl. Daß die Ehe Zwangsinstitut ist und es also fast Glück im Unglück bedeutet, wenn Liebe hier nicht zugrunde geht, ist der Untertext dieser Fabelauflösung. UTA BERG-GANSCHOW

Das Weib des Pharao (1921)

Mit meiner exzentrischen Freundin Lotti Huber, die sich ihr faltenloses Gesicht durch die Jahrhunderte bewahrt hat, besuchte ich im Oktober 1983 eine Vorstellung des Stummfilms DAS WEIB DES PHARAO von 1921.

Lotti war ekstatisch glücklich, den Idolen ihrer Jugend wiederzubegegnen: Emil Jannings, Harry Liedtke, Paul Wegener, Albert Bassermann, die Film- und Bühnentitanen der zwanziger Jahre. Lotti bedauert es, daß es solche Persönlichkeiten heute im deutschen Film nicht mehr gibt. Heute ist die Technik der Star, und nicht mehr der Schauspieler. Lotti wäre gar zu gerne eine Stummfilm-Rauschediva geworden und bearbeitet mich ständig, mit ihr in der Hauptrolle einen Stummfilm zu machen.

baut sich ein Schatzhaus: Tausende sterben darüber. Er liebt eine Frau: Tausende ziehen in den Krieg. Wahnsinnige Macht hat ihn entmenscht. Da tritt in sein eiskaltes Dasein ein Weib. Ein Nichts. Eine Sklavin. Etwas neues wird in ihm rege. Höheres als Begier: Liebe zu ihrer Schönheit. Und etwas Mächtigeres spürt er als seine Macht, weil durch keine Macht zu erzwingen: die Liebe der Frau, die einem anderen gehört. Die Sklavin Theonis wird Königin. Die Königin wird unschuldige Ursache zum Krieg. Von ihrem Wort hängt das Schicksal des Landes ab . . .»

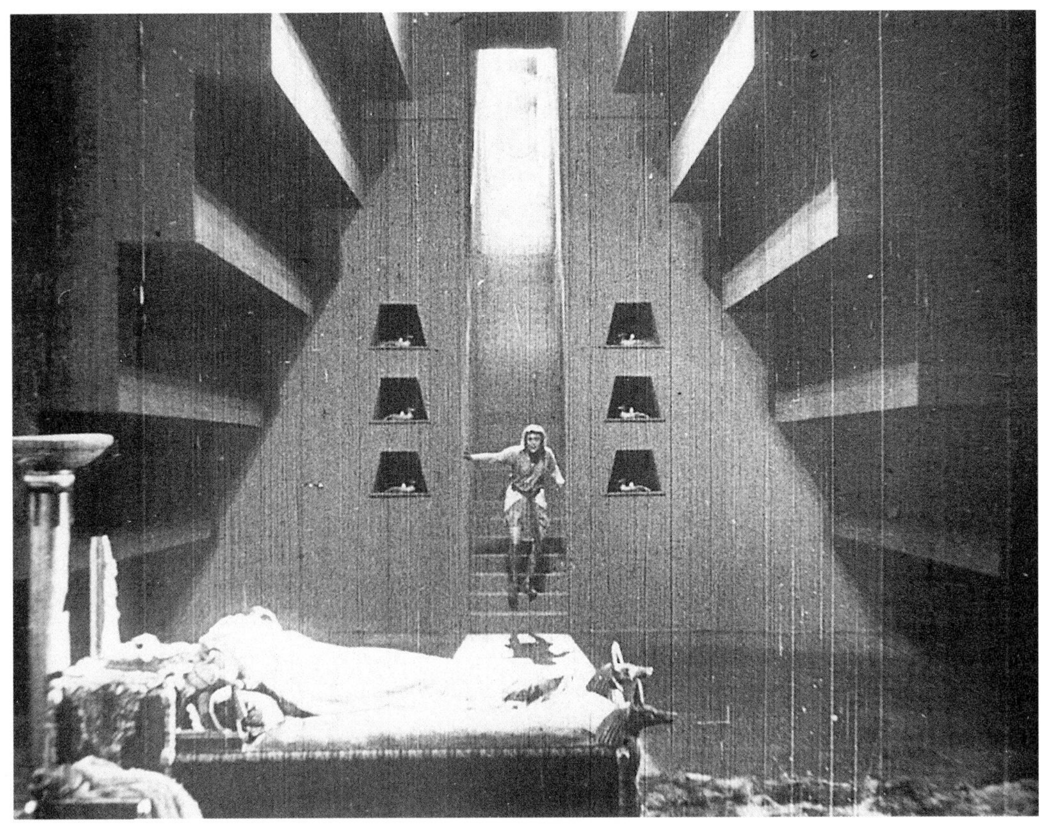

Das Weib des Pharao: *Dagny Servaes, Harry Liedtke*

Während ich mich zärtlich an Lotti schmiege, gleiten Zwischentitel wie «Ich fordere mein Weib» und «Verzeih mir, daß ich dich retten wollte» an uns vorbei.

Eine zeitgenössische Inhaltsangabe erzählt die Geschichte so: «Pharao Amenes, Ägyptens König, kennt keine Menschen. Nur Sklaven, Hunde, die sich ihm kriechend nahen. Sein Wille, seine Laune ist Leben und Tod; entsetzliche Fron; Blendung. Er

Da nur eine verstümmelte Fassung des Films übriggeblieben ist, interessierte uns nicht so sehr die banale Geschichte. Uns interessierten die großen Gesten, die witzigen Massenszenen und das Bemühen der Filmleute, mit Berliner Pfiff das alte Ägypten nachzubauen. Lotti war zwölf, als sie den Film zum erstenmal sah, und sie war überwältigt wie Millionen Deutsche zu dieser Zeit. Was war denn die Faszination dieses frühen Stummfilms von Lubitsch, fragte ich sie. «Spürst du es denn nicht auch?», fragte sie empört zurück. «Spürst du nicht die Kraft eines Emil Jannings, die Lieblichkeit der in Tränen zerfließenden Heldin, gespielt von Dagny Servaes, und den superschmalzigen Sexappeal von Harry Liedtke? Wenn sein etwas fülliger Leib vor Leidenschaft und Sehnsucht zitterte, waren wir alle hin und futsch. Das ist doch», fuhr Lotti fort, «bigger than life, und das war es, was die Leute aus ihrem grauen Alltag herausriß, und genau das hat der Meister Lubitsch augenzwinkernd verstanden. Wir brauchten damals keine Fantasy-Tricks und keine Star-Wars-Giganterie, um uns verzaubern zu lassen», erklärte Lotti. «Die einfachsten Mittel versetzten uns in Rührung und Spannung, denn es war unsere eigene Phantasie, die gefordert wurde. Wir selbst spielten mit in all diesen Filmen und wurden Teil der Handlung. Wir vermißten nicht den Ton oder Super-Stereogeräusche oder Siebzig-Millimeter-Leinwände. Uns genügte oft ein einfacher Klavierspieler.»

In diesem Falle aber engagierte man den populären Komponisten Eduard Künneke, der hier seine erste Filmmusik schrieb und der mit großem Orchester die exotischen Szenen untermalte. Ein Kritiker schrieb darüber: «Zu diesem Film hat Eduard Künneke eine umfangreiche Musik geschrieben, die Bild um Bild zu illustrieren sucht, ohne sich immer ganz anzupassen. Denn sie bleibt im fließenden Strom der Geigen, wenn zum Beispiel die alarmierenden Hornrufe des Wächters ertönen, oder wenn die Kriegspauken der Ägypter gerührt werden. Bloß im Anfang werden Hornruf oder Paukenschlag im Orchester aufgenommen . . .»

Da ich der Tochter des Komponisten Eduard Künneke einmal die Hand fürs Leben reichen wollte, sie sich ihre aber bei einem Stepptanz leider brach, wurde aus dieser künstlerischen Vereinigung nichts. Dennoch erfuhr ich viel über die schöpferische Arbeit ihres Vaters in der damaligen Zeit.

Im Gegensatz zur rockigen Evelyn ist Lotti noch immer fasziniert von den großen Leistungen der zwanziger Jahre. Sie kann es nicht fassen, daß sich heutige Stars dem Publikum anbiedern. «Für uns waren Stars unerreichbare Sterne, von denen wir nur träumen konnten und wollten. Ihre extravaganten Attitüden begeisterten uns. Die verruchte Anita Berber, die unter ihrem Pelz nackt war und Kokain im Sarg schnupfte, Pola Negri, Lya de Putti und so weiter waren unsere Idole, und wir wären schwer enttäuscht gewesen, wenn sie privat nicht so gewesen wären wie in ihren Filmen.»

Als wir das Kino engumschlungen verließen, beschlossen Lotti und ich, ebensolche Stars zu werden und die Produzenten zu bestrafen für ihre Phantasielosigkeit und das Publikum wieder zu verzaubern mit Dramatik, Leidenschaft und Ekstase, die wir nach diesem Film noch lange in uns spürten.

ROSA VON PRAUNHEIM

Die Flamme (1922)

Nur Fragmente sind von diesem Film erhalten. Wir zitieren eine zeitgenössische Kritik:

DIE FLAMME ist der letzte Film, den Ernst Lubitsch in Deutschland vor seiner Reise nach Amerika gedreht hat. Er läuft hier fast ein Jahr später als im Ausland. Was ihm gefährlich werden konnte: die Entwicklung des Films überhaupt, ist für die Publikumswirkung günstig gewesen: das Publikum hat filmischer sehen gelernt. Und bereitet deshalb einem Kammerspielfilm, wenn er nur restlos in bewegtes Bild umgesetzt ist, eine begeistertere Aufnahme als einem Monstre-Film.

In der FLAMME ist Lubitsch restloser als jemals diese Übersetzung in das Optische gelungen. DIE FLAMME ist ein optischer Dialog-Film geworden. Wenn auch hier in erregten Auseinandersetzungen oft noch geredet, also nur gesprochener Dialog photographiert wird, ist in allen Übergangs-, Zwischen-, Vorbereitungs- und Kontrastbildern fast restlos für das akustische Verständigungszeichen das optische gesetzt. Diese Übersetzung ins Optische, die Lubitsch wahrscheinlich als erster in Deutschland erkannt hat, blieb bei ihm früher oft im Detail stecken. Er charakterisierte Momente. Er gab optische Einfälle, die bewegliche Situationen aber nicht die fortlaufende Bewegung eines Filmaktes oder eines ganzen Films gaben. In der FLAMME glückt es ihm, diese Momente in die Bewegung hinüberzuführen. Es gibt prachtvoll gebundene Bildkomplexe. So die Szenen im Café Flora, das Hinüberspielen von Pola Negri, Alfred Abel und Jacob Tiedtke (wie überhaupt selten in einem Film so ausgezeichnet optischer Dialog zu Dreien und Vieren gespielt wurde). Noch nicht ganz ohne Risse geht es beim Wechsel von seelischen Situationen ab. Je vollendeter die Situationen in sich selbst oder in Kontrasten gegeben werden, desto schwerer wird es, sie in seelische Steigerungen hinaufzuführen. Hier gibt es noch Verhärtungen und Dehnungen. Pola Negri setzt tragische Szenen gegen spielerische ab. In der Vollendung aber hat die Überleitung, die Lösung der Bildsprache Alfred Abel. Die ironische, begleitende, überlegene Rolle des Freundes liegt ihm ausgezeichnet. Niemals wird sein Ausdruck starr, immer bleibt er im Fluß. Bei Frieda Richard, einer der besten Filmdarstellerinnen Deutschlands, merkt man manchmal die auf den Moment eingestellte Regie. Sie spielt Situationen nebeneinander. Z. B. in dem Bilde, wo Hilde Wörner den Brief Yvettes liest. Da zerfällt der Ausdruck in den Ausdruck der Großaufnahme und den des Gesamtbildes. Auch bei Hermann Thimig ist diese Trennung zu erkennen.

Ernst Lubitsch hat mit der FLAMME seine besten Filme übertroffen. Dieser Film bleibt ein Ereignis auch dann, wenn gegen den Schluß hin der Bruch zwischen den hervorragend gespielten und in sich gebundenen Genreszenen deutlicher wird und der Tod Yvettes, der Sturz vom Balkon auf die Straße, angesetzt erscheint. Lubitsch hat den Film der Grisette Yvette komponiert, aber nicht den Film: der Ruf, die Lockung der Straße. Dieser Film hätte ein schärferes Gegenspiel haben müssen und ein anderes Buch. So wirkt der Schluß, als ob Lubitsch vier Akte lang ein Manuskript von Hanns Kräly und einen fünften Akt von Carl Mayer hätte inszenieren wollen. (Den Namen Hans Müller braucht man glücklicherweise niemals zu nennen.)

HERBERT IHERING
(Berliner Börsen-Courier, 12. 9. 1923)

Rosita (1923)

Rosita, die Straßensängerin

Bevor die ausgelassene Titelheldin an der Spitze eines Zuges tobenden, balgenden tanzenden Volkes in den engen Gassen eines südländischen Operettenstädtchens auftaucht und in größer werdenden Lettern jubelnd als Rosita begrüßt wird, vergeht einige Zeit am Hof des südländischen Operettenkönigs.

Rosita ist Mary Pickford, und mit den ersten Tanzschritten auf einem kleinen Podest inmitten der quirligen Menge, eindrucksvoll von oben gefilmt, steht fest, daß sie diese Rosita als die herzensgute kleine Schelmen-Schwester einer Carmen spielen wird. Sie ist eine Straßensängerin mit losem Maul, Stiefkind einer malerisch armen Nichtstuer- und Lebenskünstler-Familie und ein Star, der handfest das Kostüm zurechtrücken, schwärmerisch blinzeln und mit ausgeprägtem Handwedeln sprechen kann. Natürlich erlebt diese bodenständige Kindfrau in ROSITA eine zarte, reine Liebesgeschichte über alle Ränke und Mißverständnisse hinweg.

In inszenatorischen Einfällen treibt Ernst Lubitsch seinen Spott mit romantischer Verliebtheit, aber ganz kann er die Schlichtheit der Geschichte nicht verderben. Er versucht freche Zuspitzungen durch Parallelsituationen und drastische Kontraste.

Zum Beispiel sieht man zu Anfang ein Paar Männerhände mit vielen Damenhänden Türmchen bauen. Es handelt sich um den König im Kreis der Hofdamen. Man verabschiedet sich mit Küßchen, bevor der König ein Todesurteil unterschreibt. Später lutscht er Pastillen mit einem einverständig grinsenden Hofschranzen, nachdem er gerade verkündet hat, sich als oberster Tugendwächter persönlich in das, vom streng blickenden Hofgeistlichen monierte, zügellose Karnevalstreiben zu mischen; und noch später läßt er zwei Hofdamen auf der Kinderwippe ihm gegenüber unsanft auf den Boden plumpsen, als er von einer Straßensängerin hört, die ihn öffentlich verspottet: «Ist sie hübsch?»

Dieser undelikat infantile Lüstling bewegt sich in delikaten Bildern der weiten Palasträume, Bogengänge und Gartenanlagen, die mit eleganten Fahrten und Schwenks als Augengenuß geboten werden.

Die Zügellosigkeit des Volks hat dagegen andere Bilder: ornamental inszenierte Massen, Ringelreihen, Maskenschabernack, artistische Wirtshausstreitereien, küssende Paare an einer Gassenecke, komisch überzogene Eifersuchtskämpfe – das blanke, unschuldige Lustprinzip in effektvoller Expressivität.

Im Publikum von Rosita ein fescher Hauptmann mit naiven Rehaugen (George Walsh), dem sie eine Rose zuwirft. Königliche Reiter vertreiben die Zuhörer, und zu Hause will ein Steuereintreiber Geld sehen, wo doch Rosita die kugelrunde Ziehmutter, den verschlafen-faulen Ziehvater und eine Bande wilder Kinder allein ernährt.

Ihren nächsten Auftritt nutzt sie zu einem frechen Lied gegen den König, und sie zwingt den einzigen stummen Zuhörer zum Mitsingen, den König höchstpersönlich, der sie natürlich bezaubernd findet. Rosita wird verhaftet, und Don Diego, der fesche Hauptmann, hat seinen einzigen mutigen Moment, wenn er für sie Partei ergreift. Zusammen im Gefängnis haben sie Gelegenheit, sich gegenseitig zu verteidigen und einander in zartem Gegenlicht tief in die Augen zu schauen.

Für den Rest des Films ist der verliebte Diego Objekt der Ereignisse. Romantische Naivität zum Ausruhen in Sentimentalität ist nicht Lubitschs Neigung. Der Romantik wird erst mit dem Happy-End recht gegeben. Für die Verwicklungen ist das Dreieck Hauptmann, Rosita, König weniger wichtig als das Dreieck Rosita, König, Königin.

Die Königin war zu Anfang nur als Dame zu sehen, unter deren milden Blicken der König seine

Spiele trieb. Aber später summieren sich ihre und Rositas Listen zur Errettung ihrer Männer vor Tod und Dummheit erfolgreich.

Der König will Rosita, läßt sie frei und schenkt ihr einen Palast. Der Hauptmann soll sterben.

Die materiellen Vorteilen nicht abgeneigte Familie nimmt alle Geschenke an und fährt mit Sack und Pack samt Hund in königlicher Kalesche ins neue Heim. Die Mutter hängt dort die Socken quer durchs Schlafgemach, so daß es dem korrekt-feinen Diener auf die Nase tropft. Der Vater faulenzt im Himmelbett, die Kinder demolieren voller Wonne und erkennt den Geliebten. Sie bittet den König herzzerreißend um dessen Freiheit. Die Kamera beobachtet in dieser Szene die Königin von einem Bogengang aus. Sie folgt den Ereignissen hinter den Fenstern: Der König verspricht Rosita, Diego nur zum Schein erschießen zu lassen, und diktiert darauf im Nebenzimmer einen zweiten Befehl, der das Versprechen zurücknimmt.

Diese ernsten, dramatischen Zwischentöne unterstreicht Lubitsch durch die Bilder der Gefängnisszenerie. Man sieht in strengen Hell-/Dunkelproportionen den engen, leeren, lichthellen Hof,

Rosita: *Mary Pickford, George Walsh (Mitte), Frank Leigh (ganz rechts)*

das Mobiliar, Rosita nascht nach einigem Zögern von den königlichen Süßigkeiten, läßt sich hinreißen vom Genuß an schönen Kleidern, aber verweigert sich standhaft den Zudringlichkeiten des Königs, der einmal aus einer Drehtür tritt und Rosita durch Schleiergebilde hindurch verfolgt.

Mit Dreistigkeit und augenrollender Devotheit schlägt die Mutter kupplerisch dem König eine standesgemäße Verheiratung Rositas vor. Dieser arrangiert eine Hochzeit mit dem gefangenen Hauptmann kurz vor dessen Hinrichtung. Rosita bricht die Abmachung, einen Unbekannten zu heiraten, nimmt nach der Hochzeit den Schleier ab aufragende Mauern, davor den Galgen oder dessen Schatten, den schwarzen Bogen einer Tordurchfahrt und gleißendes Licht dahinter.

Die winklige Architektur des Städtchens in der Exposition der Geschichte war dieser Szene ganz ähnlich. Aber sie verschmolz mit den vielen drängelnd tanzenden Menschen zu einer Suggestion von lebendiger Dichte, zudem aufgelöst in viele, freischwebenden Überblick versprechende Aufsichteinstellungen.

Im Gefängnishof gibt es lange Einstellungen an- und abfahrender Kutschen, in denen die Intriganten um Glück und Unglück verborgen sind.

Rosita kommt, um den letzten Wunsch Diegos zu erfüllen: seine Frau noch einmal zu sehen. Sie hat inzwischen in üppiger, kontrastreicher Kostümierung (Kostüme: Mitchell Leisen) die Aura einer tragischen Liebhaberin, nur durch Pickfords burschikose Bewegungen an früher erinnernd. In einer Art Glückshysterie mahnt sie Diego, sich nicht zu rühren, was auch immer geschehe. Das Exekutionsritual beginnt, die Königin fährt vor, die Schüsse fallen, Rosita ist verzweifelt, als sie den Geliebten leblos sieht. In einer langen Trauerfahrt, umringt vom Volk am letzten Tag des Karnevals, bringt sie ihn in ihr Haus, deckt ein Gastmahl für drei, bedroht den eintretenden König mit einem Messer, führt ihn durch weite, leere Gemächer zur Bahre Diegos, bis dieser aufsteht – gerade als Rosita den König als Mörder beschimpft.

Die Königin kommt hinzu, erklärt ihrem grantelnden Gatten, sie habe den tödlichen Befehl verschwinden lassen, und in einer langen Kutschfahrt sieht man das Königspaar sich entfernen von den jungen Verliebten, die strahlend auf dem Balkon des Palastes jenseits eines exotisch üppigen Gartens zurückbleiben. CLAUDIA LENSSEN

The Marriage Circle (1924)

Die Ehe im Kreise

Der Kreis, eine geometrische und zugleich eine ästhetische Figur: Was die Kontur herstellt, wirkt zugleich als Grenze, ohne jede Öffnung. Die Linie schließt ein und hält eingeschlossen. Die Gesetze, die im Kreis herrschen, gehen vom Mittelpunkt aus. Darüber stellen sich Ordnungen her. Allerdings: THE MARRIAGE CIRCLE hat keinen Mittelpunkt.

Für Frieda Grafe ist der Film ein «Ringelreihn, eine ausgeweitete Dreiecksgeschichte». Ich finde, es ist eher ein lockeres Fünferspiel. Die Helden kreiseln nicht; sie gehen ganz offen ihrer Wege, sie ziehen Geraden; dies aber in einem abgeschlossenen Raum, an dessen Wänden alles abprallt – hin zur nächsten Wand, an der dann dasselbe passiert. Den drei Männern und zwei Frauen, die in diesem Kreis leben und spielen, handeln und verhandeln, sich lieben und sich hassen, bleibt genügend Platz für Bewegungen, für Aktionen, sogar für Kämpfe. Nur Überschreitungen finden nicht statt. Immerhin arrangieren die Helden Koketterien, Lügen, Betrügereien. Die lösen Konflikte aus, die gültige Arrangements erschüttern.

Die Helden: Das sind zwei Ehepaare, glücklich das eine, unglücklich das andere, und ein Arzt, Kollege und Freund des glücklichen Ehemanns, ein unglücklicher Freund, da er ebenfalls die glückliche Ehefrau liebt. Diese Charakterisierungen gelten für den Anfang des Films. Und schließlich auch für sein Ende. Das ganze Chaos von Verführungen und Intrigen, von Hoffnungen und Ängsten, von Mißverständnissen und anzüglichen Spielereien schafft nur ein einziges großes Durcheinander. Folgen hat das alles nicht, letztendlich ist THE MARRIAGE CIRCLE eine schöne Leere. In dem Film ist jeder Sinn suspendiert. Also ist er angefüllt mit «Signifikanz» (Roland Barthes). Er konstruiert Sinn, füllt ihn aber nicht exakt aus: Die Ereignisse berühren als Ereignisse, nicht als Substanzen.

Es beginnt spät am Tag, aber «gloriously»: mit einem Loch im Strumpf und mit einer fast leeren Kommodenschublade – keine Hemden, nur Kragen. Adolphe Menjou, der unglückliche Ehemann, weiß nun endgültig, was die Stunde geschlagen hat. Eine Ehefrau, die nicht an frische Hemden denkt und an saubere Socken, muß Dinge im Kopf haben, die mit Ehe nichts zu tun haben. Menjou wirkt äußerst nachdenklich, als er sich dann zu seinen Körperübungen zurückzieht.

Diese Körperübungen, an der Zimmerwand im Auf und Ab vollzogen, bezeichnet seine Frau sofort als Beispiel für «cruelty». Sie droht, dies als Grund zu nehmen, ihn eines Abends zu verlassen. Daraufhin verläßt sie ihn, um eine Freundin zu besuchen. Vom Fenster seines Zimmers aus sieht Menjou, wie ein Mann in das Auto steigt, in das seine Frau kurz zuvor eingestiegen ist. Das läßt ihn lächeln. Und dann zu seinem Privatdetektiv gehen.

Das Leben ist ein Zufall. Und Liebe kann eine Folge von Mißverständnissen sein. Nichts ist besiegelt für Lubitsch, bevor es durch klare Handlungen, durch eindeutige Taten auch wirklich besiegelt ist. Doch wie schwierig das ist mit dem Klaren und Eindeutigen, führt THE MARRIAGE CIRCLE vor – Bild für Bild.

In dem Auto, in das die unglückliche Ehefrau einsteigt, begegnet sie – durch Zufall – dem glücklichen Ehemann. Er gefällt ihr. Also flirtet sie mit ihm. Er hält sich jedoch zurück. Also flirtet sie noch mehr mit ihm. Eine Absage ist keine Absage; sie ist ein Spiel, das durch andere Spiele verändert werden kann.

Als sie ihn dann wiedertrifft, entpuppt er sich als Ehemann ihrer besten Freundin. Und zugleich als Spezialist für «nervöse Leiden». Das alles läßt sie nicht verzweifeln: Das läßt sie leidend werden. So läßt sie also nach dem Spezialisten rufen.

Das Leben: Für Lubitsch ist das lediglich eine Komposition von Arrangements. Die Ehe ist nur eine Vereinbarung, eine Übereinkunft, die ordnet, was eigentlich wild ist und chaotisch. Sie bändigt Gefühle, macht aus Liebe eine Institution. Das ist gefährlich, besonders wenn zwei sich lieben. Andere können jederzeit andere Arrangements dagegensetzen: auch wilde, auch chaotische.

Die unglückliche Frau nutzt gezielt den Freiraum, den sie vorfindet: das Vertrauen ihrer Freundin; die Unbeholfenheit des fremden Mannes, der eigentlich nicht will, sie aber dann doch gewähren läßt; «das lustvolle Nachgeben wider Willen» (Frieda Grafe). Diese Frau spielt mit Wonne, während die anderen nur meinen, was sie sagen und tun.

den ersten Tanz. Dazu Lubitschs Kommentar als Schrift: «There is more danger in dancing than in dining.»

Nach der großen Party: die kleinen Parties. Hoffnungen im verlassenen Park. Hoffnungen im Auto, bei laufendem Motor. Dabei drückt der Chauffeur einmal so kräftig auf den Hupballon, daß man meint, das Hupen zu hören.

Es sind Hoffnungen, die keine Chance auf Erfüllung haben. So erfüllen sie sich, im Ansatz wenigstens, als Folge von Mißverständnissen. Ein Hin und ein Her. Doch nichts bewegt sich wirklich.

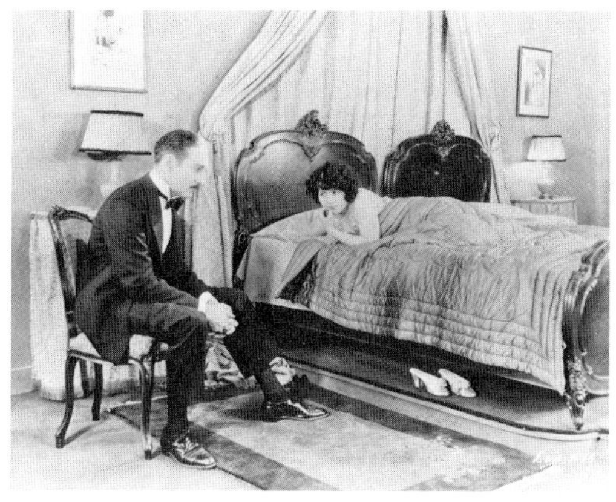

The Marriage Circle: *Adolphe Menjou, Marie Prevost*

The Marriage Circle: *Marie Prevost, Florence Vidor*

So gibt es plötzlich Momente, wo sie den Kreis fast zur Spirale erweitert, wo sie dessen Grenzen in die Tiefe zu verlagern scheint. Aber dann verliert sich doch alles wieder in der Folge von Mißverständnissen. Nichts ist wirklich. Alles ist Schein. Und jeder, der zu wissen meint, was los ist – mit ihm selber und mit den anderen –, fördert nur noch, daß Mißverständnis auf Mißverständnis folgt.

Der Gipfel aller Verwirrungen ist erreicht: vor und während und nach der Party im Haus des glücklichen Ehepaares.

Der glückliche Ehemann meint, sich allen Nachstellungen zu entziehen, indem er verhindert, daß die unglückliche Ehefrau beim Essen neben ihm sitzt.

Die glückliche Ehefrau meint, die Vorliebe ihres Mannes für eine andere Frau entdeckt zu haben, da er nicht neben ihrer Freundin sitzen will – und weiht ihre Freundin ein.

Die unglückliche Ehefrau meint, ihre Chancen zu verbessern, indem sie den Argwohn ihrer besten Freundin stärkt. So überläßt sie den Mann beim Essen einer arglosen Frau, holt ihn jedoch schon für

Am Ende ist das glückliche Ehepaar . . . glücklich. Und das unglückliche Ehepaar . . . unglücklich. Nur dem unglücklichen Freund stellen sich neue Chancen in Aussicht: Die unglückliche Ehefrau fährt im Auto an ihm vorbei und schaut ihm tief in die Augen. So winkt ihm ein Glück im und mit dem Unglück.

NORBERT GROB

Three Women (1924)

Drei Frauen

Die erste Frau ist an die vierzig und hat an die drei Millionen Dollar. Die zweite Frau ist ihre achtzehnjährige Tochter und wird die Hälfte der Millionen als Mitgift bekommen. Edmund Lamont hat Hypotheken auf seinem Besitz, und der Jüngste ist er auch nicht mehr. So bedient er erstmal beide Frauen. Er scheint nicht zu wissen, hieß es in einer zeitgenössischen Besprechung des Films, welches die Butterseite seines Brotes ist.

Moderne Geschichten wollte Lubitsch in Hollywood filmen, aus dem amerikanischen Leben, als Erholung von seinen deutschen Historienfilmen. Er war auf Realismus aus, was Eleganz und Leichtigkeit nicht ausschloß: «You don't act heavily in real life.» Was in den frühen amerikanischen Lubitsch-Filmen aussieht wie Tragödie oder Fatalität, läßt sich aus der Psychopathologie des Alltagslebens erklären: Die Tochter, Jeanne, führt ein Studentenleben in Kalifornien. Fred, ein Kommilitone, liebt sie und hat ihr zum Geburtstag ein teures Armband gekauft, für das er seine Taschenuhr in Zahlung geben mußte. Er will mit der Übergabe des Geschenks seinen Antrag verbinden und führt Jeanne dazu in den Garten. Aber er hat das Päckchen in der Manteltasche vergessen und läuft hastig in die Garderobe zurück, um es zu holen. Inzwischen bringt der Postbote ein viel wertvolleres Armband, das die Mutter aus New York geschickt hat, und Fred läßt das seine still und verschämt in seine Tasche zurückgleiten. Und natürlich will Jeanne in diesem Moment von ihm wissen, wie spät es ist.

«Es ist nicht Aufgabe des Films, künstlich stumme Wesen zu schaffen», schrieb 1928 Hanns Sachs, einer der engsten Mitarbeiter Freuds, «die unbelebten Dinge sind ja stumm und wir müssen ihnen nicht mit Gewalt den Mund verschließen, wenn wir es schaffen, sie psychische Vorgänge ausdrücken zu lassen.» Die Ursache für das Spiel zwischen den beiden Armbändern und der Uhr, für Freds unbewußte Weigerung, seinen Antrag zu machen, erkennt man später im Film: seine Mutter, eine weißhaarige freundliche Frau, die ihn zu jeder Zeit seines Lebens mit Trost, Kuchen und guten Ratschlägen versorgt; eine Paarung, die direkt aus DIE FLAMME übernommen ist.

Lubitsch nimmt seine Personen ernst, er mokiert sich nie über sie. Wichtiger ist ihm, Erklärungen zu geben für das, was sie tun und unterlassen. Die andere Mutter, Mrs. Wilton, macht ein Drama aus ihrem Alter. Sie steht vor dem Spiegel in ihrem Ankleidezimmer und zählt ihre Falten. Der Spiegel ist so breit und hoch, daß er nicht einen Ausschnitt der Wirklichkeit wiedergibt, sondern eine eigene Welt: Mrs. Wilton mag nicht glauben, daß dies ihr Gesicht ist, sie steht einem Alter ego gegenüber, einer Fremden. Fourty years of age – four, 0, hat Joseph L. Mankiewicz gesagt, einer von Lubitschs Bewunderern und Nachfolgern, das sei ein bitterer Moment für jede Schauspielerin, an dem es kein Zurück mehr gäbe. Mrs. Wilton beginnt ihr Rendezvous mit Lamont zu inszenieren, sie korrigiert die Ausleuchtung ihres Salons, dessen mit Tüchern verhangene Decke an ein orientalisches Zelt erinnert. Charles Van Enger, der Kameramann von THREE WOMEN, wollte für die Einstellungen von Pauline Frederick (Mrs. Wilton) Weichzeichner verwenden, aber Lubitsch gab Order, jeden Zentimeter des Sets mit Licht zu überfluten und durch niedrig plazierte Scheinwerfer die Ringe unter ihren Augen zu akzentuieren.

Die Wohnungen und Ballsäle im ersten Teil des Films haben die Weite und Kälte von Kathedralen, der Kopfputz der Frauen ist inspiriert von der Ausstattung heidnischer Opferpriesterinnen. Die Einstellungen sind statisch, ohne Bewegung der Kamera, in Totalen und Halbtotalen: ein Wachsfigurenkabinett. Eine einzige Auflösung gibt es, wenn Lamont den Schmuck in Augenschein nimmt, den Mrs. Wilton bei einer Soiree auf dem Körper trägt, eine Folge von Überblendungen schimmernder Schmuckstücke, daß einem schwindlig werden muß.

Was in dieser Gesellschaft als ungerührte Gelassenheit erscheint, stellt sich als Kalkül heraus. Man taxiert die überflüssigen Pfunde auf der Waage und die Millionen der unverheirateten Frauen im Saal. Persönliche und geschäftliche Interessen vermengen sich und lassen sich voneinander nicht mehr unterscheiden. Einer von Lamonts Gläubigern will ihn, um zu seinem Geld zu kommen, mit Mrs. Wilton verkuppeln. Zusammen mit Lamont begleitet er die Dame nach Hause. Im Vorzimmer «entschlummert» er augenblicklich, so daß Lamont sich diskret zu Mrs. Wilton ins Nebenzimmer begeben kann. Kaum hat der das Zimmer verlassen, öffnet der andere wieder die Augen und genießt die Früchte seiner Intrige: Er macht sich genießerisch über die Pralinés her, die unmittelbar vor seiner Nase locken.

Später wird dieser Mann den Gesetzen und Spielregeln seiner Gesellschaft mehr glauben als seinen eigenen Augen. Als er Lamont, den er auf der Jagd nach Mrs. Wilton glaubt, in einer Bar mit Jeanne sieht und am nächsten Tag mitbekommt, daß diese Mrs. Wiltons Tochter ist, reagiert er prompt mit der Feststellung: «Jetzt bin ich mir gar nicht mehr sicher, ob es wirklich Lamont war, den ich letzte Nacht gesehen habe.»

Lamont heiratet schließlich Jeanne und wendet sich danach der dritten Frau zu, Harriet. Durch deren ordinäre Unbekümmertheit und Selbstsicherheit kommt Leben in den Film und Bewegung. Sie wird verkörpert von Marie Prevost, die über Mack Sennett zum Film kam: Lubitsch war hingerissen von ihr. Die anderen beiden Frauen haben ihr nichts entgegenzusetzen als steife Melodramatik. Mrs. Wilton erschießt ihrer Tochter den untreuen Mann, weniger aus Mutterliebe als aus Rache. Wie Mrs. Erlynne, die Mutter von Lady Windermere, verliert sie nichts bei dieser Aktion: Sie bedauert vor Gericht, eine miserable Mutter gewesen zu sein, und wird freigesprochen. Das mag kein glückliches Ende sein, aber es ist wie aus dem Leben gegriffen. FRITZ GÖTTLER

Forbidden Paradise (1924)

Das verbotene Paradies

Als James Agee 1943 den Lubitsch-Film HEAVEN CAN WAIT sah, erinnerte er sich plötzlich an FORBIDDEN PARADISE, dessen «trockenen Glanz, freches Gebaren und fein abgestimmtes Timing. Die Bauten, die Kostüme und Requisiten werden der Geschichte standhalten», schrieb Amerikas bester Film-Schriftsteller. Von den Schauspielern schrieb er nichts. Als sei es bei Lubitsch schon genug, an die Organisation des Raums zu erinnern, um den Raum mit Erinnerung zu füllen.

In einem imaginären Rußland bricht Ende des 19. Jahrhunderts gegen die Zarin (Pola Negri) ein Aufstand der Offiziere los, die sich nicht länger von einer Frau regieren lassen wollen. Ein Leutnant (Rod La Rocque) – mit der Kammerjungfrau der Zarin verlobt – reitet zum Hof, um die Zarin zu warnen. Der Kämmerer (Adolphe Menjou) versucht vergeblich, den Leutnant abzudrängen. Der Warner, in dem die Zarin nicht nur den Abwender ihres Unglücks, sondern einen möglichen Boten ihres Glücks sieht, wird zum Hauptmann der Leibwache ernannt und mit einem Orden ausgezeichnet, den vor ihm schon viele Mitglieder der Leibwache erhalten hatten. Der Aufstand wird vom Kämmerer mit dem Scheckbuch niedergeschlagen. Der Hauptmann, den die erotischen Avancen der Zarin kalt ließen, wird degradiert. Dafür wird der spanische Botschafter, der mit Komplimenten nicht spart, unverzüglich mit dem Orden ausgezeichnet, was selbst den erfahrenen Kämmerer überrascht.

Wer hat noch nicht, wer will noch mal? Dieser Ruf des Lotterieverkäufers könnte für das Begehren der Zarin gelten, die mit dem Orden nichts anderes als das Draufgängertum – wahre Vasallentreue – ihrer Leibwache auszeichnet. «Wer hat noch keinen Stern?» ist die erste Frage, die der Kämmerer stellt; seine Gratulation an den ausgezeichneten Diplomaten ist das Schlußwort. Wogegen rebellieren die Offiziere? Gegen die Herrschaft der Frau, die sie zu erotischen Objekten degradiert. Sie hätten die Welt lieber normalisiert, das heißt, die Frau zum erotischen Objekt ihrer Begierde gemacht. Die Wahl durch die Frau ist der Skandal. Was ist denn das verbotene Paradies? Die Nymphomanie der Zarin oder der Aufstand der Männer, die sich selber, im Befehlsnotstand schwach geworden, nun aus dem Paradies vertrieben haben? Das verbotene Paradies ist, in Lubitschs Lektion, das Reich der direkten Wünsche, die Triebkraft des zweiten Blicks auf übersehene Details. Daher die vielen Großaufnahmen, die dem erstaunten Zuschauer nahelegen, daß die fünf Sinne, die nie zu legitimen Herrschern werden, der wahre Souverän der Menschen sind.

Menjou späht durch das Schlüsselloch, um zu erfahren, was die Zarin mit dem verlegenen Leutnant anstellt. Negri weiß das und schließt mit einem Vorhang, ohne den Leutnant aus dem Auge zu verlieren, den ungebetenen Zeugen aus. Es handelt sich um ein Spiel, aber unter Geübten in Lust und Versagung, die wissen, was sie von ihrem Partner erwarten dürfen. Das macht Menjou verschwiegen und vielsagend diskret und Negri ungeniert. Der Leutnant, dem sie die offenstehende Uniformjacke schließt, atmet so erregt, daß ihm der soeben geschlossene Knopf nun abspringt. Oder: Das Bankett, das die Zarin ihm zu Ehren gibt, wird eingeleitet mit dem Blick auf eine Schale, in die Champagnerkorken fliegen.

Lubitschs Großaufnahmen sammeln Abgesprengtes ein, das in seiner Konzentration sich zu neuer Sprengkraft ballt. Was so naheliegt, wird von der Geschichte übersehen. Wie viele Liebhaber in der Leibwache die Zarin schützen, kann man sich an den Fingern abzählen. Eine Großaufnahme läßt sich das nicht entgehen. Ein Offizier zählt die Opfer königlicher Gunst (die Ausgezeichneten), bei denen die Kamera kurz innehält, mit seinen Fingern mit. Es geht nicht um die Qualität, sondern die Quantität eines Gefühls, das durch Lubitschs zweiten Blick dekuvriert wird.

«Jede Entlarvungskritik weiß sich in einem Intimverhältnis zu dem, was im Unsichtbaren ‹wirklich der Fall ist›. Rundum wird das menschliche Bewußtsein eingeladen, sich zu täuschen und mit dem bloßen Schein sich zufriedenzugeben. Für die Aufklärung ist es darum immer der zweite Blick, der entscheidet, indem er den ersten Eindruck überwindet», schreibt Peter Sloterdijk in seiner «Kritik der zynischen Vernunft». Er läßt an Lubitsch denken, den Regisseur des zweiten Blicks.

Auch die als legitim, weil standesgemäß geltende Liebe des Offiziers zur königlichen Kammerjungfrau wird getrübt. Im durchaus bildlichen Sinn, der eingreift in die ungetrübte Harmonie des Paares. In die Spiegelung der einander zugeneigten Köpfe im Wasserbassin des Schloßparks schnellt ein Goldfisch hinein, der die Kreise des Glücks nachhaltig stört. Lubitschs Eingriffe wirken komisch in dem Maße, wie sie eine Korrektur zur Konformität vornehmen.

Agee sprach von den Kostümen, den Dekorationen, den gigantischen Räumen. Auch die sind komisch, weil sie die von Natur kleine Zarin in der zweiten Natur ihrer Inszenierung noch kleiner machen. Die Herrscherin irrt durch den Palast ihrer Prätention, wirft sich dem Leutnant flehend zu Füßen und wird erst durch die Kollaboration des Kämmerers errettet. Schlagartig hat sie alle Macht zurückgewonnen und belehnt flugs den nächsten Besten, der sich bietet, mit neuer Gunst.

Die fünf Sinne, lehrt Lubitsch, sind Opportunisten, die mit jedem Wunsch paktieren, um darin zu Göttern der Gelegenheit zu werden. Vielleicht sind diese Sinne hier geschichtlich bloß drapiert, um die jede Zensur bestürzende Einsicht zu verbergen, daß alle Herrscher ihre Souveränität angesichts der Wünsche jene an diese verlieren. KARSTEN WITTE

Kiss Me Again (1925)

Küß' mich noch einmal

Von diesem Film existiert offenbar keine Kopie mehr. Wir drucken eine zeitgenössische deutsche Kritik nach.

Ein Schritt weiter auf dem Wege, den *Ernst Lubitsch* mit der *Ehe im Kreis* beschritten hat.

Was ist liebenswert an dieser Art von Filmen?

Vor allem – denn wichtiger als alle Technik und alle Kunst sind Lebensfragen – vor allem also die Verfeinerung, die Zivilisierung, die präzisere, gewissenhaftere weil skeptischere, lebensnähere weil vielfältigere Skizzierung der Schicksalsumrisse. Der sogenannte Humor wird nicht mehr nach bestimmten Kochrezepten serviert; er ist der natürliche Reflex bestimmter Lebenshorizonte. Die Filmwelt ist nicht mehr gegen jede Wahrheit pneumatisch abgesperrt; auch die Wurschtigkeit, auch der Fluß der lebendigen Dinge, das Schwanken, die inneren grundlosen Veränderungen, die Inkonsequenzen, die Vieldeutigkeiten werden in einem gewissen Maße (in einem nicht unbeträchtlichen, wenn auch nicht tieferschütterten Maße) einbezogen. Der luftleeren Filmatmosphäre wird eine tüchtige Portion Lebensvielfalt eingepumpt.

Das ist wichtig, ungeheuer wichtig.

Zweitens, technisch: mit Kraft, Zähigkeit und vollkommen zielsicherer Konsequenz wird Pointe nach Pointe ausgespielt. Eine gute, männliche Hand. Kein Schwanken. Kein «Unter-den-Tisch-fallen». Kein Fragezeichen: «vielleicht kommt's heraus; vielleicht auch nicht.» Denn: Vollkommen souveräne Beherrschung des technischen Instrumentes; vollkommen souveräne Durcharbeitung des Schauspielermaterials; vollkommenes Amalgam, Einander-Durchdringen, dieser beiden Elemente, der technischen Regie und der Schauspielerregie. Ganz genaue Umgrenzung: «soviel ist in dieser Sekunde in diesem Meter herauszubringen; nicht ein Millimeter mehr, nicht ein Millimeter weniger. So! Gut! Schluß!» (Während gerade unsere besten Regisseure immer noch tausend undeutliche Anspielungen und Anklänge mitnehmen wollen.)

Das Resultat: relative Vollkommenheit von Meter zu Meter. Jede Situation ausgeschlürft bis auf die Neige. Es ist so kalkuliert, daß das Publikum fünfunddreißigmal lächeln und sechsmal lachen soll; und das Publikum lächelt tatsächlich fünfunddreißigmal und lacht sechsmal. Wer dieses Resultat nicht fabelhaft findet, versteht nichts vom Film oder nichts von der unnennbaren Schwierigkeit, einen relativ plumpen Ausdrucksapparat auf Präzision zu dressieren.

Fortschritte werden so vorbereitet, daß man den Umfang der vorhandenen Möglichkeiten bis an die äußersten Grenzen entdeckt, und diese Grenzen genau absteckt. Das tut Lubitsch. Er ist ein Anti-Experimentator. Das ist auch von pädagogischem Wert im Lande der fundamentlosen Kunstexperimente, Deutschland: wenn eine jüngere Generation dort einsetzte, wo Lubitsch aufhört, so könnte die Industrie diesmal mitgehen, ohne Geld zu verlieren. So real fundierte Experimente wären dann was ganz anderes als die literatenhaften, erfolglosen von früher.

Er selbst hat ja auch auf deutschen Experimenten aufgebaut. Was es an zarter, nüancierter Spielregie gibt, kommt aus Deutschland. Wir hatten schon 1920, 1921 den Kammerspielfilm. Da gab es schon Murnaus *Gang in die Nacht*, Lupu Picks erste Versuche, Richard Oswalds moussierende Farcen, Lubitschs eigene kleine Spielfilme, den RAUSCH und KOHLHIESELS TÖCHTER, der Intention nach, (mit unvollkommenerer Technik) nicht um eine Spur schlechter als das, was heute gemacht wird. Wären wir nicht jahrelang der Ideeninflation erlegen, «geeignete Sujets» für Südseeinsulaner zu finden, hätten wir uns um unseren eigenen Geschmack mehr gekümmert als um den Geschmack von Massachusetts, Neu-Orleans, Mexiko, Czernowitz, Algeciras, Leitonischel, Odessa und Avignon –: wir stünden heute da als die oberste Filmnation der Welt. Es ist so, wie es immer bei uns ist: Wir befruchten die ganze Welt und haben selbst gar nichts davon, weil wir an uns nicht glauben. Erst aus Hollywood müssen wir erfahren, wer wir sind; so wie wir erst durch Baudelaire und Rimbaud das erfahren haben, was fünfzig Jahre früher von uns selbst ausgegangen war.

Festigkeit, Souveränität, Durchdringung des Technischen bis zur feinsten Feinmechanik: das alles zusammen bedeutet Grazie. Wer den Schwerpunkt kennt, kann auf den Schwerpunkt jonglieren; das ist graziös.

Lubitsch ist unglaublich graziös. Also ist er auch taktvoll. Also ist er auch etwas, was schon aus dem Formalen ins Menschliche hinüberspielt: er ist fein, er ist ein feiner Mensch, und kann, wenn er will (– er will nicht immer –), feine Filme machen. KISS ME AGAIN ist einer der feinsten Filme, die es gibt; vielleicht der Feinste nach *Erotikon.* (Ludwig Bergers Filme sind graziös und taktvoll, aber nicht fein; weil seine Grazie nicht von der Festigkeit, sondern von der Labilität herrührt.)

Das einzige, was man hiergegen einwenden könnte: solch ein Körper hat zwar eine Masse kleiner Gelenke, aber kein Skelett, mit seinen wesentlichen Strukturknochen, Drehachsen, Muskeln und Kräftezentren. Unter uns gesagt: ich habe nachher gar nicht verstanden, warum Sardous «Cyprienne» als Vorbild des Sujets genannt wird. Diese «Cyprienne» hat nämlich gerade die entgegengesetzte Eigenschaft: sie hat nur eine einzige Drehachse. Und – o Wunder – jede kleinste Pointe bringt Lubitsch heraus; aber diesen zentralen Drehpunkt, diese Sardousche Monopolpointe hat er offenkundig nicht nur nicht herausgebracht, sondern gar nicht herausbringen wollen, sie hat ihn gar nicht interessiert. Hier, gerade hier, hat er sich tatsächlich mit flüchtigen mimischen Anspielungen begnügt, ohne den filmtechnischen Hammer mit voller Wucht auf den Nagelkopf zu hauen. Ich meine, den *Entschluß* des Ehemannes, jetzt seinerseits selbst die romantische Komödie, die das Frauenherz verlangt, zu spielen, und den romantischen Liebhaber in die Banalität des Ehelebens versinken zu lassen. Gewiß, der Ehemann tut auch bei Lubitsch sehr schlau; aber man hat keine Ahnung, daß er ein richtiges Aktionsprogramm hat. Erst als ich die Inhaltsangabe im «Illustrierten Filmkurier» gelesen habe, habe ich gemerkt, daß tatsächlich Sardou verfilmt wurde.

Die Reize und die Nachteile der Lubitsch-Krälyschen Dramaturgie, die wir ja nach vielen Proben einigermaßen übersehen können, sind eben sozusagen identisch: es ist die reizvolle Situation, die sich selbst fortspinnt, sich selbst weiterhäkelt, ein Mäschchen aus dem anderen; so wie es bei Hegel den «sich selbst weiterdenkenden Gedanken» gibt; Filmhegelei und Filmhäkelei. Mit entzückendem Häkeldessin —

Auf einer bisher nur ganz selten erreichten Höhe sind die schauspielerischen Leistungen. Das eigentliche Ereignis sind nicht die – übrigens ausgezeichneten – Hauptdarsteller *Marie Prévost* und *Monte Blue*, deren hohen Rang man ja kennt, sondern die beiden kleineren Chargenrollen, mit ganz unbekannten Kräften besetzt: *John Roche* und *Clara Bow.* Es ist das Spiel auf «Typus», nicht auf Gestalt hin; aber doch wieder hoch über die bloße impressionistische Pinselei hinaus, die man meist als «Chargenspiel» sieht – etwas aus einem Guß und doch mit vielen Schatten und Lichtern; gewiß, «Typen», aber *gesehene* Typen, Augenerlebnisse, dieser pomadige, verzuckerte, melancholische Künstler, diese kesse, elastische, kleine Stenotypistin mit dem Puppengesicht und den Mannequin-Abendtoiletten (es gibt einen Typus Abendtoiletten, den man sich nur an Mannequins vorstellen kann; bis soweit geht die aphoristische Beobachtungsgabe Lubitschs).

Übrigens ist Monte Blue der alte, immer frisch, lebendig, nett in seiner jungenhaften Durchtriebenheit, sozusagen das männlichste Baby Film-Amerikas; besser als Valentino, weil unelegisch, positiv, lebensstärkend; sonst vielleicht auf derselben künstlerischen Linie. Und *Marie Prévost*, die Frau mit den zwei drolligen Gesichtern als grantige Hausfrau und als romantisch-schwärmerisch-blöder Backfisch.

W. H. (WILLY HAAS)
(Film-Kurier, 8. 2. 1926)

Lady Windermere's Fan (1925)

Lady Windermeres Fächer

Gefühl verdirbt die Karriere. Das hat Mrs. Erlynne schon vor zwanzig Jahren erlebt, als sie Mann und Kind verließ, um ihrem Liebhaber zu folgen, und deswegen von der feinen Gesellschaft verstoßen wurde. Heute, da sie zurück will in ihre frühere Welt, muß sie diese Erfahrung noch einmal machen. Aus ihrer Tochter ist inzwischen eine Lady Windermere geworden, die die totgeglaubte Mutter zum Ideal ihres Lebens erhoben hat. Während Lord Windermere ansehnliche Summen dafür bezahlt, daß seine Schwiegermutter sich nicht als solche zu erkennen gibt. Durch die Verbindung zu ihr gerät er in einen schlimmen Verdacht.

Dies ist bereits geschehen, wenn Oscar Wildes Komödie anfängt, und wird, um des Spannungseffektes willen, erst nach und nach aufgedeckt. Die Geschichte beginnt bei Wilde damit, daß Lady Windermere ausgerechnet an ihrem 21. Geburtstag zugetragen wird, was angeblich ganz London weiß: Ihr Gatte ist der Liebhaber jener anrüchigen Mrs. Erlynne, der Frau mit mindestens einem Dutzend Vergangenheiten. Für die strenge Puritanerin bricht eine Welt zusammen.

Lubitsch zeigt uns gleich, wie alles sich entwikkelt hat und in welchen Beziehungen die Personen zueinander stehen. In der ersten Sequenz des Films sehen wir Lady Windermere, wie sie Kärtchen mit Namen hin- und herschiebt. Es sind die Tanzkarten für den Ball, der aus Anlaß ihres Geburtstags stattfinden soll. Anscheinend rein zufällig legt sie einen Moment ihre Karte neben die von Lord Darlington, der in der folgenden Sequenz seine Aufwartung macht. Darlington liebt Lady Windermere, natürlich weist sie ihn ab, denn sie glaubt sich ja – jedenfalls zu diesem Zeitpunkt – glücklich verheiratet. Später wird sie nicht mehr so standhaft sein; warum, hat sie durch die Kärtchen verraten. Die Quelle für Lubitschs Inspiration ist überraschend unauffällig. Nur eine beiläufige Bemerkung, die eine Herzogin in Wildes Text macht: «Ich bin so froh, daß Lady Windermere die Tanzkarten wieder eingeführt hat.»

Manches, was im Theater nur berichtet wird, erzählen uns die Bilder des Films. Mrs. Erlynne betrachtet wehmütig das Foto ihrer Tochter auf der Titelseite einer Illustrierten. Dann schreibt sie einen Brief an Lord Windermere und bittet um eine Unterredung. Genau so, wie dieser im Stück mußmaßt: «Zwanzig Jahre lebten Sie ohne Ihre Tochter, ohne einen Gedanken an Ihre Tochter zu verschwenden. Eines Tages lasen Sie in der Zeitung, daß sie einen reichen Mann geheiratet hat. Sie erkannten Ihre schmutzige Chance.»

Wenn Gefühle das Kalkül durchkreuzen, kommt es zu Mißverständnissen und Komplikationen. Die Mutter hat kaum mit den Gefühlen ihrer Tochter gerechnet, und noch weniger mit ihren eigenen. Daß sie überhaupt noch Gefühle hat, ist die erstaunlichste Entdeckung am Ende und zugleich die beunruhigendste. «Ich glaubte, ich hätte kein Herz. Aber ich habe eines, und Herz steht mir nicht ... Irgendwie paßt es nicht zu meinen Kleidern. Es macht alt. Und es verdirbt einem die Karriere in kritischen Augenblicken.»

Mrs. Erlynne macht großen Eindruck auf dem Ball der Lady Windermere. Sie scheint am Ziel ihrer Wünsche, denn wer in dieses Haus eingeladen wird, der ist über jeden Zweifel erhaben. Sie kann also in den Schoß der Gesellschaft zurückkehren, und ihr Verehrer Lord Lorton wird nicht länger zögern, sie zu heiraten.

Für Lady Windermere ist das Erscheinen der angeblichen Geliebten ihres Mannes eine ungeheure Demütigung. Verzweifelt eilt sie in die Wohnung Darlingtons, um mit ihm London zu verlassen. Mrs. Erlynne folgt ihr in Darlingtons Wohnung; sie will verhindern, daß ihre Tochter den gleichen Fehler begeht wie sie damals. Es gelingt ihr auch, Lady Windermere zur Umkehr zu bewegen. Alles könnte wieder in Ordnung sein, wenn nicht Lady Windermere ihren Fächer auf Darlingtons Sofa liegengelassen hätte. Seine Entdeckung beschwört einen gesellschaftlichen Skandal.

In dieser Situation opfert sich Mrs. Erlynne für ihre Tochter, indem sie behauptet, den Fächer versehentlich an sich genommen und später bei Darlington vergessen zu haben. Jetzt kommt der Skandal auf sie zu. Aber nur scheinbar, denn nichts ist so bedrohlich in Wildes Komödie, daß es nicht mit einer kleinen Lüge wieder einzurenken wäre. Mrs. Erlynne bekommt ihren Lord, und Lady Windermere, ohne zu wissen, daß es ihre Mutter war, die sie gerettet hat, geht zurück in den Schonraum ihrer Ehe, obwohl die Idylle nicht mehr ist, was sie vordem war. Ein Hauch von Leben hat sie gestreift.

Lubitsch kann die Geschichte mit seinen Bildern satirischer erzählen als Wilde mit seinen geistreich-aphoristischen Dialogen, die der Handlung oft äußerlich bleiben. Der glatte Ton des Salons, die ironische Selbstreflexion der Figuren machen alle unangreifbar. Jeder gibt sich witzig, aber niemand eine Blöße. Man ist perfekt trainiert, Gefühle nicht zu zeigen. Aus einer Regieanweisung Oscar Wildes, Mrs. Erlynne verstecke ihre Gefühle hinter einem nichtssagenden Lachen, könnte Lubitsch das Spiel seiner Schauspieler entwickelt haben. Mimik, Gestik, Haltung und Gänge zeigen die Widersprüchlichkeit der Figuren. Sie haben sich zwar der gesellschaftlichen Form, der alles beherrschenden Konvention angepaßt, aber unter ihrer zweiten Haut, der Gesellschaftshaut, kann man mitunter verborgene Gefühle pulsieren sehen: Neid, Zorn, Neugierde, Eifersucht, Besitzgier, Angst und Verzweiflung.

Die Schauspieler erreichen mit den kleinsten Mitteln die größten Wirkungen. Ein Augenzwinkern, ein Zucken der Mundwinkel, eine leichte Bewegung der Hand ersetzen oft den Dialog. Es gibt nur wenige Zwischentitel. Die Bauten erscheinen zu groß für die Personen, die darin verloren und isoliert agieren müssen. In so riesigen Sälen ist es unmöglich, sich näherzukommen; die Distanz vergrößert sich bis ins Unendliche. Es gibt hohe, dunkle Zimmer mit hohen Türen, die nur mühsam zu öffnen sind, Bücherregale reichen bis an die Decke, voll mit totem Wissen; wuchtige Schreibtische und riesige Pflanzen stehen in den Räumen herum. Alles ist kostbar, aber nirgends gibt es eine Spur von den Menschen, die hier leben.

Der Garten des Hauses Windermere ist ein Labyrinth, in dem sich Beziehungen verwirren und Gefühle verirren. Die Hecke ist wie ein Rahmen, der Lady Windermere und Lord Darlington begrenzt. Wenn sie ihrem Anbeter folgt, wechselt sie nur das Gefängnis. Bei Oscar Wilde heißt es: «Was ist das Schlimmere: Einem Mann ausgeliefert zu sein, der einen liebt, oder einem Ehemann, der einen im eigenen Hause entehrt? Welche Frau weiß es?»

terin, im Mittelpunkt. Die Kamera blickt mit den Augen der Gesellschaft. Das Objekt der Neugierde und des Klatsches im Visier eines Fernglases, immer näher herangeholt. Die Detailaufnahme zeigt ihr Haar. Dazu der Kommentar einer Dame im Zwischentitel, triumphierend ob der Enthüllung: «Sie wird schon grau.» Was niemand wissen soll, ist nun offenbar: Mrs. Erlynne ist keine junge Frau mehr, schon deshalb darf sie niemals das Geheimnis ihrer Mutterschaft preisgeben. Oscar Wilde läßt sie sagen: «. . . wie würde ich dastehen, als Mutter einer erwachsenen Tochter. Margaret ist einund-

Lady Windermere's Fan: *May McAvoy, Irene Rich*

In den beiden großen Sequenzen, die öffentliche Ereignisse zum Inhalt haben, denkt und arrangiert Lubitsch wie ein Choreograph. Solisten, Gruppen und Chorus werden exakt und sinnfällig aufeinander bezogen. Hier sind auch die Höhepunkte des Films:

Auf der Rennbahn. Mrs. Erlynne, die Außensei-

zwanzig, ich habe niemals zugegeben, älter als neunundzwanzig zu sein, dreißig allenfalls.» Lubitsch erzählt in Bildern, die dem Zuschauer mehr von dem Dilemma des Alterns in einer solchen Gesellschaft vermitteln.

Der Ball. Lady Windermere hat die erste Auseinandersetzung mit ihrem Gatten gehabt; jetzt muß sie vor ihren Gästen die glückliche Ehefrau und besorgte Gastgeberin mimen. Sie entledigt sich dieser Pflicht mit einem maskenhaft starren Lächeln, das nur mühsam ihren Schmerz und ihre Erregung verbirgt. Es fällt nicht auf in einer Umgebung, wo nur Masken verkehren, wo jedes Lächeln gefroren ist, wo hinter jeder steifen Verbeugung die Hinterlist lauert. Lubitschs Choreographie betont die Form, das Allgemeine, das jegliche Individualität in sich aufgesogen hat. Die Gäste, insbesondere die männlichen, sind kaum voneinander zu unterscheiden. Ein Trio von älteren Damen verkörpert die üble Nachrede und das gehässige Geschwätz. Einmal füllt ein großer Wandbehang das Bild aus. Am unteren Bildrand taucht ein Frauenkopf auf, neugierig gereckt, verschwindet wieder, dann ein zweiter und ein dritter. So verdichtet sich eine Atmosphäre von Kälte und Mißgunst, in der Mrs. Erlynne sich behaupten muß. Zunächst gewinnt sie die Aufmerksamkeit der Herren, die sie dank ihrer erotischen Faszination bald um sich scharen kann, während die Frauen abschätzig zusehen, die Nasen rümpfen und durch die Lorgnetten stieren. Das Gesicht von Mrs. Erlynne zeigt die Verletzung, die sie sich nicht anmerken lassen will, aber auch die Überwindung, wenn sie geradewegs auf den schlimmsten Gesellschaftsdrachen zusteuert, um ihn mit Schmeicheleien auf ihre Seite zu ziehen. Kurz darauf hat sich auch die Frauenwelt um sie gruppiert. Sie ist jetzt der Mittelpunkt des Balls. GEROLD DUCKE

So This Is Paris (1926)

Das ist Paris

Zwei Paare und «Das Lob der Freiheit» (ein Insert), wenn sich der Ehemann mit der Verlobten auf dem Künstlerball amüsiert – also eine Seitensprungkomödie.

Wichtige Rollen in diesem Film spielen die Fenster zweier gegenüberliegender Beletage-Wohnungen und die Phantasie, einen schamlosen Nackten zum Nachbarn zu haben, wenn nur sein blanker Oberkörper zu sehen ist. Dann die Jalousien, die eiligst heruntergelassen werden, wenn jemand die eigene Peinlichkeit verdecken will, aber eiligst hochgezogen werden, wenn man sich über andere empören möchte. Außerdem ein Stock, der entgegen blumiger Beteuerungen gar nicht zum Verprügeln des Schamlosen benutzt wurde. Aus dem Durcheinander seiner Schwindeleien in den Schlaf geflüchtet, findet der Ehemann den Stock unerwartet bald wieder neben sich und wird im Traum von ihm geplagt. Den ganzen Film hindurch kommt allen dieses Ding in die Quere, bis die Ehefrau zum doppelbödig versöhnlichen Schluß hin den Assoziationen ein Ende macht und ihn ins Feuer wirft.

Die Zuschauer wissen alles von den vier markant überzogenen Figuren. Die nutzen ihre gegenseitige Unwissenheit zum eigenen Vorteil aus, aber alle tun es mit beschwipster Leichtigkeit, so daß die Bosheiten locker und das Lockere boshaft aussehen.

Es geht um einen inbrünstig dümmlichen Jüngling, der zu Anfang in Pumphosen und Turban eine Art lyrischen Scheich mimt. Der Tanz der Manolia gelingt nicht ganz, weil der Scheich die Haremsdame nicht heben kann, und die Illusion bricht ganz, wenn ein kleiner Schwenk den kichernden Klavierspieler als Beobachter einer Probe nach dem Buch «Wege zu Kraft und Kühnheit» zeigt. Die Haremsdame stemmt den Scheich lieber selbst hoch, um ihm zu zeigen, wie sie zu ihrem Partner und Verlobten steht: Sie läßt ihn fallen.

Gegenüber liest die zarte Arztgattin den Schmöker «Unter Dattelpalmen» und findet alles romantisch, was sie in Gegenwart ihres Mannes schamlos schimpft. Ihr heimkehrender Gatte, Dr. Giraud, ein Bonvivant mit den runden Augen eines Clowns, steckt ihr ein Fieberthermometer in den Mund, wenn sie ihn sehnsüchtig umarmt. Als der Doktor mit dem Stock den Nackten von gegenüber zur Ordnung rufen will, entdeckt er in der kopfstehenden Haremsdame Georgette eine lachlustige Freundin aus alten Zeiten. Sie schwärmt von seiner Aufmerksamkeit damals, und er fragt: «Verwechselst du mich nicht?»

Der Jüngling bringt den Stock über die Straße zurück und stellt sich, beeindruckt von sich selbst, als Scheich vor mit der Bemerkung: «Angezogen mache ich vielleicht keinen besonderen Eindruck.»

Von nun an nutzt er jede Verabredung des Arztes mit Georgette dazu, mit Hut und Stöckchen über die Straße zu laufen und sich balzend von der höflichen Gattin lauter Körbe zu holen. Aber die Situationen zwischen dem unmöglichen Paar liefern genug scheinbar verräterische Blickfänge, so daß die Gattin alle Hände voll zu tun hat, den galant Dreisten zu verstecken und einmal auch als ihren Mann auszugeben.

Wie gerufen kommt diese Not, als die Polizei bei ihr auftaucht, um ihren Gatten zu verhaften: Der Falsche geht freiwillig mit, nur weil er sich so mehrere Abschiedsküsse von ihr holen kann.

Georgette hatte sich einen Witz daraus gemacht, den Konditor des besten Cafés bei der Arztgattin als krank auszugeben, so daß diese ihren Mann nach einem so dringlichen Anruf mit sanfter Gewalt zum Rendezvous schickt. Der Doktor fährt rasend schnell. Parallel zur fahrenden Kamera gefilmt und mit ein paar Schnitten auf den Tachometer, gibt das den Eindruck von Tempo, aber nicht von einer langen Wegstrecke – und so behält der ganze Film diese suggestive Wirkung einer Verschmelzung von Bühnenpräsenz und filmischem Tempo. Alle sind immer dort, wo gleich wieder etwas Verdrehtes passieren wird.

Vor der frech lachenden Georgette schwingt sich der Arzt zu Schimpfwörtern auf, die der Polizist interessiert notiert: «Wie buchstabiert man das?» – Der letzte Streich des Eheflüchtigen ist die Verabredung zum Künstlerball, die er als Patientenbesuch ausgibt, zu dem ein Frack die notwendige Arbeitskleidung sei.

In einer langen Sequenz wildester Totalen und Details von Frauenbeinen, Champagnerflaschen, schwarzen Musikergesichtern und blitzenden Instrumenten in einem Saal, dessen Säulen aus Frauenbeinen bestehen, macht Lubitsch Charleston mit den Bildern. Zu Hause hört die Gattin am Radio – aus dem eine Schrift entfliegt –, daß ihr Gatte mit der Dame Georgette den ersten Preis im Tanzen gewonnen habe. Sie zieht sich sorgfältig an und macht sich auf den Weg.

Der Gatte beschießt inzwischen eine Glatze am Nebentisch mit Sektkorken, weil Georgette nicht genug bekommen kann und mit neuen Freiern auf dem Tisch weitertanzt. Er hat düstere Visionen vom Schmachten in der Gefängniszelle und taumelt ins Foyer, wo er von einer freundlichen Dame ins Taxi gebeten wird. Zu Hause dreht sich die Zimmereinrichtung wie ein Kaleidoskop, er will die neue Verführerin anblinzeln und bekommt das zugekniffene Auge nicht mehr auf, weshalb sich das andere Auge schockiert nach innen wendet. Als ihm klar wird, daß er sich bei seiner Frau befindet, klagt er über ihre Ballaufmachung und wie sie sich vergnüge, während er im Gefängnis sitze. Dort aber sitzt der galante Scheich, und diese Nachricht stellt den Ehebund wieder her, so daß das Paar am nächsten Morgen zum Frühstück eng zusammenrückt.

Claudia Lenssen

The Student Prince in Old Heidelberg (1927)

Alt-Heidelberg

Kleine Jungen bewundern den kleinen Prinzen, aber er darf nicht mit ihnen Fußball spielen; junge Mädchen verehren den herangewachsenen Prinzen, aber er darf sie nur von fern, aus dem Fenster des Schlosses anlächeln. Bis er seine Examen bestanden hat (die Prüfung besteht in der Frage, wann Philipp II. gelebt hat; der Erzieher verrät es ihm, indem er sich dort hinstellt, wo dessen Porträt mit den Jahreszahlen an der Wand hängt): Dann schickt der König ihn zusammen mit dem die Hofetikette konterkarierenden, in Freundschaft mit seinem Zögling verbundenen Pädagogen aus der deutschen Residenzstadt zum Studium nach Heidelberg. Dort (die Nachbildung einer Burg spiegelt sich nach der Zugeinfahrt in dem Fenster des prinzlichen Abteils) steigt der Held in einer Pension ab, deren Wirtsleute ihre schöne und liebenswerte Tochter ein Emp-

The Student Prince: *Ramon Novarro, Norma Shearer*

fangsgedicht aufsagen lassen, wobei sie ins Stocken kommt und (der Witz des Films besteht ganz in für Lubitsch typischen Reihungen von Gleichartigem zu verschiedenen Situationen) der Erzieher abermals Gelegenheit hat, hilfreich zu sekundieren. Die Schranken schnell überwindend, lieben der Prinz und das Mädchen sich (eine abfallende Wiese, durch deren Gräser und aufgesteckte künstliche Margeriten ein Zittern geht, das von einem Sturm der Leidenschaft kommt; eine Kahnfahrt mit ernstgemeinten Versprechungen). Am Ende die Staatsräson. Der Prinz, nach dem Tod des Königs dessen Nachfolger auf dem Thron, heiratet eine Prinzessin, und während er unglücklich ist und an Heidelberg denkt, sagt beim Vorbeifahren der Hochzeitskutsche – begeisterte Untertanen stehen Spalier – eine alte Frau, das Anfangsthema wieder aufnehmend, träumerisch aufblickend zu ihrem Mann, daß es wunderschön sein muß, «to be a king».

PETER NAU

The Patriot (1928)

Der Patriot

Der vorletzte amerikanische Stummfilm von Ernst Lubitsch. Auch von ihm ist leider keine Kopie erhalten. Wir zitieren eine zeitgenössische deutsche Kritik:

Alte Zusammenarbeit, neuer Erfolg. *Der Patriot*, nach dem Drama von Alfred Neumann filmisch von Hanns Kräly bearbeitet, setzt die Reihe von MADAME DUBARRY, ANNA BOLEYN und dem WEIB DES PHARAO fort. Was jetzt in vielen amerikanischen Opernfilmen nach Deutschland zurückkehrt, ist damals von Lubitsch mit ausgegangen. Das Genre hat sich nicht geändert, nur die Regie- und Aufnahmetechnik hat sich vervollkommnet.

In dieser überholten Gattung ist der PATRIOT eine Spitzenleistung. Sparsam und deutlich konzentriert auf die Hauptpersonen: auf den irrsinnigen Zaren Paul und den Verschwörer Graf Pahlen. Massenszenen nur, soweit sie einleiten, verdeutlichen und rhythmische Kontraste liefern. Hofintrigen nur, soweit sie bei diesem Stoff unentbehrlich sind (es bleiben noch genug Taschentücher, Briefe und Tabatieren übrig). Die Regie von Lubitsch ist lautloser geworden. Sie ist selbstverständliche Meisterschaft.

Jannings spielt die Rolle des irrsinnigen Zaren, den Kortner als eine seiner eindrucksvollsten Bühnengestalten zeichnete. Jannings setzt diese Figur mit ungeheurer Vehemenz ins Filmische um. Es ist wieder ein Sieg seiner vitalen Kraft und sinnlichen Fülle. Jannings ist durchaus selbständig. In seinem riesigen Genießergesicht geht alles vor. Er wechselt von tierischer Brutalität zu naivem Humor. Eben noch starrt das Auge irr und weiß, eben noch verzerren sich die Lippen, schon löst sich alles – Pahlen erzählt von Amouren, der Mund feixt, die Augen blinzeln, die Beine geraten ins Laufen. Jannings rennt zur Madame Lopuchin, ein dummer Junge, ein kindischer Rekrut. Jannings wagt alles. Er streckt die Zunge aus, breit, unflätig, und erschrickt, weil sie belegt ist. Er läßt sich von Pahlen auf dem Rücken kratzen und grunzt behaglich wie ein Tier. Niemals wird Jannings grotesk oder chargiert. Alles ist in Fluß gehalten durch eine nie aussetzende, intuitive und formende Phantasie, die noch die mimisch ausladenden Szenen legitimiert.

Auch Lubitsch bindet diesmal alle kleinen Nuancen und Spieleinfälle. Es fällt nichts heraus, nur der Schluß bleibt wieder zu edel, zu «patriotisch». Was aber nutzt im Grunde all diese artistische Vollkommenheit, dieser Reichtum von Jannings, dieses Können von Lubitsch, wenn beide an ein Filmgenre gesetzt werden, das überholt ist. Es wird höchste Zeit, daß Jannings und Lubitsch aus Hollywood herauskommen und Anschluß an die lebendige Welt gewinnen. In einer Stadt, wo nur Filmleute leben, eingekapselt in die Fachsimpelei der Filmgespräche, kann sich der Film wohl vervollkommnen, aber nicht entwickeln.

Jannings sprach früher gern, wenn ein experimentierender Film in Berlin einen künstlerischen, aber keinen Massenerfolg hatte, von «Iheringschen Heimlichtspielen». Inzwischen hat sich die Zeit geändert. Wie im Theater längst, was ursprünglich als Narretei verschrien war, zum Massenerfolg aufgestiegen ist, so hat sich auch im Film vieles grundlegend geändert. Aber der Einfluß des russischen Films ist wohl technisch-dramaturgisch, nicht geistig-dramaturgisch in Hollywood zu spüren. Gerade bei einem großen Erfolge, bei einem Meisterwerke wie dem *Patrioten* ist zu wiederholen: Heraus aus Hollywood, Neubeginn auf anderer, kleinerer Basis.

HERBERT IHERING
(Berliner Börsen-Courier, 28. 2. 1929,
Abend-Ausgabe)

Eternal Love (1929)

Der König der Bernina

Beim Lachen sind die Tränen oft ganz nah; beim Weinen kann man mitunter ein leises Lächeln nicht unterdrücken. Zwischen Komödie und Melodram verlaufen Grenzen, die manchmal überschritten werden müssen. Beide Genres machen eine Rechnung, die nicht immer aufgeht: Komödien gibt's auch ohne Happy-End, und nicht jedes Melodram geht traurig aus.

In einem Tal in den Schweizer Alpen, von der Außenwelt isoliert, liegt das kleine Dorf Pontresina. Zur Zeit der napoleonischen Kriege fordert die französische Besatzungsmacht die Bewohner per Dekret auf, ihre Waffen abzugeben. Widerstand regt sich im Dorf, aber der Pfarrer beschwichtigt die rers, die seine Zuneigung schüchtern erwidert. Sein Rivale ist der reiche, angepaßte Bauer Lorenz Gruber. Und dann gibt es noch Pia, die Außenseiterin, die wilde, bedrohlich erotische Frau.

Markus' Entwaffnung, die erst auf Drängen Ciglias gelingt, trifft tiefer als bei den anderen Dorfbewohnern, denn das Gewehr ist für ihn Lebensunterhalt und Ausdruck urwüchsiger Männlichkeit, Zentrum der Existenz. Die latente Gewalt, die sich nicht gegen die fremden Besatzer richten durfte, wird sich später im Gegeneinander der Dorfbewohner, im Talkessel, Luft verschaffen.

Eternal Love: *Camilla Horn, John Barrymore*

Leute, mahnt zur Besonnenheit. Nur der Jäger Markus Paltram widersetzt sich der Anordnung. Als die Dorfgemeinschaft auch ihn entwaffnen will, weigert sich Markus. Die Auseinandersetzung zwischen beiden Parteien wird gezeigt, um die Personen einzuführen, die an der dann folgenden Quadratur der Liebe teilhaben werden. Eine Exposition, die Zeit und Ort dazu nutzt, die zeitlose Geschichte einer Leidenschaft, das heißt einer Hoffnung auf Gelingen und einer Resignation vor dem Scheitern, erzählbar zu machen.

Der freiheitsliebende Markus verehrt Ciglia, die sittsame und aufrichtig fromme Nichte des Pfar- (Nicht selten im Melodram – wenn der Außendruck nachläßt – wendet sich der Aufruhr der Gefühle nach innen: Nicht nur durch Leiden miteinander, auch durch Leiden aneinander wird die folgerichtige Lösung erschwert.)

In der Exposition, wenn die vier Hauptfiguren ihre Geschichte noch in der Hand haben, ist der Außendruck, der auf dem Schauplatz lastet, durch Menschen repräsentiert, durch Soldaten einer Besatzungsmacht; sie sind besiegbar. Im entfalteten Melodram entwickelt die Natur, sichtbar im Wintereinbruch – gegen den die Menschen machtlos sind –, eine Kraft, die den Menschen ihre Geschichte erbarmungslos aus der Hand nimmt. Die Katastrophe, das Ende, bringt eine Lawine: Tauwetter.

Die dreigliedrige Dramaturgie (beschreibbar als Thema, Durchführung, Reprise) wird auch in kleineren Struktureinheiten verfolgt. So etwa kündigt die Großaufnahme der Hausklingel beim Pfarrer einmal das Kommen des falschen, ungewollten Brautwerbers Lorenz an; das zweite Mal bringt die Haushälterin Markus' Gewehr als Zeichen seines aufgegebenen Widerstands; das dritte Mal kündigt sie Markus selbst an – aber da ist die Geschichte auch schon fast zu Ende.

Gegensätzlichkeiten und Gegenbewegungen: Markus trägt ein Wams und einen Jägerhut, seine Flinte gehört zu ihm genauso wie der erlegte Gamsbock um die Schultern. Er bewegt sich in den Bergen, in der Natur; seine Gestik ist raumgreifend, ausladend. Lorenz Gruber steckt in einem adretten Anzug, die Arme eng am Körper, eine eingeschnürte Person, die sich kaum bewegt, abwartet und ihr Glück «aussitzt».

Als ihm Ciglia Hoffnung auf eine baldige Heirat macht, rekelt er sich selbstgefällig auf dem Sofa und plaudert sein Glück gleich der Haushälterin aus. Ciglia, blonde Unschuld, liebt still und doch beharrlich, auch opferbereit: ein Gretchen. Pia, erotisches Versprechen und Verhängnis, in einem Kleid, das nur durch zwei schmale Träger gehalten wird, hat blitzende, fordernde Augen und einen schwarzen Wuschelkopf. Breitbeinig stellt sie sich Markus entgegen und nimmt sich den Kuß, den er ihr nicht geben will. Sie bekommt, was sie will, zur Not auch mit List, wenn sie einen schwachen Moment bei Markus ausnutzt.

Innen- und Außenwelt setzen den Figuren Grenzen. Markus' Naturverbundenheit findet ihren Gegenpol in Lorenz' Häuslichkeit. Nur einmal wagen beide eine Grenzüberschreitung; jeder dieser Schritte ist tödlich. Die Frauen dagegen sind, wie oft bei Lubitsch, Grenzgänger. Ciglia von innen nach außen; sie sucht ihre Befreiung bei Markus. (Schon vorher träumt sie oft aus dem Fenster in die Berge.) Pia von außen nach innen; sie sucht sich in der Ehe mit dem scheinbar gezähmten Markus zu binden. (Schon vorher blickt sie durch Fenster in Innenräume.) In ihrem Wunsch nach Sicherheit bewegt sie sich ungewollt auf den eng und abgesichert lebenden Lorenz zu – eine Bewegung, die sich am Ende in ihrem gemeinsamen Haß auf Markus und Ciglia realisiert.

Der Karneval, Höhe- und Wendepunkt des Films, ist ein Maskenspiel aus Isolation und Verblendung. Markus krönt zuerst ein falsches Mädchen zu seiner Braut. Pia umstreicht lauernd das Geschehen. Sie wartet auf ihre Chance, die in dieser Nacht kommen muß. Erst nach der Demaskierung findet Markus Ciglia; er bedrängt sie. Auf der Heimfahrt weicht sie seinen Zudringlichkeiten aus und holt, um Ruhe zu haben, eine andere Person mit in den Schlitten: die maskierte Pia.

Der nächste Morgen, der alles zum Guten wenden könnte, beginnt verheißungsvoll. Der Onkel hat nichts mehr gegen eine Heirat Ciglias mit Markus. Aber Markus hat in dieser Nacht in Pias Armen den Kopf verloren; jede Reue kommt zu spät.

Sitte und Anstand fordern ihren Tribut. Die falschen Paare heiraten. Es ist klar, daß diese Verbindungen Gegenbewegungen auslösen werden: aus der Sicht der Dorfbewohner in falsche Richtungen, aus der Sicht der Liebenden in die einzig richtigen – denn wie könnten sie auch nur ein kurzes Stück Wegs ohne einander gehen! Gegenbewegungen also, sichtbar gemacht durch die Kameraführung. Markus' Hochzeit mit Pia: Sein Blick verfehlt die Braut und trifft, nur dem Zuschauer offenbar, den Blick Ciglias, die allein zu Hause sitzt. Der überraschende Gegenschnitt veräußerlicht innere Emotion. Während der Hochzeit Ciglias mit Lorenz fällt ein Schuß. Markus ist gegenwärtig: Er sieht von den Bergen auf die Kirche hinab. Schnitt/Gegenschnitt entlarven falsches und wahres Gefühl.

Zwei Hochzeiten ohne Liebe: Die beiden Glöckner, die doch das Glück der frisch Getrauten einläuten sollen, läuten die Totenglocke der Liebe. Miteinander tuscheln sie, daß dort zwei Falsche verheiratet werden. Die Glocken, in Großaufnahme, kreuzen sich, schlagen nicht miteinander im Takt. Gegenbewegungen. Zeichen für Gefühle, Erwartungen und Präsenz: Glocken, Türklingel, Gewehr.

Mit der Zeit begreift Lorenz, daß Ciglia noch immer Markus liebt. Und da er auch mit Geld die Liebe Ciglias nicht kaufen kann, plant er den Tod des Konkurrenten. Im Kampf aber muß er verlieren. Sein Entschluß führt in die falsche Richtung, die Natur ist nicht sein Element. Der erste Schuß aus dem Hinterhalt verfehlt Markus. Der zweite Versuch zwingt diesen zur Notwehr. Lorenz schleppt sich schwerverletzt nach Haus. Die Dorfbewohner (natürlich auch Pia) lassen sich von Lorenz gegen die Liebenden aufbringen. Markus und Ciglia geben es auf, ihre Leidenschaft zu verleugnen; realisieren kann sich diese aber nur noch in nahezu aussichtsloser Flucht in die Berge. In die Enge getrieben, sehen sie keinen anderen Ausweg mehr als den Freitod. Eng umschlungen gehen sie in eine herabstürzende Lawine, nehmen sie sich das Leben, das sie gemeinsam nicht haben konnten.

Das strahlende Licht, das danach über den Bergen durchbricht, steuert, nicht ohne Ironie, den fröhlichen Teil zu diesem «unhappy Happy-End» bei. Das Licht signalisiert auch: Nur das Warten auf die Utopie bleibt real an den Figuren, nicht ihre erlebte Geschichte. Darum wirkt dieses Licht auch wie die Beschwörung eines schönen Traums, eines Märchens, das wirklich werden soll, einer Sehnsucht, die die Umkehrung des ehelichen Treueschwurs ist. Nicht: bis daß der Tod euch scheide, sondern: zueinander durch die Ewigkeit. Das ist die Sehnsucht, die der Film scheitern läßt und doch aufhebt, über die Zeit hinaus: ETERNAL LOVE.

WOLFGANG JACOBSEN

The Love Parade (1929)

Liebesparade

Der Diener deckt singend den Frühstückstisch und schlägt dabei den Fallgesetzen ein Schnippchen: Schon entzieht uns der kleine Zirkustrick den Boden unter den Füßen, und weil es so schön war, gleich noch einmal, eben hat uns der charmante Maurice Chevalier liebenswürdig zugetuschelt, daß es ihr Ehemann sei, der da komme, als wir alle, wirklich alle, auch der charmante Maurice und der eifersüchtige Gatte und die verzweifelte Sünderin, prompt Knall auf Fall hereingefallen sind; was für ein Theater – Tragödie und Groteske. Hier wird en suite gespielt, in der Kommodenschublade sammeln sich die Platzpatronenrevolver.

Vertrauen Sie ruhig Ihren Augen und Ohren, nur ziehen Sie keine voreiligen Schlüsse. «See Sylvania first», ein Phantasiestaat kann kein Interesse für seine Bibliotheken erwarten, doch wenn der königliche Palast 110 000 000 Dollar gekostet hat, ist das schon einen Blick wert.

Und dort drinnen, im Schlafzimmer, erwacht die reizende blonde Königin gerade aus ihrem Traum, aus einem Traum, den kein Uhrenschlag unterbrach und für den die Wachsoldaten auf Zehenspitzen paradierten, aus einem Traum, an den die Herrscherin beim Morgenbad versonnen und beglückt sich erinnert . . . «Not exactly the dream for a queen.» Wenn Ihnen das nicht reicht: Jedenfalls träumte sie nicht von den rauschebärtigen Kabinettsministern, deren Neugierde in einem zurückhaltenden Blick auf die königlich-perfekten Beine sich erschöpft.

Vertrauen Sie ruhig Ihren Ohren: Kammerdiener und Hofdamen spähen durch die Fenster und Schlüssellöcher, um zu erzählen, was im herrschaftlichen Boudoir sich abspielt beim ersten abendlichen Rendezvous zwischen dem charmanten Dream lover Maurice und der blonden Jeanette MacDonald, Queen Louise of Sylvania. Und wenn die beiden in einen intimeren Raum wechseln, die Tür hinter sich schließen – «Heaven save the queen!» Nur ziehen Sie keine voreiligen Schlüsse, alles weitere geschieht vor Ihren Augen, die reizende Louise hat bisher noch niemals mit einem Mann allein diniert und der charmante Maurice noch niemals mit einer Königin: In der weiten Halle öffnen sich alle Türen, die rauschebärtigen Kabinettsminister wimmeln durcheinander – ein doppelbödiger Kinotrick.

Die Bilder sprechen lassen und die Worte in ihren Klang auflösen, in Rhythmus und Melodie, in Gesang und Akzent: Lubitschs erster Tonfilm ist in jeder Hinsicht ein Zweihundert-Prozent-talking-picture. Die Zwischentöne machen die Musik, Operette und Varieté, im vollen Vertrauen auf Ihre Ohren und Augen – so sehr, daß wir uns dezent in den Schloßpark zurückziehen, falls eine Geschichte eindeutig zu werden droht.

Ein kleiner dramaturgischer Trick verknüpft die banalen Küsse der Hochzeitsnacht mit dem störenden Donnern der Gratulationssalven, und schon bereut die reizende Königin in den Armen des charmanten Maurice, nicht weitere hundert Schüsse befohlen zu haben. Denn es ist das Verhältnis der Zeichen zueinander, das deren Bedeutung definiert. Aus dem Krachen der Böller schließen Diener und Zofe auf das Liebesglück ihrer Herrschaften. Vorher hatte der Austausch des großen Zeremonienstabs für den Auftritt der blonden Königin gegen den kleinen Kommandostock für das Erscheinen des charmanten künftigen Prinzgemahls signalisiert, daß die Konventionen so «crosseyed» sich erfüllen, wie es das von den Schulbüchern verheimlichte Schielen Stanislaws XXII. erwarten ließ.

Der charmante Maurice hat nichts zu tun, die rauschebärtigen Kabinettsminister reichen sich seine Vorschläge zur Sanierung des bankrotten Sylvania weiter, bis sie ihm wieder in die Hand gedrückt werden; ein Nickerchen verhilft ihm auch nicht zu der Stärke, die ein Prinzgemahl braucht, um das zu tun, was er doch zu tun hat. Vor allem nicht, wenn ihm das Frühstück nur serviert wird, sofern es die Etikette gestattet, und wenn er mit einer reizenden Königin vermählt ist, die nach der Hochzeitsnacht im Husarenkostüm vor dem Chor ihrer salutierenden Soldaten das Lied der Grenadiere anstimmt. «No chongo!» urteilt der afghanische Botschafter, das kann nicht gutgehen.

Da das Geld sich einmischt – maßgebendes Regulativ aller Beziehungen – und hinterrücks die Liebes- in eine Finanzaffäre verwandelt, ist die Korrektur der Rollenverteilung unausweichlich. Kein anderer Ort als die Opernloge setzt die Szene für den Beweis, daß die Macht der blonden Königin nichts ist gegen den Beifall der Menge für den charmanten Maurice. Die Gesetze des Showbusineß kümmern sich nicht um die Bräuche der Tradition.

Nur ziehen Sie nicht den voreiligen Schluß, alles sei ins rechte Lot gerückt, weil die reizende Jeanette MacDonald den charmanten Maurice zu ihrem König erklärt. Denn schon längst hatten Diener Jacques und Zofe Lulu entschieden: «Let's be common» – mit den Fingern essen und Faxen machen, ihre Lösung ist die Auflösung der Konventionen, «Let's be common and do it again.» Wenn die Herrschaften wüßten, was ihr Personal nachts in den Parkanlagen treibt, würden sie ihren Augen und Ohren nicht trauen. MICHAEL ESSER

The Love Parade: *Jeanette MacDonald*

Monte Carlo (1930)

Monte Carlo

Jack Buchanans Monte-Carlo-Methode: «Sehe ich eine Brünette, setze ich auf Rouge; sehe ich eine Rothaarige, setze ich auf Noir. Sehe ich eine Blondine, frage ich sie nach ihrer Adresse.»

Das System beruht auf Differenzen. Kein Spiel für einen Friseur; aber für den Tenor, der als Graf einen Friseur spielt. Er ersetzt den Buckligen. Wenn sie über seine Haare streiche, so verspricht er der blonden Jeanette MacDonald, dann werde unter ihrer Berührung alles in Gold sich verwandeln; nicht auf Kosten des Buckligen übrigens, der kassiert seine 50 Francs Taxe. Das System beruht auf Übertragungen. Und Jeanette MacDonald, die davongelaufene Braut, gewinnt. Buchanan glaubt sie gewonnen zu haben. Während er den «private diningroom for two» bestellt, verliert sie ihren Einsatz. Das System ist komplizierter, als er dachte. Was er nicht wissen konnte: Jeanette MacDonald war ihrem adligen Bräutigam davongelaufen, weil er reich ist, wohlhabend, und nichts hat außer Geld. Der Bräutigam erzählt übrigens Witze, die auf seine Kosten gehen.

Nur Geld ist zu wenig. Nur Liebe ist auch zu wenig. Obwohl Jeanette MacDonald schließlich fast bereit wäre, das Geld für die Liebe zu nehmen und den nachgereisten Bräutigam zu heiraten. Einmal sagt Buchanan zur Komtesse MacDonald, der Unterschied zwischen ihnen bestehe einzig darin, daß sie eine Frau sei und er ein Mann. Um zu diesem Satz zu gelangen, hat er sich als Friseur ausgegeben. Die Differenz vergrößert. Sich ihr zugleich genähert. Natürlich schneidet er ihr nicht die Haare, schon gar nicht «à la Marat». Das hätte ein Friseur getan. Er raubt sich nur eine blonde Locke für das Souvenieretui, später legt er ihre letzten 10 000 Francs dazu und nimmt aus einer anderen Dose das Geld, mit dem er sie gewinnen will. – Er schneidet ihr nicht die Haare, sondern schampuniert sie, massiert ihren Kopf, ihre Schultern, ihre Arme. «What ever it is, it's grand.» Das System beruht auf Austausch. Wie vorher, als sie miteinander durch das Telefon sangen, seine Stimme zu ihr durch die Membran des Hörers drang.

Er, der den Friseur spielt, kleidet sich als Graf und bringt ihr die 200 000 Francs, die er mit ihrem Geld gewonnen haben will; sie fällt in seine Arme, doch weiter will sie, die Komtesse, mit ihm, den sie für einen Friseur hält, nicht gehen. Umsonst bittet er: «Give me a moment, please.» Sie schließt hinter ihm das Zimmer ab, wirft den Schlüssel in eine Kommodenschublade, schließt die Kommode ab, wirft den Schlüssel in eine Schachtel, schließt die Schachtel ab, wirft den Schlüssel in eine Vase, schüttelt ihn dort wieder heraus und legt ihn unter das Kopfkissen. Trotzdem trennt die beiden nur eine dünne Tür, durch die sie ihm alle gemeinsamen Melodien singt. Das System ist einfacher, als sie denkt.

Differenzen, Übertragungen, Austausch; keine leblose Mechanik: Zu jeder Stunde zeigt die Uhr einen anderen Musikanten. Gleitende Veränderungen, kommunizierendes Fließen, Osmose: körperlich. Ein lustvolles System. Buchanans Massage entlockt Jeanette MacDonald wohlige kleine Schreie. Und in der Fahrt des «Blue Express» verbindet sich unauflöslich ihr Gesang mit dem akzentuierenden Pfeifen der Lokomotive, mit dem treibenden Rhythmus der Räder, der beschwingten Melodie des Horizonts, dem fröhlichen Winken der Feldarbeiter und deren respondierendem Chor; das Glück der Freiheit und das Glück der Liebe mobilisieren Technik, Landschaft, Menschen.

Ein System erfüllt sich im harmonischen Spiel aller seiner Komponenten. Während auf der Bühne die Darsteller ihre Rollen singen, unterhalten sich der adlige Bräutigam und die Komtesse über die Oper. Es sei eine Geschichte über einen Friseur und eine Gräfin, sagt er, «a silly story, only possible with music». Und sie weiß, wie es enden werde, die Heldin habe den Herzog zu heiraten, das geschehe ihr recht. Doch: «The barber is a prince.» Friedlich schlummert der Bräutigam, der nichts hat außer Geld, und der Tenor, der als Graf den Friseur spielte, lächelt aus seiner Loge. Die Komtesse sitzt jetzt neben ihm, zwischen Geld und Liebe bestand nie ein Gegensatz. Das Libretto nimmt ihnen die Worte aus dem Mund, nur den letzten Akt mag Jack Buchanan nicht: «I like happy endings.» Also durchströmt der Rausch des «Blue Express» noch einmal alle Sinne. MICHAEL ESSER

Monte Carlo: *Jeanette MacDonald, Jack Buchanan*

The Smiling Lieutenant: *Miriam Hopkins, Maurice Chevalier*

The Smiling Lieutenant (1931)

Der lächelnde Leutnant

Den König erst auf dem Thron und dann im Schlafzimmer zu zeigen – was Erich von Stroheim als Lubitschs Methode beschrieben hat, trifft für die Ausgangssituation von THE SMILING LIEUTENANT nicht zu. Die Geschichte entwickelt sich in umgekehrter Richtung, das Harmlos-Menschliche führt zur Staatsaffäre. Der Leutnant Niki (Maurice Chevalier), zum Empfang des Königs von Flausenthurm eine Ehrenwache präsentierend, lächelt und zwinkert protokollwidrig seiner Freundin zu, der Geigerin Franzi (Claudette Colbert). Die vorbeifahrende Prinzessin Anna von Flausenthurm (Miriam Hopkins) bezieht das Zwinkern auf sich, und die Verwechslungen können beginnen.

Als Niki wegen seiner Verfehlung zum König zitiert wird, kommt ihm die Flucht nach vorn als beste Lösung vor: Er gesteht, sich in Anna verliebt zu haben. Die Beratung über Nikis Schicksal findet hinter verschlossener Tür statt, aber die öffnet sich zweimal: Erst schaut der König streng prüfend durch die Tür, dann verheißungsvoll grinsend. Schließlich bleibt es Niki nicht erspart, zum Prinzgemahl der einfältigen Anna zu werden, obwohl ihm die flotte Franzi viel besser gefällt und er das geliebte Wien nicht missen möchte. Anna hat die Heirat bei ihrem Vater durch eine furchtbare Drohung erreicht: «If you don't let me have my lieutenant . . . I'm going to marry an American!»

Der Autor Samson Raphaelson erzählt, wie Lubitsch Darstellungsprobleme anging: «Vat do ve do here? How do we lick dies? How do ve say it vit style? How do ve say it different? How do ve say it different and good? Different and true?» – Lubitsch erfindet ein eigenes System von Bedeutung und läßt uns das Vergnügen, es zu erkennen.

Von etwas sprechen, wenn von etwas anderem die Rede ist, etwas zeigen, wenn etwas anderes zu sehen ist. Und dem Publikum die lustvolle Aufgabe der Entzifferung geben.

Frühstück: Als Franzi ihm vorschlägt, sich am nächsten Abend zum Essen zu treffen, drängt Niki auf einen früheren Termin: zum Frühstück. Schließlich einigen sie sich auf «. . . first tea, and then dinner . . . and maybe . . . maybe breakfast!» Keine Frage, worum es hier wirklich geht.

Die Kissen: Der königliche Hochzeitstag wird zur königlichen Hochzeitsnacht erklärt. Das königliche Schlafgemach scheint dem Zeremonienmeister nicht ganz zu stimmen: Die beiden Kopfkissen müssen übereinanderliegen.

Was tut eine Braut, wenn ihr Mann am frühen Abend eine gute Nacht wünscht? «When we like somebody, we smile, but when we want to do something about it, we wink», hatte Niki ihr vorher erklärt. Also zwinkert sie – zunächst freilich ohne Erfolg.

Das Plakat: Es wirbt für das Gastspiel von Franzis Frauenkapelle in Flausenthurm. Niki kann sich regelmäßig mit Franzi treffen. Auf das Plakat wird der Hinweis geklebt: Verlängerung des Gastspiels.

Musik und Unterwäsche: Franzi, von Anna erst geohrfeigt, dann um Rat gebeten, begutachtet Annas Unterwäsche und findet, sie sehe so aus wie die Klavierstücke, die sie spiele. Ihr Ratschlag, andere Musik zu spielen, mündet im Lied: «Jazz Up Your Lingerie!» Mit dem Ergebnis: «Take good care of our Niki!» – «I will.» – «Be a good girl!» – «I won't.» Schnitt auf das Plakat: Das Gastspiel der Frauenkapelle ist zu Ende.

Auf der Treppe: Um sich über Franzis Abschiedsbrief zu trösten, hat Niki sich einen Schluck genehmigt und geht nun betrübt die große Treppe zu den Räumen Annas hinunter. Sie überrascht ihn mit einer swingenden Klavierimprovisation, die Zigarette im Mundwinkel und einen Cocktail vor sich. Er läuft die Treppe wieder hoch und sieht nach, was in der Flasche war. Dann läuft er wieder die Treppen hinab, aber jetzt erfreut und zwei Stufen auf einmal nehmend. Sicherheitshalber: noch einmal zurück, einen Schluck aus der Flasche, und dann wieder hinunter, noch eiliger, noch erfreuter.

Das Damebrett: Das hatte der König schon in der Hochzeitsnacht mitgebracht, um seine verschmähte Tochter aufzumuntern. Nach Franzis Schnellkurs setzt sich die veränderte Anna dem hingerissenen Niki gegenüber und holt das Damebrett hervor. Er schiebt es beiseite, sie hält es zwischen sie. Er wirft es auf den Boden, sie setzt sich dorthin und fordert ihn zu einer Partie auf. Er überlegt kurz – und wirft das Brett aufs Bett. Sie tauschen Blicke, die Kamera fährt auf das Damebrett zu. Das genügt.

Wie die Musik Medium der Liebe sein kann, kann die Musik auch von Liebesbeziehungen erzählen, manchmal ganz wörtlich: Er spiele Klavier, betont Niki, als er sich für Franzi mit ihrer Violine interessiert (in THE MAN I KILLED, dem nächsten Film Lubitschs, werden übrigens die gleichen Instrumente wieder eine Liebesverbindung anzeigen). Nachdem Niki und Anna sich begegnet sind, gibt es ein Lied von Niki und Franzi, in das Strophen von Anna eingeschoben sind, die singend ihren Hofdamen von Niki vorschwärmt. Das aus dem Duett entwickelte Terzett mit den immer übermütiger werdenden Liebeserklärungen berichtet von dem Dreieck, auf das die Geschichte dann auch hinsteuert.

Wenn die Musik nicht stimmt, leidet die Liebe: Anna will dem allabendlich davoneilenden Niki durch ihr Spiel im Haus halten, doch ihre braven Klavierstücke können ihn nicht reizen; sie schaut in die Noten, da ist er schon gegangen. Viele Passagen des Films haben keine Dialoge: der Anfang, Franzis erster Abschied, Nikis Wiedersehen mit ihr. Doch dabei folgen sie den Melodien von Oscar Straus und drücken die Musikalität des Films nur um so deutlicher aus. Daß Franzis Verzicht auf Niki am Ende nicht gar so problemlos sein kann, übergeht der Film dann ganz leicht, Psychologie und Moral hinter sich lassend, auf Walzermelodien dahinschwebend. KARLHEINZ OPLUSTIL

The Man I Killed/Broken Lullaby (1931)

Der Mann, den sein Gewissen trieb

Ein erstaunlicher Wechsel im Genre. Nach drei erfolgreichen musikalischen Komödien ein engagiertes Melodram. Bei seinem Erscheinen 1932 wurde der Film zwar von der Kritik überwiegend gelobt, hatte aber beim Publikum keinen Erfolg. Dwight Macdonald sprach damals von einem «schrecklich langatmigen, teutonischen Tränendrücker» – eine Einschätzung, die allerdings alle Vorzüge des Films unterschlägt. Denn so untypisch THE MAN I KILLED vom Stoff her ist, so unverkennbar ist es doch ein Film von Lubitsch.

The Man I Killed

The Man I Killed: *Lionel Barrymore, Phillips Holmes*

Eine Exposition, die in Sekunden pazifistische Ideen extrem verdichtet, in Bilder faßt: Paris am 11. November 1919, ein Jahr nach dem Waffenstillstand, zur Feier des Sieges eine Militärparade, an Kriegskrüppeln vorbei, Kanonen schießen Salut, im Hospital reagiert ein Verwundeter darauf mit Schreien. Während in der Kathedrale mit großen Worten der Frieden beschworen wird, zeigt die Kamera, wer da zuhört: Säbel ragen aus den Sitzreihen, Pistolen stecken im Halfter, Orden prangen auf Uniformen, Sporen blitzen, als sich die hohen Gäste auf die Gebetsbänke knien.

Dann bleibt einer übrig, der keine Uniform trägt. Seine Geschichte erzählt der Film. Der Priester, dem er die Beichte ablegt, versteht ihn nicht; er habe doch nur seine Pflicht getan. Doch eine Rückblende hat gezeigt, was ihn verstört: Den Säbel in der Hand, erlebte er die letzten Minuten des deutschen Gegners, den er tödlich verletzte. Dem Sterbenden führte er die Hand bei dem Brief an die Braut, der begonnen wurde, bevor es zum Angriff kam: Auf Wiedersehen! Auf Wiedersehen! Die blutige Hand, die den Brief für den Toten vollendet, ist die Hand des Siegers.

In der deutschen Kleinstadt dann in betontem Kontrast zu dem furiosen Anfang ein sich langsam entwickelndes Drama unter Überlebenden: Elsa, die Braut des toten Walter, weist den Antrag eines dummdreisten Verehrers zurück, der stolz darauf verweist, auch sein Name sei Walter. Der Arzt Dr. Hölderlin hat ein Bild seines Sohnes auf dem Schreibtisch stehen und vergräbt sich in dessen Zimmer. Die Mutter bringt Blumen zum Grab und trifft eine andere Frau, die auch den Sohn verlor; eine Gelegenheit, Kuchenrezepte auszutauschen, aber der Schmerz hält an.

Zu diesen Trauernden kommt nun Paul Renard, der junge Franzose. Um sich von der Schuld zu entlasten, die er empfindet, will er sich der deutschen Familie offenbaren und sie um Vergebung bitten; doch ihre freudige Erwartung zwingt ihm eine Lüge auf: Er sei ein Freund des Sohnes bei dessen Aufenthalt in Paris gewesen, auch er sei Musikstudent und Geigenspieler. Die Lüge aber läßt die im Schmerz Erstarrten sich wieder dem Leben zuwenden. Der zuerst feindselig abgelehnte Fremde wird herzlich aufgenommen, für den Vater könnte er den verlorenen Sohn ersetzen, für Elsa beginnt eine neue Liebe.

Wie etwas aufbricht, wie gesellschaftlich Gefügtes in Bewegung gerät, das ist dann ablesbar an der Veränderung von Zahlen. Fünf Stück Fleisch kauft das Dienstmädchen beim Metzger und zeigt damit, daß der Franzose in die deutsche Familie aufgenommen wurde. Das setzt den Kleinstadtklatsch in Gang; eine der vielen Kommunikationsreihen bei Lubitsch: eine Kette von Zurufen der Nachbarinnen von Haus zu Haus, aus Fenstern und von Balkonen. Der Kaufmann, der sein schickes Kleid aus Frankreich angepriesen hatte («It's two years ahead of style, so it's really good for four years»), tauscht schnell das Preisschild aus, als er Elsas Interesse taxiert hat. Statt 300 kostet es dann 325 Mark, ein Index ihres gewachsenen Lebensmutes. Der Vater bestellt neun Glas Bier für die Stammtischrunde, doch als er die Anfeindung wegen der Aufnahme des Franzosen mitbekommt – die anderen: «I think eight is enough.» – «Better make it seven!» –, korrigiert er sich: «One beer!»

Als er in einer empörten Rede von der Verantwortung der Väter spricht, schüttelt ihm ein junger Mann vom Nachbartisch die Hand, dafür ist er aufgestanden und hat eine Krücke benutzt, denn er hat ein Bein verloren. «Who sent them out to kill and be killed? We, the fathers! I stood here when my son marched away to his death, and I cheered!», hat der Vater gesagt; dann ist die leere Gasse vor dem Wirtshaus zu sehen, und man hört die Marschschritte der Soldaten im bitter-ironischen Bezug zur Militärparade des Anfangs.

Elsa, in den jungen Franzosen verliebt, zeigt ihm das Zimmer des Toten und liest aus dessen letztem Brief – doch Paul sind die Worte unvergeßlich, er muß sie beenden. Von der Wahrheit getroffen, beschwört Elsa den Verzweifelten, bei der Lüge zu bleiben, damit das Leben eine Chance habe gegenüber der Vergangenheit: «You're not going to kill Walter a second time. You're going to live, for them . . .» Und der junge Franzose nimmt die Stelle des Mannes ein, den er getötet hat.

In der letzten Szene spielt Paul für die Eltern auf der Violine des Gefallenen, Elsa geht zum Klavier, und während die Kamera ihn und die Eltern zeigt, ist zu hören, wie sie sein Spiel begleitet.

KARLHEINZ OPLUSTIL

One Hour With You (1932)

Eine Stunde mit Dir

Ein Remake. Ein Musical. Ein Männerfilm. Acht Jahre vorher hatte Lubitsch THE MARRIAGE CIRCLE gedreht. 1932 dreht sich der Ehe-Kreis neu, jetzt mit Musik. Manchmal wird da der erste Satz gesprochen, der zweite gesungen, dann wieder gibt die Tanzkapelle vor, was die verschiedenen Paare sich zu sagen haben. Vor allem aber singt Maurice Chevalier. Oft guckt er dabei direkt in die Kamera; und auch wenn er redet, spricht er den Zuschauer an. Er bezieht ihn ein in seine Überlegungen, macht ihn zum Komplizen, wenn es darum geht, sich für oder gegen die eheliche Treue zu entscheiden. Denn es gibt eine Frau, seine Frau, die er liebt (schließlich wird hier das große Loblied auf die Ehe gesungen) und eine andere Frau, die beste Freundin seiner Frau, die ihn verführen möchte. Das schafft Probleme.

Als die Ehefrau Colette (Jeanette MacDonald) ihrem André (Chevalier) das erste Mal von ihrer alten Freundin Mitzi (Genevieve Tobin) erzählt, entsteht daraus der erste eheliche Mißton: Das Licht ist schon gelöscht, das Paar liegt im Bett, im Dunkeln hört man ihre Stimme; er reagiert uninteressiert, was man hört, aber nicht sieht; sie macht das Licht an, er löscht es wieder, sie knipst es erneut an. Noch bevor die Geschichte um Treue oder Untreue beginnt, sind die Zeichen gesetzt. Und dann sieht man die, von der gerade die Rede war, auf einem Ölgemälde. Davor sitzen ihr Ehemann, der nichts lieber als die Scheidung will, und der auf sie angesetzte Detektiv.

Es sind die Männer, denen in diesem Film die Szenen und Dialoge gehören, die Frauen agieren als Klischeefiguren (als hinterhältige Freundin, Klatschtante, tränenreich Verletzte). Da diskutieren etwa Mitzis Ehemann und der Detektiv ganz ernsthaft über die Perspektiven des Ehepaares, indem sie die unterschiedliche Attraktivität der beiden Partner gegeneinander aufrechnen.

Die schönste Szene des Films aber hat mit der Liebesverwicklungsgeschichte nur am Rande zu tun. Da stellt ein Mann (Charles Ruggles) fest, daß er sich ganz unnötig für den Abend als Romeo verkleidet hat. Worauf er den Diener herbeiklingelt und ihn fragt, warum er ihm erzählt habe, es handelte sich bei der Einladung um eine Kostümparty. Der Diener antwortet mit dem schönen und klaren Satz: «Ich wollte Sie gerne mal in Strumpfhosen sehen.» Und den, der da ganz konsterniert und dumm in Pluderhosen herumsteht, konnte man dann sechs Jahre später mit dem gleichen Gesichtsausdruck Leopardenschreie ausstoßen sehen in Howard Hawks' *Bringing Up, Baby*.

MANUELA REICHART

Trouble in Paradise (1932)

Ärger im Paradies

Als ich 17 oder 18 Jahre alt war, saß ich einmal mit einem Mädchen (sie war eine Freundin, nicht mehr) auf einer Bank im Wald und machte ihr den Vorschlag, so zu tun, als ob wir verliebt seien. Wir taten so, und eine Weile später spürten wir beide so intensive Gefühle füreinander, daß wir nicht mehr wußten, ob wir dabei waren, uns wirklich ineinander zu verlieben oder nicht. Ganz plötzlich und ohne daß wir es wollten, wurde aus unserem So-tun-als-Ob, unserem Spiel, Ernst. Ich denke heute, daß ich damals für mich das Kino erfunden habe. Denn das ist es, was das Kino, sowohl für den Filmmacher wie für den Zuschauer, ausmacht: Wir täuschen uns selbst.

Da wir nicht wissen können, was in einem anderen Menschen vorgeht, was er denkt und fühlt, haben wir gelernt, auf das, was man sehen kann, zu achten, und ziehen von da aus unsere Rückschlüsse. Das funktioniert so automatisch, daß wir sogar auf unser eigenes Spiel hereinfallen.

Ganz etwas Ähnliches passiert Gaston Monescu, dem berühmtesten und erfolgreichsten Gauner aller Zeiten, in TROUBLE IN PARADISE. Er liebt Lily, eine ihm ebenbürtige Taschendiebin, und beim Versuch, die reiche und schöne Witwe Mariette Colet um ein paar hunderttausend Francs ärmer zu machen, ergibt sich sozusagen ein Betriebsunfall: Er verliebt sich in sie.

Das ist, in einem Satz, die Geschichte, die Lubitsch erzählt (alle guten Filme, sagt Truffaut, kann man in einem Satz erzählen). Das ist nicht viel, da ist nichts Hintergründiges (was wir Deutschen immer so gerne wollen), da wird die Menschheit (die damals immerhin eine Weltwirtschaftskrise erlebte) um keinen Schritt weitergebracht, aber wie Lubitsch es erzählt, die Eleganz und Ironie, die er dabei entfaltet – das muß man gesehen haben. Da ist dieser Film wie die Nummer eines Artisten in der Zirkuskuppel. Da ist er sich für keinen Trick zu schade. TROUBLE IN PARADISE, sagt Lubitsch, sei sein bester Film. Es ist sicher kein Zufall, daß das, was er erzählt, und die Art, wie er es erzählt, etwas miteinander zu tun haben. In einer der Schlüsselszenen des Films sagt Madame Colet, nachdem Gaston ihr seine Liebe gestanden hat: «Sie sind sogar verrückt nach mir, Monsieur.» Er: «Ich durchschaue alle Ihre Tricks.» Sie: «Kann sein, aber Sie fallen auf alle rein.» Darum geht es.

Der Film beginnt, nach den Titeln, denen ein gemaltes Himmelbett, Symbol für Liebe, Paradies und ähnliche Sachen, unterlegt ist, mit einer Szene, in der ein venezianischer Müllfahrer eine Mülltonne in seinen Kahn ausleert. Nachdem er sie ausgeschüttet hat (er hat vorher noch einen herumstreunenden Hund vertrieben), singt er «O sole mio». Warum? Warum nicht? Vielleicht hat er sich gerade verliebt. Wir, die Zuschauer, denken auf jeden Fall, wenn wir jemanden «O sole mio» singen hören, nicht unbedingt an die venezianische Müllabfuhr. Das ist, weil es schnell und wirklich ganz beiläufig passiert, nicht gerade ein Schock, aber ein bißchen nachdenklich macht es schon. Die Wirklichkeit ist nicht so, wie wir sie uns vorstellen. Dann hören wir das Klingeln an einer Tür und sehen, wie eine dunkle Gestalt im Dunkeln aus einem Zimmer läuft und über den Balkon ins Freie flüchtet. Dann sieht man zwei Frauen an der Tür eines Hotelzimmers klingeln. Sie reden italienisch miteinander. Im Hotelzimmer liegt ein Mann auf dem Boden und ist, weil er offensichtlich niedergeschlagen worden ist, nicht in der Lage, auf das Klingeln der beiden Frauen zu reagieren.

Ich beschreibe diese Szene deshalb so detailliert, weil ich ein Prinzip von Lubitschs Erzählweise klarmachen will. Das, was man sieht, ist zunächst kaum zu verstehen. Es erklärt sich aus Vorgängen, die später passieren. Nur wenn man als Zuschauer nachdenkt und Rückschlüsse zieht, wird klar, was alles geschehen ist. Hier ist es folgendes: Monsieur Filipa hat, weil er zwei Frauen erwartete (was für ihn, wenn er verreist, eine ganz normale Sache ist), einem Fremden die Tür geöffnet, und der hat sein williges Opfer ausgeraubt.

Lubitsch liebt einen synkopierten Erzählrhythmus, wo das, was passiert, verzögert seine Erklärung findet. Jedoch nicht auf den ersten Blick, weil es keine direkten Hinweise gibt, sondern nur, wenn man anfängt, über das vorher Gesehene nachzudenken. Und dann, wenn man anfängt nachzudenken, stimmt es bei Lubitsch immer (bei den meisten Filmen, damals wie heute, passiert genau das Gegenteil).

Die dunkle Gestalt, die mit der katzenhaften Gewandtheit eines Fantomas aus dem Hotelzimmer flüchtet, ist Gaston Monescu. Die Kamera folgt ihm nach außen. Wir sehen, nicht direkt, sondern als Schattenspiel an der Hotelmauer, wie er auf einem Baum hockt und sich den angeklebten Schnurrbart abreißt. Und in diesem Augenblick beginnt eine Kamerafahrt – eine der aufregendsten in der Filmgeschichte – an der Hotelmauer entlang, vorbei an anderen Balkonen und erleuchteten Fenstern, bis hin zu einer Terrasse, auf der wieder Gaston Monescu steht und beim Zimmerkellner, der ihn mit «Baron» anredet, ein festliches Abendessen für zwei Personen bestellt. Wie ist das möglich? Ein Mensch kann nicht an zwei Orten gleichzeitig sein. Und in der kurzen Zeit, die die Kamerafahrt gedauert hat, kann Gaston Monescu unmöglich vom Baum in sein Hotelzimmer gelangt sein. Wenn wir ein zweites Mal hinsehen, erkennen wir, daß die Kamerafahrt zweimal unterschnitten ist. Ich bin sicher, daß Lubitsch in der Lage gewesen wäre, diese Parallelfahrt ohne Schnitte zu machen. Das wäre vielleicht eleganter gewesen. Aber dann hätte seine Geschichte nicht mehr gestimmt. Dann hätte er die Gesetze der Physik auf den Kopf gestellt. Die beiden Schnitte sind, ganz einfach, zwei Zeitsprünge, die er jedoch – wie jeder Zauberer seine Tricks – zu verdecken sucht.

Dem Zimmerkellner hat der Baron, der sich so ausgesucht vornehm gibt, daß man ihm jede Exzentrität nachsehen muß, den Auftrag gegeben, dafür zu sorgen, daß sich der Mond im Champagner spiegele. Der Kellner sagt «Ja, Herr Baron» und notiert auf seinem Bestellblock, ohne eine Miene zu verziehen, «Mond in Champagner». Dann verschwindet der Kellner, und die Dame, die der Baron erwartet, eine Komtesse, tritt ins Zimmer. Sie erzählt von Prinzessinnen und Grafen, von einem Marquis, der sie gesehen hat, als sie das Hotel betrat, daß der Baron gar nicht mehr sehr viel sagen, sondern nur noch lächeln kann. Währenddessen befassen sich draußen Polizei und Journalisten mit dem ausgeraubten Hotelgast. Ihm ist die Brieftasche mit zwanzigtausend Lire gestohlen worden. Allein die Übersetzung der Auskünfte von Monsieur Filipa gegenüber der Schar informationshungriger Reporter durch den außerordentlich redefreudigen Hotelmanager ist ein komödiantisches Kabinettstück.

Man hat beinahe schon den Baron und die Komtesse vergessen. Die beiden sitzen inzwischen beim Essen und sind durch den Zimmerkellner informiert worden, was draußen alles passiert ist. Beide sind hinreißend vornehm und gehen ausgesucht höflich miteinander um. Da sagt die Komtesse, eine philosophisch getönte Platitüde des Barons überhörend: «Baron, Sie sind ein Gauner.» Er sei es, der die Brieftasche des Herrn aus Nummer 254, -55, -56 und -57 gestohlen habe. Der Baron faßt sich an die Brusttasche und sagt mit strahlendem Lächeln: «Komtesse, Sie sind eine Diebin.» Dann steht er

Trouble in Paradise: *Herbert Marshall, Miriam Hopkins*

auf, packt die Komtesse kräftig und schüttelt sie – als wäre sie ein Apfelbaum – so lange, bis die Brieftasche mit den zwanzigtausend Lire aus dem Kleid fällt.

Diese Szene ist so wunderschön, daß wir vergessen zu fragen, wann die Komtesse es gemacht hat – und vor allem, wie sie es gemacht hat. Wenn wir aber fragen, müssen wir feststellen, daß Lubitsch einen Zeitsprung gemacht hat. Während wir mit Monsieur Filipa, dem Hotelmanager und den Journalisten beschäftigt waren (auf äußerst angenehme Weise), muß sie dem Baron die Brieftasche aus dem Uhr. Sie gibt sie ihm zurück und sagt: «Sie ging fünf Minuten nach. Ich habe sie für Sie gestellt.» In diesem Augenblick wissen die Komtesse und der Baron, daß sie sich in jeder Hinsicht ebenbürtig sind und sie ein geradezu ideales Liebespaar sein werden. Sie fallen sich in die Arme, und damit beginnt ihre Liebesgeschichte und endet die Exposition von TROUBLE IN PARADISE.

Ein neuer Zeitsprung. Ein Jahr ist diesmal vergangen. Die Komtesse und der Baron – Lily und Gaston – sind noch immer zusammen. Aber es scheint ihnen nicht mehr ganz so gut zu gehen wie

Trouble in Paradise: *Herbert Marshall, Kay Francis*

Jackett gezogen haben. Etwas später stellt sich heraus, daß auch der Baron nicht ganz untätig war. Er hat ihr eine Brosche und sogar ein Strumpfband (wie er das geschafft haben will, ist mir noch immer nicht ganz erklärlich) gestohlen. Er gibt ihr die Trophäen seiner Kunstfertigkeit triumphierend zurück. Aber er hat zu früh triumphiert. Auf ihre Frage nach der Uhrzeit (Uhren spielen in diesem Film eine wichtige Rolle) bemerkt er das Fehlen seiner am Anfang. Sie leben bereits von den Erinnerungen an einstige Heldentaten, anstatt neue zu begehen. Gaston muß Lily trösten: «Bald sind wir wieder obenauf. Wir tauchen aus dem Wellental wieder auf.»

Bei einem Opernbesuch entdeckt Gaston Madame Colet und vor allem ihre mit echten Diamanten besetzte Handtasche. Auch hier zeigt Lubitsch nicht, wie Gaston es anstellt, Madame Colets Tasche zu stehlen. Das ist ihm viel zu ordinär und direkt. Er lenkt den Zuschauer ab von dem, was wirklich passiert, und zeigt statt der Arbeit des Stehlens amüsante kleine Geschichten zwischen Madame Colet und ihrem Verehrer. Außerdem zeigt er so elegant, wie nur er das kann, das Vergehen von Zeit. Wir sehen ein Heft mit Noten und hören einen Sänger oder eine Sängerin singen: «I love you, I love you . . .». Dann werden die Seiten wie von Geisterhand umgeblättert, und der Sänger (oder die Sängerin) singt: «I hate you, I hate you . . .». Die ironische Lebensweisheit, die in dieser winzigen Montagesequenz steckt, hat auch etwas mit der Liebesgeschichte zwischen Gaston und Lily zu tun. Sie deutet an, was passieren wird oder passieren kann. Es muß nur Zeit vergehen, dann wird aus Liebe irgendwann einmal Haß. Zu Hause, am nächsten Tag, entdeckt Lily in der Zeitung, daß Madame Colet für den «ehrlichen Finder» (nach einem Theaterstück mit dem Titel «The Honest Finder» ist das Drehbuch geschrieben) eine Belohnung von 20 000 Francs ausgesetzt hat. Gaston weiß, daß er von einem Hehler nicht mehr als 5000 Francs bekommen würde und entscheidet sich deshalb, die Tasche zurückzugeben und den «Finderlohn» zu kassieren.

Damit beginnt sein Betriebsunfall. Er muß am Ende Madame Colet gestehen: «Ich bin wegen deines Geldes gekommen, aber ich habe mich unglücklicherweise in dich verliebt.»

«Auf ihrem höchsten Gipfel scheint die Poesie ganz äußerlich, je mehr sie sich ins Innere zurückzieht, ist sie auf dem Wege zu sinken», schreibt Goethe in «Wilhelm Meisters Wanderjahre». Und Gottfried Benn sagt: «Die Tiefe ist außen.»

RUDOLF THOME

If I Had a Million (1932)

Wenn ich eine Million hätte . . .

Ein Scheck über eine Million Dollar . . . das ist für viele der Traum vom großen Glück, der in diesem Film durch die Laune eines Millionärs in Erfüllung geht.

Der sagenhaft reiche Mister Glidden glaubt, sein letztes Stündlein sei gekommen. «His temperature is allright, but his temper is terrible», diagnostiziert sein Arzt. Im Empfangssaal des Hauses wartet schon die ganze raffgierige Verwandtschaft. «I'll be glad, when you're dead, you rascal you», swingt es fröhlich aus dem Grammophon. Das geht zu weit! Erbost beschließt Glidden, unter diesen Umständen noch einmal die Lebensgeister zurückzurufen und sein schönes Geld lieber wildfremden Leuten zu vermachen. So läßt er sich von seinem Butler das Telefonbuch bringen und pickt wahllos irgendwelche Namen heraus, um diese Leute mit einem Scheck über «exactly 1 000 000 Dollars» zu beglükken. Natürlich ist der erste Name, auf den er zeigt, John D. Rockefeller. Aber dieser Zufall geht auch Glidden zu weit.

In acht Episoden – jede von einem anderen Regisseur inszeniert – wird nun erzählt, wie es Gliddens Kandidaten ergeht, denen unverhofft ein solcher Geldsegen ins Haus flattert.

Da ist etwa Mr. Peabody (Charles Ruggles), der Unglücksrabe eines Porzellanladens, der es sich jetzt leisten kann, das ganze kostbare Chinaporzellan seines Chefs zu zerschlagen. Natürlich erscheint er zu diesem Polternachmittag im feinsten Cut und führt sein Lieblingskaninchen an der Leine. Oder Rollo und Emily La Rue (W. C. Fields, Alison Skipworth), die mit einer wahnwitzigen Autojagd – das hält keine Karosserie aus, allerdings auch nicht Rollos Zylinder! – bittere Rache nehmen an allen Verkehrsrowdies. Aber nicht jeder macht sein Glück mit der Million. Dem kleinen Scheckbetrüger (George Raft) wird sie zum Verhängnis, und auch für den zum Tode Verurteilten (Gene Raymond) bringt sie nicht den verzweifelt erhofften Ausweg zur Begnadigung. Er wird doch zum elektrischen Stuhl geführt. (Eine Episode, die durch ihr humanes Pathos und den Realismus der Darstellung auffällt.)

Alle Regisseure erzählen, was man mit einer Million kaufen kann – oder auch nicht, wie zum Beispiel das Leben. Sie inszenieren – als seien sie selbst Millionäre – manchmal wahre Materialschlachten. Nur Lubitsch macht da mit der kürzesten Episode des Films eine Ausnahme: Seine Mittel sind sparsam, die ganze Sequenz ist fast stumm, aber um so reicher und wirkungsvoller. Seinem Helden, dem kleinen Angestellten Phineas V. Lambert (Charles Laughton), der korrekt, wenn auch ein wenig angeödet in einem Großraumbüro seine Arbeit erledigt, wird beiläufig ein Briefumschlag auf den Tisch gelegt. Gelangweilt überfliegt er den Inhalt, stutzt und holt mit geschlossenen Augen tief und still Luft. Es ist etwas geschehen, worauf er schon lange gewartet hat! Bedächtig erhebt er sich von seinem Platz und macht sich auf einen langen Weg in die oberen Etagen des Hauses, schwerfällig, aber entschlossen: Treppen und Türen, die kein Ende nehmen wollen. Lubitsch zeigt nur die Türaufschriften – Büroverwaltung, Sekretär des Präsidenten, Privatsekretär des Präsidenten und endlich: Mr. Brown, Präsident. Phineas ist fast am Ziel. Noch einmal überprüft er – ganz Gentleman – Krawatte und Sitz des Anzugs; dann klopft er, fast liebevoll und mit schelmischem Augenblitzen, öffnet auf das unwirsche Herein die Tür einen Spalt und – nein! Er haut nicht mit der Faust auf den Tisch, er will den Laden auch nicht kaufen, das wäre schade um die Million – Phineas spitzt die Lippen wie zu einem Kuß, aber heraus kommt ein gewaltiger, von Herzen kommender Maulfurz, den er dem verehrten Herrn Präsidenten entgegenprustet ...

So ist Phineas der älter gewordene, aber jung gebliebene Sally. Rotzfrech und – nicht mit Geld zu bezahlen! WOLFGANG JACOBSEN

Design for Living: *Fredric March, Miriam Hopkins, Gary Cooper*

Design for Living (1933)

Serenade zu dritt

Eine Frau betritt ein Zugabteil, und mit ihrem Eintritt beginnt die Bewegung, die Fahrt geht los. Ihr Blick fällt auf zwei Männer, die schlafend und schnarchend auf einer Bank sitzen. Sie greift zu ihrem Skizzenblock, geht ganz nah an die beiden heran, betrachtet den Ausdruck der Gesichter. Die Kamera sieht zuerst nur die Frau, dann übernimmt sie deren Blick auf die Männer. Die Frau zeichnet die Schlafenden; erst jetzt sieht man in Großaufnahmen auch die Männer einzeln. Aus dem Paar, das die Frau gesehen hatte, werden zwei verschiedene Menschen. Am Gesicht der Zeichnerin erkennt man, wie schwer der Ausdruck der Schläfer festzuhalten ist; was eben noch eindeutig schien, hat sich im nächsten Moment schon verändert. Schließlich legt sie den Block zur Seite und richtet sich ein wie die beiden. Sie legt ihre Beine auf die gegenüberliegende Bank, schlägt die Füße ganz undamenhaft übereinander. Eine Frau nimmt die gleiche Haltung ein wie ein Mann. Noch bevor ein Wort gesprochen ist, ist fast alles klar; man weiß schon viel über die Frau, über den einen Mann, der im Traum erst lächelt, dann grimmig die Miene verzieht, und über den anderen, der unwirsch vor sich hin schläft.

Danach kehrt sich die Situation um, die Männer wachen auf. Erst der eine, der so wohlig ihre Füße berührt hatte, daß er vom Traum in die Realität gewechselt war, dann der andere, von seinem Freund geweckt. Die Männer schauen auf die Frau. Sie hatte neugierig, aber distanziert die beiden betrachtet; die beiden betrachten sie voller Interesse als ein mögliches Objekt ihres Begehrens; sie inszenieren sich, rücken die Krawatte zurecht und das

Taschentuch an die richtige Stelle. Als sie im Skizzenblock das Bild finden, das die Unbekannte sich von ihnen gemacht hat, merken sie gar nicht, daß längst schon wieder sie beobachtet werden.

Dann fällt das erste Wort. George, der Maler (Gary Cooper), streitet mit Gilda, der Werbefrau (Miriam Hopkins), über die Genauigkeit ihrer Abbildungen; sie versucht, ihm den Unterschied zwischen Malerei und Karikatur zu erklären; Tom, der Schriftsteller (Fredric March), sitzt noch stumm dabei, er wartet auf seinen Moment. Die Konversation findet in französisch statt, die ersten Sätze dieses Films fallen in einer fremden Sprache; zu dem genauen Blick auf die Personen kommt, noch vor dem Verstehen, der Klang ihrer Stimmen. Man muß den Sinn der Sätze nicht begreifen, um zu sehen, daß die Frau dem Mann überlegen ist, denn er bemüht sich schon, wo seine Bemühung noch gar nicht nötig wäre. Als die drei schließlich erkennen, daß sie dieselbe Sprache sprechen, wird nichts verständlicher, nur deutlicher: Gilda und George streiten, Tom sieht darin seine Chance. Gerade als die Situation zu eskalieren droht, gibt es einen Schnitt. Jetzt steht der Zug wieder, erst springen die beiden Männer heraus, dann die Frau. Gemeinsam vertreten sie sich die Beine, verstehen sich prächtig, obwohl man gerade noch das Gegenteil gesehen hat. Stets passiert in diesem Film etwas, womit man nicht rechnet. Und eigentlich geht alles zu schnell. Da steigen die drei in den Zug und im Umschnitt schon wieder aus. Jetzt sind sie angekommen, zusammen laufen sie den Bahnsteig entlang, als sie, die man nun im Bund glaubt, auseinandergerissen werden durch einen dritten Mann, der Gilda am Bahnhof erwartet. Und während Tom und George noch überlegen, wer der Störenfried sein mag, kann man im nächsten Bild in einer sich langsam öffnenden Kreisblende schon seinen Namen lesen, auf einem Werbeplakat. Ohne daß darüber gesprochen wurde, weiß man nun Bescheid. Die Verhältnisse beginnen sich zu klären.

Der alte Freund (Edward Everett Horton) glaubt, Anrechte auf Gilda zu haben. Er diktiert seiner Sekretärin in dieser Sache einen Brief, während Tom zu Hause sitzt und mühsam vor sich hin dichtet. Er tut das auf eine Weise, die das Leben der drei Akteure beschreibt und die Erzählweise des Films: Er sucht nach guten Sätzen. Daran ist sein ganzer Körper beteiligt; unwichtig, daß er dabei nicht weiß, welche Antwort auf eine Frage, welcher zweite Satz auf einen ersten folgt. Auch hier sieht man wieder in einer Großaufnahme, was es zu wissen gilt, wie das Stück des erfolglosen Autors heißt, und daß es einen tragischen Schluß haben soll. Das deutet man vorschnell und falsch als Zeichen. Stets passiert etwas drittes, während zwei miteinander sind. Das macht die Kalkulation schwer. Während Max, der spießige Werbefachmann, und George über Gilda streiten, küßt sie gerade Tom; und während Tom in London erfolgreich ist (wozu er den Dreier-Liebesbund mit dem Gentleman's Agreement «Kein Sex» verlassen mußte), stoßen Gilda und George die Regeln um; und während George sich auf der Heimreise zu Gilda befindet, schläft sie mit Tom; und als Max Gilda im ehelichen Schlafzimmer wähnt, sitzt sie mit Tom und George im Bett. Eine verwirrende Geschichte, die nur eines immer wieder deutlich macht: daß Gildas Wahl für zwei Männer, ihr Entschluß, sich zwischen den beiden Geliebten nicht entscheiden zu wollen, ebensowenig wie sie das zwischen zwei völlig verschiedenen Hüten tun würde, das einzig Richtige und Mögliche ist. Aus Verzweiflung wählt sie für kurze Zeit den dritten, aber die ordentlichen Verhältnisse sind langweilig und mutlos. Das sieht man an den albernen Partys und das ahnt man, wenn man die eheliche Schlafzimmertür sich vorher und nachher öffnen sieht. Denn genauso wie Lubitsch immer wieder die Details ins Bild, in die Großaufnahme rückt, verschweigt er, was sich wirklich abspielt. Da schließen sich Türen und öffnen sich erst Stunden später. Und obwohl man nicht sieht, was passiert, sieht man es doch: am Gesichtsausdruck des Mannes nach der Hochzeitsnacht, an seiner Art, mit dem Fuß gegen einen Blumentopf zu treten. Ein Spiel mit Zeichen und Gesten: Gilda stellt die Pflanzen, die die beiden Freunde ihr geschickt haben, erst richtig hin, bevor sie schließlich zum Vollzug der Hochzeitsnacht schreitet.

Städte werden als Postkartenansichten zitiert: Der Eiffelturm ist Paris, der Tower ist London. Und die Liebe, das ist vor allem eine Inszenierung: Da werden Gefühle dramatisch ins rechte Bild gerückt, sie sinkt auf das Sofa, und der Staub rieselt dazu; da werden Sätze gesagt, die man im nächsten Bild schon widerlegt sieht; nichts stimmt, und alles ist wahr. Und der Bund unter Gentlemen kann nicht dauern, wenn eine nie ein Gentleman sein kann. Nur das, worum es eigentlich geht, ist nie unernst: der Entwurf der Frau für eine Liebe zu dritt. Der radikale Entschluß für den Überfluß gegen den Mangel. Am Ende wird der Bund ohne Sex neu geschlossen, aber so wie Miriam Hopkins, die, wie man eben noch gehört hat, von Natur kein Gentleman sein kann, dabei in die Kamera guckt, weiß man, daß das wieder so ein Satz ist, der gleich widerlegt sein wird.

Manuela Reichart

The Merry Widow (1934)

Die lustige Witwe

THE MERRY WIDOW scheint seinerzeit von MGM als eine ihrer ganz großen Prestigeproduktionen designiert worden zu sein; einen solchen Eindruck jedenfalls erhält man aus einem Trailer zu Lubitschs Film, in welchem dieser zunächst in eine Reihe mit renommierten MGM-Filmen von *Ben-Hur* über *Grand Hotel* bis zu *Dinner at Eight* gestellt und sodann, bei einem «Blick hinter die Kulissen» der Produktion, als ein teures, zeit- und arbeitsaufwendig vorbereitetes und in allen Details sorgfältig ausgeführtes Schaustück ausgewiesen und mit Adjektiven wie «glamourous», «majestic» und «dazzling» belegt wird, kulminierend in dem Schlußtitel «The world's supreme spectacle of music, love and laughter». Als optischer Höhepunkt fungiert dabei ein Ausschnitt aus der großen Szene des Gesandtschaftsballs mit den Dutzenden von walzertanzenden Paaren, welche damit als charakteristisch für den Film erscheinen muß. Wenn hier zudem die Arbeit an den Kostümen gleich zweimal herausgestellt wird, einmal in Gestalt von Ali Hubert und bezogen auf die Akkuratesse in der Kreation eines irgendwie europäischen Ambiente, zum anderen personifiziert durch Adrian, «the fashion genius», und unter Betonung des quantitativen Umfangs der Aufgabe, könnte das endgültig den Verdacht nahelegen, daß es sich bei THE MERRY WIDOW um eines jener typischen konfektionierten MGM-Produkte der dreißiger Jahre handelt – Filme, die mit all ihrer äußerlich glanzvollen Zurichtung das Fehlen eines eigenständigen Inszenierungsstils, einer wirklichen künstlerischen Konzeption nicht zu verbergen vermögen, wofür etwa die langweiligen Greta-Garbo-Vehikel von Clarence Brown ein besonders charakteristisches Beispiel darstellen.

Solchermaßen geweckte Erwartungen verschwimmen allerdings sofort angesichts des Films selber: THE MERRY WIDOW ist im ganzen gesehen eine eher bescheidene, kleine Komödie und mit all seinen Fehlern und Schwächen doch ein sehr persönliches Werk seines Regisseurs. Wie immer die Produktionsbedingungen gewesen sein mögen, Lubitsch hat sich jedenfalls ganz offensichtlich auch bei seiner zweiten Regiearbeit für MGM gegenüber Thalberg und dem Apparat behaupten können. Gerade bei ihm spielten Dekors und Kostüme sowieso immer eine der Hauptrollen. Daß in besagtem Trailer Franz Lehár höchstpersönlich zum 30. Jahrestag seiner «Lustigen Witwe» aus Wien einen Gruß an die Zuschauer richtet, ist auch kein Hinweis auf eine getreue Adaption seiner Operette, mit welcher Lubitsch vielmehr sehr frei seinen eigenen Vorlieben gemäß umgeht. Die Figuren fügen sich natürlich bruchlos in die Personengattung ein, mit der fast alle seine amerikanischen Filme bis Mitte der dreißiger Jahre bevölkert sind, in jene Welt der skurrilen Könige und lustigen Witwen, feschen Offiziere und eleganten Bohemiens, reichen Playboys und Verführungskünsten zugänglichen Gräfinnen, von welcher er in immer neuen Facetten ein ironisch-satirisches Bild entwarf. Von Ironie geprägt ist aber nicht nur Lubitschs Verhältnis zu dieser Operettenwelt, sondern gleichzeitig auch zu den dazugehörigen Operettenformen, und nichts könnte das besser zeigen als ziemlich zu Beginn von THE MERRY WIDOW das Ende jener Szene, in der Graf Danilo, Hauptmann der Garde (Maurice Chevalier), Sonia, der Witwe (Jeanette MacDonald), vergeblich den Hof macht. Von Danilo schwärmen sämtliche Frauen, die Königin ebenso wie die Dienerinnen, und während ihm bei der Parade alle Mädchen nachschauen, ist umgekehrt er es, der der in einer Kutsche vorbeifahrenden, ganz in Schwarz gekleideten und verschleierten Witwe nachblickt, womit auch schon in der allerersten Sequenz des Films das andere, Besondere dieser Beziehung sich andeutet. Eines Abends klettert Danilo zu Sonia auf den Balkon, wird aber von ihr, was immer er auch vorbringt, abgewiesen, und nachdem er wieder zu Mischka, seinem Burschen, welcher am Fuße der Mauer mit einer Leiter auf ihn wartet, hinuntergestiegen ist und Sonia sich schon in ihr Boudoir zurückgezogen hat, tritt diese noch einmal auf den Balkon und singt ein Lied («Vilia») in die Nacht hinaus, mit sehnsüchtsvoller Geigenmusik begleitet von einer Zigeunerkapelle. Da fällt von irgendwoher ein Tenor in ihren Gesang ein, und gleich darauf wird enthüllt, woher die Stimme kommt: Es ist nicht etwa Chevalier, der singt, sondern der Bursche, und hinter ihm steht Danilo und dirigiert ihn mit beiden Händen. Der Effekt mag in diesem Fall als grob erscheinen, die Szene ist aber bezeichnend für Lubitschs Verfahrensweise insofern, als ihre romantische Stimmung spöttisch gebrochen und gleichwohl zuvor hingebungsvoll ausgekostet wird.

Dergestalt auch Lubitschs Verhältnis zum Stoff insgesamt. So sehr er sie auch ironisiert und ihre Schwächen bloßlegt, gibt es bei ihm doch immer ein grundlegendes Einverständnis, ja, eine liebevolle Zuneigung zu den Personen seiner Gesellschaftskomödien und Operetten. Lubitschs kunstvoller Inszenierungsstil, seine berühmten Ellipsen, der in seinen Filmen artikulierte Wunsch nach Phantasie und Außeralltäglichkeit besonders im Verhältnis der Geschlechter zueinander, das alles setzt ja gerade die bestehenden Konventionen – in Gestalt der Konventionen einer bestimmten Theatertradition, innerhalb deren Lubitsch arbeitete, und der in der Struktur der Filme bereits antizipierten Reaktionen des Publikums – als gegeben voraus. Für Lubitschs spezifischen Umgang mit seinem Material mag hier noch die vielzitierte Szene mit dem Degengürtel stehen. Nachdem König Achmed von Marshovia sich zunächst mit seinem Kammerdiener und dann mit der Königin Dolores über die Lage im Lande beraten hat – die reiche Witwe, welcher mehr als die Hälfte des Staates gehört, hat sich in Richtung Paris abgesetzt: eine Gefahr für die Wirtschaft des kleinen Reiches –, verläßt er das Gemach, um sich zu einer Ratssitzung über dasselbe Thema zu begeben. Dabei passiert er Danilo, welcher wie ein Posten vor der Tür steht und auch gleich hinter dieser verschwindet, sobald der König fort ist. Da Danilo bereits als der notorische Frauenheld von Marshovia eingeführt ist, tippt der Zuschauer sofort auf ein Verhältnis mit der Königin – etwas, das in einem üblichen historischen Film zumindest als außergewöhnlich dastünde, in diesem Kontext aber wie selbstverständlich erscheint. Die Kamera bleibt allerdings bei Achmed, welcher sich, bereits auf der Treppe, mit einemmal an die Hüften faßt. Offenbar hat er etwas vergessen; er kehrt um und verschwindet wie vorher Danilo hinter der Tür zum Gemach, während die Kamera draußen verharrt, und man erwartet nun eigentlich, daß er Danilo entdeckt und eine Szene macht – aber nein, er kommt mit einem Degen samt dazugehörigem Gürtel wieder heraus, welchen er sich im Gehen anzulegen versucht. Ist vielleicht doch alles ganz harmlos? Keineswegs, der Gürtel ist ihm viel zu eng, und da merkt Achmed, daß das gar nicht der seine ist, und der Zuschauer sieht seine anfängliche Vermutung bestätigt, weil er sich vorstellen kann, aus welchem Grund Danilo seinen Degen samt Gürtel ablegte.

Nicht nur handelt es sich hierbei um ein besonders schönes Beispiel für Lubitschs Stil der Aussparungen und Andeutungen, sondern von Interesse ist in diesem Zusammenhang auch noch die Zeichnung der Person des Königs, welcher mit dieser Szene in den Film eingeführt wird. König Achmed stellt ohne Frage eine leicht ridikülе Figur dar, legt aber andererseits durchgängig einen gesunden Pragmatismus an den Tag, welcher ihm unsere Sympathie sichert. Schon mit dem Kammerdiener redet er wie von gleich zu gleich; später beweist sein Telegramm an den Botschafter in Paris eine durchaus realistische Einschätzung der Lage, so wie man ihn nach dem Prozeß, wenn Danilos Mission, Sonia zurückzuholen, scheinbar endgültig gescheitert ist, in Erwartung des nun Unvermeidlichen die Sachen zusammenpacken sieht: Er wickelt seine Krone in Papier ein. Auch aus der Affäre von Dolores mit Danilo zieht er die richtige Konsequenz. Da er ja auf der Suche nach einem attraktiven Mann ist, der die Witwe zurückzuholen vermag, und die Königin zuvor alle potentiellen Kandidaten, die ihm einfielen, als ungeeignet zurückwies, betraut er nun Danilo mit dieser Aufgabe; der Seitensprung von Dolores ist ihm gerade ein Beweis für Danilos Qualifikation, und gleichzeitig hat er damit diesem Seitensprung elegant ein Ende gesetzt. Vertrottelter erscheint da schon der Botschafter von Marshovia in Paris, aber Edward Everett Horton, der heimliche Star mehrerer Lubitsch-Filme, gibt dieser für ihn typischen Rolle in jedem Moment soviel Würde mit, daß die Figur niemals ins nur Lächerliche abgleitet. Mag er, seiner Aufgabe immer treu ergeben, dabei auch schwerwiegende Fehler machen, so steht er doch mit beiden Beinen mitten im Leben. Bei seinem ersten Auftreten im Film kommt er gerade, ein Mädchen am Arm, aus dem Maxim, und wenn später Danilo auf dem Gesandtschaftsball nicht erscheint, gibt der Botschafter Mischka den Auftrag, dieser solle alles nach Danilo absuchen, jedes Lokal, jeden Nachtclub, jede . . . da unterbricht er sich, drückt dem Burschen ein Notizbuch in die Hand und sagt: «Hier sind ein paar Adressen.» Schon auf dem Weg nach draußen, dreht er noch einmal um, nimmt Mischka das Notizbuch wieder fort und reißt eine Seite heraus, bevor er es ihm zurückgibt (zusätzlich wieder ein Beispiel, wie Lubitsch mit Andeutungen arbeitet und dabei natürlich auch die Zensur umgeht). Nachdem der Botschafter ein verschlüsseltes Telegramm von König Achmed erhalten hat und sich von einem Diener anhand eines Codebuches das erste Wort, «Teuerster», als «Sie sind für mich der größte Idiot in diplomatischen Diensten» hat dechiffrieren lassen, gibt er einem weiteren Bediensteten die Anweisung, die von ihm aufbewahrte Blausäure vorsichtshalber wegzutun, bevor er sich das entschlüsselte Telegramm in voller Länge vorlesen läßt. Seine eigene Insuffizienz ist ihm sogar so weit bewußt, daß er sie strategisch einzusetzen vermag: Damit Danilo hinterher um so besser dastehe, solle sich die Witwe auf dem Gesandtschaftsball zuerst langweilen, sagt der Botschafter, und er werde höchstselbst die Aufgabe übernehmen, sie vorher herumzuführen.

Ein im Rahmen der Geschichte voll ausbuchstabierter Gegensatz ist der zwischen dem kleinen, agrarisch geprägten Königreich Marshovia – es ist so winzig, daß es auf einer Europakarte nur mit einer Lupe ausfindig zu machen ist – und der Weltstadt Paris. Uniformen und Gebaren der Leute von Marshovia besitzen, vom Schäfer auf der Straße bis zur Volkstanzgruppe beim Gesandtschaftsball, einen osteuropäisch-slawisch anmutenden Phantasiezuschnitt. Mit diesem Königreich wird uns abermalig einer jener skurrilen balkanischen Zwergstaaten vorgeführt, die auch im Kino von *Million Dollar Legs* bis *The Mouse on the Moon* immer wieder für Lacher gut waren. Marshovia ist aber nicht nur der schrullige Kleinstaat, in dem vor Gericht darüber gestritten wird, ob ein Hund als Beweisstück oder als Zeuge zu gelten habe, sondern auch in bezug auf Lubitschs zentrales Thema der erotischen Beziehungen ein Land eher traditionalistischer Werte, in welchem einzig Danilo das libertine Prinzip verkörpert, wohingegen Paris im Film fast ausschließlich durch das Maxim repräsentiert wird, einen Ort, der Männern folgenloses Vergnügen ermöglicht, ohne daß sie an das Morgen zu denken brauchten und Verantwortung übernehmen müßten. Die Maxim-Mädchen treten nur als Gruppe auf, erscheinen austauschbar und jeweils ohne Individualität, mit Namen wie Lolo, Cloclo, Joujou («or any name will do»), wie es schon gleich zu Beginn der Paris-Episoden durch Danilos Lied «I'm Going to Maxim's» angedeutet und auch sofort optisch sinnfällig wird, wenn Danilo das Maxim betritt: Alle Mädchen begrüßen ihn erfreut, und drei von ihnen sieht man jede für sich in schnell hintereinandergeschnittenen Nahaufnahmen jeweils eine Silbe ausrufen – zusammen ergibt sich das Wort Da-ni-lo. Andererseits aber ist ihnen die Sinnlichkeit selbstverständlich, welche Danilo in Sonia überhaupt erst wachruft, was ja auch den Auslöser für ihre Reise nach Paris darstellt, wo es ihr allein möglich wird, das vergleichsweise ausschweifende Leben zu führen, das sie als Witwe daheim so lange entbehren mußte. Marshovia ist dagegen wieder – eben auch als Ort einer größeren Eindeutigkeit der Gefühle – der Platz, an dem zum Schluß die auseinandersetzungs- und mißverständnisreiche Beziehung zwischen Danilo und Sonia ganz traditionell in eine Heirat ein-

The Merry Widow: *Jeanette MacDonald*

mündet, von ersterem auch dadurch bekräftigt, daß er seinen vor Gericht gesprochenen Satz, ein Mann, der mit Hunderten von Frauen durchs Leben tanzen kann und doch nur mit einer durchs Leben gehen wolle, verdiene es, gehenkt zu werden, dahingehend abwandelt, daß dieser Mann heiraten müsse. Obwohl die Geschichte also in konformistischen Bahnen verläuft, macht es allerdings die Ambivalenz des Films aus, daß durch diese Heirat das von ihm zur Entfaltung gebrachte sensuelle Moment nicht dementiert wird, um so weniger, wenn man sich den Blickwinkel Sonias zu eigen macht. Auch in Paris kann Sinnlichkeit nur unter den Auspizien männlicher Doppelmoral ausgelebt werden – der Film bringt das sogar noch verbal zum Ausdruck durch die Reaktion von Sonias Verehrern auf deren Ankündigung, sie gehe ins Maxim; und diese Beschränkung erfährt Sonia ganz schmerzlich an sich selber, wenn sie im Maxim die Rolle der Fifi annimmt. Das Verhältnis, das sie mit Danilo eingehen will, fällt gerade nicht hinter ihre sinnlichen Wünsche zurück, sondern ist bestimmt von der Einsicht in die mangelnde Tiefe der raschen Vergnügungen, die im Maxim einzig zu haben sind.

Der Übergang von der einen Welt zur anderen wird vorbereitet in der vielleicht schönsten Sequenz des Films. Nach der «Vilia»-Szene sieht man Sonia im Bett sitzen, ihr Tagebuch aus der Nachttischschublade hervorholen und darin blättern. Für jeden Tag ist dort ein Blatt mit aufgedrucktem Datum vorgesehen. Zunächst – es ist Mitte 1884 – sind die Seiten noch vollgeschrieben, dann kommt die Mitteilung: «Liebes Tagebuch, ich bin eine Witwe geworden.» In der Folge werden die Eintragungen immer spärlicher und versiegen schließlich ganz, so daß bis zum Mai 1885, der Filmgegenwart, das Tagebuch nur noch leere Seiten enthält. Sonia steht nun auf, setzt sich an einen Tisch und taucht den Federhalter ins Tintenfaß. Von dem vollen Tintenfaß wird auf das fast leere überblendet, und wir wissen, daß Sonia mit einemmal wieder etwas mitzuteilen, Danilo offenbar doch irgendeinen Eindruck auf sie gemacht hat. Mehrere Tage der Handlung faßt der Film nun dergestalt zusammen, daß die Kamera sich über die Tagebuchseiten hin- und herbewegt, nach oben zu der oberhalb des Datums aufgedruckten Vignette, in welcher man Sonia in Live-Action eingeblendet sieht, und nach unten auf deren Eintragungen unter nacheinander folgenden Daten, etwa daß sie versuche, Danilo zu vergessen. Und schließlich schreibt sie, sie habe Marshovia satt – und sagt zu ihren Dienerinnen: Wir gehen nach Paris! Ingeniös und überaus ökonomisch werden hier die Leere von Sonias Leben als Witwe, welches sich in Marshovia darin erschöpft, ihre Trauer kundzutun, und ihr komplexer innerer Wandlungsprozeß durch ein ganz einfaches, nur scheinbar unfilmisches und dabei überaus kunstvoll eingesetztes Mittel dargestellt. Auf dieses Musterbeispiel raffinierter elliptischer Erzähltechnik läßt Lubitsch noch eine kurze Szene folgen, die den Vorgang metaphorisch verdichtet zusammenfaßt: In den drei zuvor schon einmal gezeigten, mit ausnahmslos schwarzen Kleidungsstücken gefüllten Schränken verfärben sich die Kleider durch eine Überblendung allesamt weiß, und sogar der Hund macht diese Verwandlung mit!

Von der Operette Lehárs übernimmt Lubitsch natürlich mehrere Musiknummern, und eine bevorzugte Funktion, die er der Musik zuteilt, ist es, eine Verbindung zwischen Danilo und Sonia herzustellen. Diese Aufgabe erfüllt schon der «Vilia»-Song, und auch unmittelbar nach Danilos Ankunft in Paris werden beide wieder musikalisch verknüpft, diesmal sogar über drei verschiedene Melodien in ein und derselben Szene. In seinem Hotelzimmer macht sich Danilo singend für einen Ausflug ins Maxim zurecht, und die Kamera schwenkt von seinem Fenster an der Hausfront entlang zu einem anderen Fenster, hinter dem sich Sonia, ebenfalls ein Lied singend, herausputzt, während im Nebenzimmer schon eine Reihe von Herren wartet, auch sie eine kleine Strophe beitragend. Als Sonia fertig ist, hört man wieder den Gesang Danilos («I'm Going to Maxim's»), diesmal von der Straße, wo er mit einer Kutsche davonfährt. Das musikalische Hauptthema des Films bildet der «Merry Widow Waltz», und dieser ist insgesamt dreimal zu hören. Das erstemal ertönt er während des Maxim-Besuchs, wenn sich im Séparée die Situation zwischen Danilo und Sonia, welche als Fifi sich ausgibt (Danilo sah sie ja zuvor nur verschleiert), festgefahren hat, weil diese nicht wie die anderen Maxim-Mädchen reagiert; der Walzer löst vorübergehend die Spannung im Tanz, und es kommt zum ersten Kuß zwischen den beiden. Dann ist er erneut auf dem Gesandtschaftsball in einer vergleichbaren Situation zu hören; wieder dient er dazu, momentan Differenzen und Mißverständnisse im Tanz zu überwinden. Beim drittenmal schließlich spielt ihn die Zigeunerkapelle im Gefängnis von Marshovia, wenn Sonia Danilo in seiner Zelle besuchen kommt, und diesmal führt er direkt zur Heirat.

Man könnte vielleicht sagen, daß dieser Walzer die wirklichen Gefühle und Wünsche der beiden Protagonisten vertritt und artikuliert, und zwar gegen ihr manifestes Verhalten. Insofern kommt dem

Walzertanzen in THE MERRY WIDOW eine latent erotische Bedeutung zu, und wenn beim Gesandtschaftsball der Tanz von Sonia und Danilo in eine große Tanzszene mit vielen weiteren Paaren übergeht, dann ist das nicht nur eine im Kontext des übrigen Films grandiose, sorgsam arrangierte und choreographisch ausgefeilte Shownummer – es ist im übrigen die einzige im Film, die als solche bezeichnet werden kann, und schon aufgrund ihrer bemerkenswert kurzen zeitlichen Dauer wird ihr keine Gelegenheit gegeben, sich zu verselbständigen –, sondern vor allem eine Verlängerung des Gefühlszustandes der beiden nach außen hin, welcher damit ins Rauschhafte sich steigert. Demgegenüber ist der Schluß des Films im Gefängnis eine bewußt konstruierte Antiklimax; der Witz liegt hier gerade in der Reduktion der Elemente aufs Notwendigste. Leider funktioniert dieser Witz nicht, denn so einleuchtend auch der Gedanke ist, das Walzerthema wieder aufzunehmen, so ungeschickt bleibt sonst die Handlungsauflösung in Konstruktion und Durchführung. Die plumpe Intrige der auf dem Gang sich Versammelnden, die albernen Effekte mit dem Champagner, den Ringen und dem Geistlichen in der Türöffnung, die Überstürztheit, mit der der Film eine Entscheidung in der Zelle herbeiführt – Lubitsch hastet geradezu dem Schluß entgegen, wie um die blödsinnige Auflösung des Plots endlich hinter sich zu bringen –, das alles läßt jede Subtilität vermissen, und so erscheinen die Gefängnisszenen nur als läppischer Appendix einer Geschichte, die nach Abschluß des Prozesses gegen Danilo mit ihren dramaturgischen und emotionalen Schaltstellen und allen Anknüpfungspunkten für filmische Phantasie bereits vorüber ist.

Nun steht allerdings in THE MERRY WIDOW dieser possenhafte Schluß auch nicht gerade als ein Fremdkörper da, sondern in ihm kulminieren nur Momente, die bereits den ganzen Film als ein Strang durchziehen. Man hat den Eindruck, daß Lubitsch sich hier dem Problem gegenübersah, einer eher faden und dürftigen Operettengeschichte, welche für sich allein kaum Interesse zu beanspruchen vermag, durch allerlei derb-komische Zutaten und burleske Einlagen aufzuhelfen. Für die gröber gestrickten, nur angestrengt um Lustigkeit bemühten Passagen wären die Gerichtsverhandlung oder die Szene, in der die Maxim-Mädchen dem betrunkenen Danilo die Uniform anziehen, mögliche Bei-

The Merry Widow: *Maurice Chevalier*

spiele. Ich kann hier nur noch ein weiteres herausgreifen. Hin und wieder passiert es Lubitsch etwa, daß er auf eine witzige Sequenz noch einen plumpen Gag draufsetzt. Wenn König Achmed aufgrund der Verwechslung des Degengürtels Danilo mit Dolores ertappt hat, verzichtet er aus Angst vor der Dienerschaft und dem möglichen Skandal auf eine Szene, und Danilo schlägt nun vor, damit die Diener nicht doch aufmerksam werden, Konversation zu machen, was zu einem längeren unartikulierten, gekünstelten Gemurmel und Lachen der drei führt. Gerade weil sie so übertrieben ist und hier ein dünnblütiger Einfall erbarmungslos ausgespielt wird, wirkt die Sequenz albern und gänzlich unkomisch, und man fühlt sich bei solch einer kruden Burleskkomik immer wieder an Filme wie DIE AUSTERNPRINZESSIN oder KOHLHIESELS TÖCHTER erinnert. Die kunstvolle Subtilität von TROUBLE IN PARADISE, ANGEL oder HEAVEN CAN WAIT ist jedenfalls weit entfernt. Man könnte über derlei Schwachstellen hinweggehen, wenn sie nicht gewissermaßen auch auf die sie umgebende Erzählung abfärben würden, welche dann selber wiederholt über längere Strecken einen eher deftigen, burschikosen Ton annimmt. Ein merkwürdiger Widerspruch durchzieht so den gesamten Film: Lubitschs Umgang mit den eigentlichen Operettenelementen entwickelt ja immer da seinen leisen Charme, wo die subtile Spannung zwischen der Zuneigung zu dieser altmodischen Operettenwelt und der Einsicht, daß diese überlebt und nicht so ganz ernst zu nehmen sei, entfaltet und ausgestaltet wird; in einer vergleichbaren Spannung liegt in Lubitschs großen Filmen auch die besondere Verschmelzung von Witz und Melancholie begründet. Diese fragile Balance wird nun aber andererseits gestört durch den Hauruckhumor und die albernen Beigaben, denn sie implizieren einen Mangel an Vertrauen in das Ausgangsmaterial, welches also noch etwas aufzumoppen sei.

So ist am Schluß der Eindruck, den der Film insgesamt hinterläßt, doch nur der einer weitgehenden Unverbindlichkeit und generellen Harmlosigkeit. Natürlich bildet die liebevolle Ironisierung der Operettenwelt selber schon einen Bestandteil der Operettentradition und transzendiert nicht ihren Gegenstand; gleichwohl würde der Vorwurf der Harmlosigkeit Lubitschs ureigenste Methode des Umgangs mit seinem Material noch nicht treffen. Diese läuft ja gerade darauf hinaus, die vorgegebene und einer satirischen Betrachtung unterzogene, aber schon damals altmodische aristokratisch-europäische Welt als Projektionsfläche zu benutzen für ein Spiel mit sexuellen Andeutungen und Doppeldeutigkeiten, frivolen und gleichzeitig diskreten Anspielungen, vielen Nebensächlichkeiten, die zusammen das Eigentliche ausmachen, ein Spiel, das den Zuschauer aktiviert und ein phantasievolleres, nicht im Gewöhnlichen sich erschöpfendes Leben beschwört. In THE MERRY WIDOW verfehlt Lubitsch diese Ebene teilweise und muß deshalb zu einer grob possenhaften Ausgestaltung des Stoffes Zuflucht nehmen. Mit Weinberg und gegen Sarris gebe ich daher Stroheims Version desselben Stoffes, welche Lehárs Operette filmisch ingeniös zu einer ätzenden, bitteren Verhaltensstudie umformt und die Geschichte damit wirklich auf den Punkt bringt, bedenkenlos den Vorzug, ebenso Ludwig Bergers gleichfalls 1925 gedrehtem, Stroheim ungleich näher als Lubitsch stehendem Film *Ein Walzertraum*.

Lubitschs MERRY WIDOW bleibt im wesentlichen eine Filmoperette und bringt es eigentlich auch nicht zu einem wirklichen Musical. Der Vergleichsfilm, anhand dessen sich das demonstrieren ließe, ist Rouben Mamoulians *Love Me Tonight* von 1932, welchem die Integration seiner Elemente, die Kombination von Gesang, Tanz, Dialog, Dekor und Kamerabewegungen in einem alles umfassenden musikalischen Rhythmus auf eine für die dreißiger Jahre sonst wohl beispiellose Weise gelingt. Für fast alle zentralen Szenen in THE MERRY WIDOW, auch die gelungenen, ließe sich hier das gewandtere, erfindungsreichere, überzeugendere Gegenstück finden. Man vergleiche etwa die brillante Verknüpfung verschiedener Personen in einem Gebäude durch eine einzige Gesangsnummer – «Nothing but a Tailor» – bei Mamoulian mit den im Vergleich dazu eher bescheidenen Bemühungen Lubitschs in der «I'm Going to Maxim's»-Szene, doch immerhin eine der elaborierten des Films; oder den höchst romantischen Titelsong «Love Me Tonight», welcher auch die Funktion hat, das getrennte Paar zu verbinden, und von Mamoulian subtil gegen die Konvention eingesetzt wird, mit der «Vilia»-Szene bei Lubitsch, welche etwas ähnliches zu unternehmen versucht; oder gar das rasante, die Liebenden endgültig vereinende Finale in Mamoulians Film, herbeigeführt durch eine bewußte, Konventionen sprengende Entscheidung der Frau, sich zu ihrem Geliebten zu begeben, mit der blutleeren, kraftlosen Schlußsequenz bei Lubitsch, wo Sonia Danilo im Gefängnis aus keinem anderen Grund als dem aufsucht, daß die Konvention des Happy-Ends erfüllt werden muß, jedenfalls aus keinem, den er sinnfällig machen könnte. *Love Me Tonight* ist eine offensichtliche Lubitsch-Imitation, ebenfalls mit Chevalier und MacDonald in den Hauptrollen, aber auch genau der Film, dies gegen Bogdanovich und wiederum Sarris gesagt, den Lubitsch mit THE MERRY WIDOW nicht geschafft hat zu drehen.

WINFRIED GÜNTHER

Angel (1937)

Engel

Über die «großen» Filme von Lubitsch ist so viel geschrieben worden, daß man eigentlich nichts mehr hinzufügen kann. Noch etwas Neues über NINOTCHKA zu schreiben, würde mir kaum einfallen. Eine Ausnahme ist ANGEL. Aber hierzu fällt mir vor allem deswegen etwas ein, weil ich an diesem Film vieles vermisse, was mich an Lubitsch sonst begeistert: die schwebende Inszenierung, der kalkulierte Witz, die filmischen Kunststücke.

ANGEL ist ein Boulevardstück, das zum Melodram stilisiert ist, ohne je eins zu sein. Dabei bleibt man auch zu unbeteiligt. Die Dramaturgie klappert virtuos, ohne aber – wie wir es bei Lubitsch gewohnt sind – die bekannten Muster um eine neue Variante zu bereichern. Die ganze Handlung besteht aus Schleichpfaden der Dramaturgie, nur um in eine Szene zu münden. Ist man dort angelangt, fühlt man sich allerdings belohnt. Es ist eine Szene zu dritt beim Essen. Marlene Dietrich sitzt im Spannungsfeld von zwei Männern: ihrem Ehemann und ihrem Liebhaber. Der Ehemann ahnt nichts von der Affäre. Es wird ein «heiterer» Abend zu dritt, den aber nur der betrogene Ehemann genießen kann.

Der Film hat auch einen großartigen Anfang. Marlene Dietrich agiert, als habe ihr Sternberg die Augenaufschläge diktiert. Sie versucht, unter falschem Namen ein Zimmer in einem Nobelhotel zu mieten, und benimmt sich dabei auf mondäne Weise so ungeschickt, daß sie sofort das Mißtrauen des Empfangschefs erregt. Sie ist inkognito in Paris, um sich etwas Abwechslung zu verschaffen. Abwechslung von ihrem Ehemann, denn Marlene ist eine vernachlässigte Hausfrau. Der Ehemann ist Di-

Angel: *Herbert Marshall, Marlene Dietrich, Melvyn Douglas*

plomat, der immer Probleme hat, den Weltfrieden zu erhalten. So gesehen, ein ganz aktueller Stoff. Daß die Weltpolitik dem Mann keine Zeit für seine Ehepflichten läßt, ist naheliegend. Als Zuschauer wünscht man sich auch gar nicht, daß er sich mehr Zeit nimmt, da er in seinem blasierten Charme die Langeweile eines Beamten des Europarates ausstrahlt. Man versteht Marlene in ihrem Wunsch nach Abenteuer. Sie sucht Abwechslung in einem einschlägigen Etablissement in Paris, in dem nur erste Adressen verkehren und das von einer Großfürstin geleitet wird – wie es sich bei Lubitsch gehört. Hier lernt sie ihren Liebhaber kennen.

Bei den Szenen im Etablissement fällt vor allem auf, was einem alles vorenthalten wird. Schließlich ist es ja nicht interessant, daß eine Frau dort auf einen Mann trifft, der ihrem eigenen an Durchschnittlichkeit in nichts nachsteht. Auf diese Art hat sich noch niemand seine heimlichen Wünsche und Sehnsüchte erfüllt. Jahrzehnte später, in *Belle de jour*, gibt uns Buñel einen Einblick in wirkliche Abgründe (die Lubitsch so geschickt kaschiert hat), wenn er uns Catherine Deneuve zeigt und sie – nachdem sie einen zwei Zentner schweren Japaner empfangen hat – bei dem mitleidsvollen Satz der Hausdame, «es muß schrecklich sein», sagen läßt: «Was verstehst du schon davon?» – Aber *Belle de jour* ist auch keine Komödie.

Lubitsch scheint es peinlich zu sein, daß Marlenes Abenteuer ausgerechnet in einem Bordell beginnt, obwohl sie es sicherlich nicht ohne Grund genau dort gesucht hat. Und so erzählt er uns die Geschichte weiter, als ob sich das Paar in einem lauschigen Café getroffen hätte. Auch Marlenes Partner scheint lediglich von romantischen Sehnsüchten ins Bordell getrieben worden zu sein. So fordert er von der schönen Frau nicht etwa das, was Männer sonst in solchen Etablissements erwarten, sondern verbringt eine rein «platonische» Nacht mit ihr auf einer Parkbank. Das Paar verliebt sich, die Liebe wird immer leidenschaftlicher, der Film immer harmloser.

In fast allen Lubitsch-Filmen geht es um Erotik und Verführung. Da das Thema Sex in der damaligen Filmindustrie vollkommen tabuisiert war, entwickelte Lubitsch eine kunstvolle Zeichensprache der Sexualität. Kaum jemand hat so viele Varianten gefunden, dem Zuschauer etwas zu signalisieren, was er eigentlich nicht sehen darf. In ANGEL passiert zwischen den Geschlechtern aber so wenig, daß Lubitsch nicht einmal seine kunstvolle Zeichensprache bemühen muß, denn es gibt nichts zu kaschieren.

ROBERT VAN ACKEREN

Bluebeard's Eighth Wife (1938)

Blaubarts achte Frau

Es ist nicht ganz einsichtig, warum von Lubitschs Filmen der dreißiger Jahre gerade BLUEBEARD'S EIGHTH WIFE in der Einschätzung vieler Kritiker, auch ausgesprochener Lubitsch-Aficionados, meist unter «ferner liefen» rangiert, denn er ist nicht nur einer von dessen komischsten Filmen, sondern stellt auch als screwball comedy nicht wenige «Klassiker» des Genres, von Capras *It Happened One Night* bis zu La Cavas *She Married Her Boss* oder *My Man Godfrey*, in den Schatten. Was den ersteren Punkt betrifft, so gehört es in der Tat zu den schwierigsten Unterfangen, im Einzelfall stringent zu begründen, warum etwas komisch ist, etwas anderes, offensichtlich gleichfalls als komisch Intendiertes dagegen nicht oder sehr viel weniger. Das gilt um so mehr, als ja nicht selten Uneinigkeit über die Wirkung besteht. Ein Text etwa, der die spezifische Komik von Buster Keaton oder Laurel und Hardy zu erläutern sucht, kann zumeist schon vorab auf mein Einverständnis in der grundlegenden Einschätzung des Gegenstandes rechnen, wohingegen mir bis heute kein noch so ergebener Verehrer von Jerry-Lewis- oder gar Blake-Edwards-Filmen klarmachen konnte, was an dem Zeugs eigentlich so komisch ist. Gleichwohl kann das keine Frage bloß individueller Prädispositionen sein, sondern muß sich verbindlich klären lassen.

Was also ist an BLUEBEARD'S EIGHTH WIFE so komisch? Zum Beispiel der folgende Gag, welchen Lubitsch recht ausgiebig vorbereitet durch eine Szene, die zunächst in keinem erkennbaren Kontext zur übrigen Handlung steht. Unmittelbar auf die Mitteilung von Michael Brandons Nervenzusammenbruch – wir erfahren von diesem nur durch eine Zeitungsschlagzeile – folgt ein Gespräch zwischen einem gewissen Professor Urganzeff und einem seiner Patienten, welcher gerade als geheilt aus dem Sanatorium des Professors entlassen wird. Der Patient, so hören wir, hatte sich für ein Huhn gehalten (einmal habe er sogar von der Köchin verlangt, sie solle ihn zu einer Suppe verarbeiten); nach seiner Verabschiedung tritt er vor die Tür, kauft sich eine Zeitung, schlägt die Seite mit den Börsenberichten auf und kräht sofort los, obwohl angeblich geheilt, woraufhin sich oben ein Fenster öffnet und Brandon hinunterruft: «Halt deinen Schnabel, sonst verkaufe ich dich als Brathähnchen!» (Nein, nein, das ist noch nicht der Gag, auf den ich hinauswill.) Inmitten all der dummen Scherze sind wir jetzt aber auch sehr elegant wieder bei einer der beiden Hauptpersonen des Films gelandet, welche sich hier offenbar auskuriert. Während Brandon das Essen serviert bekommt und sich einzureden bemüht, daß es ihm gutgehe, ersucht unten seine Exehefrau Nicole vergeblich um einen Besuch bei ihm: Sie wird schon an der Tür von einer Schwester abgewiesen und kehrt zu ihrem im Auto wartenden Vater zurück. Dieser reagiert mit dem Satz: «So, ein Marquis de Loiselle wird nicht bei Professor Urganzeff vorgelassen, das werden wir ja sehen!», begibt sich seinerseits zum Eingang der Klinik und beginnt sogleich, als sich die Tür öffnet, wie ein Hund zu bellen, was die Schwester mit der Aufforderung «Kommen Sie bitte herein!» quittiert. Da ihm dieser hinreißend komische Moment aber nicht genug war, knallt Lubitsch wie so oft noch einen dämlichen Einfall drauf, indem er die Schwester einen wirklichen Hund nach draußen führen läßt, welcher dann auch zu bellen anfängt, woraufhin die im Auto sitzende Nicole den Kopf hebt und fragt: «Ja, Vater?» Aber selbst damit versöhnt uns Lubitsch sofort wieder: Wenn nämlich der Marquis aus der Tür tritt, öffnet er diese gleich aufs neue demonstrativ mit einem Schlüssel und teilt dann seiner Tochter mit, er habe das Sanatorium gekauft; der ständige Zutritt ist somit gesichert.

Ich muß im Rahmen dieses kurzen Textes leider die Einschätzung als unproblematisch unterstellen, daß es sich bei dem zuletzt genannten Einfall und dem Gag mit dem Bellen des Marquis um genuin komische Momente handelt, der Rest der Sequenz dagegen der Kategorie des geradezu Saublöden zuzuschlagen ist, obwohl sich hier die Höhe- ebenso wie die Tiefpunkte durchaus auf demselben intellektuellen Niveau bewegen. Das skrupellose Klotzen mit derlei faulen Witzen ist gelegentlich Billy Wilder zugeschrieben worden, welcher zusammen mit Charles Brackett das Drehbuch schrieb, und wenn auch diese Art von Humor später gewiß eine Domäne Wilders blieb, so läßt sie sich doch ebenso leicht auf Lubitschs frühe Filme zurückverfolgen. Die Auffassungen von einem strikten Gegensatz zwischen den deutschen und den amerikanischen Filmen Lubitschs sind sicher falsch; eher hat dieser Regisseur seine Komik in Hollywood nur in einen neuen, amerikanischen Kontext – den der entwickelten amerikanischen Filmindustrie zumal – gestellt und sie damit aufgefächert, ihr neue Bedeutungsebenen hinzugewonnen, sie ungeheuer verfeinert, dabei aber das Possenreißen doch niemals ganz aufgegeben. Die Frage, warum grober, simpel angelegter Humor der oben beschriebenen Art im einen Fall als weitgehend dysfunktional, unpassend oder unkomisch erscheint, im anderen dagegen, eben bei BLUEBEARD'S EIGHTH WIFE, funktioniert oder zumindest nicht weiter stört, ist ohne extensive Sinnauslegung einiger kontrastiv ausgewählter Szenen nicht zureichend zu beantworten, aber zwei offenbar besonders wichtige Momente sollen hier immerhin benannt werden.

Deren erstes ist die gelungene Einbettung der Gags und komischen Einfälle in ein Handlungskontinuum, welches ihnen wiederum einen Anschein von Notwendigkeit verleiht, selbst noch den schwächeren. Es sind eben nicht irgendwelche Gags, die zum Einsatz kommen, sondern sie stehen in den meisten Fällen in einem stringenten Zusammenhang mit der einer Szene zugrunde liegenden Bedeutungsstruktur und fügen sich jeweils in die spezifische Atmosphäre ein, bilden zudem ein dichtes, szenenübergreifendes Geflecht von Motivsträngen. So ist auch der Leiter des Sanatoriums nicht ein x-beliebiger, sondern genau der Professor Urganzeff, von dem die Methode zur Bekämpfung der Schlaflosigkeit stammt, die Michael in der ersten Szene des Films von Nicole empfohlen wird. Diese Methode besteht darin, nach dem Zubettgehen ein langes Wort, zum Beispiel Tschechoslowakei, rückwärts zu buchstabieren, und in der Nacht probiert Michael sie auch aus. Daß sie nicht funktioniert, merkt man sogleich daran, daß er zwischendurch das Licht wieder anknipsen muß, um nachzusehen, wie das Wort Czechoslovakia buchstabiert wird – er hat es sich in Versalien auf ein großes Stück Karton geschrieben. Wenn er am nächsten Tag gegenüber Nicoles Vater seinen mittlerweile getroffenen Entschluß andeutet, diese zu heiraten, setzt er noch hinzu: «Und die Flitterwochen verbringen wir in der Tschechoslowakei!» So geschieht es dann später auch; über eine Aufnahme der Karlsbrücke ist der Titel kopiert: «Wenn Sie Ihre Flitterwochen in der Tschechoslowakei verbringen und das Wort Tschechoslowakei immer noch rückwärts buchstabieren müssen, dann stimmt etwas nicht – aber nicht mit der Tschechoslowakei.» Das Thema Schlaflosigkeit war aber überhaupt nur zur Sprache gekommen, weil sich Michael und Nicole bei einem gemeinsamen Pyjamakauf kennenlernten. Michael nämlich will aus Prinzip nur das Oberteil kaufen und bezahlen – neunzig Prozent aller Männer würden lediglich die Jacke benötigen und brauchten keine Pyjamahose –, doch der Verkäufer hält das für eine revolutionäre Forderung, die er nicht allein entscheiden könne. Wie letzterer eine Treppe hinaufgeht in ein Büro und dort hinter einer Glasscheibe einem ihm offenbar übergeordneten Angestellten das Problem vorträgt, wie dann beide sich noch einen Stock höher begeben in ein weiteres Büro hinter Glas anscheinend zum Geschäftsführer und wie dieser endlich zum Telefon greift, um, wie wir gleich danach sehen, den Besitzer oder Direktor des Kaufhauses anzurufen, das ist im übrigen ein Musterbeispiel für Lubitschs Kunst, die Vorstellungskraft des Zuschauers ins Kalkül einzubeziehen, diesen die Szene, natürlich ganz so, wie es der Regisseur ihm suggeriert, vollenden zu lassen, denn der Betrachter hört in diesem Fall kein Wort des hinter Glas Gesprochenen und kann sich doch genau vorstellen, was dort gesagt wird. Der Direktor jedenfalls reagiert auf das Ansinnen mit den Worten: «Das kommt gar nicht in Frage! Das ist doch Kommunismus!» An diesem Punkt nun springt Nicole de Loiselle ein, welche den Streit mitgehört hat und Michael anbietet, nur die Hose zu kaufen. Allerdings müssen die beiden sich jetzt auf Farbe und Muster des Pyjamas einigen, und Nicole favorisiert im Gegensatz zu Michael einen gestreiften. Ihre durchaus doppeldeutige Äußerung, daß er doch wie geschaffen dafür sei, Streifen zu tragen, läßt den bis dahin durchgängig mürrischen Brandon ein wenig auftauen: das erste Anzeichen, daß er Gefallen an ihr findet; während sein Einwand, bei einem so auffälligen Muster könne man doch nicht schlafen, zum erstenmal das Thema Schlaflosigkeit ins Spiel bringt. Michaels Schlaflosigkeit ist es dann auch, die ihn am nächsten Tag mit Nicoles Vater zusammentreffen läßt; denn er will, nachdem die Urganzeff-Methode scheiterte, in ein anderes Zimmer des Hotels umquartiert werden, in dem das Meeresrauschen nicht zu hören ist, und es wird ihm just jenes des Marquis zugewiesen, welcher ohnehin mit der Bezahlung weit im Rückstand ist und deshalb auch zum Räumen des Appartements aufgefordert werden kann, obwohl er noch im Bett liegt. Wenn er aufsteht, um Brandon hinterherzulaufen, sieht man nun, daß er genau die gestreifte Pyjamahose trägt, die zu Michaels Oberteil gehört; sie ist es in der Tat, denn sie ist ihm auch viel zu lang, da Brandon, gespielt von Gary Cooper, immerhin einen Schlafanzug Größe 52 hatte kaufen wollen, und über die Größe gab es mit Nicole keinen Streit. Die gestreifte Pyjamahose wird nicht etwa groß ins Bild gebracht – etwa durch einen Zwischenschnitt oder eine Kamerabewegung –, sondern der Gag ist vollkommen in den Ablauf der Szene integriert, in welcher es sowieso um etwas ganz anderes geht, und zwar um ein mögliches Geschäft zwischen dem Marquis und Brandon; letzterer ist nämlich zufällig auch, wie gerade zuvor durch einen Telefonanruf aufgedeckt wurde, genau der amerikanische Geschäftsmann, mit dem der Marquis zwecks Behebung seiner notorischen Finanzmisere Verbindung aufgenommen hatte. Wenn der Marquis de Loiselle in einer Halbtotalen mit Schlafanzughose von links nach rechts durchs Bild läuft, parallelisiert das auch die Einstellung mit dem Direktor des Kaufhauses, welcher sich ebenfalls aus dem Bett erhebt, nämlich um zum Telefon zu gehen, und dabei von rechts nach links ohne Pyjamaunterteil durchs Bild spaziert, so implizit die Berechtigung von Brandons Anliegen bestätigend. Das Pyjamamotiv wird dann gleich am Strand noch einmal aufgenommen, wenn Nicole einem Freund, dem Bankangestellten Albert de Regnier, auf seine Frage nach dem nebendran in Anzug und Hut liegenden und «Hallo!» rufenden Brandon antwortet: «Ich weiß nicht viel von ihm, nur, daß er keine Pyjamahosen trägt»; eine Szene, die auch wieder nachdrücklich auf die desolate finanzielle Situation des Marquis und seiner Tochter zurückverweist, indem . . . und so weiter und so fort. Das Geheimnis der komischen Wirkung dieses Films liegt also in seiner Kontextuierung begründet, der Eleganz, mit der die Einfälle, auch die für sich allein genommen nachgerade läppischen, dazu eingesetzt sind, einen übergeordneten Sinnzusammenhang zu stiften, schließlich auch der enormen Verdichtung, die dadurch die einzelnen Szenen selber erfahren, weil der jeweils visierte Gehalt auf eine überaus ökonomische Weise in einzelne Handlungen oder Äußerungen umgesetzt ist und dabei oft noch weitere Bedeutungen mitrealisiert werden. So weist etwa in der Sanatoriumsszene, von welcher ich hier ausging, Brandons Brathähnchenäußerung diesen auch sofort als durchaus gesund aus und läßt die Anstalt als ein von ihm eher bewußt gewähltes Refugium erscheinen. Dabei ist die Assoziationskette – Huhn – Suppenhuhn – Hahnenschrei – Brathähnchen – zwingender und die symmetrisch aufgebaute Sequenz Bellen des Marquis vor der Tür und Hineingeführtwerden ins Zimmer, Hinausgeführtwerden des Hundes vor die Tür und Bellen dortselbst, eine Handlungsfolge, die von der Tochter ausgeht und wieder zu ihr zurückführt, geschmeidiger, als es die involvierten Bestandteile zunächst vermuten lassen würden.

Der zweite Punkt hängt eng mit dem ersten zusammen und betrifft die Personen, deren jede nach einer einmal eingeführten immanenten Logik handelt, damit die Kontingenz der einzelnen Szenen noch weiter minimierend. Am einfachsten ließe sich das an den beiden exponiertesten Nebenfiguren demonstrieren, zum Beispiel an Albert de Regnier – übrigens einer Figur, die mit ihrem rüde entworfenen und zynisch karikierten Profil tatsächlich eher aus dem Arsenal Wilders als aus demjenigen Lubitschs zu stammen scheint. Alberts Auftreten im Film besitzt von seinem schon im Ansatz kläglich scheiternden Versuch am Strand, Brandon Paroli zu bieten, über seine grotesken Bemühungen, Schreibmaschine zu schreiben, bis zu seiner Antizipation der Opferrolle, nachdem er sich schon zweimal hat k. o. schlagen lassen, eine derart hohe Konsistenz, daß sich selbst noch der dumpfste Humor (Alberts Auftauchen als Schwimmer) in diesen Kontext einfügt. Den Marquis de Loiselle charakterisieren fast ausschließlich seine Bemühungen, die eigene finanzielle Lage aufzubessern – allenfalls ist dem noch ein Moment der Fürsorge für seine Tochter beigemischt –, und so hat er denn auch gegen eine Heirat Nicoles mit dem solventen Michael Brandon nicht das Geringste einzuwenden, wenn er schon sonst keine Geschäfte mit ihm machen kann, außer ihm eine wertlose Badewanne als kostbares Stück aus dem Besitz Ludwigs XIV. anzudrehen. Perfekt werden die Möglichkeiten dieser Rolle durchgespielt in der Szene, in der die gesamte Familie de Loiselle sich für das Hochzeitsfoto versammelt, Nicole die Vermählung aber platzen lassen möchte, weil sie durch Zufall davon erfährt, daß Michael bereits siebenmal verheiratet war. Während sie nach einem klärenden Gespräch mit diesem der im Nebenzimmer wartenden Familie ihren Entschluß mitteilt, bleibt die Kamera bei dem auf- und abgehenden Michael. Dann hört man den Aufschrei einer Frau, und es wird – der in Ohnmacht gefallene Vater Nicoles hereingetragen. Bei der folgenden Diskussion zwischen Michael, Nicole und Tante Hedwige, dem Familienoberhaupt, erhebt sich der doch zusammengebrochene Marquis immer dann auf seiner Couch und mischt sich mit einem Einwurf ein, wenn es um Geld geht. Brandon erklärt, jede seiner Frauen bekäme doch vertraglich für den Fall einer Scheidung 50 000 Dollar Abfindung pro Jahr zugesichert, und da spricht sich der Marquis natürlich – gegen Tante Hedwige – für die Heirat aus. Wenn Nicole äußert, sie mache da nicht mit, reagiert die Tante mit Wohlwollen und der Vater mit Verzweiflung; wenn sie aber sofort hinzufügt, sie wolle 100 000 Dollar, ist der Vater plötzlich wieder glück-

Bluebeard's Eighth Wife: *Gary Cooper, Edward Everett Horton, Claudette Colbert*

lich und die Tante empört; und wenn Michael dann einen Augenblick unschlüssig verharrt und Nicole ihm nahelegt, er solle nicht zu lange nachdenken, mit jeder Minute steige ihr Preis, dann rät der Vater Michael sogar noch, dieser solle sich das ruhig noch ein bißchen überlegen, um den Preis auf diese Weise höherzutreiben.

Ebenso ließen sich für die beiden Protagonisten vergleichbare, wenn auch naturgemäß komplexere handlungsmotivierende Züge anführen. Doch sind diese wiederum als bloße Verhaltenslogik in der Textur des Films aufgehoben – mit wirklich psychologischen Beweggründen hält sich BLUEBEARD'S EIGHTH WIFE nicht auf –, und so wirkt es sich auch nicht sonderlich als störend aus, daß bei genauerer Überlegung vielleicht nicht unbedingt einsichtig ist, warum sich denn nun Nicole trotz Michaels schroffem Wesen in diesen verliebt, und daß Claudette Colbert in der Rolle der Nicole einfach der nötige Sex-Appeal fehlt, welcher es glaubhaft machen würde, daß sich Michael trotz ihrer hartnäckigen Verweigerung nach der Hochzeit so beharrlich um sie bemüht (aber Sex-Appeal besitzt im Genre der screwball comedy sowieso keine Frau außer Barbara Stanwyck, und zum Ausgleich geht Lubitsch auch sparsam und überaus bewußt mit den hysterischen Komponenten der Gattung um). Michael Brandon ist einerseits ganz als der genretypische, etwas exzentrische amerikanische Millionär gezeichnet, indes jedoch auch als selbstbewußter und offenbar in seinem Beruf sehr tüchtiger Geschäftsmann, welcher sich über seine prospektiven Geschäftspartner (den Marquis) ebenso wie über seine Angestellten (Albert) als bestens informiert erweist. Die Exzentrizität Michaels besteht im wesentlichen in seinem sonderbaren Verhältnis zum anderen Geschlecht, seiner tumben, ebenso direkten wie hilflosen Weise des Umgangs mit Nicole, obwohl er doch schon siebenmal verheiratet war. Sein diesbezügliches Verhalten, welches auch als Modell hinsichtlich seiner früheren Ehen angesehen werden darf, deren Scheitern damit in der Tat vorprogrammiert war, läßt sich dahingehend aufschlüsseln, daß er einer affektiven Beziehung eine geschäftsmäßige Handlungsstruktur imputiert, also auch gegenüber Frauen genau nach dem Muster verfährt, das ihn ansonsten im Berufs- und Alltagsleben erfolgreich gemacht hat. Gerade dieser sich in den Vordergrund schiebende geschäftliche Aspekt ihrer Beziehung ist es aber, der Nicole nicht behagt; sie fühlt sich sozusagen «gekauft», obwohl sie Michael eigentlich liebt, und daher rührt auch später ihre Überbetonung dieser geschäftlichen Seite bei dem von ihr mit großem strategischen Geschick betriebenen Spiel, das sie mit Michael nach der Hochzeit spielt, um die kommerziellen Bedingungen der Beziehung zu zerstören und wahre Liebe in ihm zu erwecken.

Auf diese Weise zerfällt BLUEBEARD'S EIGHTH WIFE auch deutlich in zwei Teile, wobei die – im Film ausgesparte – Hochzeit die Zäsur bildet: Der erste dient der Instituierung des Verhältnisses und ist im wesentlichen durch Brandons Eroberungsversuche bestimmt, während der zweite weitgehend durch Nicoles Machinationen geprägt wird und dabei die Gestalt einer klassischen Ehe- und Salonkomödie annimmt. Diese Form bedeutet gewiß eine Reduktion gegenüber dem ersten Abschnitt des Films, weil sie der turbulenten Farce, welche Lubitsch hier durchgehend favorisiert, weniger Möglichkeiten bietet; wollte man übertreiben, so ließe sich sagen, daß in diesem zweiten Teil nur noch Türen geöffnet und geschlossen werden und die Personen von einem Zimmer über den Korridor ins andere gehen. Aber Lubitsch wäre nicht als der Regisseur der Türen berühmt, wenn er nicht gerade im Umgang mit solchen Situationen sein ganzes Geschick bewiese. Hier gibt es in der Tat «kein süffisantes, anzügliches Verschweigen», wie Frieda Grafe einmal in einem Essay über Lubitschs Filme notierte: «Alles liegt offen zutage in Bildern ohne Worte. Zu beiden Seiten der Türen ist außen.»

Im übrigen ist BLUEBEARD'S EIGHTH WIFE der Film, in dem Gary Cooper Klavier spielt und dazu ein Lied singt und in dem das schönste mir bekannte antiamerikanische Aperçu der Filmgeschichte vorkommt.

WINFRIED GÜNTHER

Ninotchka (1939)

Ninotschka

Ich bin kein Garbofan. Sicher, es ist viel Regelmäßiges an ihr: Züge, Zähne, alles, aber gerade dadurch erinnert sie mich an die Freundin meiner Tante, die dann Lehrerin wurde. Besonders dieses Lächeln und die Art, wie sie ihre Schultern nach vorn schiebt und dabei so tut, als wüßte sie eh schon über alles Bescheid, weshalb man sie sich schlecht in einem Hitchcock-Film vorstellen kann, und weshalb sie auch die Mata Hari spielen mußte und ähnliche tragische Figuren, die unter fahrenden Zügen und an anderen unangenehmen Orten enden.

Aber einmal, einmal war sie richtig, mitsamt ihrer Schlaksigkeit und Besserwisserei. Dieser wunderbare Film, in dem Garbo so ist, wie sie ist, und doch ein Mensch und dazu noch der ganze Star in all seinem Glanz, wurde 1939 gedreht und zeigt dennoch keine Alterserscheinungen, ist immer noch ein leuchtendes Beispiel dafür, wie man alles unter einen Hut bringen kann: die ganze Sehnsucht des Publikums nach Liebe und Lachen und Luxus, den ganzen Zynismus des Intellektuellen, dem keine Frivolität scharf genug ist, und die ganze Sentimentalität eines Menschen, der die Menschen liebt und sie zu gut kennt, um ihnen ihren Idealismus als abendfüllend abzunehmen: Lubitschs NINOTCHKA.

Wer zutiefst daran glaubt, daß der Sozialismus alles bessert, dem muß dieser Film ein Dorn im Auge sein, das er dann wohl auch nicht zuzudrükken imstande ist. Aber wie müßte ihm – bei einiger Aufrichtigkeit – werden, wenn er sich eingestünde, daß bei fast fünfzigjährigem Bestehen dieses Films und bei fast siebzigjährigem Bestehen der glorreichen Sowjetunion die Zustände in der letzteren noch nicht so weit gediehen sind, daß man dort über den Film einfach nur lachen könnte. Wegen Überholtheit. Nein, das geht leider nicht, wie es ja überhaupt in nachrevolutionären Regierungsformen immer schwerer zu werden scheint, Selbstironie aufzubringen. Und so kann man sich alle diese Herrschaften schon seit der Abschaffung der Monarchie durch die Franzosen 1789 kaum noch lachend vorstellen: Robespierre war nicht zum Lachen zumute, Napoleon auch nicht, Bismarck, Hitler, Stalin, ja selbst Trotzki . . . Lachen, Lächeln ist nicht, und auch Lenin lächelt eben nur einmal, und das in diesem vertrackten, total unmodernen und immer noch ganz jungen Film: NINOTCHKA.

Unmodern sage ich deshalb, weil die Lubitsch-Komödien allesamt aus einem Geist zu stammen scheinen, der dem achtzehnten Jahrhundert vor der Revolution verbunden ist. Lubitsch, ein filmender Mozart. Total antibürgerlich, aber von der feudalen/feudalistischen Seite her. Weshalb Ninotchkas Partner denn auch ein zynischer Adliger ist, dem Mozart eine Baritonpartie geschrieben hätte.

Ein zynischer Adliger, der auch einen Diener hat, der ihm den Mantel auszieht, der ihm das Bett macht, der Telefonanrufe entgegennimmt. Kein altgewordener Leporello, aber ein altgewordener Bartolo. Durch Ninotchka beflügelt, will der Adlige nun sein Bett selbst machen und denkt daran, Hab und Gut mit dem Diener zu teilen, der das entsetzt ablehnt. «Um Gottes Willen! Ich will gar nicht davon reden, daß Sie mir noch zwei Monate Lohn schulden, aber daß ich nun auch noch meinen Spargroschen mit Ihnen teilen soll, das ist zuviel!»

Das war, 1939, Lubitschs Zynismus, das ist, nahezu fünfzig Jahre später, sicher immer noch die Argumentation all jener objektiv gewiß unterdrückten Volksschichten, die gleichwohl rund um den Erdball konservative Parteien wählen, obwohl das große Beispiel der glorreichen Sowjetunion nahezu siebzig Jahre existiert.

Daß die Sowjetunion und die Sehnsucht nach der Gleichheit der Menschen in diesem Film verhöhnt würden, ist einfach nicht wahr. Lubitsch verhöhnt nicht, dazu liebt er die Menschen zu sehr, und auch und vor allem ihre besten Eigenschaften. Ninotchka war Sergeant in der Roten Armee. Sie ist kompetent. Sie ist klug. Sie schiebt ein bißchen schlaksig die Schultern vor und weiß Bescheid, letzteres auch, wie gesagt, weil sie die Garbo ist.

Kalten Krieg mit Hilfe dieses Films zu betreiben, scheint mir schwierig. Die drei Delegierten Iranoff, Buljanoff und Kopalski, Ninotchka selbst, ihre Freundin und Mitbewohnerin des Moskauer Zimmers sind so sympathisch und mit so viel Zärtlichkeit vom Regisseur dargestellt, daß sie mehr Zuneigung erwecken als die dekadenten Westler. Es kommt überhaupt in der Sowjetunion des Films nur ein unangenehmer Typ vor: der Mann, der immer nachdrücklich durchs Zimmer geht, wenn von Dingen die Rede ist, die die GPU interessieren könnten. Und wenn es im Film eine wirklich negative Figur gibt, dann ist es die Gegenspielerin der sowjetischen Interessen, die Großfürstin Swana, über die Ninotchka ein grausames Urteil fällt: Sie hat keine Liebe finden können, weder bei ihrem Volk noch bei dem französischen Grafen – und keine Liebe zu haben, das ist wie ein Todesurteil. Der Film gibt Ninotchka recht und damit den Ansprüchen der Sowjetunion, wenn es darum geht, daß der Schmuck der Großfürstin einst mit dem Leben ihrer russischen Untertanen bezahlt wurde und deshalb den Nachfahren der Getöteten gehören muß und nicht der Großfürstin, die ihn von Mutter und Großmutter geerbt hat.

Ninotchka geht auch dieses Anrechtes wegen, das sie anerkennt, trotz Champagner und seidener Unterwäsche und dem ausgedehnten Flirt mit dem Grafen zurück nach Moskau. Vor die Wahl gestellt, den Grafen aufzugeben oder die Ansprüche des russischen Volkes an diesem Schmuck zu leugnen, läßt sie den Grafen in Paris zurück, bei der russischen Großfürstin. Und der Film gibt ihr recht – auch wenn das Leben in dem Moskauer Zimmer mit dem obligaten GPU-Mann in der Wohnung eine harte Wirklichkeit ist nach all dem Pariser Luxus.

Ninotchka berechnet bei ihrem ersten Eintritt in die Fürstensuite des Pariser Hotels die Kosten des Luxus: Eine Woche darin kostet das russische Volk sieben Kühe – und dieser Vergleich von Kühen und Silberstuck ist zwar komisch, hinterläßt aber doch einen Stachel beim Betrachter. Andererseits ist aber die Rechnung doch nicht so einfach, und das ist eine

Belehrung, die dem Zuschauer mit Ninotchka gemeinsam zuteil wird. Es gibt da die Szene in dem Pariser Arbeiterlokal, wo Ninotchka essen geht. Vermutlich zunächst einmal, weil sie über die Unterdrückung der werktätigen Bevölkerung im Westen Aufschluß haben will. Der Wirt, von dieser französischen Spezies, die über einem guten Potaufeu Entschädigung für alles mögliche Unrecht dieser Welt findet, bietet ihr die Speisekarte und dazu, wie in Frankreich üblich, mit einem begeisterten Wortschwall die Spezialitäten des Tages an. Sie antwortet darauf, es sei ihr egal, was sie esse. Der Wirt kann daraus nur schließen, daß sie krank sein muß und deshalb keine Lust am Essen hat, und bringt ihr das, was man in Frankreich den Kranken serviert: eine Suppe. Sie ißt die Suppe. Der mittlerweile eingetroffene Graf fragt sie, woran sie beim Essen dieser Suppe denke, und sie antwortet: an die werktätige Bevölkerung. Das, erklärt ihr der Graf, sei eine Beleidigung des Wirtes, der ja auch zur werktätigen Bevölkerung gehöre, ebenso wie seine Gäste, und für den das Kochen und Servieren Lebensinhalt seien, und darin sei er ein Künstler, und wer sein Kunstwerk, also diese Suppe, nicht schätze, mache ihn traurig.

Heutzutage sind die Champs-Élysées längst mit Hamburger-Stationen übersät, und die alten französischen Arbeiterrestaurants, wo man so billig und köstlich essen konnte, findet man kaum noch. Die Hallen, wo es sie reichlich gab, sind zerstört worden, um einen Tempel der Kultur zu errichten . . . Kultur soll nun hier, wie auch in der Sowjetunion, den Massen nahegebracht werden, und die Kultur, die sie einmal selbst hatten, die des Kochens, des Essens, des Liebens, des Lebens und Sterbens, wird ersetzt durch eine von oben organisierte. NINOTCHKA ist zu einer Zeit gedreht worden, als diese Entwicklung noch in den Anfängen war, als der Westen darin noch rückständiger war. Der Konservativismus, der sich hier ausspricht, ist einer, der

Ninotchka: *Alexander Granach, Sig Rumann, Felix Bressart, Greta Garbo*

mit bourgeoiser Raffgier nichts gemeinsam hat. Wie überhaupt der Film sich weigert, Bourgeois auch nur auftreten zu lassen, mit Ausnahme des Juweliers Mercier.

So ist sein vielleicht utopischster Moment, als der Graf in dem Arbeiterrestaurant Ninotchka zum Lachen bringen will, was verständlicherweise – schließlich handelt es sich um eine Sowjetdelegierte – schwierig bis unmöglich ist. Obendrein die Garbo, die im Film noch nie gelacht hatte. Als diese Bemühungen alle gescheitert sind, fällt er vom Stuhl. Großes Gelächter aller anwesenden Arbeiter und

Ninotchka: *Greta Garbo, Melvyn Douglas*

auch Ninotchkas. Nach einem kurzen Moment von Beleidigtsein lacht er mit, bricht damit das Eis, setzt sich lachend neben die lachende Ninotchka zu den lachenden Arbeitern, und so fängt eigentlich die Liebesgeschichte zwischen den beiden richtig an, denn danach erst legt Ninotchka die sowjetische Baskenmütze zugunsten des berühmten dekadenten Hütchens ab und gibt sich Mühe, eine Frau zu werden, so wie der Herr Graf sie versteht. Was ist nun aber eine Frau? Ninotchka, wie sie zunächst im Film auftritt, versteht sich ganz als Mitkämpferin der Kollontai. Emanzipiert, selbstsicher, kann sie alles, was Männer können, und sogar noch ein bißchen mehr. Mit ihrer Kompetenz verschafft sie sich sofort Respekt, und als sie, nach der großen Wandlung, im Abendkleid aufrauscht, verschafft sie sich auch noch anderen Respekt, nämlich den ihrer Rivalin, die sie von Stund an ernst zu nehmen beginnt, obwohl sie sich zunächst nicht vorstellen konnte, daß eine Bolschewikin überhaupt zu irgendeiner Art von Raffinesse fähig sei, für die allein sie selbst sich zuständig glaubt. Raffinesse ist eigentlich auch die Art Ninotchkas nicht, ebensowenig wie die der Jeanne Gräfin Dubarry, mit der sie die Unschuld gemeinsam hat, die sie beide der Welt der Rankünе entgegensetzen.

Ernst Lubitsch, Sohn einer jüdischen Mutter, was in dieser sonst so patriarchalen Religion absolut bestimmend ist, ist unter allen Regisseuren vielleicht derjenige, der am unbedingtesten an die Macht der Frauen glaubt, die er nicht nur für alles fähig hält, was ein Mann tun oder denken kann, sondern darüber hinaus als Zentrum aller erotischen Spannung sieht, wie sie diese Welt im Innersten zusammenhält. Seine Frauen sind tapfer – ja tollkühn –, sie sind gescheit und geschickt, aber immer sind sie auch die besungenen Geliebten aus dem Hohelied Salomonis: «Kehre wieder, oh Sulamith, kehre wieder, daß wir dich schauen.» Sie haben die List der Rebecca, die mit einem Linsengericht den blinden Ehemann täuscht, die Kühnheit der Judith, die dem Tyrannen im Ehebett den Kopf abschlägt, aber vor allem sind sie der «Weizenhaufen, mit Rosen besteckt», Mythos für den Mann, der vor ihnen in die Rolle des bewundernden Trottels verfällt. Und das ist dann die Komödie.

HELMA SANDERS-BRAHMS

The Shop Around the Corner (1940)

Rendezvous nach Ladenschluß

Was ist der Lubitsch-Touch? «Das dauernde kritische Hindeuten, daß der Mensch nicht so gut ist, aber auch nicht so schlecht, wie er sonst im Film hingestellt wird», wie Kurt Pinthus treffend zum Immoralismus sagte. Kritisches Hindeuten, das gelang anderen auch. Wer aber hatte den Nerv, was er sah, auch zu berühren und vom Boden aufzuheben? Lubitsch. Das war sein Touch. Andere hatten Stil, also weniger.

Der Laden um die Ecke, das ist ein Gemischtwarenladen für die gehobene Mittelklasse in Budapest unter dem Patronat des Firmenchefs Matuschek (Frank Morgan), dessen Mißtrauen gegen seinen ersten Verkäufer (James Stewart) zur Kränkung und schließlich zur Krankheit führt, die Eifersucht und Machtgier heißt. Aber die Geldzuwendungen, mit denen der alternde Chef die Liebe seiner Frau zurückkaufen will, werden von der mit einem anderen Verkäufer durchgebracht. Stewart, nach Genesung seines Chefs, feuert den mit Geld und Gunst überhäuften Stutzer aus dem Laden und sorgt für die seelische Gesundung von Matuschek durch einen exorbitanten Weihnachtsumsatz. Nun erst darf sich seine Liebesgeschichte, in der ihn Felix Bressart als alter Vertrauter immer beraten hat, mit der unbekannten Brieffreundin erfüllen: Klara Novak (Margaret Sullavan), Verkäuferin im selben Laden.

«Ungar zu sein, ist nicht genug», pflegte der MGM-Chef Louis B. Mayer zu sagen, wenn wieder ein Mitteleuropäer bei ihm um Filmarbeit nachsuchte. Dabei war ganz Hollywood eine Synthese, die sich den amerikanischen Traum in mitteleuropäischen Phantasien leistete. Das bedeutete, die Entfremdung, die das Geld unter die Leute brachte, wieder zu verflüssigen, durch die Gefühle, die das Geldhaben nach sich zog. Dabei wurden die Ideen oft ans Interesse verraten. Nie bei Lubitsch, der entgegen weitläufiger Ansicht weniger zynisch war, als ihm unterstellt wurde.

Lubitsch versöhnte die Ideen mit den Interessen in dem Maße, wie er das Interesse, das die Leute zum Laufen brachte, zu seiner Idee erhob. Das machte ihn zum genuinen Komiker, der Gesetze der Bewegungen von unten studierte. Sein Feld war die Plattform, wo es ebenso glatt wie nebelfrei zugeht.

Nicht die Herzensverwicklungen an sich interessierten Lubitsch, sondern das, was die Herzen wirklich höher schlagen ließ als die Liebe. Und das war das Geld. «The Shop» ist im Filmtitel verankert, so wie in den früheren Komödien «Die Firma» oder «Der Schuhpalast» sich als wahre Protagonisten der Handlung erwiesen. Eine Firma ist eine Interessengemeinschaft zur Vermehrung des gemeinschaftlich in sie eingelegten Geldes. Also wird die Ladenkasse zum Mittelpunkt der Firma.

Hier versammeln sich die Angestellten, als Matuschek den Weihnachtsbonus austeilt; hier ist auch der Ort, wo das Telefon steht, von dem aus der Lehrling seine frechen Gespräche mit der Frau des Chefs führt. Er betrügt dabei die Frau mit verstellter Stimme, so wie auch die Frau, die nie sichtbar wird im Film, ihren Mann *und* die Firma betrügt, indem sie das Geld durchbringt, das demonstrativ der Ladenkasse entnommen wird. Ladenkasse und Telefon bilden einen Ort der Komplizenschaft. Als Matuschek, vom Nervenzusammenbruch erholt, sich seinem Laden nähert, fällt sein erster Blick (Großaufnahme) auf die lebhaft bewegten Umsatzzahlen, die ihm entgegenspringen, so wie er ihnen freudig entgegeneilt. Ihm lacht das Herz im Leibe, das wieder von Glücksgefühlen des Profits durchblutet wird.

So wie Matuschek Gewinn verheißen wird, so droht seinen Angestellten ständig Verlust. Sie sind Opfer ihrer Furcht vor Arbeitslosigkeit. Diese Furcht nährt der Chef gewinnbringend, indem er jedem, der sich gegen seine Despotie wehrt, mit Entlassung droht. Eine Großaufnahme verdeutlicht, was die Verbrämung dieses Interesses mit authentischen Gefühlen wert ist. Wieder einmal will der Chef Verbraucherforschung am Geschmack seiner Angestellten treiben, die ihrerseits nicht mit Geschmack, sondern Taktik reagieren.

«I want your *honest* opinion», beteuert Matuschek. Das ist ein oft geübtes Ritual. Lubitsch interessiert sich für jene, die es nicht mitmachen. Kaum «hören» dieses Stichwort, das der Chef ausgibt, die Beine von Felix Bressart, machen sie auf dem Absatz kehrt. Eben wollten sie vom Magazin her den Laden über die Wendeltreppe betreten, dann erkennen sie: der Boden ist zu heiß. Die Kommunikation im «Kleinen Laden um die Ecke» ist eine der konditionierten Reflexe, die so aufgelöst werden, daß die Konditionen der Reflexe zum Vorschein kommen.

Je verdinglichter die Beziehungen der Angestellten im geschäftlichen Bereich, desto stärker wird ihre Sehnsucht, die erlittene Verdinglichung durch Romantik – das heißt eine besonders intensive Anstrengung der Gefühle – zu überwinden. James Stewart und Margaret Sullavan korrespondieren, ohne es voneinander zu wissen, über ihre Ansichten zur Schönen Literatur. Je poetischer sie sich in ihren Briefen ausdrücken, als desto menschlicher werden diese wechselseitig empfunden. Auch die Romantik ist nur eine Strategie. Ob nun der Umsatz oder Victor Hugo, beide Seiten binden Gefühle ein und lösen sich erst in dem Augenblick, in dem an die Stelle der Korrespondenz die Kommunikation, an die Stelle der enthobenen Gefühle der prüfende, gar nicht entrückte Blick getreten ist.

Vor dem Happy-End steht die Blickprobe; vor dem Versöhnungskuß und Stewarts systematisch betriebener Desillusionierung der Romantik steht die sinnliche Neugier von Sullavan auf Stewarts Beine. Im Melodram können Blicke töten; in der Komödie beleben sie, was durch die Konvention, den Takt und guten Ton erstarrte. Nämlich das Interesse der fünf Sinne, oder anders gesagt, die Neugier des Menschen für den Menschen, die mit einer sanktionsfreien Schamverletzung beginnen muß, ehe der Zustand der Liebe erkannt werden darf. Deshalb tötet Lächerlichkeit bei Lubitsch niemanden. Alle werden noch gebraucht. Jeder Körper muß zeigen, wie schwer es ist, mit einer Blickverletzung weiterzuleben.

Dies ist eine Komödie um Aufsteiger und um den Irrweg zum Aufstieg. Aus der Verblendung wollen sie sich zu ihren wahren Interessen erheben und stolpern doch weiter dahin, was sie das Glück findet, ist für den Chef bloß Trostpflaster seiner Einsamkeit. Jetzt, wo seine Frau des Betrugs überführt ist, kann Matuschek erleichtert seine Gefühle ganz aufs Geschäft ausrichten. Auch das ist ein Aufstieg, der letztmögliche: vom Chef zum Liebenden des eigenen Ladens. KARSTEN WITTE

That Uncertain Feeling (1941)

Ehekomödie

Wie so oft bei Lubitsch ist der Inhalt ziemlich belanglos. Nicht die Handlung macht seine Filme un-

The Shop Around the Corner: *Charles Smith, Felix Bressart, Inez Courtney, Margaret Sullavan, Frank Morgan, Sara Haden, James Stewart, William Tracy (von links nach rechts)*

nennen. Stewart legt den extravaganten Art-deco-Schlips ab, an dem sich Sullavan reibt, und legt eine dezent gestreifte Wall-Street-Krawatte an. Er wird Geschäftsführer werden. Der Laufbursche, mit allen Wassern der Verstellung gewaschen, wirft sich in Pose, um in die Position zu gelangen, die ihm nach eigenem Anspruch längst zukommt. Er wird Verkäufer werden und sofort den neuen Laufburschen kujonieren: ein bedingter Reflex. Der neue Laufbursche wird vom versöhnten Chef zum üppigen Weihnachtsmahl eingeladen. Was er dankbar als Auszeichnung und seelische Beförderung emp-verwechselbar, sondern die Art, wie diese Handlung erzählt wird. Wie Lubitsch es versteht, eine Leere sinnlich zu füllen.

THAT UNCERTAIN FEELING zählt zu seinen sogenannten schwächeren Werken, wenn es so etwas im Zusammenhang mit Lubitsch überhaupt gibt. Aber gerade in der angeblichen Schwäche liegt für mich die Stärke. Lubitschs Filme mit den trivialsten Inhalten haben mir immer am besten gefallen, weil sich dabei seine Fähigkeiten als Regisseur am deutlichsten zeigen.

THAT UNCERTAIN FEELING ist ein Film über den

«Hicks» – den Schluckauf einer vernachlässigten Hausfrau. Es ist Lubitschs Geschick, das Triviale so zu veredeln, daß man von seinem Glanz geblendet ist. Das Triviale zeigt seine Wahrheit. Eine Komödie ist für mich um so unterhaltsamer, je mehr sich ihr Witz aus alltäglichen Situationen entwickelt. Und es geht bei Lubitsch ganz anders zu als sonst in Komödien, wo man bei jedem Witz die kindische Freude der Regie über die eigene Originalität spürt. Komödien gelten ja heute noch als etwas Minderwertiges, weil sich mit der Komik meist der klamottige, schwachsinnige Stammtischwitz verbindet. Lubitsch aber hat das Genre geadelt.

THAT UNCERTAIN FEELING ist ein Film über das glücklichste Paar der Park Avenue, über das glücklichste Paar weit und breit. Wie meist bei «glücklichen Paaren» ist die Frau vernachlässigt. Er ist gehobener Versicherungsmakler, sie die repräsentative Frau an seiner Seite, immer bemüht, ihren Mann in seinem Fortkommen zu unterstützen. Sie ist attraktiv, aber nicht raffiniert genug, den Mann an sich zu binden. Sie ist keine Frau, die sich dem Mann gegenüber rar macht; doch selbst das fiele ihm gar nicht auf. Ihm fällt auch nicht auf, daß seiner Frau etwas fehlt: Sie ist neugierig darauf, was das Leben noch zu bieten hat außer abendlichen Geschäftsessen.

Da ist eine Szene, die ich immer vor Augen hatte bei meinem Film *Das andere Lächeln* – wenn der Spirituosenhändler seine Frau und auch sein Kind für gesellschaftliche Anlässe abrichtet, um seine Geschäfte zu beleben. Die Szene: Ein Abendessen für ungarische Geschäftsleute, wofür die Frau auf Wunsch ihres Gatten einen läppischen ungarischen Tischspruch auswendig lernen muß, der später die ungarische Gesellschaft bei Tisch vor Begeisterung zur Raserei bringt.

Man ist den Film über ganz auf der Seite der Frau, die eigentlich nichts will, außer ein bißchen Liebe. Sie ist eine Frau, die noch davon träumt, daß der Ehemann eine Art Fremder für sie bleibt, dessen Bekanntschaft man jeden Tag aufs neue macht. Aber der profane Alltag sieht anders aus. Was sieht sie, wenn sie nachts aufwacht? Wenn sie nach rechts schaut – ihre Frisiertoilette; wenn sie nach links schaut – ihren Mann. Der Mann schläft. Der schlafende Mann ist eine Herausforderung für sie. Es gibt eine Szene, in der die Frau wie ihr Hund bellt, weil der Mann dem Hund normalerweise mehr Aufmerksamkeit schenkt als ihr.

Die Vernachlässigung macht sich störend bemerkbar. Die Frau bekommt einen «Hicks». Der Schluckauf ist das akustische Signal dafür, daß die Frau etwas entbehrt. Überhaupt gibt es eine Menge akustischer Signale. Das morgendliche Gurgeln des Mannes ist der Weckruf, sein Schnarchen der Zapfenstreich.

Die vernachlässigte Frau geht zum Psychiater, um sich gegen ihren «Hicks» behandeln zu lassen. Im Wartezimmer macht sie die Bekanntschaft eines sogenannten Künstlers, eines Intellektuellen, der sich in Behandlung begeben will. Die blutarme, lächerliche Karikatur dieses Intellektuellen läßt uns auf der Stelle Partei ergreifen für den dumpfen, bornierten Ehemann und seinen Coup zur Rückeroberung der Frau nach Vertreterrezept. Man bekommt sogar eine gewisse Wertschätzung für den Mann, wie er Gefühlsangelegenheiten mit amerikanischem Pragmatismus handhabt:

Der Mann krempelt die Ärmel hoch, berät sich mit seinem Anwalt – und dann bekommt die Frau wieder Zuwendung und Liebe. Er erobert sie zurück mit den Methoden eines Versicherungsvertreters, er verkauft ihr seine Zuneigung wie eine Versicherungspolice.

Aus dem «glücklichen Paar» vom Anfang wird ein noch gücklicheres Paar. Aber das Glück und die Liebe nach diesem Rezept hat die Frau eigentlich nicht verdient. Das Ende ist ein Happy-End, das einen ganz traurig macht. Wie viele Happy-Ends.

ROBERT VAN ACKEREN

To Be or Not To Be (1942)

Sein oder Nichtsein

Ein Film über Schauspieler, eine Hommage an Schauspieler.

Das erste, was wir sehen, ist eine Reihe von Firmenschildern: Lubinski, Kubinski, Rozanski & Poznanski. Eine Stimme aus dem Off verliest die Namen und stellt fest, daß wir uns offensichtlich in Polen befinden, in Warschau, im August 1939. Einige Augenblicke später: Wir sehen eine Straße, einen Mann mit einem kleinen Bärtchen in Naziuniform, von Passanten erschrocken beobachtet. Die Stimme aus dem Off teilt uns mit, daß es sich bei diesem Mann um Adolf Hitler handelt.

Szenenwechsel: ein großes Büro, an der Wand Hakenkreuzfahnen und ein Hitlerbild. Die Stimme erklärt, wo wir sind: im Gestapohauptquartier in Berlin. Am Schreibtisch ein SS-Mann, ein zweiter betritt den Raum, ein kleiner Junge wird verhört. Plötzlich erscheint der Führer selbst in der Tür, begrüßt von einem dreifachen «Heil Hitler!». Er antwortet mit «Heil myself!»

In diesem Augenblick erfolgt ein Schnitt auf einen Mann im Straßenanzug, der aufspringt und feststellt, daß dies so nicht im Textbuch stehe. Hinter ihm erkennen wir den leeren Zuschauerraum eines Theaters. Wir erleben die Probe eines Stücks mit Schauspielern in Kostüm und Maske, mit einem Regisseur, der inszeniert. Wir sind von Lubitsch, dem Regisseur des Films, reingelegt worden; wir haben eine Imitation für die Realität gehalten, einen Bildausschnitt für das Gesamtbild. Durch eine veränderte Perspektive des Kamerablicks zerstört der Film die Illusion, die er mit wenigen Bildern eben geschaffen hat.

In dieser ersten Sequenz formuliert Lubitsch bereits das Hauptthema seines Films, die Frage nach der Trennungslinie zwischen Bühne und Leben, zwischen Schein und Realität, zwischen Spiel und Ernst, zwischen Sein und Nichtsein. Wie leicht es in diesem Zusammenhang zu Verwirrungen kommen kann, erfährt der Zuschauer am eigenen Leibe, er erlebt selbst als Opfer die Kurzfassung dessen, was der Film im folgenden erzählen wird: die Geschichte einer Täuschung durch einen gigantischen Mummenschanz. Von nun an sind wir gewarnt und gewappnet.

Der kleine Mann auf der Straße war also nicht Adolf Hitler, sondern der Schauspieler Bronski. Er spielt die Rolle Hitlers in der politischen Satire «Gestapo», die am Theatre Polski in Warschau aufgeführt werden soll. Bronski hat die Bühne verlassen, um die angezweifelte Echtheit seiner Maske in der Öffentlichkeit auf die Probe zu stellen. Mit durchschlagendem Erfolg, wie wir gesehen haben, bis ein kleines Mädchen an ihn herantritt und «Herrn Bronski» um ein Autogramm bittet. Selbstzufrieden lächelnd willigt er ein, um einen Herzschlag später angesichts der Demaskierung betroffen das Gesicht zu verziehen. Das zweite Thema des Films ist formuliert: der permanente Konflikt des Schauspielers zwischen dem Wunsch, überzeugend in seiner Rolle aufzugehen, und dem Bedürfnis, als großer Darsteller erkannt und anerkannt zu werden.

In stärkerem Maße noch als für Bronski gilt dies für Joseph Tura, den Star des Ensembles. Turas Eitelkeit und sein stetes Streben nach Bestätigung wird nur noch übertroffen durch die Eifersucht auf seine Ehefrau Maria, Partnerin im Leben und auf der Bühne, gleichzeitig aber auch in beiden Fällen Rivalin. Ständig untergräbt sie das private und professionelle Selbstbewußtsein ihres Gatten. Sie beginnt eine Affäre mit dem jungen Fliegerleutnant Sobinski, denn der kann in drei Minuten vier Tonnen Dynamit fallen lassen. Die beiden treffen sich während der Aufführung von «Hamlet» in Marias Garderobe. Wenn Tura auf der Bühne in der Titelrolle zu seinem großen Monolog anhebt, ist dies für Sobinski das Signal, den Zuschauerraum zu verlassen. Tura starrt ihm entgeistert nach. Maria setzt ihrem Mann Hörner auf und führt zudem einen Schlag gegen sein Geltungsbedürfnis. Etwas später übernimmt sie dann die Rolle der Trösterin und rüstet ihren geschockten Gemahl moralisch wieder auf – die ganze Sache erweist sich für sie in dreifacher Hinsicht als befriedigend.

Für beide Turas beschränkt sich das Rollenspiel nicht auf die Bühne, es fängt hinter den Kulissen erst richtig an. Sie spielen nicht, um zu leben, sie leben, um zu spielen. Der Versuchung, eine Vorstellung zu geben, erliegen sie fortwährend mit gesteigertem Vergnügen. Jeder spielt, immer und überall, ob mit oder ohne Publikum, ob mit oder ohne Kostüm. Jeder neue Raum im Film ist eigentlich immer nur derselbe Raum mit neuer Dekoration, jede neue Begegnung immer nur ein anderes Stück. Immer wieder (an die hundertmal) öffnen und schließen sich im Verlauf der Geschichte Türen und signalisieren «Auftritt» beziehungsweise «Abgang» im Sinne der Theaterdramaturgie.

Die ganze Welt eine Bühne! Dieser Eindruck verstärkt sich, je weiter die Schauspieler von ihrem ursprünglichen Spielfeld, der Bühne des Theaters, verdrängt werden. Zunächst verbietet die polnische Regierung die Aufführung des Gestapostücks, gleichzeitig schiebt sich die Wirklichkeit in das Gebiet des Illusionären hinein: Auf der Bühne umringen die kostümierten Schauspieler ein Radio, aus dem die Stimme Hitlers ertönt. Nach dem Einmarsch der Deutschen in Warschau wird das Theatre Polski geschlossen.

Der Schock des militärischen Überfalls teilt sich im Film über einen radikalen Bruch der Stimmung mit. Für rund zwanzig Minuten verliert die Geschichte fast völlig den Charakter einer Komödie und nimmt statt dessen die Form eines realistischen Kriegsdramas an.

Die Firmenschilder des Anfangs tauchen wieder auf, sie sind jetzt zerstört; die Stimme aus dem Off verliest die Namen wie eine Liste von Gefallenen. Dauernd kommt es von nun an zur Wiederholung von Situationen, Objekten, Figuren und Dialogen, stets in leichter Variation oder in anderem Zusammenhang.

Aus London erscheint der Naziagent Professor Siletzky auf der Szene. Unter den nach England entkommenen polnischen Soldaten hat er die Rolle des Patrioten gespielt und dabei wichtige Informationen über die Warschauer Widerstandsbewegung gesammelt. Sobinski soll ihn ausschalten, ehe er diese Informationen an SS-Gruppenführer Ehrhardt weitergibt, den Chef der Gestapo. Die Turas und ihre Kollegen nehmen teil an dieser Aktion; die Schauspieler beginnen wieder zu spielen, nicht im Theater, sondern in der Wirklichkeit. Und indem sie spielen, handeln sie – «acting» in der doppelten Bedeutung des Wortes. Allmählich erwacht so auch die Komödie aus ihrer Betäubung.

Maria, die zuerst mit Siletzky zusammentrifft, beginnt mit der Vorstellung. Ihr nach einem Kuß mit verklärtem Augenaufschlag gehauchtes «Heil Hitler!» täuscht Siletzky sexuelle und politische Hingabe vor. Sein vermeintlicher Sieg im erotischen «Blitzkrieg» macht ihn unvorsichtig. Er wird in das zum Gestapohauptquartier umgebaute Theatre Polski gelockt, wo ihn der als Ehrhardt verkleidete Tura erwartet. Das zu Beginn geprobte Stück dient nun als Vorlage für eine wirkliche Farce. Der Unterschied: Jetzt spielt man ums Überleben. Sein oder Nichtsein wird zur existentiellen Frage.

To Be or Not To Be: *Stanley Ridges (Mitte)*

Turas Schwächen als Mensch und als Schauspieler, das Unvermögen, seine persönlichen Gefühle von den Anforderungen der Rolle zu trennen, bringen den ganzen Plan aber immer wieder in Gefahr. Das Ziel, Siletzky hinters Licht zu führen, wird sabotiert durch Turas Versagen beim Improvisieren und durch das zwanghafte Bedürfnis, die Maske für Momente zu lüften, um den Applaus für die darstellerische Leistung entgegenzunehmen. Seine Eifersucht, die neu aufflammt, als er durch Siletzky beiläufig von der Affäre zwischen Maria und Sobinski erfährt, führt zu einem geradezu schizophrenen Rollenchaos: Als betrogener Ehemann und als Gestapochef in einer Person will er sich an Maria rächen, indem er sie verhaften läßt. Ein kurzer Augenblick des Irrsinns, in dem Tura «aus der Rolle fällt», aber er reicht aus, um sich «an die Wand zu spielen». Siletzky flieht von der falschen Bühne durch den angrenzenden Zuschauerraum auf die wirkliche Bühne und stirbt, von den Kugeln Sobinskis getroffen, im Rampenlicht einen theatralischen Heldentod. Die Geographie des Theaters steht auf dem Kopf – während auf der Bühne Amateure Realität spielen, sehen die Profis vom Parkett aus zu. Die Ordnung der Welt ist durch die Nazis völlig aus den Fugen geraten, im großen wie im kleinen.

Nachdem Tura für Siletzky die Rolle Ehrhardts gespielt hat, muß er im Anschluß als Siletzky vor Ehrhardt auftreten. Die charakterlichen Parallelen, die sich dabei zwischen Ehrhardt und Tura auftun, sind ebenso grotesk wie beunruhigend. Auch Ehrhardt ist im Grunde nichts weiter als ein eitler Schmierendarsteller, der jede Geste und jede Gefühlsregung überzieht und bei allem, was er tut oder sagt, selbstgefällig auf den dramatischen Effekt schielt; Nazismus und Narzißmus gehen bei ihm hardt ihn mit der Leiche Siletzkys konfrontiert und so versucht, eine «psychologische Zermürbung» zu inszenieren, treten zwei Stücke miteinander in Konkurrenz. Tura steigert dabei das bisherige Spielprinzip, die Nachahmung möglichst wirklichkeitsgetreu zu gestalten, indem er zusätzlich dem Realen den Anschein der Fälschung verleiht: der echte Bart des toten Siletzky wird durch einen falschen Bart ersetzt, um vom falschen Bart des falschen Siletzky abzulenken. Um eine Ecke kann Ehrhardt denken, nicht aber um zwei. Seine Inszenierung bricht in sich zusammen.

To Be or Not To Be: *Charles Halton, Carole Lombard (links), Jack Benny (rechts)*

eine schrecklich-komische Verbindung ein. Er lacht über denselben Witz, für den er andere erschießen läßt, er herrscht durch Terror und lebt doch selbst in ständiger Angst vor seinem Führer. Er ist kein unbezwingbarer Herrenmensch, sondern nur ein theatralischer Popanz, ein mörderischer Clown, ein Unmensch, der durch seine Schwächen aber wiederum auch menschlich wirkt.

Gegenüber Ehrhardt demonstriert Tura, daß er inzwischen das Improvisieren gelernt hat. Als Ehr-

Aber Turas Sieg ist nur vorübergehend, denn der von Ehrhardt bereits in die Wege geleitete Flug nach England wird durch eine weitere «Vorstellung» verhindert. Die Schauspielerkollegen, Tura in einer ausweglosen Falle wähnend, erscheinen in ihren Nazikostümen und verhaften den falschen Siletzky. Zwei nicht aufeinander abgestimmte Improvisationen heben sich gegenseitig auf, ergeben im Endeffekt Null.

Schließlich, nach allen nur zum Teil gelungenen

Proben und Vorspielen, doch noch die erfolgreiche Gala. Im Theaterfoyer bringt man unter den Augen der versammelten Besatzungsmacht und vom echten Hitler nur durch eine Wand getrennt ein «Attentat auf den Führer» (Hauptrolle: Bronski) zur Aufführung und nutzt die allgemeine Verwirrung, um mit Hitlers Sondermaschine nach Schottland zu fliehen. Dort stimmen dann die Relationen wieder, man spielt wieder am angemessenen Ort, auf der Bühne eines Theaters. Wieder wird «Hamlet» gegeben, wieder betritt Tura die Szene für seinen großen Monolog, wieder sitzt Sobinski in der zweiten Reihe. Die beiden Männer fixieren sich; Tura beginnt, und es erhebt sich ein englischer Offizier, um den Zuschauerraum zu verlassen. Wir wissen, wohin. Tura und Sobinski wissen es auch. Entgeistert starren sie hinter dem Engländer her. Maria ist, wie stets im ganzen Film, bereits einen Schritt weiter als die Männer. Obwohl sie nicht im Bild zu sehen ist, gehört ihr der letzte Triumph. Wie so oft bei Lubitsch ist das Ende kein Schluß, sondern nur der Anfang noch einmal. HEINZ-GERD RASNER

Heaven Can Wait (1943)

Ein himmlischer Sünder

Über den grundsätzlichen Charakter des Ganzen läßt Lubitsch von Anfang an nicht den geringsten Zweifel. Der Film, der im Vorraum zur Hölle beginnt und auf dem Weg zum Himmel endet, weist jede Bindung an Vorhandenes, an Reales weit von sich. Es geht, sehr eindeutig, um Fiktives: um Märchen – um Kino. Das Unmögliche, das Unwahrscheinliche macht Lubitsch selbstverständlich, indem seine Kamera ihre Bilder im Indikativ formt. Eine Halle wird zum Teil der Hölle, ein großer, dunkelhaariger Mann zum Teufel, wenn der filmische Blick klarstellt, daß die Halle ein Teil der Hölle ist und der Mann der Teufel.

Der Vorraum zur Hölle: Das ist ein riesiger, hallenartiger Saal mit dicken, roten Rundsäulen, mit einer Parkett-Treppe, die zu einem weißen Schreibtisch führt, und mit Bücherregalen überall an den Wänden, in denen schwere Nachschlagewerke stehen. Ein alter, weißhaariger Mann kommt langsam, in der rechten Hand den Gehstock, in der linken den Zylinder, die große Treppe herunter: Henry van Cleve meldet sich, wie zuvor eine Schrift anzeigte, «freiwillig dort, wo ihn eine Unzahl Leute schon so oft hingewünscht hatte».

Seine Exzellenz, der Teufel, empfängt ihn freundlich. Er plaudert mit ihm. Wie geschah es? Gab es Komplikationen? Das letzte Essen: «Etwas Gutes, hoffe ich?» – Verlief die Beerdigung zufriedenstellend? Schließlich erklärt er sich bereit zu prüfen, ob van Cleve seinen Anforderungen genügt. Van Cleve: «Ich kenne mein Leben. Ich weiß, wohin ich gehöre.» – Und: «Ich bin auf Erden nur selten den Pfad der Tugend gewandelt.» Daraufhin Seine Exzellenz, ein wenig indigniert: «Aber für derlei übliche Seitensprünge stellen wir doch keine Aufenthaltsgenehmigung aus.» So beginnt Henry van Cleve aus seinem Leben zu erzählen.

Das Leben eines Mannes als Geschichte in elf Episoden, die sich meist um die Geburtstage herum ereignen. Die Stimme des Mannes erzählt die Geschichte aus dem Off. Die Bilder präsentieren sie, en détail und ganz konkret. Die Bilder zeigen das Umfeld: die Architektur und den Dekor; die Körper der Protagonisten, ihre Gestik, ihre Mimik, auch – vor allem – die Kleider.

Henry van Cleve führt sich vor als ein Mann, der es über alles liebt, Erfolg bei Frauen zu haben. Das beginnt schon, als er noch ein Baby ist – mit dem Streit zwischen seiner Mutter und seiner Großmutter: «Ich lag noch in den Windeln. Und schon kämpften die Frauen um mich.»

Mit sechs Jahren lernt er den Preis für seine Liebe kennen. Er schenkt einem Mädchen einen Käfer. Die begnügt sich jedoch nicht mit dem einen, sondern kokettiert damit, auch seinen zweiten Käfer zu kriegen. So wird ihm klar, daß er, wenn er bei den Frauen Erfolg haben will, viele Käfer haben muß.

Mit fünfzehn Jahren denkt er, er müsse heiraten, weil er ein Mädchen geküßt hat: «Als mein Vater meiner Mutter einen Kuß gab, wußte er, was er zu tun hatte.» – Die französische Gouvernante, die gerade erst ihre Stellung angetreten hat, beruhigt ihn allerdings sofort: «Was früher eine Sünde war, ist heute ein Vergnügen.»

Mit sechsundzwanzig begegnet er einer Frau, die ihn völlig verzaubert. Kein «Tralala oder Cancan», sondern «ein Walzer von Strauß. Oder ein Menuett von Mozart.» Abends, auf seiner Geburtstagsfeier, trifft er sie wieder als Verlobte seines Vetters: Gene Tierney, faszinierend schön, groß, ein wenig schüchtern und doch sehr stolz, die Haare hochgesteckt und mit einer Stoffblume verziert, die Augen überwältigend blau, ihr Teint ist blaß geschminkt, ihre Wangen sind schmal, ihre Lippen rot; Gene Tierney: ein Walzer von Strauß. Oder ein Menuett von Mozart. Also entführt van Cleve sie. Und heiratet sie noch am selben Abend.

Mit sechsunddreißig Jahren ist er seriös geworden, ordentlich und tüchtig: «ein guter Ehemann, guter Vater und guter Sohn», wie seine Mutter sagt. Allerdings ist ihm gerade die Frau weggelaufen, weil sie entdeckt hat, daß er sich wieder mit Revuemädchen amüsiert. Er reist ihr hinterher und holt sie von ihren Eltern zurück: indem er schwindelt und den kleinen Jungen spielt. Für alles hat er seine Erklärungen, sogar für ihr Nachgeben. «Welche Frau hat schon das Glück, von ihrem Mann zweimal entführt zu werden?»

Mit fünfzig Jahren sagt ihm ein Revuemädchen, daß er aussieht wie fünfzig. Das berührt ihn peinlich. Noch peinlicher berührt ihn, daß diese Frau die Geliebte seines Sohnes ist, die nur eine Abfindung von ihm erwartet.

Heaven Can Wait: *Don Ameche, Gene Tierney*

Mit einundfünfzig Jahren ist er erstmals eifersüchtig. Das empfindet Gene Tierney als großes Kompliment.

Mit sechzig Jahren wird er wieder zum kleinen Jungen, der nun von seinem Sohn zur Rechenschaft gezogen wird, wegen seiner Frauenaffären und der hohen Geldausgaben. Dabei wird er am Telefon verlangt – von einer Frau, die nach ihrem «Putzi» fragt.

Mit siebzig Jahren – sein Alter ist inzwischen an seinem Medizinschrank ablesbar – liegt er meistens im Bett und träumt von Whisky, Zigarren und einer jungen Frau. Plötzlich kommt eine neue, eine junge, hübsche Krankenschwester. Da hört er wieder den Walzer, den er sein Leben lang so liebte.

Neben und hinter der erzählten Geschichte gibt es von Anfang an Zusammenhänge, die andere Akzente setzen: Es gibt den Ort, an den der Mann sein Leben lang gebunden bleibt; sein Elternhaus, das sich im Laufe der Zeit nur um Nuancen verändert; dann gibt es die Nebenfiguren, die das Leben des Helden begleiten, es kontrastieren oder liebevoll unterstützen: die Koloratursängerin Cooper-Cooper etwa, die kaum zu ertragen ist, den strebsamen Cousin Albert oder den kauzigen Großvater (dargestellt von dem wunderbaren Charles Coburn) oder Gene Tierneys Eltern, die ihre Ehe ganz im Sinne Lubitschs führen – als Quelle allen Übels; und schließlich gibt es die Zeit, die wie im Flug vergeht und nur gelegentlich anhält, damit die Veränderungen sichtbar werden in und zwischen den Menschen, im Haus, an den Dingen. 112 Minuten: für siebzig Jahre und ein paar Tage in der Hölle. Lubitsch selbst nannte den Film ein «‹three hair-cut› picture».

HEAVEN CAN WAIT handelt auch von der filmischen Darstellung von Zeit. Und er handelt von der Komposition der Farben, mit denen Lubitsch hier erstmals arbeitete, von Pastellfarben, Märchenfarben, in die nur gelegentlich – wie kurze Schocks – Grelles eingefügt ist. Sogar D. W. Griffith soll diese Farbdarstellung gefallen haben.

Heaven Can Wait: *Don Ameche, Helene Reynolds*

In erster Linie jedoch ist der Film ein komödiantisches Porträt. Wobei man nie vergessen darf, daß der, um den es geht, auch der ist, der das alles erzählt. Die Finte liegt schon in der Konstruktion. Was man vorschnell als üblen Männerdünkel verurteilt (der Mann darf, die Frau darf nicht; das heißt, die Frau darf, was der Mann darf, nur geduldig ertragen und großmütig verzeihen), entpuppt sich letztlich als Männerwunsch, als Männertraum.

Die Perspektive ist absolut einseitig. Also verschweigt die Komposition der Bilder, was der Held nicht weiß, nicht wissen will oder gar nicht erst denken kann. Gezeigt wird nur, was der Held von seinem Leben erzählt. Da ist für andere viel, aber doch nicht allzuviel Platz.

Dafür ist am Ende – als Strafe: also als Lohn – für ihn kein Platz in der Hölle.

NORBERT GROB

Cluny Brown (1946)

Cluny Brown auf Freiersfüßen

London im Juni 1939. Der Zweite Weltkrieg steht unmittelbar bevor. In der englischen Oberschicht diskutiert man engagiert über die Lage und handelt entsprechend – man schreibt Briefe an die «Times». Im Augenblick gilt es allerdings, eine noch größere Krisensituation zu meistern: Mr. Ames, der sechzig Gäste zu einer Cocktailparty erwartet, hat ein verstopftes Spülbecken. Es klingelt, und Mr. Ames läßt erleichtert einen Mann ein, den er für den Klempner hält. Dieser Mann macht sich jedoch nicht an die Arbeit, sondern beginnt angesichts des übelriechenden Malheurs eine philosophische Betrachtung über die Unzulänglichkeit der menschlichen Natur, um anschließend messerscharf zu folgern, daß Mr. Ames einen Klempner braucht.

Der vermeintliche Handwerker ist in Wirklichkeit Professor Adam Belinski aus Prag, offensichtlich völlig abgebrannt und ohne ein Dach über dem Kopf. Etwas später, nach einigen Cocktails, hält er ein Schläfchen im Bett von Mr. Ames und hat zumindest eine Pfundnote in der Tasche. Professor Belinski hat ein sehr einnehmendes Wesen, er ist einer jener schlitzohrigen europäischen Schlawiner, für die Lubitsch immer schon ein Herz gehabt hat. Er ist zwar ein Schnorrer und Schmarotzer, aber einer mit Charme und Stil, der seinen Opfern immer das Gefühl gibt, ihnen einen Gefallen getan zu haben. Wieder etwas später wird der euphorische Andrew Carmel Belinski für einen tschechischen Patrioten auf der Flucht vor den Nazis halten, für einen furchtlosen antifaschistischen Kämpfer, einen Helden, den man beschützen muß. Belinski hat nichts getan oder gesagt, um dieses Mißverständnis zu provozieren, aber er tut auch nichts, um es aus der Welt zu schaffen. Das bringt ihm neben einer Einladung zum Tee weitere zwanzig Pfund und ein mehr als fürstliches Dach über dem Kopf ein. Nur für das Problem des verstopften Abflusses von Mr. Ames hat Belinski im Moment außer schönen Worten keine Lösung.

Die bringt an seiner Stelle eine unkomplizierte junge Dame, die als nächste an der Wohnungstür klingelt. Sie ist Cluny Brown, die Klempnerin, oder – genauer gesagt – die Nichte des Klempners, mit einem unwiderstehlichen Faible für vestopfte Abflußrohre. Nachdem sie die Spüle mit kräftigen Hammerschlägen bearbeitet hat, plaudert sie mit Belinski über den Reiz des Teetrinkens im Ritz und über das Glück im allgemeinen. Die Abschlußfrage löst sich dabei ganz von allein.

Zu wissen, wo man hingehört, wo man seinen Platz hat, ist für Belinski ein Problem materieller Natur (seine Adresse ist «postlagernd»); für Cluny, das Mädchen mit der ausschweifenden Phantasie, mit den Tagträumen von Perserkatzen, fliegenden Teppichen und stolzen Reitern auf Araberhengsten, ist es ein Problem der Identität. Immer wieder zeigt der Film die beiden an Orten, wo sie eigentlich nicht hingehören und wo man sie für etwas hält, was sie eigentlich nicht sind. Am Schluß werden sie die Frage nach dem individuellen «Wohin» gemeinsam lösen, aber bis zum Ende auf der Fifth Avenue in New York macht die Geschichte noch einen großen Umweg, und dieser Umweg heißt Friars Carmel Manor.

In dem hochherrschaftlichen Landsitz seiner Eltern bringt Andrew Carmel seinen Schützling Belinski als Gast unter, auch Cluny Brown taucht dort wieder auf: Sie tritt eine Stelle als Zimmermädchen an. In Carmel Manor und Umgebung weiß jeder ganz genau, wo sein Platz ist. Niemand stellt die bestehende Ordnung in Frage, alles ist statisch. Bewegung findet nur in vielen engen Kreisen statt, nach einer sich ständig selbstbestätigenden, absurden und weltfremden Logik. Da sind Lord und Lady Carmel, für die Hitler ein Mann ist, der ein Buch über das Leben in der Natur geschrieben hat – «My Camp». Ein weit größeres Problem als die Nazis stellt für sie Belinskis nichtvorhandenes Dinnerjacket dar, denn: Lady Alice zieht sich zum Dinner um, weil Sir Henry es gerne sieht; weil sie sich umzieht, zieht er sich auch um; wenn Belinski sich aber nicht umzieht, kann Sir Henry es auch nicht; und wenn Sir Henry es nicht kann, dann darf Lady Alice es ebenfalls nicht tun.

Der Butler Mr. Surrett und die Haushälterin Mrs. Mayly übertreffen den Snobismus ihrer Herrschaft noch um einige Grade, auf jede Verletzung der Etikette reagieren sie wie auf eine persönliche Beleidigung. Sie sind stolz darauf, in ihrer Existenz als Individuen nicht zur Kenntnis genommen zu werden. Und schließlich gibt es da noch den verklemmten Dorfapotheker Mr. Wilson, Sklave seiner Ladenklingel und einer Mutter mit tyrannischem Räuspern, der jetzt schon glücklich ist, weil er weiß, wo er einmal sterben wird.

Lubitschs mit sanfter, nachsichtiger Ironie vollzogener Schnitt durch das britische Kastensystem betont nicht so sehr die Klassengegensätze, sondern die Kleinbürgern, Domestiken und Aristokraten gleichermaßen eigene Bigotterie. Viktorianische Traditionen und Konventionen haben hier jede Spontaneität erstickt, niemand tut je das Falsche zur richtigen Zeit. Das Bild des verstopften Abflusses vom Anfang wird zur Metapher für eine allgemeingesellschaftliche Verstopfung.

Ein anderes Bild charakterisiert die Lage von Belinski und Cluny in dieser Atmosphäre, das Bild von der einsamen Insel mit zwei Schiffbrüchigen, die auf den rettenden Dampfer warten. Belinski hat Cluny bei ihrem ersten Zusammentreffen erklärt, Glück sei eine Frage der individuellen Anpassung an die Umwelt, und diese Anpassung versucht sie nun zu vollziehen. Mr. Wilson, der ein Auge auf Cluny geworfen hat, weil sie einen intelligenten und vernünftigen Eindruck macht (er weiß nichts von Perserkatzen und Araberhengsten), erscheint ihr wie der rettende Dampfer, aber als sie während einer Geburtstagsfeier bei den Wilsons wieder zum Hammer greift und eine weitere Rohrverstopfung beseitigt, macht sie sich vor dem versammelten Kleinbürgertum unmöglich. Mr. Wilson kann sich in seiner Stellung keine Frau leisten, die ihren Gefühlen freien Lauf läßt – weder bei Abflußrohren noch bei sich selbst.

Ebenso unmöglich macht sich Belinski in Carmel Manor, als er nachts in das Schlafzimmer von Andrews Auserwählter Betty Cream eindringt. Seine Motive bleiben im unklaren, vielleicht wollte er wirklich nur ein gutes Wort für Andrew einlegen, vielleicht hat er auch in Betty seinen Dampfer gesehen. Klar ist auf jeden Fall, daß die Zeit für einen noch halbwegs passablen Abgang gekommen ist.

So verlassen die beiden Fremdkörper gemeinsam die Idylle von Carmel Manor und beantworten die Frage, wohin jeder von ihnen gehört, mit einem optimistischen «In die Arme des anderen!» – Belinski schreibt das Buch, von dem er während des ganzen Films gesprochen hat, aber es ist weder ein flammender politischer Appell noch eine philosophische Abhandlung, sondern ein trivialer Kriminalroman mit dem Titel «The Nightingale Murder». Das Buch wird den Lauf der Welt nicht verändern, aber es reicht aus als Grundlage für das Glück zweier Außenseiter, die den Tauben im Park lieber etwas vorsingen, als sie zu füttern.

Heinz-Gerd Rasner

That Lady in Ermine (1948)

Die Frau im Hermelin

Wenn der Tag des Friedens naht, kommt er nicht mit Taubenflügeln . . . Nein, als eine schrecklich leere Todesstille tritt er ein . . . Die Jahre des Kampfes gegen Hitler seien – moralisch gesehen – eine gute Zeit gewesen, schreibt Thomas Mann. Aber er spricht auch vom «Herzasthma des Exils». Die vielen Toten des deutschen Exils kurz nach Kriegsende.

Das Schloß (die Burg, die Festung) könnte außer durch die Türen und Tore nur noch über eine glatte Felswand verlassen werden. Die aber bedeutet den sicheren Tod. Der Hermelinpelz, Fell eines Raubmarders, Herrscherschmuck und Symbol der Reinheit. Wahlspruch der Hermelinträgerin Anne de Bretagne: Malo mori quam foedari = Ich möchte lieber sterben als befleckt werden. Die Heldin des Lubitsch-Films trägt zwar den Pelz, ist aber barfuß. Demütige Unterwerfung einer Herrscherin? Canossagang? Oder soll beginnende Nacktheit andeuten, daß das Symbolische des Pelzes dementiert werden kann?

In den Jahren 1941 bis 1953, vom Eintritt der USA in den Zweiten Weltkrieg bis zum Ende des Koreakriegs, ist der amerikanische Film geprägt von der Anpassung des Landes an die weite Welt. Die Vereinigten Staaten geben den Isolationismus endgültig auf, werden zur Weltmacht. Der GI, der amerikanische Bürger muß lernen, sich auf fremdem Terrain zu bewegen. Vor allem eines: Nimm dich in acht vor fremden Fraun. Das repräsentative Genre jener Zeit, der Film Noir mit seinen obligatorischen Acapulco-Sequenzen, dient zur Eingewöhnung an das rätselhafte, undurchsichtige, gefährliche Draußen. Die good bad girls oder nur bad girls der schwarzen Filme sind Warnschilder.

Die zweimalige Eroberung des europäischen Operettenstaates in Bergamo in längst vergangenen Zeiten durch die Ungarn im Film That Lady in Ermine muß in Parallele gesetzt werden zur amerikanischen Invasion in Europa 1944/45. Für den Europäer Lubitsch bedeutet Europa auch dessen Geschichte, dessen Riten, dessen Ehrvorstellungen, dessen Dünkel, dessen rührender Plüsch. Dessen Tote. Im Lubitsch-Europa sind die Jahrhunderte wie in einem Palimpsest untereinander aufbewahrt. Die Toten können reaktiviert werden. Sie kommentieren, sie treten als Ratgeber auf.

Den Krieg zu gewinnen ist eine eindeutige Angelegenheit. Den Frieden zu gewinnen eine komplizierte und anstrengende. Friedens-Suspense. Friedens-Streß. Mit Listen, Kompromissen, Ränken. Mit dem Schmerz des Lernens. Douglas Fairbanks jr., der «ungarische» Eroberer, ist verwirrt durch die Mannigfaltigkeit der Reize, die vom Eroberten ausgehen. Die anpasserische Kollaborationsbereitschaft der Bewohner Bergamos (vom Realpolitiker Lubitsch nüchtern konstatiert). «Ich habe Anweisung gegeben, die Ungarn nicht mehr Ungarn zu nennen», erklärt der Haushofmeister. Aber auch die Raffinesse, die Edelfäule einer alten Kultur.

Statt in die reale Angelina verliebt sich der Ungar in deren gemalte Doppelgängerin und Vorfahrin Francesca: «Ich habe mich in Ihre Ururgroßmutter verliebt.» Schön schlüpfrig und nekrophil. Wie *Angel* ist auch THAT LADY IN ERMINE ein Phantomfilm. Nicht ein Mensch ist Objekt der Libido, sondern dessen Abbild, als Fetisch, das Gerede über einen Menschen, nicht der Mensch selbst.

THAT LADY IN ERMINE spielt sich in zwei Schichten, zwei Geschichten ab. In der einen, der ersten, vollzieht die Herrscherin sehr edelmütig am Usurpator den Tyrannenmord; «dummes Melodram, melodramatische Zwang von früher. («Töten Sie mich nach Belieben!»)

Ironie der Besetzung: Die sehr amerikanische Betty Grable, dieses Pin-up-Girl und GI-Idol, ist die europäische Aristokratin. Und Betty Grable, die es weit von sich wies, eine Schauspielerin zu sein («Ich werfe die Beine, soviel man es von mir verlangt – aber sprechen, Gefühle für einen Herrn vorzutäuschen, die ich nicht empfinde, . . . nichts zu machen, das ist nicht mein Gebiet.»), Betty Grable ist unter der Fuchtel von Lubitsch dann doch eine sehr gute Schauspielerin. Zu Betty Grable (wobei jetzt auch

That Lady in Ermine: *Douglas Fairbanks, Jr. (Mitte), Betty Grable*

sehr langweilig», würde Fredric March in DESIGN FOR LIVING sagen. In der anderen, der zweiten, der heutigen, die aber auch schon vor Jahrhunderten spielt, macht die Herrscherin dem Eroberer einen Heiratsantrag und bringt auch gleich ihren Priester mit; eine pragmatische und lebenskluge Lösung, die Lubitsch als Ausgestaltung von Frieden einfiel. Und die Figuren der ersten Handlung wirken in der zweiten mit: Wir merken, daß allen, auch der Ahne, das Happy-End von später besser gefällt als der an Rita Hayworth und die Atombombe gedacht werden sollte): «In diesem Augenblick hatte der Major seinen Einfall. Er würde die Teilnehmer am Kursus für Kartenlesen aus dem Häuschen bringen, wenn er eine farbige Photographie von Betty Grable im Badeanzug und in Lebensgröße bekommen könnte und das Koordinatengitter darüberlegen ließe. Der Lehrer konnte dann auf die verschiedensten Stellen ihres Körpers zeigen und sagen: Geben Sie mir die Koordinaten.» (Norman Mailer: The Naked and the Dead). Als Barfüßige nimmt die Grable jene anderen Lieblinge des US-Publikums, die europäischen Barfüßerinnen Mangano, Lollobrigida, Loren, Bardot voraus. Und die *Barefoot Contessa* des Lubitsch-Schülers Joseph L. Mankiewicz – mit der Amerikanerin Ava Gardner als Europäerin – ist eine Hommage auch an THAT LADY IN ERMINE.

Der – obwohl Amerikaner – sehr europäisch wirkende Douglas Fairbanks jr. ist der Eroberer. (Fairbanks jr. kämpfte im Zweiten Weltkrieg auf britischer Seite und wurde später britischer Staatsbürger.) THAT LADY IN ERMINE ist ein Film über die kennt die Filmgeschichte nicht. Frieda Grafe: «Es gibt bei Hawks Szenen, die man ohne weiteres schluckt, aber die sich verhaken im Unterbewußtsein. Etwa, ich versuche mich zu erinnern an *Dawn Patrol*, und was mir einfällt! Eine Telefonzentrale, in der die Stöpselmädchen Männer sind, oder Richard Barthelmess, der Douglas Fairbanks jr. auf dem Arm die Treppe heraufträgt mit der Geste des Frischvermählten, der seine junge Frau über die Schwelle trägt. Die langen Beine von Douglas Fairbanks sind unvergeßlich. Überraschen auf dem Umweg über die Form, nennt Roland Barthes das.»

That Lady in Ermine: *Betty Grable, Cesar Romero*

«Mühe der Ebenen», die auf die «Mühe der Gebirge» (Brecht) folgt, wie auch *The Exiler* von Max Ophüls ein Film über das Ende des Ausnahmezustands ist. In beiden Filmen wird der hübsche und graziöse Fairbanks jr. als Soldat seiner selbst entfremdet, von Sorgen, bitteren Stimmungen, fahlen Angstzuständen gequält, wenn der nüchterne Alltag beginnt. Der anonyme Werbetexter des Centfox-Presseheftes irrt, wenn er Fairbanks jr. ein «weibliches Idol rauher Männlichkeit» nennt; er Betty Grable trägt Fairbanks die Treppe hoch; so kommen die langen Beine nochmals zur Geltung. Wie Cary Grant bei Hawks ist Fairbanks jr. eine «male war bride». Das Paar beginnt zu schweben. Sie durchstoßen die Decke. Keine Angst vorm Fliegen, vorm Abstürzen, auch vor steilen Felswänden nicht. Und Fairbanks jr. singt – mit geliehener Stimme: «It's the moment, it's the time!» – Noch vor Fertigstellung des Films stirbt Ernst Lubitsch.

ULRICH KUROWSKI

Anhang

Filmografie

Von Wolfgang Jacobsen

Die Filmografie nennt Daten zu den Filmen, bei denen Ernst Lubitsch Regie geführt, in denen er als Schauspieler mitgewirkt und die er produziert hat. In einem Anhang finden sich Angaben zu Filmen, bei denen er in anderer Funktion beteiligt war, und Hinweise auf Titel, die ihm bisher fälschlich zugeschrieben wurden beziehungsweise bei denen seine Beteiligung nicht endgültig geklärt werden konnte. Darüber hinaus werden seine nicht realisierten Projekte in Deutschland genannt, soweit sie durch die Recherchen zu diesem Band belegt werden konnten. Für weitergehende Daten, etwa Projekte in den USA, sei auf die Arbeit von Carringer/Sabath verwiesen.

Die Datierung der Filme erfolgt zunächst nach den Zensurdaten beziehungsweise bei den amerikanischen Filmen nach dem Copyright-Eintrag. Konnte kein Zensurdatum nachgewiesen werden oder lag nur das Datum einer Neu-Zensur vor, so erfolgt die Einordnung nach dem Uraufführungsdatum oder nach Produktionsangaben, die sich aus den recherchierten Materialien erschließen.

Bei einigen Filmen, das gilt besonders für die frühe Periode in Lubitschs Schaffen, sind die Daten fragmentarisch. Der Verfasser versteht diese Filmografie als einen weiteren Baustein zu einer «endgültigen» Lubitsch-Filmografie. Zwar konnten Widersprüche oder falsche Angaben anderer Filmografien korrigiert, auch Ergänzungen vorgenommen werden, es bleiben aber dennoch Lücken, «Geheimnisse».

Ergänzend zur kommentierten Filmografie werden zu einzelnen Filmen Inhaltsangaben gegeben, die in der Regel auf zeitgenössischen Kritiken oder Texten der ARD-/ZDF-Filmredaktionen basieren. Damit werden zum erstenmal auch Hinweise zur Handlung der Filme gegeben, von denen keine Kopien nachzuweisen sind und die deshalb als verschollen gelten müssen. Allerdings bleiben leider auch hier einige Lücken, denn nicht zu allen Filmen konnten entsprechende Angaben gefunden werden. Schildert der Kommentar zum Film auch die Handlung, wird auf ihn verwiesen.

Die Filmografie stützt sich für die Angaben der deutschen Periode vor allem auf die systematische Durchsicht und Auswertung der zeitgenössischen Fachpresse: Der Kinematograph, Lichtbild-Bühne, Der Film, Illustrierte Kino-Woche, Illustrierte Film-Woche, Film-Kurier und Reichsfilmblatt wurden bis zum Jahr 1925 durchgehend, danach gezielt durchgesehen. Die dort gefundenen filmografischen Angaben wurden dann mit den bereits vorliegenden Lubitsch-Filmografien verglichen, wobei der Filmografie von Carringer/Sabath ein besonderer Stellenwert zukommt, da diese bereits eine weitgehende Datenkompilation leistet. Die Angaben zu den amerikanischen Filmen gehen von den Recherchen Carringer/Sabath aus und ergänzen sie.

Folgende Quellen wurden vor allem benutzt: Gerhard Lamprecht: Deutsche Stummfilme, 9 Bände und Registerband (1 Heft: Korrekturen), hg. v. d. Deutschen Kinemathek e. V., Berlin, 1967–1970 – Herbert Birett [Hg.]: Verzeichnis in Deutschland gelaufener Filme, Entscheidungen der Filmzensur 1911–20, München, New York, London, Paris (K. G. Saur 1980) – Peter B. Schumann, Werner Dütsch [Red.]: Retrospektive Ernst Lubitsch. Broschüren der Internationalen Filmfestspiele Berlin 1967 und 1968 – Robert Carringer, Barry Sabath: Ernst Lubitsch. A Guide to References and Resources. Boston, Mass. (G. K. Hall o. J.) – Herman G. Weinberg: The Lubitsch Touch. A Critical Study. New York (Dover Publications 1977. Third Revised and Enlarged Edition) – Theodore Huff: An Index to the Films of Ernst Lubitsch. Special Supplement to Sight and Sound (London), Januar 1947. Index Series 9 – Lubitsch bio-filmografi. Kosmorama (Kopenhagen), Nr. 129, Frühjahr 1976 – Catalog of Copyright Entries. Motion Pictures 1912–39 und folgende Bände. Copyright Office: The Library of Congress, Washington 1951 – Die oben genannte Filmfachpresse; Illustrierter Film-Kurier; Illustrierte Film-Bühne; Handbücher der Katholischen Filmkritik – Kopien der Filme, soweit sie zur Verfügung standen.

Die Filmografie wurde weitgehend schematisiert; in einigen Fällen finden sich Anmerkungen, die auf ungeklärte Daten, abweichende Angaben in der verwendeten Literatur, mitteilenswerte Zensurentscheidungen und Neuverfilmungen durch Lubitsch verweisen. Hier wird auch mitgeteilt, ob nach unseren Recherchen ein Film als verloren gelten muß. In Klammern gesetzte Titel weisen auf Abweichungen vom Zensurtitel hin. Bei den amerikanischen Filmen ist neben dem Originaltitel der deutsche Verleih- beziehungsweise TV-Titel genannt.

Abkürzungen: A = Ausstattung. – B = Buch. – Ba = Bauten. – Co-Pd = Co-Produzent. – D = Darsteller. – DE = Deutsche Erstaufführung. – DL = Deutsche Länge. – Do = Drehort. – Dz = Drehzeit. – K = Kamera. – K-Ass = Kameraassistenz. – K-F = Kameraführung. – Ko = Kostüme. – Ko-Ass = Kostümassistenz. – M = Musik. – ML = Musikalische Leitung. – OF = Originalfassung. – OL = Originallänge. – P = Produktionsgesellschaft. – Pl = Produktionsleitung. – R = Regie. – R-Ass = Regieassistenz. – Sch = Schnitt. – sw = schwarzweiß. – T = Ton. – TL = Technische Leitung. – TV = Fernseh-Erstausstrahlung in der Bundesrepublik. – U = Uraufführungsdatum. – U. T. = Union-Theater

Für Hilfeleistungen danke ich Gero Gandert, Michael Hanisch, Hans Helmut Prinzler und Reinhard Wulf.

Stummfilme

1913 *Die ideale Gattin* (auch: Eine ideale Gattin). – B: Hanns Heinz Ewers, Marc Henry. – D: Lyda Salmonova, Grete Berger, Ernst Lubitsch, Paul Biensfeldt. – P: Deutsche Bioscop GmbH, Berlin. – OL: 2 Akte. – sw. – stumm.

Anmerkungen: Ein Zensurdatum liegt für den Film nicht vor. Allerdings findet sich in «Das Lichtbild-Theater», 5. Jg., Nr. 28, 10. 7. 1913, ein Hinweis auf die Fertigstellung des Films. – Eine Kopie des Films ist nicht nachzuweisen.

1914 *Die Firma heiratet.* – R: Carl Wilhelm. – B: Walter Turszinsky, Jacques Burg. – K: Friedrich Weinmann. – D: Ernst Lubitsch (Moritz Abramowsky), Victor Arnold (Manfred Mayer, Hoflieferant), Resl Orla (Trude Hoppe), Anna Müller-Lincke (Tante Clara), Albert Paulig (Siegmund Philippsohn, Reisender), Franz Schönemann (Herr Werdenberg, Confectionair), Hanns Kräly (Verkäufer). – P: Projektions-AG Union, Berlin. – OL: 1160 m. – sw. – stumm. – U: 23. 1. 1914, U. T. Friedrichstraße, Berlin.

Anmerkungen: Weinberg nennt bei den Darstellern zusätzlich Alfred Kühne. – Eine Kopie des Films ist nicht nachzuweisen.

«*Die Firma heiratet* ist ein glücklich verfilmter Griff in die Konfektion, ein boshafter, satyrischer und frecher Schritt in die heiligen Räume des Machtbereichs der Mode, wo sich der Chef reich macht, wo der Reisende befiehlt, die Kundschaft gehorcht, die ‹44er Figur› Figur macht und die Probiermamsell probiert wird.» (Lichtbild-Bühne, Nr. 4, 24. 1. 1914)

1914 *Bedingung – kein Anhang* (auch: Bedingung: – kein Anhang!). – R: Stellan Rye. – B: Luise Heilborn-Körbitz. – K: Guido Seeber. – D: Hans Waßmann (Serenissimus), Albert Paulig (Kindermann), Emil Albes (Agent Rosenblüth), Ernst Lubitsch (Ehemann), Siddie Sinnen («Sie»). – P: Deutsche Bioscop GmbH, Berlin. – OL: 748 m. – sw. – stumm.

Anmerkungen: Der Film war im März 1914 (vgl. «Der Kinematograph», Nr. 376, 11. 3. 1914) fertiggestellt. In den Zensurveröffentlichungen der «Lichtbild-Bühne», Nr. 13, 28. 3. 1914, wird der Film in der Rubrik «Vollständig verboten» geführt. Die Deutsche Bioscop GmbH teilt in einer Anzeige, veröffentlicht in der «Lichtbild-Bühne», Nr. 12, 21. 3. 1914, mit: «Wegen völlig unerwarteten Zensurverbotes müssen wir leider bis zur Beendigung des alsbald angestrengten Verwaltungsstreitverfahrens, nötigenfalls bis zur letzten Instanz, die Ausgabe unseres Lustspiels *Bedingung: kein Anhang* verschieben.» – Eine Aufführung des Films konnte nicht festgestellt werden. – Carringer/Sabath nennen bei den Darstellern zusätzlich Helene Voß. – Eine Kopie des Films ist nicht nachzuweisen.

1914 *Der Stolz der Firma.* – R: Carl Wilhelm. – B: Walter Turszinsky, Jacques Burg. – K: Friedrich Weinmann. – Zusammenstellung der Kinomusik: Direktor Glücksmann. – D: Ernst Lubitsch (Siegmund Lachmann), Martha Kriwitz (Lilly Maass), Victor Arnold (J. C. Berg), Albert Paulig (Charly Forst), Alfred Kühne (Herr Hoffmann), Hugo Döblin, Resl Orla. – P: Projektions-AG Union, Berlin. – OL: 1273 m. – sw. – stumm. – U: 30. 7. 1914, U. T. Friedrichstraße, Berlin; 9. 1. 1915, U. T. Kurfürstendamm, Berlin (Öffentliche Wiederaufführung). – TV: 6. 2. 1972 (BR III, M: Jens Pedersen).

«Siegmund Lachmann ist Ladenlehrling in einem verlorenen Nest in Posen. Als er die Auslage neu arrangieren will, fliegt seine Leiter durch die Ladenscheibe und ruiniert die gesamte Ware. Er wird gefeuert und beschließt, sich das Leben zu nehmen, doch vorher will er noch etwas essen. Nach dem Abendessen mit seiner Familie beschließt er, in Berlin sein Glück zu versuchen. Er bekommt eine Stellung in einem Modesalon und heiratet nach unsäglichen Schwierigkeiten die Tochter des Chefs, die ihm einen Sohn schenkt, welcher ‹der Stolz der Firma› ist.» (Brennicke/Hembus: Klassiker des Deutschen Stummfilms).

1915 AUFS EIS GEFÜHRT. – R: Ernst Lubitsch. – B: Hanns Kräly. – D: Albert Paulig, Ernst Lubitsch. – P: Malu-Film, Berlin. – sw. – stumm. – U: 21. 5. 1915, U. T. Unter den Linden, U. T. Moritzplatz, U. T. Weinbergweg, U. T. Reinickendorfer Straße, Berlin.

Anmerkungen: Die Angaben zu Buch und Uraufführung finden sich bei Weinberg, der als Produktionsgesellschaft die «Union» nennt. Nach der Zensurveröffentlichung (vgl. Birett, S. 203) ist der Film von der Malu-Film (das sind Mátray und Lubitsch) produziert. – Eine Kopie des Films ist nicht nachzuweisen.

1915 ZUCKER UND ZIMT (auch: Zucker und Zimmt). – R: Ernst Mátray, Ernst Lubitsch. – B: Ernst Mátray, Ernst Lubitsch, Greta Schröder-Mátray. – Verse: Ernst Lubitsch, Greta Schröder-Mátray. – R-Ass: Richard Löwenbein. – D: Ernst Mátray, Ernst Lubitsch, Helene Voß, Alice Scheel-Hechy, Paul Ludwig Stein, Victor Colani. – P: Malu-Film, Berlin. – OL: 2 Akte. – sw. – stumm. – U: 28. 5. 1915, Marmorhaus und Marmorhaus Garten, Berlin.

Eine Kopie des Films ist nicht nachzuweisen.

«Eine findige Zimmervermieterin vermietet an einen Handlungsgehilfen Zimt, der den ganzen Tag nicht zu Haus ist, und an einen Kaffeehaus-Kapellmeister Zucker, der die ganze Nacht nicht zu Haus ist, dasselbe Zimmer.

Dieser Betrug kommt natürlich ans Licht der Sonne, und schließlich werden aus den erst bitteren Feinden Zimt und Zucker gute Freunde.» (Tägliche Rundschau, 31. 5. 1915)

1915 *Arme Maria* (auch: Arme Marie). – R. Willy Zeyn. – B: Robert Wiene, Walter Turszinsky. – K: Hermann Böttger. – D: Hanni Weiße (Maria Weber, Verkäuferin), Ernst Lubitsch (Moritz Rosenthal, Kommis), Friedrich Zelnik (Warenhausbesitzer), Felix Basch (Lagerchef). – P: Projektions-AG Union, Berlin. – OL: 4 Akte. – sw. – stumm. – U: 7. 5. 1915.

Anmerkungen: Die Regieangabe stützt sich auf die Kritik in «Der Kinematograph», Nr. 437, 12. 5. 1915. Lamprecht nennt Max Mack als Regisseur. – Eine Kopie des Films ist nicht nachzuweisen.

«Der Film führt in das Milieu des modernen Warenhauses. Die Verkäuferin Maria Weber [. .] wird zur Diebin, weil dem Vater die Exmission durch den hartherzigen Hauswirt droht. Sie wird vom Lagerchef beobachtet und aus Rache dafür, daß sie seinen Verlockungen widerstand, dem Warenhausbesitzer angezeigt. Dieser geht den Gründen für ihre Handlungsweise auf die Spur und verzeiht ihr. Als sie dann späterhin von dem Lagerchef schwer beleidigt wird, wird dieser entlassen, und schließlich wird Maria Weber die Gattin des Warenhausbesitzers. Da naht sich erpresserisch der entlassene Lagerchef, und in ihrer Herzensangst will sie, um dem Bekanntwerden ihrer früheren Verfehlung zu entgehen, der Kasse des Gatten heimlich eine Summe entnehmen, als sie überrascht wird und von einem Herzschlag getroffen tot zusammenbricht, nachdem sie noch die Verzeihung des Gatten als letzten Trost empfangen hat. [. . .] Die Figur des Kommis Moritz Rosenthal, von Ernst Lubitsch verkörpert, paßt sich der Handlung aufs glücklichste an und bringt die hier hervorgehobene heitere Note in die sonst durch Ernst abgestimmte Handlung.» (Der Kinematograph, Nr. 437, 12. 5. 1915)

1915 *Fräulein Piccolo* (auch: Fräulein Pikkolo). – R, B: Franz Hofer. – K: Gotthardt Wolf. – Ba: Fritz Kraencke. – D: Dorrit Weixler (Lo), Franz Schwaiger (Clairon), Alice Hechy, Ernst Lubitsch, Max Lehmann, Martin Wolff, Karl Harbacher, Helene Voß. – P: Luna-Film GmbH, Berlin. – OL: 1017 m. – sw. – stumm.

Anmerkungen: Der Film war im August 1914 fertiggestellt (vgl. «Lichtbild-Bühne», Nr. 48, 1. 8. 1914) und wurde 1915 von der Zensur für die Dauer des Krieges verboten. – Eine Aufführung läßt sich erst für den Februar 1919 nachweisen. – Zum Inhalt siehe S. 18.

1915 FRÄULEIN SEIFENSCHAUM. – R: Ernst Lubitsch. – Ba: Kurt Richter. – D: Ernst Lubitsch. – P: Projektions-AG Union, Berlin. – Dz: Sommer 1914. – Do: Union-Atelier, Berlin-Tempelhof. – OL: 1 Akt, ca. 330 m. – sw. – stumm. – U: 25. 6. 1915, U. T. Unter den Linden, U. T. Alexanderplatz, Berlin.

Anmerkungen: Der Film, im Sommer 1914 gedreht, ist nach Lubitschs eigenen Angaben seine erste Regiearbeit. – Eine Kopie ist nicht nachzuweisen.

Zum Inhalt siehe S. 18f.

1915 *Robert und Bertram oder: Die lustigen Vagabunden.* – R: Max Mack. – K: Max Lutze. – D: Ferdinand Bonn (Bertram), Eugen Burg (Robert), Wilhelm Diegelmann (Gendarm), Ernst Lubitsch (G. Baupaire). – P: Projektions-AG Union, Berlin. – Do: Rothenburg o. T., Berlin (u. a. Hallenbau des Berliner Vereins für Luftschiffahrt in Schmargendorf). – OL: 4 Akte. – sw. – stumm. – U: 12. 8. 1915, U. T. Nollendorfplatz, Berlin.

Die beiden Vagabunden Robert und Bertram (Eugen Burg, Ferdinand Bonn) fliehen aus dem Gefängnis. In einem Gasthof verfolgen sie ein Gespräch zwischen dem Wirt und seinem Gläubiger. Sie beschließen, dem Wirt zu helfen, und kommen den Geschäften des Gläubigers auf die Schliche. Die beiden gewitzten Vagabunden stibitzen dem Bankier einige Schmuckstücke, die dieser nicht mit ehrlichem Geld erworben hat, und schenken sie dem Wirt, der damit seine Schulden bezahlen kann und seine Tochter vor einer erpreßten Heirat mit dem Gläubiger rettet. Robert und Bertram gelingt es auch noch, den sie verfolgenden Gefängniswärter abzuschütteln, denn wer so gute Taten vollbringt, hat eine Gefängnisstrafe sicher nicht verdient.

1915 SEIN EINZIGER PATIENT (auch: Der erste Patient). – R: Ernst Lubitsch. – D: Ernst Lubitsch (Doktor), Johanna Ewald (Köchin). – P: Projektions-AG Union, Berlin. – OL: 1 Akt. – sw. – stumm.

Eine Kopie des Films ist nicht nachzuweisen.

1915 DER KRAFTMEYER (auch: Der Kraftmeier). – R: Ernst Lubitsch. – Ba: Kurt Richter. – D: Ernst Lubitsch. – P: Projektions-AG Union, Berlin. – Do: Union-Atelier, Berlin-Tempelhof. – OL: 1 Akt. – sw. – stumm.

Eine Kopie des Films ist nicht nachzuweisen.

«Ein Pantoffelheld kauft sich ein Stärkungsmittel, das ihm ungeahnte Kräfte verleiht. Er durchschlägt den Fußboden seiner Wohnung, fällt und fällt und landet schließlich – ausgerechnet! – in Afrika. Seine Schwiegermutter ist er los, mit seiner Frau trifft er sich auf dem durch den Fall geschaffenen Gange.» (E. [Erich Effler?] in: Der Film, Nr. 48, 30. 11. 1919)

1915 DER LETZTE ANZUG (auch: Sein letzter Anzug). – R, D: Ernst Lubitsch. – P: Projektions-AG Union, Berlin. – OL: 1 Akt. – sw. – stumm.

Eine Kopie des Films ist nicht nachzuweisen.

1915 *Der schwarze Moritz.* – R: Georg Jacoby. – B: Louis Taufstein, Eugen Burg. – M: Martin Knopf. – Ba: Kurt Richter. – Tänze: Tanzmeister Bernar. – D: Ernst Lubitsch (Moritz Apfelreis), Erna Alberty (Minchen Cohn), Margarete Kupfer (Bessie). – P: Projektions-AG Union, Berlin. – OL: 2 Akte. – sw. – stumm. – U: 2. 6. 1916, Tauentzienpalast, Berlin.

Anmerkungen: Die Angaben zur Regie und zu den Tänzen stützen sich auf einen Hinweis in «Der Kinematograph», Nr. 468, 15. 12. 1915. Dort wird eine abweichende Darstellerliste genannt: Lubitsch, Erna Nitter, Else (!) Kupfer, Helene Voß, Hanns Kräly. – Eine Kopie des Films ist nicht nachzuweisen.

Es dreht sich um eine Erbschaft «und um die Bestimmung, daß diese nur ausgezahlt wird, wenn gewisse Heiratsbedingungen erfüllt werden. Das geschieht nach Vorschrift, wenngleich die Chose sich über mehrere Generationen hinzieht. Besonders ulkig ist der Umstand, daß zuerst ein Weißer eine Schwarze ehelicht. Nach dreimal drei Monaten ist ein kleiner Schwarzer da, und dieser Schwarze heiratet dann später eine Weiße, wodurch er in den Besitz der Erbschaft kommt. Schluß.» (Argus in: Der Kinematograph, Nr. 493, 7. 6. 1916)

1915 BLINDEKUH (auch: Blinde Kuh/Die blinde Kuh). – R: Ernst Lubitsch. – Ba: Kurt Richter. – D: Ernst Lubitsch, Resl Orla. – P: Projektions-AG Union, Berlin. – OL: 1 Akt. – sw. – stumm. – U: 28. 5. 1915, U. T. Nollendorfplatz, U. T. Friedrichstraße, U. T. Kurfürstendamm, U. T. Alexanderplatz, Berlin.

Anmerkungen: Die Datierung des Films folgt dem Uraufführungsdatum, ein Zensurdatum ist nicht zu ermitteln. – Eine Kopie des Films ist nicht nachzuweisen.

«*Die blinde Kuh* [. . .] bringt die alte Geschichte der Überlistung der Mutter, die die Verlobung ihrer Tochter mit einem ihr unerwünschten Schwiegersohn nicht zugeben will. Zwischendurch verlobt sie sich selbst mit ihm, bis sich schließlich doch die richtigen Paare finden.» (Der Kinematograph, Nr. 441, 9. 6. 1915)

1916 ALS ICH TOT WAR. – R: Ernst Lubitsch. – D: Ernst Lubitsch (Junger Ehemann). – P: Projektions-AG Union, Berlin. – OL: 3 Akte. – stumm. – U: 25. 2. 1916.

Anmerkungen: Die Angabe des Uraufführungsdatums folgt Weinberg, der bei den Darstellern zusätzlich Luise Scheurich und Julius Falkenstein nennt. – Der Titel des Films wurde bei einer Neuzensur in WO IST MEIN SCHATZ? geändert. «Der Haupttitel des als für Kinder verbotenen Films ‹Als ich tot war› (Akt I-III), Projektions-Aktiengesellschaft Union, ist geändert und heißt jetzt: ‹Wo ist mein Schatz?› Das Kinderverbot bleibt bestehen.» (vgl. Birett S. 355 und 357). Die von Carringer/Sabath vermutete Identität des Films mit dem Film *Wie ich ermordet wurde . . .*, R: Louis Ralph, muß bezweifelt werden. Das ein Jahr früher liegende Zensurdatum, die Angabe einer anderen Produktionsgesellschaft (Deutsche Bioscop GmbH, Berlin) und die in keinem Punkt übereinstimmenden Inhaltsangaben in der zeitgenössischen Presse legen den Schluß nahe, daß es sich um zwei verschiedene Filme handelt (vgl. die Anzeige der Bioscop zu *Wie ich ermordet wurde . . .*, die stichwortartige Handlungshinweise gibt, in: Lichtbild-Bühne, Nr. 35, 28. 8. 1915, mit der Kurzkritik zu WO IST MEIN SCHATZ? in: Der Film, Nr. 8, 18. 3. 1916). – Eine Kopie des Films ist nicht nachzuweisen.

«In dem Schwank WO IST MEIN SCHATZ? tritt Ernst Lubitsch in der Rolle eines vielgeplagten jungen Ehemannes auf, dem es gelingt, ein böses Exemplar von Schwiegermutter zu überlisten und auf Nimmerwiedersehen in die Flucht zu jagen.» (Der Film, Nr. 8, 18. 3. 1916)

1916 *Doktor Satansohn.* – R, B: Edmund Edel. – K: Ernst Krohn. – D: Ernst Lubitsch (Doktor Satansohn), Hans Felix (Professor Waldow), Yo Larte (Meta, seine Frau), Marga Köhler (Ilona, deren Mutter), Erich Schönfelder (Nepomuk). – P: Projektions-AG Union, Berlin. – OL: 3 Akte. – sw. – stumm. – U: 17. 3. 1916, Mozartsaal, Berlin.

Wenn sich eine alte Frau in den Mann ihrer Tochter verliebt, kann Doktor Satansohn helfen. Allerdings ist sein Preis dafür sehr hoch: ewige Jugend für das Versprechen, nie mehr einen Mann zu küssen. Aber letztlich kann auch Doktor Satansohn der Versuchung nicht widerstehen.

1916 SCHUHPALAST PINKUS. – R: Ernst Lubitsch. – B: Hanns Kräly, Erich Schönfelder. – Ba: Kurt Richter. – D: Guido Herzfeld (Meyersohn), Else Kenter (Melitta Hervé), Ernst Lubitsch (Sally Pinkus), Hanns Kräly (Lehrer), Ossi Oswalda (Lehrmädchen beim Schuhmacher), Erich Schönfelder (Schuhmacher). – P: Projektions-AG Union, Berlin. – Do: Union-Atelier, Berlin-Tempelhof. – OL: 1080 m. – sw. – stumm. – U: 9. 6. 1916, U. T. Nollendorfplatz und U. T. Kurfürstendamm, Berlin.

Der Kommentar zum Film (S. 124f.) schildert auch die Handlung.

1916 DER GEMISCHTE FRAUENCHOR. – R: Ernst Lubitsch. – Ba: Kurt Richter. – D: Ernst Lubitsch (Dirigent). – P: Projektions-AG Union, Berlin. – Do: Union-Atelier, Berlin-Tempelhof. – OL: 2 Akte. – sw. – stumm. – U: 14. 7. 1916, Kammerlichtspiele Potsdamer Platz, U. T. Alexanderplatz, Berlin.

Eine Kopie des Films ist nicht nachzuweisen.

«Lubitsch stellt sich in diesem Film als Kapellmeister vor und wird als Dirigent eines gemischten Frauenchores berufen, dessen Mitglieder indessen mehr für ihren Kapellmeister als für die Sangeskunst schwärmen. Mit vieler Mühe und noch mehr List hält er sie sich vom Leibe, und schließlich sorgt Lieschen Keck, der allein seine Liebe gilt, dafür, daß ihr Schatz Ruhe bekommt, indem sie die Ehemänner der abenteuerlustigen Mitglieder des gemischten Frauenchores aufhetzt.» (Der Film, Nr. 26, 22. 7. 1916)

1916 DAS SCHÖNSTE GESCHENK. – R: Ernst Lubitsch. – Ba: Kurt Richter. – D: Ernst Lubitsch. – P: Projektions-AG Union, Berlin. – Do: Union-Atelier, Berlin-Tempelhof. – OL: 233 m. – sw. – stumm. – U: 24. 11. 1916, Kammerlichtspiele, Berlin.

Eine Kopie des Films ist nicht nachzuweisen.

Ernst Lubitsch als Geburtstagsgratulant auf Rollschuhen, der dem Jubilar das schönste Geschenk mitbringt: ein Viertelpfund Butter.

1916 DER G.m.b.H.-TENOR. – R: Ernst Lubitsch. – K: Theodor Sparkuhl. – Ba: Kurt Richter. – D: Ernst Lubitsch (Sally), Ossi Oswalda (Seine Cousine), Victor Janson (Theateragent). – P: Projektions-AG Union, Berlin. – Do: Union-Atelier, Berlin-Tempelhof. – OL: 4 Akte. – sw. – stumm. – U: 22. 12. 1916, U. T. Friedrichstraße, U. T. Unter den Linden, Kammerlichtspiele, Berlin.

Eine Kopie des Films ist nicht nachzuweisen.

«Sally kommt aus der Kleinstadt nach Berlin zum Onkel in die Lehre, und eines Tages wird er entdeckt. Er läßt Teig Teig sein. Eine Anzahl Herren hat sich zusammengetan zu einer G.m.b.H., die das Geld für das Gesangstudium zur Verfügung stellt. Und endlich ist der große Abend gekommen, an dem der Liebling der Musen im Opernhaus den ‹Lohengrin› singen soll. Durch die Bosheit seiner Rivalen wird er aber um den Erfolg gebracht. Ihm wird Juckpulver ins Kostüm gestreut, na, und die Wirkung kann man sich vorstellen. Sally kehrt zu den Bärmetöpfen des Onkels zurück, die bald die seinigen sein werden, denn sein Kusinchen ist nicht zu verachten.» (Argus in: Der Kinematograph, Nr. 521/22, 27. 12. 1916)

1916 DIE NEUE NASE (auch: Seine neue Nase). – R: Ernst Lubitsch. – D: Ernst Lubitsch. – P: Projektions-AG Union, Berlin. – OL: 1 Akt. – sw. – stumm.

Anmerkungen: «Der Film lief u. a. April 1917 in Dresden. Ob er mit einem gegen Ende des Jahres 1917 in Berlin gezeigten Film ‹Die schiefe Nase› identisch ist, konnte nicht festgestellt werden.» (vgl. Lamprecht, Bd. 1917–1918, S. 218). – Eine Kopie des Films ist nicht nachzuweisen.

1917 KÄSEKÖNIG HOLLÄNDER. – R: Ernst Lubitsch. – B: Ernst Lubitsch, Erich Schönfelder. – D: Ernst Lubitsch. – P: Projektions-AG Union, Berlin. – OL: 646 m. – sw. – stumm. – U: vermutlich März 1919, Kammerlichtspiele, Berlin.

Anmerkungen: Der Film war «für die Dauer des Krieges» verboten. – Eine Kopie des Films ist nicht nachzuweisen.

«Eine zweiaktige Burleske, die nie erdacht, nie gespielt und nie hätte gekurbelt werden dürfen. KÄSEKÖNIG HOLLÄNDER heißt sie. [. . .] Es ist viel von einem Käsekönig die Rede, der sich – bitte höflichst zu kitzeln und zu lachen – am Schluß – Käsekaiser nennt. In dieser Art bewegen sich die Scherze, die in diesem Film an den Mann gebracht werden und wahrscheinlich den fehlenden Geruch des anrüchigen Artikels erzeugen sollten.» (Egon Jacobsohn in: Der Kinematograph, Nr. 639, 2. 4. 1919)

1917 DER BLUSENKÖNIG. – R: Ernst Lubitsch. – B: Ernst Lubitsch, Erich Schönfelder. – Ba: nach Entwürfen von Paul Leni. – D: Ernst Lubitsch (Sally Katz), Käthe Dorsch (Konfektioneuse), Guido Herzfeld (Der Chef), Max Zilzer. – P: Projektions-AG Union, Berlin. – Dz: April–Mai 1917. – Do: Union-Atelier, Berlin-Tempelhof. – OL: 3 Akte. – sw. – stumm. – U: 2. 11. 1917, U. T. Kurfürstendamm, Berlin.

Anmerkungen: Die Autorenangabe folgt einer Notiz in: «Lichtbild-Bühne», Nr. 15, 14. 4. 1917. Lamprecht nennt Hanns Kräly. In Notizen der «Lichtbild-Bühne», Nr. 18, 5. 5. 1917, und in «Der Film», Nr. 18, 5. 5. 1917, heißt es, die Ausstattung sei nach Entwürfen des Kunstmalers Paul Leni angefertigt. Eine Mitwirkung Kurt Richters, wie von Lamprecht genannt, kann nicht festgestellt werden. – Eine Kopie des Films ist nicht nachzuweisen.

«DER BLUSENKÖNIG führt uns in das Konfektionsmilieu, wie es in Berlin rund um den Hausvogteiplatz zu Hause ist, mit all seiner Schnoddrigkeit, mit all seinen Vorzügen, deren größter die Tüchtigkeit ist. Sally Katz ist der Held. Wir lernen ihn als Stift kennen und müssen sehen, wie er Knall und Fall wegen seiner Frechheit entlassen wird. Wenn man nun aber glaubt, daß er dadurch kuriert ist, täuscht man sich, die Frechheit wird immer größer und findet erst einmal ihren Höhepunkt in einer Annonce, die Katz aufgibt, und auf Grund deren Inhalts er auch tatsächlich eine neue Stellung bekommt. Und in ihr steigt er, auch nur durch seine Frechheit, bis zum Reisenden und macht ebenfalls durch seine Frechheit Geschäfte, mit der er die gesamte Konkurrenz schlägt. Nur gegenüber der sehr miesen Tochter seines Chefs versagt seine Heldeneigenschaft, und es ist nur gut, daß der Vater des Mädchens ihn bittet, von der Partie zu lassen, er will ihn lieber zum Kompagnon machen. Schließlich ist die erste Konfektioneuse auch viel hübscher.» (Der Kinematograph, Nr. 547, 7. 11. 1916)

1917 OSSI'S TAGEBUCH. – R: Ernst Lubitsch. – B: Erich Schönfelder. – Ba: Kurt Richter. – D: Ossi Oswalda, Hermann Thimig. – P: Projektions-AG Union, Berlin. – Do: Union-Atelier, Berlin-Tempelhof. – OL: 3 Akte. – sw. – stumm. U: 5. 10. 1917, U. T. Nollendorfplatz, Berlin.

Anmerkungen: Weinberg nennt zusätzlich Ernst Lubitsch als Autor. – Eine Kopie des Films ist nicht nachzuweisen.

1917 WENN VIER DASSELBE TUN. – R: Ernst Lubitsch. – B: Ernst Lubitsch, Erich Schönfelder. – Ba: Kurt Richter. – D: Emil Jannings (Vater), Ossi Oswalda (Seine Tochter), Margarete Kupfer (Buchhändlerin), Fritz Schulz (Ihr Lehrling), Victor Janson (Tanzlehrer). – P: Projektions-AG Union, Berlin. – D: Union-Atelier, Berlin-Tempelhof. – OL: 1076 m. – sw. – stumm. – U. 16. 11. 1917, U. T. Kurfürstendamm, U. T. Nollendorfplatz, Berlin.

Der Kommentar zum Film (S. 126) schildert auch die Handlung.

1917 *Hans Trutz im Schlaraffenland.* – R, B: Paul Wegener. – K: Frederik Fuglsang. – Ba: Rochus Gliese (Bildstellung). – D: Paul Wegener (Hans Trutz), Lyda Salmonova (Marthe, seine Frau), Ernst Lubitsch (Satan), Wilhelm Diegelmann (Ein Schlaraffe), Rochus Gliese, Gertrud Welcker, Fritz Rasp. – P: Projektions-AG Union, Berlin. – Do: Union-Atelier, Berlin-Tempelhof und in der Umgebung von Bautzen. – OL: 1361 m. – sw. – stumm. – U: 4. 11. 1917, Bremen, im Rahmen einer Veranstaltung des Deutschen Goethe-Bundes. – Berliner Erstaufführung: 18. 11. 1917, U. T. Kurfürstendamm, als Wohltätigkeitsveranstaltung für ein Kriegsblindenheim.

«Der arme Bauer Hans Trutz, unzufrieden mit seinem engen und mühsamen Dasein, läßt sich vom Teufel um den Preis seiner Seele ins Schlaraffenland verlocken. Aber nicht lange gefällt es ihm beim Schwelgen und Nichtstun, und als er sich zum Entsetzen der Schlaraffen im Lande der Müdigkeit zur Arbeit entschließt, ist er dem Teufel schon halb entglitten, so daß ihn Weibes- und Kindesliebe leicht aus der Gewalt des Bösen befreien.» (Lichtbild-Bühne, Nr. 47, 24. 11. 1917)

1917 DAS FIDELE GEFÄNGNIS (auch: Ein fideles Gefängnis). – R: Ernst Lubitsch. – B: Ernst Lubitsch, Hanns Kräly, nach Motiven aus der Operette «Die Fledermaus» von C. Haffner und Richard Genée. – Ba: Kurt Richter. – D: Harry Liedtke (Alex von Reizenstein, ein junger Ehemann), Kitty Dewall (Alice, seine Frau), Agda Nilsson (Mizi, Stubenmädchen), Erich Schönfelder (Egon Storch), Emil Jannings (Quabbe, Gefängniswärter). – P: Projektions-AG Union, Berlin. – Do: Union-Atelier, Berlin-Tempelhof. – OL: 1124 m. – sw. – stumm. – U: 30. 11. 1917, U. T. Nollendorfplatz, Berlin. – Neuaufführung: 7. 11. 1919, U. T. Nollendorfplatz, Berlin.

Anmerkung: Lamprecht nennt Ossi Oswalda als Hauptdarstellerin, so auch Weinberg, der außerdem Käthe Dorsch als Darstellerin hinzufügt; eine Angabe, die nicht verifizierbar ist.

Vergeblich suchen Alice von Reizenstein und das Dienstmädchen Mizi hinter allen Zimmertüren nach Alex von Reizenstein (Harry Liedtke), bis sie ihn berauscht schlummernd auf dem Teppich unter einem Schreibtisch finden. Der Postbote überbringt inzwischen sowohl einen an Alex von Reizenstein adressierten Haftbefehl wegen nächtlichen Ruhestörens als auch die Einladung zum Ball bei Fürst Zsbrschowsky. Nachdem Alex sich erfrischt hat, stimmt er seine Frau Alice mit einigen Geldscheinen für einen neuen Hut versöhnlich. Bei der Anprobe wird Alice durch das Schaufenster von einem aufdringlichen Galan beobachtet, er folgt ihr durch die Straßen; Alices Versuche, ihn loszuwerden, enden beim gemeinsamen Tee im Reizensteinschen Salon. Der Herr Gefängnisdirektor wird gemeldet, er will Alex zur Verbüßung der kurzen Arrestzeit abholen. Um die Dame des Hauses nicht zu kompromittieren, spielt der Galan auf Alices Wunsch ihren Ehemann und läßt sich an dessen Stelle verhaften, jedoch nicht ohne zum Abschied mit drei innigen Küssen die angenehmen Folgen dieser Verwechslung auszukosten. Alex, seiner Frau vorspiegelnd, er habe seine Strafe anzutreten, fährt zum Maskenball. Im Abendkleid ihrer Herrin vergnügt auch Mizi sich dort; nach einem kurzen Intermezzo mit Alex gibt sie sich für den Rest des Abends vor allem gastronomischen Genüssen hin. Im Trubel der Unterhaltungen entdeckt Alex eine attraktive Maskierte – keine andere als Alice von Reizenstein. Er flirtet im Séparée mit seiner unerkannten Frau. Während Alex seine Ehe verleugnet, stibitzt Alice ihm den Trauring aus der Westentasche. Der heimwärts torkelnde Alex kann sich einem Schutzmann nur mit dem Haftbefehl legitimieren; so wird er doch noch in das Gefängnis eingeliefert. Die Verwechslung der beiden Ehemänner klärt sich auf. Der fehlende Ring bereitet dem in seine Wohnung zurückgekehrten Alex ein paar ungemütliche Momente; geschickt steigert Alice seine Verlegenheit, bis sie ihm das Pfand seiner «Treue wider Willen» präsentiert und er mit einem wortlosen Versprechen ihr Verzeihen erlangt. (Michael Esser)

1917 PRINZ SAMI. – R: Ernst Lubitsch. – B: Ernst Lubitsch, Danny Kaden. – K: Alfred Hansen. – Ba: Kurt Richter. – D: Ernst Lubitsch (Prinz Sami), Ossi Oswalda (Herzogin Maria), Wilhelm Diegelmann, Margarete Kupfer, Victor Janson, Erich Schönfelder, Hanns Kräly. – P: Projektions-AG Union, Berlin. – Do: Union-Atelier, Berlin-Tempelhof. – OL: 1041 m. – sw. – stumm. – U: Januar 1918, U. T. Kurfürstendamm, Berlin.

Eine Kopie des Films ist nicht nachzuweisen.

«Prinz Sami, ein durchaus schlecht erzogener, ungeschliffener Naturbursche aus Negerien, wird an den überkultivierten Hof der Herzogin Maria von Arragonien verschickt, wo er zunächst alles zur Verzweiflung bringt, dann aber im raschen Lustspielschwange gar zum Prinzgemahl avanciert.» (C. B. in: Der Film, Nr. 3, 19. 1. 1918)

1918 DER RODELKAVALIER. – R: Ernst Lubitsch. – B: Ernst Lubitsch, Erich Schönfelder. – Ba: Kurt Richter. – D: Ernst Lubitsch (Sally Pinner), Ferry Sikla (Kommerzienrat Hannemann), Ossi Oswalda (Ossi, seine Tochter), Erich Schönfelder (Heiratskandidat), Julius Falkenstein (Liebhaber), Harry Liedtke. – P: Projektions-AG Union, Berlin. – Dz: Februar 1918. – Do: Union-Atelier, Berlin-Tempelhof. – OL: 1277 m. – sw. – stumm. – U. 1. 3. 1918, U. T. Kurfürstendamm, U. T. Nollendorfplatz, Berlin.

Eine Kopie des Films ist nicht nachzuweisen.

«Der Inhalt des Films dreht sich um das verwöhnte Töchterchen eines Kommerzienrats, das einfach dem Herrn Papa auskneift, weil es einen ungeliebten Mann heiraten soll. Ossi fährt nach Krummhübel, wo es sehr schön ist, wo viel Schnee liegt und wo Sally Pinner regiert. Er fällt glatt ab und Ossi bekommt den Mann ihrer Wahl. Was soll der Herr Kommerzienrat auch machen.» (Argus in: Der Kinematograph, Nr. 582, 27. 2. 1918)

1918 DAS MÄDEL VOM BALLETT. – R: Ernst Lubitsch. – B: Hanns Kräly. – K: Theodor Sparkuhl. – Ba: Kurt Richter. – D: Ossi Oswalda (Ossi, eine junge Tänzerin), Margarete Kupfer (Ihre Mutter), Ferry Sikla (Fürst Adolf von Dillingen), Harry Liedtke (Dr. Fersen, Intendant des Hoftheaters), Julietta Brandt (Prima Ballerina), Victor Janson, Reinhold Schünzel (Carambo di Gracho und Eduard Stutzig, zwei Lebemänner), Joe Konradi (Brilliant, Theater-Agent). – P: Projektions-AG Union, Berlin. – Do: Union-Atelier, Berlin-Tempelhof. – OL: 890 m. – sw. – stumm. – U: 6. 12. 1918, U. T. Nollendorfplatz, U. T. Friedrichstraße und U. T. Alexanderplatz, Berlin.

Anmerkungen: Laut «Lichtbild-Bühne», Nr. 17, 24. 4. 1920, war Erich Schönfelder Co-Autor. Der Titel «Prima Ballerina», der in einigen Filmografien als ungeklärter Titel oder Projekt genannt wird, ist ein Arbeitstitel des Films DAS MÄDEL VOM BALLETT (vgl. Lichtbild-Bühne, Nr. 50, 15. 12. 1917). – Eine Kopie des Films ist nicht nachzuweisen. – Aus dem Zensurentscheid Berlin 10695/18: «Ausschnitt: Akt III hinter Titel 12: Szene, Ossi bückt sich während des Tanzes auf der Bühne ganz nach hinten, indem sie das rechte Bein nach vorn stellt. Der Fürst sowohl wie die Herren im Zuschauerraum greifen sofort nach den Operngläsern und sehen hindurch.» (vgl. Birett S. 258)

Neue Besen kehren gut . . . und dem fürstlichen Hoftheater in Dillingen kann das nicht schaden. Ein neuer Intendant, Dr. Fersen (Harry Liedtke), ist engagiert, der nicht nur was vom Fach versteht, sondern auch ein fescher Kerl ist und Junggeselle – wie vor allem die heiratslustigen Damen des Orts interessiert feststellen. Ein frischer

Wind weht im Theater und im Städtchen; und als die neuverpflichtete Primaballerina Ossi (Ossi Oswalda) eintrifft, schwärmt plötzlich sogar die Männerwelt von den schönen Künsten. Auch Fürst Adolf (Ferry Sikla) ist zufrieden und versäumt keine Vorstellung. Aber Neider gibt es überall. Besonders die Vorsitzende des Dillinger Frauen-Vereins verfolgt das Geschehen mit Mißtrauen. Denn immerhin gibt es in Dillingen das ungeschriebene Gesetz, daß die Primaballerina nicht unverheiratet sein darf. Wegen der Moral! Diese Bedenken zu zerstreuen ist für Ossi und Dr. Fersen leicht, denn ganz im geheimen sind sie sich längst nähergekommen, und die Verlobung ist beschlossene Sache. Es ist schon merkwürdig, daß das Kunstinteresse der Dillinger daraufhin schlagartig aufhört . . .

1918 ICH MÖCHTE KEIN MANN SEIN. – R: Ernst Lubitsch. – B: Ernst Lubitsch, Hanns Kräly. – K: Theodor Sparkuhl. – Ba: Kurt Richter. – D: Ferry Sikla (Der Onkel), Ossi Oswalda (Ossi, seine Nichte), Margarete Kupfer (Gouvernante), Kurt Götz i. e. Curt Goetz (Dr. Kersten), Victor Janson. – P: Projektions-AG Union, Berlin. – Do: Union-Atelier, Berlin-Tempelhof. – OL: 1024 m. – sw. – stumm. – U: Oktober 1918.

Anmerkung: Aus dem Zensurentscheid Berlin 10695/18: «Ausschnitt: Aus Akt II nach Titel 31 die erste und zweite Szene, in der man den Tanzsaal nebst Musikkapelle sieht. Nach Titel 32 die Szene, in der die Paare zum Tanzen laufen. Nach Titel 36 die Szene, in der Ossi aus einem Arm der Tänzerinnen in den anderen fliegt, ferner die Vergrößerung der Schiebetänze bis kurz vor Titel 37. Nach Titel 42 die Szene, in der die Ballbesucher auf der Treppe stehend mit schwingenden Gläsern heruntergehen.» (vgl. Birett S. 259)

«Ossi wächst bei ihrem wohlhabenden, meist auf Geschäftsreise befindlichen Onkel auf, betreut von einer Gouvernante, die sich völlig erfolglos bemüht, dem jungen Fräulein seine Leidenschaft für Zigaretten, scharfe Getränke und Pokern auszutreiben. Ein neuer Hauslehrer wird engagiert, Dr. Kersten, der Ossi schwört, er werde sie bald ‹sooo klein› haben. Ossi ist aber entschlossen, sich endlich die Privilegien zu sichern, die ihrer Meinung nach die Männerwelt genießt. Sie läßt sich eine elegante Herren-Garderobe anfertigen und entwischt abends in einen Tanzpalast. Dort entdeckt sie Dr. Kersten mit einem Mädchen. Das Mädchen läßt Kersten stehen. Kumpelhaften Trost spendet ihm Ossi, deren Identität er nicht durchschaut. Mit Schnaps und Zigarren trösten die beiden sich über die Launen der Weiber hinweg. Teils wegen des Rauchs und des Alkohols, teils wegen ihrer erwachenden Zuneigung zu ihrem Lehrer fühlt Ossi bald, daß sie lieber doch kein Mann sein möchte. Im Morgengrauen nehmen die beiden eine Droschke nach Hause. In ihrer trunkenen Fröhlichkeit küssen sie sich. Der Fahrer verwechselt die Adressen, so daß Ossi am Vormittag in einem ihr fremden Bett aufwacht. Immer noch in ihren Männerkleidern geht sie nach Hause, wo Dr. Kersten in ihrem Bett geschlafen hat. Er durchschaut Ossis Spiel immer noch nicht. Ossi erklärt ihm, sie wolle nur nach seiner/ihrer Cousine Ossi schauen. Dr. Kersten fleht den Saufkumpan der letzten Nacht an, seinem Zögling bloß nichts zu erzählen. Ossi läßt ihn ihre langen Haare sehen und kündigt ihm an, sie werde ihn bald ‹sooo klein› haben. Die beiden fallen sich glücklich in die Arme.» (Brennicke/Hembus: Klassiker des Deutschen Stummfilms)

1918 DER FALL ROSENTOPF. – R: Ernst Lubitsch. – B: Ernst Lubitsch, Hanns Kräly. – Ba: Kurt Richter. – D: Ferry Sikla (Rentier Klingelmann), Margarete Kupfer (Rosa, sein Dienstmädchen), Ernst Lubitsch (Sally, der junge Mann des Detektivs Ceeps), Trude Hesterberg (Bella Spaketti, eine Tänzerin), Elsa Wagner (Frau Hintze). – P: Projektions-AG Union, Berlin. – Do: Union-Atelier, Berlin-Tempelhof. – OL: 1163 m. – sw. – stumm. – U: 20. 9. 1918, U. T. Friedrichstraße, Berlin.

Anmerkungen: Weinberg nennt als Darstellerin auch Ossi Oswalda. Diese Angabe ist nicht verifizierbar. – In der «Lichtbild-Bühne», Nr. 40, 5. 10. 1918, wird der Film «Der Fall Blumentopf» genannt. – Das National Film Archive (London) besitzt Ausstattungsentwürfe zu diesem Film von Paul Leni. Die recherchierten Credits können seine Mitwirkung allerdings nicht belegen (vgl. Markku Salmi, Hg.: National Film Archive. Catalogue of Stills, Posters and Designs. London: British Film Institute 1982). – Eine Kopie des Films ist nicht nachzuweisen.

Detektivposse um Sally, den gewitzten Gehilfen des Detektivs Ceeps, der im Fall Rosentopf seinen ganzen Spürsinn aufbringen muß, bevor er die Lösung hat.

1918 DIE AUGEN DER MUMIE MÂ. – R: Ernst Lubitsch. – B: Hanns Kräly, Emil Rameau. – K. Alfred Hansen. – Ba: Kurt Richter. – D: Pola Negri (Mâ), Emil Jannings (Radu), Harry Liedtke (Alfred Wendland, Maler), Max Laurence (Graf Hohenfels). – P: Projektions-AG Union, Berlin. – Do: Union-Atelier und -Freigelände, Berlin-Tempelhof. – OL: 1221 m – sw. – stumm. – U: 3. 10. 1918, U. T. Kurfürstendamm, U. T. Nollendorfplatz, Berlin.

«Ein junger Maler wittert bei der Betrachtung der gut erhaltenen Mumie der Königin Mâ in Ägypten einen Betrug und findet nach kurzem Kampf mit dem Tempelhüter Radu eine schöne Fellachin, die er mit nach Europa nimmt. Radu folgt dorthin; die Umstände ergeben, daß er ihren Aufenthaltsort leicht entdeckt. Nun liegt er auf der Lauer nach einer Gelegenheit, Mâ zurückzugewinnen oder – sich zu rächen. Die Gelegenheit kommt: und nach qualvollster Angst bricht Mâ entseelt vor ihrem einstigen Peiniger zusammen und stürzt die Treppe hinunter, während Radu selbst seinem Leben ein Ende macht.» (Der Film, Nr. 41, 12. 10. 1918)

1918 CARMEN. – R: Ernst Lubitsch. – B: Hanns Kräly, nach der Novelle von Prosper Merimée. – K: Alfred Hansen. – Kinomusik: Artur Vieregg, nach Motiven von Georges Bizet. – Ba: Kurt Richter; Mitarbeit: Karl Machus. – Ko: Ali Hubert. – D: Pola Negri (Carmen), Harry Liedtke (Don José Novarro), Leopold von Ledebour (Escamillo, ein Stierfechter), Grete Diercks (Dolores), Wilhelm Diegelmann (Gefängniswärter), Heinrich Peer (Englischer Offizier), Margarete Kupfer (Wirtin), Sophie Pagay (Don

Josés Mutter), Paul Conradi (Don Cairo, Schmuggler), Max Kronert (Remendato, Schmuggler), Paul Biensfeldt (Garcia, Schmuggler), Magnus Stifter, Victor Janson, Albert Venohr. – P: Projektions-AG Union, Berlin. – Do: Union-Atelier, Berlin-Tempelhof, und in den Rüdersdorfer Kalkbergen. – OL: 2133 m. – sw. – stumm. – U: 20. 12. 1918, U. T. Kurfürstendamm, Berlin.

Anmerkungen: Carringer/Sabath nennen fälschlich Magnus Stifter als Darsteller des Escamillo. – Das Uraufführungsdatum stützt sich auf Hinweise in der «Lichtbild-Bühne», Nr. 50, 14. 12. 1918 und in der «B. Z. am Mittag», Nr. 296, 19. 12. 1918. Lamprecht nennt den 17. 12. 1918 als U-Datum. – Nach einem Artikel zum 50. Geburtstag von Norbert Falk in der Lichtbild-Bühne, Nr. 46, 11. 11. 1922, war Fred Orbing (i. e. Falk) Co-Autor.

Die Liebes- und Eifersuchtsgeschichte von Carmen und Don José, wie sie aus der Erzählung von Prosper Mérimée und der Oper von Bizet bekannt ist.

1918 MEYER AUS BERLIN. – R: Ernst Lubitsch. – B: Hanns Kräly, Erich Schönfelder. – K: Alfred Hansen. – D: Ernst Lubitsch (Sally Meyer), Ethel Orff (Paula, seine Frau), Heinz Landsmann (Harry), Trude Troll (Kitty, seine Braut). – P: Projektions-AG Union, Berlin. – Do: Union-Atelier, Berlin-Tempelhof, und auf dem Watzmann (Berchtesgadener Alpen). – OL: 1189 m. – sw. – stumm. – U: 17. 1. 1919, U. T. Nollendorfplatz, Berlin.

Anmerkungen: Die Angaben zu Buch und Darstellern stützen sich auf das Filmprogramm der Projektions-AG, die zum Teil durch Angaben in den recherchierten Kritiken bestätigt werden. – Carringer/Sabath nennen eine andere Darstellerliste (Ossi Oswalda: Teenager, Ernst Lubitsch: Lehrling, Erich Schönfelder: Ossis Vater). – Eine Kopie des Films ist nicht nachzuweisen.

«Der kranke Herr Meyer aus Berlin bekommt Höhenluft verschrieben, kreuzvergnügt dampft er nach rührendem Abschied von der lieben, lieben Gattin nach Tirol ab. In Bayern macht er einen Abstecher ins Gebirge. In einem Berghotel vergafft er sich in ein hübsches Mädelchen, das er nun auf allen Touren getreulich begleitet. Das Idyll wird jäh gestört, als die besorgte Frau Meyer ihrer geliebten, Höhenluft atmenden Ehehälfte nachreist, zufällig aber mit dem Bräutigam von Sallys Flamme zusammentrifft. Der Schluß ist erfreulich. Herr Meyer aus Berlin kehrt getreu mit seinem Weibe nach Berlin zurück, während seine angebetete Touristengefährtin mit ihrem Kavalier verschwindet.» (Egon Jacobsohn in: Der Kinematograph, Nr. 629, 22. 1. 1919)

1919 MEINE FRAU, DIE FILMSCHAUSPIELERIN. – R: Ernst Lubitsch. – B: Ernst Lubitsch, Hanns Kräly. – K: Theodor Sparkuhl. – Ba: Kurt Richter. – D: Victor Janson (Lachmann, Generaldirektor der Zeusfilmgesellschaft), Ossi Oswalda (Ossi, der Filmstar der Fabrik), Hanns Kräly, Paul Biensfeldt (Die Dramaturgen der Firma), Julius Dewald (Erich von Schwindt), Max Kronert (Wastel, Hotelportier). – P: Projektions-AG Union, Berlin. – Do: Union-Atelier, Berlin-Tempelhof, Berchtesgaden und am Königssee. – OL: 1127 m. – sw. – stumm. – U: 24. 1. 1919, U. T. Kurfürstendamm, Berlin.

Anmerkungen: Nach einer Notiz im «Kinematograph», Nr. 630, 29. 1. 1919, entstand das Buch unter Mithilfe von Erich Schönfelder. – Eine Kopie des Films ist nicht nachzuweisen.

«Die niedliche Ossi ist auch auf der Leinwand das, was sie im Leben ist: die Kinodiva Oswalda. Auf einer Flimmerfahrt durch Tiroler Berge verliebt sie sich nach mannigfachen Zu und Zwischenfällen in einen bildschönen Städter, der sie in ihrer ‹Holdrio-Tracht› für ein unverdorbenes, naives Dorfkind hält. Da er ein Feind des modernen Stadtweibes ist, sieht er in Ossi das Ziel seiner Sehnsucht – bis sie sich ihm als Filmstar zu erkennen gibt. Daß er sie nun trotz seines Abscheus vor der Frau der Großstadt als Ehegespons wählt, dahinter wäre man schon nach dem zweiten Akt gekommen, auch wenn der Titel, der mir nicht genügend spannend erscheint, nicht so eindeutig auf den glücklichen Lustspielschluß hinweisen würde.» (Egon Jacobsohn in: Der Kinematograph, Nr. 630, 29. 1. 1919)

1919 DIE AUSTERNPRINZESSIN. – R: Ernst Lubitsch. – B: Hanns Kräly, Ernst Lubitsch. – K: Theodor Sparkuhl. – TL: Kurt Waschneck. – Ba: Kurt Richter. – D: Victor Janson (Mr. Quaker, der Austernkönig von Amerika), Ossi Oswalda (Ossi, seine Tochter), Harry Liedtke (Prinz Nucki), Julius Falkenstein (Josef, Nuckis Freund), Max Kronert (Seligsohn, Heiratsvermittler), Curt Bois (Kapellmeister), Gerhard Ritterband (Küchenjunge), Albert Paulig, Hans Junkermann. – P: Projektions-AG Union, Berlin. – Do: Union-Atelier, Berlin-Tempelhof. – OL: 1144 m. – sw. – stumm. – U: 20. 6. 1919, U. T. Kurfürstendamm, Berlin. – TV: 16. 1. 1972 (BR III; M: Jens Pedersen)

Ossi, die verwöhnte Tochter des Austernkönigs, will heiraten. Aber ein Adliger muß es schon sein, und es fällt die Wahl auf Prinz Nucki, der allerdings arm wie eine Kirchenmaus ist, aber auch ganz standesbewußter Lebemann. Natürlich läuft bei so einer spontanen Entscheidung nicht alles nach Plan, und erst als alle Beteiligten von einem heftigen Foxtrottfieber geschüttelt worden sind, gibt es doch noch ein Happy-End.

1919 RAUSCH. – R: Ernst Lubitsch. – B: Hanns Kräly, nach dem Schauspiel «Brott och brott» (deutsch: «Rausch») von August Strindberg. – K: Karl Freund. – Ba: Rochus Gliese. – D: Asta Nielsen (Henriette), Alfred Abel (Gaston, ein Schriftsteller), Carl Meinhard (Adolphe, ein Maler), Grete Diercks (Jeanne), Marga Köhler (Henriettes Mutter), Frida Richard (Die Haushälterin), Sophie Pagay (Mutter Katerin), Rudolf Klein-Rhoden (Untersuchungsrichter), Heinz Stieda (Der Abbé). – P: Argus-Film GmbH, Berlin. – Do: Filmatelier Chausseestraße 123, Berlin. – OL: 1796 m. – sw. – stumm. – U: 1. 8. 1919, U. T. Kurfürstendamm, Berlin.

Anmerkungen: Das National Film Archive (London) besitzt Ausstattungsentwürfe von Paul Leni zu diesem Film. Die recherchierten Credits können seine Mitwirkung allerdings nicht belegen. – Eine Kopie des Films ist nicht nachzuweisen. – Auszug aus dem Zensurentscheid Berlin 10839/19: «Ausschnitte Akt III: Titel 22 nebst Szene: Adam und Eva (beide völlig unbekleidet) sitzen unter einem Baum, von dem eine Schlange sich herabringelt. Akt V: Titel 8 nebst Szene: Adam und Eva (beide nackt) werden von dem Erzengel aus dem Paradies vertrieben.» (Vgl. Birett S. 283.)

Der Schriftsteller Gaston hat mit einem Theaterstück großen Erfolg und verliebt sich in Henriette. In seinem Glücksrausch vergißt er seine Geliebte Jeanne und ihr Kind Marion. Durch einen unglücklichen Zufall stirbt das Kind. Gaston und Jeanne werden verhaftet und beschuldigen sich gegenseitig des Mordes. Als sich schließlich ihre Unschuld herausstellt, trennen sie sich: Ein Zusammenleben ist jetzt nicht mehr möglich.

1919 MADAME DUBARRY. – R: Ernst Lubitsch. – B: Fred Orbing (i. e. Norbert Falk), Hanns Kräly. – K: Theodor Sparkuhl. – Technische Leitung: Kurt Waschneck. – ML: Alexander Schirmann. – Ba: Kurt Richter; Mitarbeit: Karl Machus. – Ko: Ali Hubert. – D: Pola Negri (Jeanne Vaubernier, später Madame Dubarry), Emil Jannings (Louis XV.), Reinhold Schünzel (Herzog von Choiseul, Staatsminister), Harry Liedtke (Armand de Foix), Eduard von Winterstein (Graf Jean Dubarry), Karl Platen (Guillaume Dubarry), Paul Biensfeldt (Lebel, Kammerherr des Königs), Magnus Stifter (Don Diego, spanischer Gesandter), Willy Kaiser-Heyl (Kommandant der Wache), Elsa Berna (Gräfin von Gramont), Fred Immler (Graf von Richelieu), Gustav Czimeg (Graf von Aiguillon), Alexander Ekert (Paillet), Marga Köhler (Madame Labille), Bernhard Goetzke, Robert Sortsch-Plá. – P: Projektions-AG Union, Berlin. – Aufnahmeleiter: Carl Moos. – Do: Union-Atelier, Berlin-Tempelhof; Ufa-Freigelände, Berlin-Tempelhof, Park von Schloß Sanssouci, Potsdam. – OL: 2280 m. – sw. – stumm. – U: 18. 9. 1919, Ufa-Palast am Zoo, Berlin. – TV: 23. 1. 1977 (ZDF; M: Hans Jönsson).

Der Kommentar zum Film (S. 132 ff.) schildert auch die Handlung.

1919 *Der lustige Ehemann.* – R: Leo Lasko. – B: Ernst Lubitsch, nach einer Idee von Richard Wilde. – K: Theodor Sparkuhl. – Ba: Kurt Richter. – D: Victor Janson, Irmgard Bern, Marga Köhler, Heddy Jendry, Wally Koch. – P: Projektions-AG Union, Berlin. – Do: Union-Atelier, Berlin-Tempelhof. – OL: 757 m. – sw. – stumm. – U: Oktober 1919.

1919 DIE PUPPE. – R: Ernst Lubitsch. – B: Hanns Kräly, Ernst Lubitsch, frei nach A. E. Willner. – K: Theodor Sparkuhl. – Technische Leitung: Kurt Waschneck. – Ba, Ko: Kurt Richter. – D: Ossi Oswalda (Ossi, Tochter des Puppenmachers Hilarius), Hermann Thimig (Lancelot, Neffe des Barons de Chanterelle), Victor Janson (Hilarius, Puppenmacher), Jacob Tiedtke (Abt), Gerhard Ritterband (Gehilfe des Hilarius), Marga Köhler (Hilarius' Frau), Max Kronert (Baron de Chanterelle), Josefine Dora (Lancelots Gouvernante), Paul Morgan, Arthur Weinschenk, Herr Lapitski, Ernst Lubitsch (Requisiteur in der Anfangssequenz). – P: Projektions-AG Union, Berlin. – Do: Union-Atelier, Berlin-Tempelhof. – OL: 1375 m. – sw. – stumm. – U: 4. 12. 1919, Ufa-Palast am Zoo, Berlin. – TV: 6. 2. 1972 (BR III; M: Jens Pedersen).

Lancelot soll heiraten, aber vor den versammelten heiratslustigen Frauen des Orts bekommt er Angst und flüchtet in ein Kloster. Die Mönche, die gern Lancelots Mitgift einstreichen würden, raten ihm, eine Puppe zu heiraten. Lancelot scheint das ein Ausweg aus seiner mißlichen Lage zu sein, und beim Puppenmacher Hilarius findet er, was er sucht: eine lebensgroße Puppe. Alles scheint nach Plan zu gehen, wenn nicht der Gehilfe des Puppenmachers so ungeschickt wäre, so daß Ossi, Hilarius' Tochter, einspringen muß, um zu retten, was zu retten ist.

1920 *Die Wohnungsnot.* – B: Hanns Kräly, Ernst Lubitsch. – M: Martin Knopf. – D: Ossi Oswalda, Marga Köhler, Victor Janson. – P: Projektions-AG Union, Berlin. – OL: 2 Akte. – sw. – stumm. – U: 30. 1. 1920, Schauburg-Lichtspiele, Berlin.

Anmerkungen: Die Datierung des Films folgt dem Uraufführungsdatum, ein Zensurdatum war nicht aufzufinden. – Eine Kopie des Films ist nicht nachzuweisen.

1920 KOHLHIESELS TÖCHTER. – R: Ernst Lubitsch. – B: Hanns Kräly, Ernst Lubitsch. – K: Theodor Sparkuhl. – Kinomusik: Dr. Bechstein. – Ba: Jack Winter. – Ko: Jan Baluschek. – D: Henny Porten (Gretel und Liesl; Doppelrolle), Emil Jannings (Peter Xaver), Gustav von Wangenheim (Paul Seppl), Jacob Tiedtke (Mathias Kohlhiesel), Willi Prager (Der Handelsmann). – P: Messter-Film GmbH, Berlin. – Dz: Januar–Februar 1920. – Do: Ufa-Messter-Atelier, Berlin-Tempelhof, und Garmisch-Partenkirchen. – OL: 1129 m. – sw. – stumm. – U: 9. 3. 1920, Ufa-Palast am Zoo, Berlin.

Der Kommentar zum Film (S. 137 f.) schildert auch die Handlung.

1920 ROMEO UND JULIA IM SCHNEE. – R: Ernst Lubitsch. – B: Hanns Kräly, Ernst Lubitsch. – K: Theodor Sparkuhl. – Ba: Kurt Richter. – D: Jacob Tiedtke (Capulethofer), Marga Köhler (Seine Frau), Lotte Neumann (Julia, ihre Tochter), Ernst Rückert (Montekugerl), Josefine Dora (Seine Frau), Gustav von Wangenheim (Romeo, ihr Sohn), Julius Falkenstein (Paris), Paul Biensfeldt (Dorfrichter), Hermann Picha (Schreiber), Paul Passarge (Neffe Tübalder). – P: Maxim-Film Ges. Ebner & Co., Berlin. – Do: Maxim-Film-Atelier, Blücherstraße 32, Berlin, und im Schwarzwald. – OL: 947 m. – sw. – stumm. – U: 12. 3. 1920, Mozartsaal und U. T. Kurfürstendamm, Berlin.

Der Kommentar zum Film (S. 138 f.) schildert auch die Handlung.

1920 SUMURUN. – R: Ernst Lubitsch. – B: Hanns Kräly, Ernst Lubitsch, nach der orientalischen Pantomime von Friedrich Freksa. – K: Theodor Sparkuhl. – Technische Leitung: Kurt Waschneck. – M: Victor Hollaender. – ML: Bruno Schulz. – Ba, A: Kurt Richter; Mitarbeit: Ernö Metzner. – Ko: Ali Hubert. – D: Pola Negri (Die Tänzerin), Jenny Hasselquist (Zuleika «Sumurun», die Favoritin des Scheichs), Aud Egede Nissen (Haidee, ihre Dienerin), Margarete Kupfer (Die Alte), Paul Wegener (Der alte Scheich), Carl Clewing (Der junge Scheich),

Harry Liedtke (Nur-al-Din, Stoffhändler), Jacob Tiedtke (Der Obereunuch), Ernst Lubitsch (Der Bucklige), Paul Graetz (Erster Diener), Max Kronert (Zweiter Diener), Paul Biensfeldt (Achmed, der Sklavenhändler). – P: Projektions-AG Union, Berlin. – Drehbeginn: 13. 3. 1920. – Do: Union-Atelier, Berlin-Tempelhof. – OL: 2400 m. – sw. – stumm. – U: 1. 9. 1920, Ufa-Palast am Zoo, Berlin.

«Bagdad, im 9. Jahrhundert. Eine Truppe fahrender Schausteller kommt in die Stadt, eine Tänzerin, ein Jongleur, ein buckliger Gaukler und eine alte Hexe. Der Bucklige liebt die Tänzerin, die sich aber nur einen Spaß daraus macht, seine Eifersucht zu schüren. Die Tänzerin folgt dem Sklavenhändler Achmed, der eine neue Favoritin für den alten Scheich sucht, und zwar im Auftrag der jetzigen Lieblingsfrau des Scheichs, Zuleika, diese möchte von dem Scheich freigegeben werden, da sie den jungen Stoffhändler Nur-al-Din liebt. Bevor die Tänzerin noch zum Palast des Scheichs gelangt, begegnet sie dessen Sohn. Der junge Scheich ist sofort in sie verliebt und schickt ihr durch Nur-al-Din wertvolle Geschenke. Die Tänzerin ist aber weniger an diesen Gaben interessiert als an ihrem Überbringer. Nur-al-Din entzieht sich ihren Avancen, was ihm die Dankbarkeit und Freundschaft des Buckligen einbringt. Der alte Scheich verurteilt seine Lieblingsfrau Zuleika zum Tode, da er sie der Untreue verdächtigt; der junge Scheich rettet sie, indem er dem Vater beteuert, er sei es gewesen, der sich um die Gunst Zuleikas bemüht habe, sie aber habe ihn abgewiesen. Der alte Scheich sieht die Tänzerin tanzen und macht sie zu seiner neuen Lieblingsfrau. Der Bucklige schluckt in seiner Verzweiflung Pillen, die ihn in eine todesähnliche Trance versetzen. Die alte Hexe findet ihn und verstaut seine ‹Leiche› in einem Sack. Der Sack wird von Nur-al-Dins Gehilfen gestohlen, da sie in ihm einen wertvollen Inhalt vermuten. Aus dem Speicher des Stoffhändlers gelangt der Sack mit einer größeren Lieferung für den Scheich in den Palast. In einer anderen Kiste dieser Lieferung schmuggelt sich Nur-al-Din selbst in den Palast zu seiner geliebten Zuleika. Nachdem der alte Scheich abends eingeschlafen ist, kommt der junge Scheich zu der Tänzerin. Sie lieben sich. Der Bucklige ist wieder zu sich gekommen. Hilflos muß er zusehen, wie der alte Scheich seinen Sohn mit der Tänzerin erwischt und beide in wilder Wut tötet. Wenig später überrascht der Scheich auch noch Nur-al-Din mit Zuleika. Er stürzt sich auf den Stoffhändler, um ihn zu töten. In diesem Augenblick trifft ihn von hinten der Dolchstoß des Buckligen, der für die Ermordung der Tänzerin schreckliche Rache nimmt. Der Tyrann ist tot. Zuleika und Nur-al-Din sind für immer vereint. Der Bucklige öffnet die Tore des Palastes und führt die Haremsfrauen in die Freiheit.» (Brennicke/Hembus: Klassiker des Deutschen Stummfilms)

1920 ANNA BOLEYN. – R: Ernst Lubitsch. – B: Fred Orbing (i. e. Norbert Falk), Hanns Kräly. – K: Theodor Sparkuhl. – Technische Leitung: Kurt Waschneck. – Kinomusik: Kapellmeister E. Prasch (?); Musikdirektor Dr. Landsberger (?). – Ba: Kurt Richter. – Ko: Ali Hubert. – D: Emil Jannings (König Heinrich VIII.), Hedwig Pauli (Königin Katharina), Hilde Müller (Prinzessin Maria), Ludwig Hartau (Herzog von Norfolk), Henny Porten (Anna Boleyn, seine Nichte), Paul Hartmann (Ritter Heinrich Norris), Aud Egede Nissen (Johanna Seymour), Maria Reisenhofer (Lady Rochford), Ferdinand von Alten (Marc Smeton), Adolf Klein (Kardinal Wolsey), Wilhelm Diegelmann (Kardinal Campeggio), Friedrich Kühne (Erzbischof Cranmer), Paul Biensfeldt (Jester, der Hofnarr), Karl Platen (Der Leibarzt), Erling Hanson (Graf Percy), Sophie Pagay (Die Amme), Josef Klein (Sir William Kingston, Kommandant des Tower). – P: Messter-Film GmbH, Berlin, und Projektions-AG Union, Berlin. – Dz: Mitte Juli–Anfang November 1920. – Do: Ufa-Ateliers, Berlin-Tempelhof; Ufa-Freigelände, Berlin-Tempelhof; Liepnitzsee. – OL: 2793 m. – sw. – stumm. – U: 3. 12. 1920, Reform-Lichtspiele, Weimar. – Berliner Erstaufführung: 14. 12. 1920, Ufa-Palast am Zoo, Berlin, als Wohltätigkeitsveranstaltung des Vereins Berliner Presse. – TV: 22. 11. 1972 (ZDF; M: Hans Jönsson, Wolfgang Sternberg).

«. . . der schönen Königin Anna Glück und Ende, der Gattin des triebhaften Heinrich VIII., der in Liebesbrunst die anglikanische Landeskirche gründete, um die Scheidung von seiner ersten Frau zu erzwingen. Diese geht in Verbannung, Anna aufs Schafott. Lachend liegt der priapeische König in den Armen einer Dritten.» (My. in: Vossische Zeitung, Nr. 612, 16. 12. 1920). – Der Kommentar zum Film (S. 140ff.) gibt eine detaillierte Schilderung.

1921 DIE BERGKATZE. – R: Ernst Lubitsch. – B: Hanns Kräly, Ernst Lubitsch. – K: Theodor Sparkuhl. – Ba, A: Ernst Stern. – R-Ass: Walter F. Fichelscher. – D: Victor Janson (Kommandant der Festung Tossenstein), Marga Köhler (Seine Frau), Edith Meller (Lilli, beider Tochter), Paul Heidemann (Leutnant Alexis), Pola Negri (Rischka, «die Bergkatze»), Wilhelm Diegelmann (Claudius, Rischkas Vater und Räuberhauptmann), Hermann Thimig (Pepo, ein schüchterner Räuber), Paul Biensfeldt (Dafko), Paul Graetz (Zofano), Max Kronert (Masilio), Erwin Kopp (Trip). – P: Projektions-AG Union, Berlin. – Do: Union-Atelier, Berlin-Tempelhof, und auf dem Kreuzeck bei Garmisch. – OL: 1818 m. – sw. – stumm. – U: 12. 4. 1921, Ufa-Palast am Zoo, Berlin.

«Ein strafversetzter, Mädchenherzen knickender Leutnant (in Phantasiegala) verguckt sich in eine ihn bis auf die Unterhosen mitten im Schnee des Hochgebirges ausplündernde Räuberhauptmannstochter – die im Gebirge hausende ‹Bergkatze›. Es wird dann von der benachbarten Gebirgsfestung aus im Karikaturenformat Krieg gegen die Räuberbande geführt, bis zuguterletzt der Leutnant die Tochter des Festungskommandanten und die schöne Räuberin einen von ihrer Bande in Ehefesseln schlägt.» (Berliner Tageblatt, Nr. 173, 14. 4. 1921)

1921 DAS WEIB DES PHARAO. – R: Ernst Lubitsch. – B: Norbert Falk, Hanns Kräly. – K: Theodor Sparkuhl, Alfred Hansen und weitere Kameramänner bei den Massenszenen. – M: Eduard Künneke. – Ba: Ernst Stern, Kurt Richter; TL der Bauausführung: Max Gronau. – Ko: Ernst Stern, Ali Hubert, Ernö Metzner. – D: Emil Jannings (Amenes, Pharao von Ägypten), Paul Biensfeldt

(Menon, sein Statthalter), Friedrich Kühne (Der Oberpriester), Albert Bassermann (Sothis, Baumeister des Königs), Harry Liedtke (Ramphis, sein Sohn), Paul Wegener (Samlak, König von Äthiopien), Lyda Salmonova (Makeda, seine Tochter), Dagny Servaes (Theonis, eine griechische Sklavin). – P: Ernst Lubitsch-Film GmbH, Berlin, im Rahmen der Europäischen Film-Allianz GmbH (EFA). – Gesamtorganisation: Paul Davidson. – Drehbeginn 18. 7. 1921. – Efa-Ateliers am Zoo; in den Rauhen Bergen, Berlin-Steglitz; Gosener Berge, Schmöckwitz. – OL: 2976 m. – sw. – stumm. – U: 21. 2. 1922, Criterion, New York. – DE: 14. 3. 1922, Ufa-Palast am Zoo, Berlin.

Anmerkungen: Lamprecht nennt bei den Darstellern zusätzlich Elsa Wagner, Weinberg fügt Mady Christians und Tina Dietrich hinzu. – Von dem Film ist nur noch eine unvollständige Fassung erhalten.

Der Kommentar zum Film (S. 143ff.) und die zeitgenössischen Kritiken (S. 98ff.) schildern die Handlung.

1922 DIE FLAMME. – R: Ernst Lubitsch. – B: Hanns Kräly, nach dem gleichnamigen Schauspiel von Hans Müller (i. e. Hans Lothar). – K: Theodor Sparkuhl, Alfred Hansen. – Ba: Ernst Stern, Kurt Richter. – Ko: Ali Hubert. – D: Pola Negri (Yvette), Hilde Wörner (Louise), Alfred Abel (Raoul, Musiker), Hermann Thimig (André, Komponist), Frida Richard (Madame Vasal), Jacob Tiedtke (Borell), Max Albert (Journalist), Ferdinand von Alten (Mann von Welt), Jenny Marba (Andrés Mutter). – P: Ernst Lubitsch-Film GmbH, Berlin. – Gesamtorganisation: Paul Davidson. – OL: 2555 m. – sw. – stumm. – U: Ende Januar 1923, Wien. – DE: 11. 9. 1923, Ufa-Palast am Zoo, Berlin.

Von diesem Film sind nur noch Fragmente erhalten.

«Paris im 19. Jahrhundert. Ein junger Komponist verläßt einer Kokotte wegen seine strenge Mutter. Da er aber ansonsten seine Hemmungen nicht über Bord werfen kann, wird sein neues Leben zu einem beschwerlichen Abenteuer, aus dem er reumütig in die Arme seiner Mutter zurückkehrt. Mit den Worten ‹Die Straße ruft mich!› stürzt sich die Kokotte aus dem Fenster.» (Brennicke/ Hembus: Klassiker des Deutschen Stummfilms)

1923 ROSITA. Rosita. – R: Ernst Lubitsch. – B: Edward Knoblock. – Story: Norbert Falk, Hanns Kräly, nach dem Schauspiel «Don César de Bazan» von Philippe François Pinel Dumanoir und Adolphe Philippe Dennery. – K: Charles Rosher. – M: Louis F. Gottschalk. – Ba: William Cameron Menzies. – A: Svend Gade. – Ko: Mitchell Leisen. – R-Ass: James Townsend. – D: Mary Pickford (Rosita), Holbrock Blinn (König), Irene Rich (Königin), George Walsh (Don Diego), Charles Belcher (Premierminister), Frank Leigh (Gefängnisdirektor), Mathilde Comont (Rositas Mutter), George Periolat (Rositas Vater), Bert Sprotte (Großer Gefangenenaufseher), Snitz Edwards (Kleiner Gefangenenaufseher), Mme. de Bodamere (Dienstmädchen), Philippe de Lacy, Donald McAlpin (Rositas Brüder), Doreen Turner (Rositas Schwester), Mario Carillo (Majordomo). – P: Ernst Lubitsch für The Mary Pickford Company. – Dz: 5. 3.–31. 5. 1923. – Do: Pickford-Fairbanks Studio. – OL: 2682 m. – DL: 2489 m. – sw. – stumm. – U: 3. 9. 1923, Lyric, New York. – DE: 28. 8. 1924, Mozartsaal, Berlin.

Der Kommentar zum Film (S. 146ff.) schildert auch die Handlung.

1924 THE MARRIAGE CIRCLE. Die Ehe im Kreise/ Rund um die Ehe. – R: Ernst Lubitsch. – B: Paul Bern, nach dem Schauspiel «Nur ein Traum» von Lothar Schmidt. – K: Charles J. Van Enger. – M: Edgar Istel. – A: Svend Gade. – R-Ass: James Flood, Henry Blanke (i. e. Heinz Blanke). – D: Adolphe Menjou (Professor Joseph Stock), Marie Prevost (Mizzi Stock, seine Frau), Monte Blue (Dr. Franz Braun), Florence Vidor (Charlotte Braun, seine Frau), Harry Myers (Detektiv), Creighton Hale (Dr. Gustav Müller), Dale Fuller (Nervöse Patientin), Esther Ralston. – P: Ernst Lubitsch für Warner Brothers. – Dz: September–Oktober 1923. – Do: Warner Brothers West Coast Studios. – OL: 2499 m. – DL: 2394 m. – sw. – stumm. – U: Grauman's Rialto, Los Angeles. – New Yorker Premiere: 3. 2. 1924, Strand Theatre. – DE: 1. 9. 1924, U.T. Kurfürstendamm, Berlin.

Anmerkungen: Studioakten zufolge war Henry Sharp Co-Kameramann. – Auf Grund eines Rechtsstreits mußte der deutsche Titel in «Rund um die Ehe» geändert werden (vgl. Lichtbild-Bühne, Nr. 116, 4. 10. 1924). – 1932 drehte Lubitsch ein Remake: ONE HOUR WITH YOU.

«*Die Ehe im Kreise* ist eine gar köstliche Geschichte des standhaften Nervenarztes, den eine nervöse, kokette, verwöhnte Frau durchaus haben will, zumal ihr Gatte, der Herr Professor, sie so gern los sein möchte, und ihre beste Freundin, die Frau des Nervenarztes, ihren Gatten arglos immer wieder der Obhut der koketten Dame anvertraut. Aber das glückliche Eheband wird nicht zerrissen, und der Herr Professor wird doch die Gattin los, weil der Kompagnon des Nervenarztes sie nehmen wird.» (c. b. in: Vorwärts, Nr. 422, 7. 9. 1924)

1924 THREE WOMEN. Drei Frauen. – R: Ernst Lubitsch. – B: Hans Kraly (i. e. Hanns Kräly). – Story: Hans Kraly, Ernst Lubitsch, nach dem Roman «Lillis Ehe» von Jolanthe Marès. – K: Charles J. Van Enger. – Ba: Svend Gade. – R-Ass: James Flood, Henry Blanke. – D: May McAvoy (Jeanne Wilton), Pauline Frederick (Mabel Wilton, ihre Mutter), Marie Prevost (Harriet), Lew Cody (Edmund Lamont), Willard Louis (Harvey Craig), Pierre Gendron (Fred Armstrong), Mary Carr (Mrs. Armstrong), Raymond McKee (Freds Freund). – P: Ernst Lubitsch für Warner Brothers. – Dz: April–Juni 1924. – Do: Warner Brothers West Coast Studios und in San Bernardino. – OL: 2499 m. – DL: 2414 m. – sw. – stumm. – New Yorker Premiere: 5. 10. 1924, Mark Strand. – DE: 3. 9. 1925, Ufa-Palast Königstadt, Berlin.

Anmerkung: Studioakten zufolge war John Mescall Co-Kameramann.

Der Kommentar zum Film (S. 149ff.) schildert auch die Handlung.

1924 FORBIDDEN PARADISE. Das verbotene Paradies. – R: Ernst Lubitsch. – B: Hans Kraly, Agnes Christine Johnston, nach dem Schauspiel «The Czarina» von Lajos

Biró und Melchior Lengyel. – K: Charles J. Van Enger. – A: Hans Dreier. – Ko: Howard Greer. – D: Pola Negri (Die Zarin), Rod La Rocque (Alexei), Adolphe Menjou (Kanzler), Pauline Starke (Anna), Fred Malatesta (Französischer Botschafter), Nick De Ruiz (General), Carrie Daumery (Hofdame), Clark Gable (Schmucker Grenadier). – P: Ernst Lubitsch für Famous Players-Lasky. – Dz: Juli–September 1924. – Do: Lasky Studio. – OL: 2299 m. – DL: 2232 m. – sw. – stumm. – Release: 27. 10. 1924. – New Yorker Premiere: 16. 11. 1924. – DE: 4. 12. 1925, Ufa-Palast am Zoo, Berlin.

Anmerkungen: Das National Film Archive (London) besitzt Ausstattungsentwürfe von Paul Leni zu diesem Film. Die recherchierten Credits können seine Mitwirkung allerdings nicht belegen. – 1945 produzierte Lubitsch mit Otto Preminger als Regisseur ein Remake: *A Royal Scandal.*

Der Kommentar zum Film (S. 151f.) schildert auch die Handlung.

1925 KISS ME AGAIN. Küß' mich noch einmal. – R: Ernst Lubitsch. – B: Hans Kraly, nach dem Schauspiel «Divorçons» von Victorien Sardou und Emile de Najac. – K: Charles J. Van Enger. – D: Marie Prevost (Loulou Fleury), Monte Blue (Gaston Fleury), John Roche (Maurice Ferrière), Clara Bow (Grisette), Willard Louis (Dubois). – P: Ernst Lubitsch für Warner Brothers. – Dz: Anfang Januar–Ende März 1925. – Do: Warner Brothers West Coast Studios. – OL: 2049 m. – DL: 1999 m. – sw. – stumm. – New Yorker Premiere: 1. 8. 1925, Piccadilly. – DE: 6. 2. 1926, Gloria-Palast, Berlin.

Anmerkungen: Eine Kopie des Films ist nicht nachzuweisen. – 1941 drehte Lubitsch ein Remake: THAT UNCERTAIN FEELING.

«Eine Ehegeschichte. Ein glückliches Paar, dessen Bund durch den Hausfreund, einen Klavierlehrer, empfindlich gestört wird. Der Mann merkt schließlich, daß die Musikstunden doch nicht so ohne sind. Er kommt hinter einen amüsanten Trick mit dem Pianola und beschließt, seine Frau zu heilen. Er tut so, als ob er den Seitensprung seiner Gattin, der eigentlich gar keiner ist, sehr ernst nimmt. Er erklärt, daß er dem Glück seiner Frau nicht entgegen sein will, und leitet die Scheidung ein. [. . .] Um einen Scheidungsgrund zu finden, verabredet er sich mit der hübschen Sekretärin des Rechtsanwalts in einem Tanzlokal. Das gibt nun der Ehefrau wieder Anlaß zur Eifersucht. [. . .] Nach allerhand recht hübschen und lustigen Situationen finden sich schließlich Mann und Frau wieder, und der Hausfreund hat das Nachsehen.» (Der Kinematograph, Nr. 99, 14. 2. 1926)

1925 LADY WINDERMERE'S FAN. Lady Windermeres Fächer. – R: Ernst Lubitsch. – B: Julien Josephson, nach dem Schauspiel «Lady Windermere's Fan» von Oscar Wilde. – K: Charles J. Van Enger. – K-Ass: Willard van Enger. – Ba: Harold Grieve. – R-Ass: George Hippard. – D: Ronald Colman (Lord Darlington), Irene Rich (Mrs. Erlynne), May McAvoy (Lady Windermere), Bert Lytell (Lord Windermere), Edward Martindel (Lord Augustus), Carrie Daumery (Herzogin von Berwick), Helen Dunbar, Billie Bennett (Herzoginnen), Larry Steers (Gast), Wilson Benge (Butler). – P: Ernst Lubitsch für Warner Brothers. – Dz: September–Oktober 1925. – Do: Warner Brothers West Coast Studios und in Toronto. – OL: 2382 m. – DL: 2331 m. – sw. – stumm. – U: 1. 12. 1925, Casa Lopez, New York. – DE: 24. 8. 1926, Capitol, Berlin.

Anmerkung: In einem Interview mit Peter Bodanovich in «Film Culture», Nr. 58–60, 1974, behauptet Edgar G. Ulmer, für die Bauten verantwortlich gewesen zu sein.

Der Kommentar zum Film (S. 153ff.) schildert auch die Handlung.

1926 SO THIS IS PARIS. So ist Paris – R: Ernst Lubitsch. – B: Hans Kraly, nach dem Schauspiel «Réveillon» von Henri Meilhac und Ludovic Halévy. – K: John Mescall. – K-Ass: Bert Shipman. – Ba: Harold Grieve. – R-Ass: George Hippard, Ernst Laemmle. – Titel: Robert Wagner, Robert Hopkins. – Art Titles: Victor Vance. – D: Monte Blue (Dr. Paul Giraud), Patsy Ruth Miller (Suzanne Giraud, seine Frau), André Beranger (Maurice Lallé), Lilyan Tashman (Georgette Lallé, seine Frau), Max Barwin (Detektiv), Myrna Loy (Mädchen), Sidney d'Allbrook (Polizist), George Bowe (Charleston-Tänzer). – P: Ernst Lubitsch für Warner Brothers. – Dz: März–Mai 1926. – Do: Warner Brothers West Coast Studios. – OL: 1870 m. – DL: 1821 m. – sw. – stumm. – Release: 31. 7. 1926. – DE: 13. 1. 1927, Marmorhaus, Berlin.

Der Kommentar zum Film (S. 156f.) schildert auch die Handlung.

1927 THE STUDENT PRINCE IN OLD HEIDELBERG. Alt-Heidelberg. – R: Ernst Lubitsch. – B: Hans Kraly, nach dem Schauspiel «Alt-Heidelberg» von Wilhelm Meyer-Förster und der Operette «The Student Prince» von Dorothy Donnelly und Sigmund Romberg. – K: John Mescall. – Sch: Andrew Marton. – M-Arrangement: David Mendoza, William Axt. – Ba: Cedric Gibbons, Richard Day. – Ko: Ali Hubert. – Ko-Ass.: Eric Locke. – R-Ass: George Hippard. – Titel: Marian Ainslee, Ruth Cummings. – D: Ramon Novarro (Prinz Karl Heinrich), Norma Shearer (Käthi), Jean Hersholt (Dr. Jüttner), Gustav von Seyffertitz (König Karl VII.), Philipe de Lacy (Erbprinz, im Alter von 7 Jahren), Edgar Norton (Lutz), Bobby Mack (Kellermann), Edward Connelly (Hofmarschall), Otis Harlan (Alter Grobian), John S. Peters, George K. Arthur (Studenten). – P: Ernst Lubitsch für Loew's Incorporated. – Executive Producer: Irving Thalberg. – Dz: 108 Tage, Dezember 1926–Mai 1927. – Do: MGM-Studios, Culver City, und in Heidelberg. – OL: 2908 m. – DL: 2968 m. – sw. – stumm. – New Yorker Premiere: 21. 9. 1927, Capitol Theatre. – DE: 10. 9. 1928, Ufa-Pavillon am Nollendorfplatz, Berlin. – TV: 22. 8. 1982 (ZDF)

Anmerkungen: Nach einer Notiz in «Motion Picture Classic», November 1927, war Hans Dreier an den Bauten beteiligt. In einem Gespräch mit Peter Bogdanovich in «Film Culture», Nr. 58–60, 1974, reklamiert Edgar Ulmer diesen Credit für sich. – Unter den Liebesszenen des Films sind Nachaufnahmen unter der Regie von John M. Stahl.

Der Kommentar zum Film (S. 157f.) schildert auch die Handlung.

1928 THE PATRIOT. Der Patriot. – R: Ernst Lubitsch. – B: Hans Kraly, nach dem Schauspiel «Der Patriot» von Alfred Neumann. – K: Bert Glennon. – M: Domenico Savino, Gerard Carbonaro. – ML: Nathaniel Finston. – A: Hans Dreier. – Ko: Ali Hubert. – Titel: Julian Johnson. – D: Emil Jannings (Zar Paul I.), Lewis Stone (Graf Pahlen), Florence Vidor (Gräfin Ostermann), Neil Hamilton (Kronprinz Alexander), Harry Cording (Stephan), Vera Voronina (Mademoiselle Lapoukhine, die Geliebte des Zaren). – P: Ernst Lubitsch für Paramount Famous Lasky Corp. – Dz: Anfang Januar–Anfang März 1928. – OL: 3100 m (Tonfassung), 2993 m (stumme Fassung). – DL: 2976 m (stumme Fassung). – sw. – New Yorker Premiere: 17. 8. 1928. – DE: 27. 2. 1929, Gloria-Palast, Berlin.

Anmerkungen: Der Film wurde in einer stummen Fassung und in einer Fassung mit Tonsequenzen und Musik herausgebracht. – Eine Kopie des Films ist nicht nachzuweisen.

«Die Geschichte des Zaren, des wahnsinnigen Beherrschers aller Reußen, den seine vertrautesten Mitarbeiter schließlich beseitigen, weil er sich der Abdankung widersetzt, die im Interesse Rußlands und des russischen Volkes gefordert werden muß.» (Der Kinematograph, Nr. 50, 28. 2. 1929)

1929 ETERNAL LOVE. Der König der Bernina. – R: Ernst Lubitsch. – B: Hans Kraly, nach dem Roman «Der König der Bernina» von Jakob Christoph Heer. – K: Oliver T. Marsh. – Sch: Andrew Marton. – M-Arrangement: Dr. Hugo Riesenfeld. – A, Ko: Walter Reimann. – R-Ass: George Hippard. – Titel: Katherine Hilliker, H. H. Caldwell. – D: John Barrymore (Marcus Paltram), Camilla Horn (Ciglia), Victor Varconi (Lorenz Gruber), Hobart Bosworth (Pfarrer Taß), Bodil Rosing (Haushälterin), Mona Rico (Pia), Evelyn Selbie (Pias Mutter). – P: Ernst Lubitsch für Feature Productions, Inc. – Executive Producer: Joseph M. Schenck. – Co-Pd: John W. Considine, Jr. – Dz: Ende August–November 1928. – Do: Universal Studios, Universal City, und in den Canadian Rockies. – OL: 1981 m (stumme Fassung). – DL: 2010 m. – sw. – Release: 11. 5. 1929. – DE: 24. 4. 1929, Universum, Berlin.

Anmerkung: Der Film wurde in einer stummen Fassung und in einer Fassung mit Tonsequenzen und Musik (1986 m) herausgebracht.

Der Kommentar zum Film (S. 158 ff.) schildert auch die Handlung.

Tonfilme

1929 THE LOVE PARADE. Liebesparade. – R. Ernst Lubitsch. – B: Ernest Vajda, nach dem Schauspiel «Le prince consort» von Léon Xanrof (i. e. Léon Fourneau) und Jules Chancel. – Libretto: Guy Bolton. – K: Victor Milner. – Sch: Merrill White. – T: Franklin Hansen. – M: Victor Schertzinger; Liedtexte: Clifford Grey. – Dialog-Regie: Perry Ivins. – Ba: Hans Dreier. – Ko: Travis Banton. – D: Maurice Chevalier (Graf Alfred Renard), Jeanette MacDonald (Königin Louise), Lupino Lane (Jacques), Lillian Roth (Lulu), Eugene Pallette (Kriegsminister), E. H. Calvert (Gesandter), Edgar Norton (Hofmarschall), Lionel Belmore (Premierminister), Albert Roccardi (Außenminister), Carl Stockdale (Admiral), Russell Powell (Afghanischer Botschafter), André Cheron (Le Mari), Yola d'Avril (Paulette), Winter Hall (Priester), Ben Turpin (Schielender Lakai), Anton Vaverka, Albert de Winton, William von Hardenberg (Minister), Margaret Fealey (Erste Hofdame), Virginia Bruce, Josephine Hall, Rosalind Charles, Helene Friend (Hofdamen), Jean Harlow (Die Schöne in der Theaterloge). – P: Ernst Lubitsch für Paramount Famous Lasky Corp. – Dz: Juni–Juli oder August 1929. – Do: Paramount Studios, Hollywood. – OL: 115 Min. – DL: 110 Min. – sw. – New Yorker Premiere: 19. 11. 1929, Criterion. – DE: um den 20. 8. 1930, Hamburg, im Rahmen der Tagung des Reichsverbandes Deutscher Lichtspieltheaterbesitzer. – Berliner Erstaufführung: 24. 11. 1930, Ufa-Palast am Zoo.

Anmerkungen: Der Film wurde auch in einer stummen Fassung (2162 m) gestartet. – Neben der englischen entstand eine französische Version: *Parade d'amour*.

Graf Alfred (Maurice Chevalier), Militärattaché von Sylvanien, weiß seine Freiheit in Paris zu nützen. Besonders die Damen haben es ihm angetan; da gibt es allerlei Gerüchte. Schließlich wird er in sein Heimatland zurückgerufen, um seiner Königin Rede und Antwort zu stehen. Es ist Liebe auf den ersten Blick, und schon bald wird in Sylvanien Hochzeit gefeiert. Nichts scheint dem Glück des königlichen Paares im Weg zu stehen, wenn nur nicht die Königin so herrschsüchtig wäre und ihrem Prinzgemahl untersagte, sich in die Politik einzumischen. So kommt es bald zum Streit. Und wenn nicht Liebe und Einsicht bei beiden so groß wären, hätte Alfred vielleicht doch seine Rückfahrkarte nach Paris benutzt und Sylvanien kein glückliches Herrscherpaar gehabt.

1930 ORIGIN OF THE APACHE / A PARK IN PARIS / THE RAINBOW REVELS. – Episoden 5, 11, 19 des Films *Paramount on Parade*. – R: Ernst Lubitsch. – K: Harry Fischbeck, Victor Milner. – Sch: Merrill White. – T: Harry M. Lindgren. – M: Richard A. Whiting, Leo Robin (11. Episode), Sam Coslow (19. Episode). – A: John Wenger. – Ko: Travis Banton. – Choreografie: David Bennett. – D: 5. Episode: Maurice Chevalier (Mann), Evelyn Brent (Frau); 11. Episode: Maurice Chevalier (Gendarm), Tyler Brooke, Jack Pennick, Rolfe Sedan; 19. Episode: Maurice Chevalier. – P: Albert A. Kaufman für Paramount Famous Lasky Corp. – Dz: Ende Oktober 1929 (nur die Lubitsch-Episoden). – OL des ganzen Films: 102 Min. – sw. und Technicolor (19. Episode). – New Yorker Premiere: 19. 4. 1930

Anmerkungen: Neben der englischen entstanden eine französische Version: *Paramount en parade* (Regie: Charles de Rochefort) sowie weitere europäische Fassungen. – Regie der anderen Episoden: Dorothy Arzner, Otto Brower, Edmund Goulding, Victor Heerman, Edwin H. Knopf, Rowland V. Lee, Lothar Mendes, Victor Schertzinger, A. Edward Sutherland, Frank Tuttle.

Revuefilm. – ORIGIN OF THE APACHE: Aus einem harmlosen Ehezwist wird ein nicht zimperlicher Schlagabtausch. In der Hitze des Gefechts entledigen sich die

Streithähne einiger Kleidungsstücke – und alles geschieht im Rhythmus der Apachen-Musik: das ist Lubitschs Version der Entstehung des Apachen-Tanzes. – A PARK IN PARIS: Ein Park voller Liebespaare. Umarmungen, Liebesschwüre und Küsse. Ein Gendarm auf Streife (Maurice Chevalier) betrachtet wohlgefällig sein «Revier». Ein ums andere Mal greift er als «Amor» ein, nicht ohne auch ein eigenes Rendezvous zu verabreden. – THE RAINBOW REVELS: Maurice Chevalier als Schornsteinfeger, der nicht nur auf den Dächern von Paris turnt, sondern bis zu den Wolken klettert, «sweeping the clouds away».

1930 MONTE CARLO. Monte Carlo. – R: Ernst Lubitsch. – B: Ernest Vajda, nach dem Schauspiel «Die blaue Küste» von Hans Müller (i. e. Hans Lothar) und nach Episoden der Operette «Monsieur Beaucaire» von Booth Tarkington und Evelyn Greenleaf, basierend auf dem gleichnamigen Roman von Tarkington. – Zusätzliche Dialoge: Vincent Lawrence. – K: Victor Milner. – T: Harry D. Mills. – M: Richard A. Whiting, W. Franke Harling; Liedtexte: Leo Robin. – Ba: Hans Dreier. – Ko: Travis Banton. – D: Jack Buchanan (Graf Rudolph Farrière), Jeanette MacDonald (Komtesse Helene Mara), Claude Allister (Herzog Otto von Liebenheim), ZaSu Pitts (Bertha, Mädchen der Komtesse), Tyler Brooke (Armand), John Roche (Paul, Damenfriseur), Lionel Belmore (Prinz Gustav von Liebenheim), Albert Conti (Haushofmeister), Helen Garden («Lady Mary»), Donald Novis («Monsieur Beaucaire»), Erik Bey (Lord Winterset), David Percy (Herald), Billy Bevan (Eisenbahnschaffner), Sidney Bracey (Buckliger im Casino), Geraldine Dvorak (Schöne im Casino), Frances Dee (Empfangschef), Rolfe Sedan (Friseur), John Carroll (Offizier, Hochzeitsgast). – P: Ernst Lubitsch für Paramount. – Drehbeginn: 21. 4. 1930. – Do: Paramount Studios, Hollywood. – OL: 90 Min. – DL: 93 Min. – sw. – New Yorker Premiere: 27. 8. 1930, Rivoli. – DE: 2. 7. 1931, Gloria-Palast, Berlin. – TV: 9. 5. 1973 (WDR III).

Der Film wurde auch in einer stummen Fassung gestartet.

Graf Rudolph Farrière (Jack Buchanan), zu Besuch in Monte Carlo, verliebt sich in die Komtesse Helene Mara (Jeanette MacDonald), eine verarmte Gräfin, die unentwegt beim Roulette verliert. Doch seine Versuche, sie kennenzulernen, scheitern. So schleicht er sich als neuer Friseur in ihr Haus ein und wird bald unersetzlich. Sie aber, die ihr ganzes Geld verspielt hat, will aus Verzweiflung den reichen Herzog von Liebenheim (Claude Allister) heiraten. Um das zu verhindern, bittet Rudolph, für Helene spielen zu dürfen, und bringt ihr am nächsten Tag tatsächlich hunderttausend Francs. Obwohl sie ihn vor Freude küßt, ist sie am nächsten Tag wieder die kühle Herrin. Aus Ärger über ihr Verhalten verschwindet Rudolph. Erst als er hört, daß sie in die Oper gehen will, erklärt er sich bereit, sie zu frisieren. Die Oper nämlich, «Monsieur Beaucaire» von André Charles Messager, erzählt die Liebesgeschichte zwischen einer Dame und einem als Friseur verkleideten Prinzen. Und als Helene plötzlich Rudolph in der Nachbarloge erblickt, wird ihr die Ähnlichkeit zwischen der Opernhandlung und ihrer eigenen Situation bewußt. (WDR)

1931 THE SMILING LIEUTENANT. Der lächelnde Leutnant. – R: Ernst Lubitsch. – B: Ernest Vajda, Samson Raphaelson, nach der Operette «Ein Walzertraum» von Leopold Jacobson und Felix Dörmann (i. e. Felix Biedermann) und einer Erzählung aus dem «Buch der Abenteuer» von Hans Müller (i. e. Hans Lothar). – K: George Folsey. – Schnitt: Merrill White. – T: Ernest Zatorsky. – M: Oscar Straus; ML: Adolph Deutsch; Musik-Arrangement: Johnny Green, Conrad Salinger; Liedtexte: Clifford Grey. – Ba: Hans Dreier. – D: Maurice Chevalier (Niki), Claudette Colbert (Franzi), Miriam Hopkins (Prinzessin Anna), Charles Ruggles (Max), George Barbier (König Adolf XV.), Con MacSunday (Der Kaiser), Robert Strange (Adjutant von Rockoff), Hugh O'Connell (Der Bursche), Elizabeth Patterson (Baronin von Schwedel), Harry Bradley (Graf von Halden), Karl Stall (Hofmarschall), Werner Saxtorph (Joseph), Janet Reade (Lily), Granville Bates (Schuldeneintreiber), Maude Allen (Eine Frau), Charles Wagenheim (Offizier). – P: Ernst Lubitsch für Paramount. – Dz: Februar/März 1931. – Do: Astoria Studios, Long Island City, New York. – OL: 88 Min. (?), 102 Min. – DL: 92 Min. – sw. – New Yorker Premiere: 22. 5. 1931, Criterion. – DE: 14. 9. 1931, Capitol, Berlin.

Anmerkung: Für den ausländischen Markt wurden eine stumme Fassung des Films sowie eine französische Version hergestellt: *Le Lieutenant souriant.*

Niki (Maurice Chevalier), ein schmucker Leutnant der kaiserlichen Garde in Wien, hat wieder einmal einen neuen Schwarm: Franzi (Claudette Colbert), die Leiterin einer Damenkapelle. Nichts scheint ihr Glück trüben zu können. Doch ein kleines Augenzwinkern, das Niki seiner Franzi zublinzelt, bringt alles durcheinander; nicht nur ihre Liebe, sondern auch die hohe Politik. Denn unglücklicherweise hat Anna (Miriam Hopkins), die Tochter des Königs von Flausenthurm, die mit ihrem Vater gerade in der königlichen Droschke am paradierenden Niki vorbeifuhr, das Blinzeln auf sich bezogen und fordert nun harte Bestrafung des Übeltäters. Aber Nikis Charme kann keiner widerstehen – nicht Anna, nicht König und Kaiser. Ihre Heirat wird beschlossen, und Niki findet sich früher als erwartet und wider Willen unter der Haube. Die Ehe ist nicht glücklich. Nach Nikis Geschmack hat seine Frau keinen Stil, keine Eleganz, keine Lebensart: Sie ist halt keine Wienerin. Da muß erst das Schicksal – in Gestalt von Franzi – eingreifen, um alles wieder zu richten, und am Schluß – wer hätte das gedacht – liegt Niki in Annas Armen.

1931 THE MAN I KILLED/BROKEN LULLABY. Der Mann, den sein Gewissen trieb. – R: Ernst Lubitsch. – B.: Samson Raphaelson, Ernest Vajda, nach dem Schauspiel «L'homme que j'ai tué» von Maurice Rostand und der amerikanischen Bearbeitung des Stücks von Reginald Berkeley. – K: Victor Milner. – M: W. Franke Harling. – Ba: Hans Dreier. – D: Lionel Barrymore (Dr. Hölderlin), Nancy Carroll (Elsa), Phillips Holmes (Paul Renard), Louise Carter (Frau Hölderlin), Lucien Littlefield (Schultz), Tom Douglas (Walter Hölderlin), Frank Sheridan (Der Priester), ZaSu Pitts (Anna), George Bickel (Breslauer), Emma

Dunn (Frau Müller), Reginald Pasch (Fritz' Vater), Tully Marshall (Der Totengräber), Lillian Elliott (Frau Breslauer), Marvin Stephens (Fritz), Joan Standing (Blumenverkäuferin), Rodney McLennon (Kriegsveteran), Torben Meyer (Kellner). – P: Ernst Lubitsch für Paramount. – Dz: September/Oktober 1931. – Do: Paramount Studios, Hollywood. – OL: 77 Min. – DL: 70 Min. – New Yorker Premiere: 19. 1. 1932, Criterion. – DE: 14. 11. 1932, Capitol, Berlin (in der OF, ab 15. 11. 1932 in einer deutsch synchronisierten Fassung).

Anmerkung: Der Film wurde nach seiner Premiere umgetitelt.

Der Kommentar zum Film (S. 165 f.) schildert auch die Handlung.

1932 ONE HOUR WITH YOU. Eine Stunde mit Dir. – R: Ernst Lubitsch. – B: Samson Raphaelson, nach dem Schauspiel «Nur ein Traum» von Lothar Schmidt. – K: Victor Milner. – Sch: William Shea. – T: M. M. Paggi. – M: Oscar Straus; verbindende Musik: Richard A. Whiting; Liedtexte: Leo Robin. – Ba: Hans Dreier. – A: A. E. Freudeman. – Ko: Travis Banton. – Co-Regie: George Cukor. – D: Maurice Chevalier (Dr. André Bertier), Jeanette MacDonald (Colette Bertier), Genevieve Tobin (Mitzi Olivier), Charlie Ruggles (Adolph), Roland Young (Professor Olivier), Josephine Dunn (Fräulein Martel), Richard Carle (Detektiv), Barbara Leonard (Mitzis Zofe), George Barbier (Polizeikommissar), Charles Judels (Polizist), Charles Coleman (Marcel), Sheila Mannors (Colettes Zofe im Erdgeschoß), Leonie Pray (Colettes Zofe im Obergeschoß), George Davis (Taxifahrer), Florine McKinney (Mädchen), Donald Novis (Sänger), Eric Wilton (Butler), Bill Elliott (Tänzer). – P: Ernst Lubitsch für Paramount. – Dz: Dezember 1931–Januar 1932; zweite Aufnahme für einen neuen Schluß im Februar 1932. – Do: Paramount Studios, Hollywood; für die zweite Aufnahme; Astoria Studios, New York. – OL: 80 Min. – DL: 82 Min. – sw. – Release: 25. 3. 1932. – DE: 4. 8. 1932, Gloria-Palast, Berlin. – TV: 18. 3. 1974 (ARD).

Anmerkungen: Remake von THE MARRIAGE CIRCLE (1924). – Neben der englischen entstand eine französische Version: *Une Heure pres de toi.* – Eigentlich war George Cukor als Regisseur vorgesehen, doch Lubitsch übernahm nach wenigen Drehtagen die Regie. (Diese Darstellung wird von Cukor nicht geteilt.) – Der «Illustrierte Film-Kurier», Nr. 1798, nennt bei den Liedtexten zusätzlich A. Robinson als Autor. Dies sowie die deutsche Länge lassen vermuten, daß es eine deutsch synchronisierte Fassung gab.

Dr. André Bertier (Maurice Chevalier), ein erfolgreicher Pariser Frauenarzt, ist noch genauso verliebt in seine hübsche Frau Colette (Jeanette MacDonald) wie vor ihrer Hochzeit. Was nicht heißt, daß André kein Auge für andere Frauen hätte. Die junge Dame, die er an einem scheußlichen Regentag im Taxi mitnimmt, gefällt ihm sehr, und auch sie ist offensichtlich einem Flirt nicht abgeneigt. Beim Gedanken an seine Frau ergreift André jedoch lieber die Flucht. Vergeblich, wie sich bald herausstellt, denn kurz darauf steht er der schönen Unbekannten in seiner Wohnung erneut gegenüber. Es ist Mitzi (Genevieve Tobin), die beste Freundin seiner Frau, aus Lausanne nach Paris zurückgekehrt. Mitzi macht keinen Hehl daraus, daß sie André sehr aufregend findet. Kaum ist sie wieder zu Hause, wird sie «krank», und Colette selbst drängt ihren widerstrebenden Mann, ihr seine ärztliche Hilfe nicht zu versagen. Dabei weiß André nur zu genau, was Mizzi von ihm will, und er versucht krampfhaft, ihr aus dem Weg zu gehen, weil er seine Schwäche kennt. Viel Erfolg hat er damit nicht – im Gegenteil, er erreicht nur, daß Colette auf eine andere Frau eifersüchtig wird und sich durch einen Flirt mit einem Mini-Casanova (Charlie Ruggles) an ihm zu rächen versucht. Natürlich gibt es trotz aller Komplikationen ein Happy End. (ARD)

1932 TROUBLE IN PARADISE. Ärger im Paradies. – R: Ernst Lubitsch. – B: Samson Raphaelson, nach dem Schauspiel «The Honest Finder» von Aladar Laszlo; Adaptation: Grover Jones. – K: Victor Milner. – M: W. Franke Harling; Liedtexte: Leo Robin. – Ba: Hans Dreier. – Ko: Travis Banton. – D: Miriam Hopkins (Lily), Kay Francis (Mariette Colet), Herbert Marshall (Gaston Monescu), Charlie Ruggles (Major), Edward Everett Horton (François Filiba), C. Aubrey Smith (Adolphe J. Giron), Robert Greig (Butler), Leonid Kinskey (Schimpfender Russe), George Humbert (Kellner), Rolfe Sedan (Verkäufer), Luis Alberni (Verärgerter Opernbesucher), Hooper Atchley (Versicherungsagent), Nella Walker (Madame Bouchet), Perry Ivins (Radio-Ansager), Tyler Brooke (Sänger), Larry Steers (Gast). – P.: Ernst Lubitsch für Paramount. – Dz: Ende Juli–Mitte September 1932. – Do: Paramount Studios Hollywood. – OL: 83 Min. – DL: 82 Min. – New Yorker Premiere: 8. 11. 1932, Rivoli. – TV: 4. 3. 1969 (ARD; Deutsche Erstaufführung).

Gaston (Herbert Marshall) ist ein blitzgescheiter Spitzbube, Lily (Miriam Hopkins) das weibliche Gegenstück dazu. In Venedig haben sie ein großes Ding gedreht und sich daraufhin nach Paris abgesetzt. Dort gelingt es ihnen mit Hilfe eines Tricks, bei der steinreichen Mariette Colet (Kay Francis) angestellt zu werden. Die junge Dame ist nicht nur sehr begütert, sondern auch sehr hübsch; kein Wunder, daß sie auch heftig umworben wird. Einer ihrer Kavaliere ist ausgerechnet François (E. E. Horton), den Gaston und Lily in Venedig bestohlen haben. Das saubere Pärchen zeigt sich indessen auch dieser Situation gewachsen und findet die Kombination des lockenden Safes heraus. Inzwischen hat sich jedoch Gaston in seine aparte Chefin verliebt und kann sich daher nicht entschließen, den Safe zu «knacken». Daraufhin schreitet Lily zur Tat, aber die Eifersucht bringt sie um die Früchte ihrer Entschlossenheit. Gaston gesteht Mariette die Missetaten; ihm wird großmütig verziehen. Mit einer Perlenkette als Andenken und einigen anderen Überraschungen zieht er schließlich mit Lily weiter. (ARD)

1932 THE CLERK. – Episode des Films *If I Had a Million.* Wenn ich eine Million hätte . . . – R: Ernst Lubitsch. – B: Claude Binyon, Whitney Bolton, Malcolm Stuart Boylan, John Bright, Sidney Buchman, Lester Cole, Isabel Dawn, Boyce DeGaw, Oliver H. P. Garrett, Harvey Gates, Grover Jones, Ernst Lubitsch, Lewton Mackall, Joseph L.

Mankiewicz, William Slavens McNutt, Robert Sparks, Walter DeLon, Seton I. Miller, Tiffany Thayer, nach dem Roman «Windfall» von Robert D. Andrews. – T: Frank Grenzbach, Phil. S. Wisdom. – D in der Lubitsch-Episode: Charles Laughton (Phineas V. Lambert). – P: Louis D. Lighton für Paramount. – Produktionsüberwachung: Ernst Lubitsch. – OL: 88 Min. – DL: 73 Min. – New Yorker Premiere: 2. 12. 1932, Rivoli. – DE: 20. 10. 1933, Mozartsaal, Berlin. – TV: 26. 4. 1977 (BR III)

Anmerkungen: In manchen Filmografien werden auch die Rahmenhandlung und die Episode «The Streetwalker» Lubitsch zugeschrieben. – Regie der anderen Episoden: Norman Taurog, Norman McLeod, Stephan S. Roberts, H. Bruce Humberstone, James Cruze, William A. Seiter, A. Edward Sutherland. – Carringer/Sabath weisen darauf hin, daß es noch zwei weitere Episoden gegeben habe, die in der endgültigen Fassung fehlen. Regisseure dieser Episoden waren Thornton Freeland und Lothar Mendes (ein Klassenkamerad Lubitschs).

Der Kommentar zum Film (S. 170f.) schildert auch die Handlung.

1933 DESIGN FOR LIVING. Serenade zu Dritt. – R: Ernst Lubitsch. – B: Ben Hecht, nach dem Schauspiel «Design for Living» von Noël Coward. – K: Victor Milner. – Sch: Frances Marsh. – T: M. M. Paggi. – ML: Nat Finston. – Ba: Hans Dreier. – Ko: Travis Banton. – R-Ass: George Hippard. – D: Fredric March (Tom Chambers), Gary Cooper (George Curtis), Miriam Hopkins (Gilda Farrell), Edward Everett Horton (Max Plunkett), Franklin Pangborn (Mr. Douglas, Londoner Produzent), Isabel Jewell (Lispelnde Stenotypistin), Jane Darwell (Haushälterin), Wyndham Standing (Max, Butler), Harry Dunkinson (Mr. Egelbaur), Helena Phillips (Mrs. Egelbaur), James Donlin (Fetter Mann), Vernon Steele (Erster Manager), Thomas Braidon (Zweiter Manager), Armand Kaliz (Mr. Burton), Adrienne D'Ambricourt (Caféinhaberin), Nora Cecil (Toms Sekretärin), Emile Chautard (Schaffner), Mrs. Treboal (Gildas Wirtin), George Savidan (Junge), Cosmo Bellew (Bassingtons Stimme), Barry Winton (Edgars Stimme), Grace Hayle (Frau auf der Treppe), Olaf Hytten (Engländer im Zug), Mary Gordon (Zimmermädchen im Theater), Lionel Belmore, Charles K. French (Theaterbesucher), Rolfe Sedan (Bettenverkäufer), Mathilde Comont (Gewichtige Frau). – P: Ernst Lubitsch für Paramount. – Dz: Anfang Juli–September 1933. – Do: Paramount Studios, Hollywood. – OL: 90 Min. – DL: 88 Min. – New Yorker Premiere: 22. 11. 1933, Criterion. – TV: 8. 1. 1970 (ARD; deutsche Erstaufführung).

Anmerkungen: Nach einem Interview mit Lubitsch und Ben Hecht in «The New York Sun», 1. 5. 1933, war Samuel Hoffenstein Co-Autor. – Persönlicher Assistent von Lubitsch war Gottfried Reinhardt.

Auf einer Bahnfahrt lernen Tom Chambers (Fredric March) und George Curtis (Gary Cooper) die Zeichnerin Gilda Farrell (Miriam Hopkins) kennen. Beide sind sofort sehr angetan von der aparten jungen Dame, die im Reklamefach arbeitet und nicht auf den Mund gefallen ist. Dem Maler George rät sie zwar, seine künstlerischen Bestrebungen aufzugeben, aber das hindert ihn nicht, sich nachdrücklich um Gildas Gunst zu bemühen. Tom, der Bühnenautor, mit dem er in Paris zusammen wohnt, pirscht auf derselben Fährte. Die Entdeckung, gemeinsam in Gilda verliebt zu sein, bringt Tom und George zwar einige Aufregung, vermag ihre Freundschaft indessen nicht zu zerstören. Ihnen ist es immer noch lieber, gemeinsam Gilda anzuhimmeln, als sie Max Plunkett (E. E. Horton), dem Werbefachmann, zu überlassen. Auch Gilda empfindet es als recht prickelnd, in zwei Männer zugleich verliebt zu sein. Man trifft das Gentleman's Agreement, Sex aus dem Spiel zu lassen, im übrigen kümmert sich Gilda tatkräftig um die Karriere der beiden Künstler. Mit viel Erfolg: Toms neue Komödie wird zur Uraufführung in London angenommen, der Autor reist deshalb nach England. In trauter Zweisamkeit mit seinem Freund George stellt Gilda fest, daß er von Natur aus nun einmal kein Gentleman ist! Als George wiederum in Nizza malt, kehrt Tom überraschend zurück und gibt Gilda Gelegenheit zu entdecken, daß er nicht weniger liebenswert ist. Aus diesem Dilemma rettet sie sich Hals über Kopf in eine Ehe mit Max Plunkett. Dieser jedoch ist mehr um den reichen Mister Egelbaur bemüht als um seine Frau, so daß Gilda mit fliegenden Fahnen wieder zu Tom und George überläuft, als diese auf einer strapaziösen Party im Hause Plunkett auftauchen, um Gilda zurückzuholen. Traulich vereint, schwört man sich aufs neue: Sex muß selbstverständlich unterbleiben! (ARD)

1934 THE MERRY WIDOW. Die lustige Witwe. – R: Ernst Lubitsch. – B: Ernest Vajda, Samson Raphaelson, nach der Operette «Die lustige Witwe» von Franz Lehár; Libretto: Victor Léon (i. e. Victor Hirschfeld), Leo Stein (Leo Rosenstein). – K: Oliver T. Marsh. – Sch: Frances Marsh. – T: Douglas Shearer. – M: Franz Lehár; M-Adaptation: Herbert Stothart; zusätzliche M: Richard Rodgers; zusätzliche Liedtexte: Lorenz Hart, Gus Kahn. – Ba: Cedric Gibbons. – Ko: Ali Hubert; für Jeanette MacDonald: Adrian. – R-Ass: Joe Newman, Joe Lefert. – Choreografie: Albertina Rasch. – D: Maurice Chevalier (Danilo), Jeanette MacDonald (Sonia), Edward Everett Horton (Gesandter), Una Merkel (Königin), George Barbier (König), Minna Gombell (Marcele), Ruth Channing (Lulu), Sterling Holloway (Ordonnanz), Henry Armetta (Türke), Barbara Leonard (Zofe), Donald Meek (Diener), Akim Tamiroff (Chef des Maxim), Herman Bing (Zizipoff), Lucien Prival (Adamovitch), Luana Walters, Sheila Mannors, Caryl Lincoln, Edna Waldron, Lona Andre (Sonias Mädchen), Patricia Farley, Shirley Chambers, Maria Troubetskoy, Eleanor Hunt, Jean Hart, Dorothy Wilson, Barbara Barondess, Dorothy Granger, Jill Bennett, Mary Jane Halsey, Peggy Watts, Dorothy Dehn, Connie Lamont (Maxim-Girls), Charles Requa, George Lewis, Tyler Brooke, John Merkyl, Cosmo Bellew (Eskorte), Roger Gray, Christian J. Frank, Otto Fries, George Magrill, John Roach (Polizisten), Gino Corrado, Perry Ivins (Kellner), Kathleen Burke (i. e. Virginia Field, Gefangene), George Baxter (Botschafter), Paul Ellis (Tänzer), Leonid Kinskey (Schäfer), Evelyn Selbie (Reporterin), Wedgwood Nowell (Lakai), Richard Carle (Verteidiger), Morgan Wallace (Staatsanwalt), Frank Sheridan (Richter),

Arthur «Pop» Byron (Portier), Claudia Coleman (Garderobiere), Lee Tin (Aufgeregter Chinese), Nora Cecil (Animal Woman), Tom Frances (Orthodoxer Priester), Winter Hall (Priester), Matty Rupert (Zeitungsjunge), Ferdinand Munier (Gefängniswärter), Dewey Robinson, Russell Powell, Billy Gilbert (Fette Lakaien), Arthur Housman, Johnny «Skins» Miller (Betrunkene), Hector Sarno (Anführer der Zigeuner), Jan Rubini (Geiger), Jason Robards, Sr. (Offizier), Albert Pollet (Oberkellner), Rolfe Sedan (Gabrielovitch), Jacques Lory (Ziegenhirte), Lane Chandler (Soldat). – P: Ernst Lubitsch für Loew's Incorporated. – Executive Producer: Irving Thalberg. – Geschäftsführung: Eric Locke. – Dz: 88 Drehtage, 9. 4.–23. 7. 1934. – Do: MGM-Studios, Culver City. – OL: 99 Min; bei der Wiederaufführung 103 Min. – DL: 95 Min. – sw. – New Yorker Premiere: 11. 10. 1934, Astor. – DE: 8. 4. 1950, Hamburg. – TV: 2. 12. 1967 (ZDF)

Anmerkung: Neben der englischen entstand eine französische Version: *La Veuve joyeuse.*

Die schöne und reiche Witwe Sonia (Jeanette MacDonald) ist für das kleine Königreich Marshovia von lebenswichtiger Bedeutung. Das Gespenst des Staatsbankrotts droht, als die Witwe ins Ausland zu gehen gedenkt. Wie soll das Ländchen fortan ohne die einträglichen Steuern aus ihrem Vermögen existieren, wovon soll der kleine, dicke König (George Barbier) leben? In seiner Not beauftragt der Monarch den frauenbetörenden Gardehauptmann Graf Danilo (Maurice Chevalier), der reichen Witwe nach Paris nachzureisen. Nichts tut Danilo lieber, denn im «Maxim» warten auf den Gardeoffizier eine Reihe guter Bekannter – Lolo, Dodo, Frufru und wie sie sonst noch heißen. Planmäßig verliebt sich Danilo auch in Sonia, allerdings noch ehe er weiß, wer sie ist. Am nächsten Tag, als er offiziell der reichen Witwe vorgestellt wird, sind die Überraschung und der Schreck groß. War es nur das Geld der reichen Witwe und der geheime Staatsauftrag, der Danilo verliebt werden ließ? Oder sollte er wirklich mal richtig lieben? Es gibt Verwicklungen, der König selbst greift ein – bis die beiden im Gefängnis wirklich und endgültig zueinander finden. (ZDF)

1936 *Desire.* Sehnsucht / Perlen zum Glück. – R: Frank Borzage. – Künstlerische Leitung: Ernst Lubitsch. – B: Edwin Justus Mayer, Waldemar Young, Samuel Hoffenstein, nach dem Schauspiel «Die schönen Tage von Aranjuez» von Hans Székely und Robert A. Stemmle. – K: Charles B. Lang, Jr.; Aufnahmen in Europa: Eric Locke. – Sch: William Shea. – T: Harry D. Mills, Don Johnson. – M: Frederick Hollander (i. e. Friedrich Hollaender); Liedtext: Leo Robin. – Ba: Hans Dreier, Robert Usher. – A: A. E. Freudeman. – Ko: Travis Banton. – D: Marlene Dietrich (Madeleine de Beaupré), Gary Cooper (Tom Bradley), John Halliday (Carlos Margoli), William Frawley (Mr. Gibson), Ernest Cossart (Aristide Duvalle), Akim Tamiroff (Polizeiinspektor). – P: Ernst Lubitsch für Paramount (eine Frank-Borzage-Produktion). – Dz: 16. 9.–21. 12. 1935. – Do: Paramount Studios, Hollywood. – OL: 99 Min. – DL: 97 Min. – sw. – New Yorker Premiere: 11. 4. 1936, Paramount Theatre. – DE: 2. 4. 1936, Capitol, Berlin. – TV: 13. 6. 1973 (BR III)

Anmerkungen: *Desire* ist ein Remake des deutschen Films *Die schönen Tage in Aranjuez* aus dem Jahre 1933 (Regie: Johannes Meyer). – Ernst Lubitsch produzierte *Desire* für Paramount und überwachte die Dreharbeiten.

Tom, Ingenieur aus Detroit (Gary Cooper), verbringt seine Ferien in Spanien. Dort lernt er die verführerische internationale Diebin Madeleine (Marlene Dietrich) kennen, die gerade in Frankreich ein berühmtes Perlenkollier gestohlen hat. Im Laufe des Films wird aus der raffinierten Diebin eine verliebte Frau, die trotz der Anstrengungen ihres Komplizen den gestohlenen Schmuck seinem Besitzer zurückgeben wird. Tom und Madeleine heiraten.

1937 ANGEL. Engel. – R: Ernst Lubitsch. – B: Samson Raphaelson, nach dem Schauspiel «Angyal» von Melchior Lengyel und seiner englischen Adaptation von Guy Bolton und Russell Medcraft. – K: Charles B. Lang, Jr.; Europa-Aufnahmen: Harry Perry, Eric Locke. – Sch: William Shea. – T: Harry Mills, Louis Mesenkop. – M: Frederick Hollander; ML: Boris Morros; Liedtexte: Leo Robin. – Ba: Hans Dreier, Robert Usher. – A: A. E. Freudeman. – Ko: Travis Banton. – R-Ass: Joseph Lefert. – Spezial-Effekte: Farciot Edouart. – D: Marlene Dietrich (Maria Barker), Herbert Marshall (Sir Frederick Barker), Melvyn Douglas (Anthony Halton), Edward Everett Horton (Graham), Ernest Cossart (Walton), Laura Hope Crews (Großherzogin Anna Dmitrievna), Herbert Mundin (Greenwood), Dennie Moore (Emma), Ivan Lebedeff (Prinz Vladimir Gregorovitch), Lionel Pape (Lord Davington), Phyllis Coghlan (Dienstmädchen bei den Barkers), Leonard Carey (Erster Lakai), Eric Wilton (Englischer Chauffeur), Gerald Hamer (Zweiter Lakai), Herbert Evans (Butler), Michael S. Visaroff (Russischer Butler), Olaf Hytten (Fotograf), Gwendolyn Logan (Begleiterin Marias), James Finlayson (Zweiter Butler), George Davis, Arthur Hurni (Taxifahrer), Joseph Romantini (Oberkellner), Duci Kerekjarto (Erster Geiger), Suzanne Kaaren (Frau am Spieltisch), Louise Carter (Blumenfrau), Gino Corrado (Stellvertretender Hotelchef), Major Sam Harris (Mann im Club). – P: Ernst Lubitsch für Paramount. – Pl: John Hammell. – Dz: Ende März–Mitte Juni 1937. – Do: Paramount Studios, Hollywood, und in Europa. – OL: 98 Min. – DL: 91 Min. – sw. – Release: 29. 10. 1937. – New Yorker Premiere: 3. 11. 1937, Paramount Theatre. – TV: 3. 2. 1970 (ARD; Deutsche Erstaufführung).

Anmerkung: Am Drehbuch hat Frederick Lonsdale mitgearbeitet.

[. . .] Es geht um eine Frau (Marlene Dietrich), die von London nach Paris fliegt und dort im etwas anrüchigen Salon einer russischen Großfürstin einen gutaussehenden Engländer (Melvyn Douglas) trifft. Der Dialog zwischen den beiden und das, was Marlene Dietrich mit ihren Augen macht, ist wie ein Florettgefecht um die Weltmeisterschaft. Keiner von ihnen denkt daran nachzugeben, und wenn Marlene Dietrich, bevor sie den Mann verläßt, ihr Rendezvous mit ihm um eine Viertelstunde vorverlegt, weil er sie eine halbe Stunde früher sehen will, dann ist das ein triumphaler Sieg für sie über den Mann.

Lubitsch zeigt den Männern, was sie für merkwürdige Menschen sind. Immer will Melvyn Douglas wissen, wer

Marlene Dietrich ist, ob sie einen Beruf hat, ob sie verheiratet ist, was sie in Paris macht. Marlene Dietrich versucht, seine Phantasie anzustacheln und sagt, daß sie vielleicht eine Diebin oder eine Spionin sei. Er kapituliert, ist aber trotzdem nicht zufrieden. Ihre physische Gegenwart allein genügt ihm nicht. Er muß wissen, wohin er sie einzuordnen hat. Lubitsch tut ihm und dem männlichen Zuschauer (der ja dem gleichen Mechanismus unterworfen ist) den Gefallen.

Marlene Dietrich ist die Frau eines zur Zeit außerordentlich erfolgreichen Diplomaten (Herbert Marshall). Beide lieben sich, nehmen aufeinander Rücksicht. Beide sind ungewöhnlich vernünftig, haben Distanz gegenüber sich selbst. Sie sind ein ideales Ehepaar. Beim Frühstück merkt man dann allerdings, was wirklich los ist. Marlene Dietrich möchte lieber mit ihrem Mann etwas machen, nicht Zeitung lesen. Das tut sie nur, weil er es auch tut. Heute würde man sagen, sie ist «frustriert», weil ihr Mann nichts als seinen Beruf im Kopf hat. Die Schwierigkeiten mit Frankreich oder Jugoslawien sind ihm wichtiger (mit Recht?) als die inneren Wehwehchen seiner Frau.

Fünf Minuten später (im Film) wird der erfolgreiche Politiker auf einem Empfang von Melvyn Douglas angesprochen. Sie stellen fest, daß sie sich aus ihrer Militärzeit kennen und daß sie eine gemeinsame Geliebte in Paris hatten. Natürlich wird der alte Freund zum Mittagessen eingeladen, und Marlene Dietrich läßt sich nicht durch eine Migräne (sie hätte die Möglichkeit, weil sie etwas ahnt) entschuldigen, sondern hat den Mut, ihrem Liebhaber im Beisein ihres Mannes gegenüberzutreten. Die Szene, die sich dann abspielt, gehört zu den phantastischsten Szenen der Filmgeschichte. Ich habe keine Ahnung, wie lang sie ist. Vielleicht dauert sie nur zehn Minuten, vielleicht eine halbe Stunde. Es ist ein Kampf auf der Rückseite der Wörter, die sie miteinander sprechen, denn der Ehemann darf ja nichts merken. Und weil sie sich lieben, können sie nicht einfach so tun, als kennten sie sich nicht. Sie müssen beide einfach immer ein bißchen zu weit gehen, sie müssen sich reizen.

Der Ehemann, der immer wieder zum Telephon muß, weil es politische Schwierigkeiten gibt, ist zufrieden, weil er spürt, daß die beiden sich was zu sagen haben, und weil er weiß, daß seine Frau denkt, daß er sie ein bißchen vernachlässigt. Jetzt hat sie wenigstens jemanden, mit dem sie reden kann. Und auf einen alten Freund kann man sich ja verlassen. Aber Marlene Dietrich, die ihren Mann liebt und diese Liebe ernst nimmt, leistet Melvyn Douglas Widerstand. Sie hat Angst, die Liebe zu ihrem Mann könnte stärker sein als die Liebe zu ihrem «Liebhaber», wenn sie ihren momentanen Gefühlen nachgibt. Sie hat Angst davor, hinterher zwischen zwei Stühlen zu sitzen. Deshalb läßt sie den Liebhaber durch ihren Mann mehr oder weniger hinausschmeißen. Nicht aus Liebe und nicht aus moralischen Erwägungen.

Von den vielen Möglichkeiten, die Geschichte zu Ende gehen zu lassen, gibt es für Lubitsch nur eine einzige: die direkte Konfrontation der drei Hauptpersonen im Salon der Großfürstin. Jeder weiß jetzt, was los ist. Der Ehemann zeigt, daß auch in ihm allerhand steckt, schluckt die Liebesgeschichte, fragt Marlene, ob sie bereit ist, mit ihm nach Wien zu fahren. Sie ist bereit. Ende. [. . .] (Rudolf Thome, Süddeutsche Zeitung, 30. 3. 1973)

1938 BLUEBEARD'S EIGHTH WIFE. Blaubarts achte Frau. – R: Ernst Lubitsch. – B: Charles Brackett, Billy Wilder, nach dem Schauspiel «La huitième femme de Barbe-bleu» von Alfred Savoir und der amerikanischen Adaptation von Charlton Andrews. – K: Leo Tover; Europa-Aufnahmen: Eric Locke. – Sch: William Shea. – T: Harry D. Mills, Don Johnson. – M: Frederick Hollander, Werner R. Heymann; Orchestrierung: John M. Leipold; ML: Boris Morros. – Ba: Hans Dreier, Robert Usher. – A: A. E. Freudeman. – Ko: Travis Banton. – Spezial-Effekte: Farciot Edouart. – D: Claudette Colbert (Nicole de Loiselle), Gary Cooper (Michael Brandon), Edward Everett Horton (Marquis de Loiselle), David Niven (Albert de Regnier), Elizabeth Patterson (Tante Hedwige), Herman Bing (Monsieur Pepinard), Warren Hymer (Kid Mulligan), Franklin Pangborn, Armand Cortes (Hotelgeschäftsführer), Rolfe Sedan (Abteilungsleiter), Lawrence Grant (Professor Urganzeff), Lionel Pape (Monsieur Potin), Tyler Brooke (Verkäufer), Tom Ricketts (Onkel André), Barlowe Borland (Onkel Fernandel), Charles Halton (Monsieur de la Coste, Präsident), Olaf Hytten (Sein Diener), Michael Visaroff (Vizepräsident), Jacques Vanaire (Direktor), Pauline Garon (Kundin), Ray de Ravenne (Verkaufsgehilfe), Sheila Darcy (Dienstmädchen), Blanche Franke (Kassiererin), Joseph Romantini (Oberkellner), Alphonse Martell (Hotelangestellter), Harold Minjir (Fotograf), Gino Corrado (Kellner, der den Marquis bedient), Ellen Drew (Sekretärin), Leon Ames (Ex-Chauffeur), Jimmie Dime (Boxer), Alex Woloshin, George Davis (Gepäckträger), Henry Roquemore (Dicker Mann), Albert d'Arno (Zeitungsverkäufer), Hooper Atchley (Aufgeregter Reisender), John Picorri (Schaffner), Joseph Crehan (Amerikanischer Tourist), Wolfgang A. Zilzer (Buchverkäufer), Paul Bryar (Rundfunksprecher), Grace Goodall (Krankenschwester), Sacha Guitry (Mann vor dem Hotel), Mariska Aldrich (Krankenschwester), Paul Gustin (Mann im Büro der Schiffahrtslinie), Albert Petit (Eisenbahnangestellter), Sally Martin (Kleines Mädchen am Strand), Eugene Borden (Kellner auf der Treppe). – P: Ernst Lubitsch für Paramount. – Dz: August 1937 (Außenaufnahmen in Europa); 11. 10. 1937–Januar 1938. – Do: Paramount Studios, Hollywood, und in Europa. – OL, DL: 85 Min. – sw. – New Yorker Premiere: 23. 3. 1938, Paramount Theatre. – TV: 13. 4. 1972 (ARD; Deutsche Erstaufführung).

Mike Brandon ist ein Mann mit Geld und mit Prinzipien. Beispielsweise sieht er nicht ein, warum er von einem Pyjama auch die Hose kaufen soll, wenn er grundsätzlich im Bett nur die Schlafanzugjacke trägt. In einem Kaufhaus an der französischen Riviera hat man allerdings wenig Verständnis für seinen ausgefallenen Wunsch. Zum Glück taucht just im richtigen Moment eine junge Dame auf, die umgekehrt an einer einzelnen Pyjamahose interessiert ist. So lernt der amerikanische Millionär die reizende Nicole de Loiselle kennen, ohne zu ahnen, daß sie die Tochter des etwas windigen Marquis ist, der mit ihm in geschäftliche Beziehungen treten möchte. Erst später, als er im Hotel die Pyjamahose wiedersieht, wird ihm das klar, und er beginnt, Nicole den Hof zu machen. Ihr Vater ist begeistert von dem Gedanken, einen Schwiegersohn zu bekommen, der ihm finanziell wieder auf die Beine helfen könnte; Nicole findet, ganz abgesehen von seinen 50 Millionen, sei auch Mike selber nicht zu verachten. So wird die vielköpfige Sippe der de Loiselle zur Hochzeit an die Riviera zitiert. Am Tag der Trauung allerdings fällt Nicole fast in Ohnmacht, als sie hört, daß Mike schon siebenmal verheiratet war: Sechsmal ist er geschieden worden, eine seiner Verflossenen starb – eines natürlichen Todes, wie er beruhigend versichert. Unter diesen Umständen besteht Nicole darauf, vertraglich 100 000 Dollar jährlich für den Fall einer Scheidung zugesichert zu bekommen, bevor sie sich in das Abenteuer einer Ehe mit Mike stürzt. Das geschieht, und so kann das Abenteuer seinen Lauf nehmen, allerdings ganz anders, als Brandon sich das vorgestellt hat. Seine junge Frau zeigt ihm nämlich hartnäckig die kalte Schulter, für sie ist die Ehe eine reine Formsache. Alle seine Bemühungen, die Widerspenstige zu zähmen, bleiben erfolglos; statt dessen bekommt er anonyme Briefe, denen zufolge er einen glücklicheren Nebenbuhler haben soll. Er engagiert einen Detektiv; dieser behauptet allerdings, Mrs. Brandon schreibe besagte Briefe selber, und es gäbe gar keinen Rivalen. Nun sieht Mike eine Chance, seine Frau als Schwindlerin zu entlarven; diese kommt ihm jedoch auf die Schliche und trifft entschlossen ihre Gegenmaßnahmen. Mit soviel Erfolg, daß der Ärmste schließlich einen Nervenzusammenbruch erleidet und in ein Sanatorium eingeliefert werden muß. Erst dort sorgt Nicole für das angemessene Happy-End. (ARD)

1939 NINOTCHKA. Ninotschka. – R: Ernst Lubitsch. – B: Charles Brackett, Billy Wilder, Walter Reisch, nach einer Story von Melchior Lengyel. – K: William Daniels. – Sch: Gene Ruggiero. – T: Douglas Shearer. – M: Werner R. Heymann. – Ba: Cedric Gibbons; Mitarbeit: Randall Duell. – A: Edwin B. Willis. – Ko: Gilbert Adrian. – R-Ass: Horace Hough. – D: Greta Garbo (Ninotchka/Nina Ivanovna Yakushova), Melvyn Douglas (Graf Léon d'Algout), Ina Claire (Großfürstin Swana), Bela Lugosi (Kommissar Razinin), Sig Rumann (Michael Simonovitch Iranoff), Felix Bressart (Buljanoff), Alexander Granach (Kopalski), Gregory Gaye (Graf Alexis Rakonin), Rolfe Sedan (Hoteldirektor), Edwin Maxwell (Mercier), Richard Carle (Gaston), Wolfgang Zilzer (Taxifahrer), Dorothy Adams (Jacqueline, Swanas Zofe), Jenifer Gray, Peggy Moran, Kay Stewart (Zigarettenmädchen), Alexander Schonberg (Deutscher auf Bahnsteig), Lucille Pinson (Deutsche auf Bahnsteig), George Davis (Gepäckträger), Marek Windheim (Empfangschef), Frank Reicher, Edwin Stanley (Rechtsanwälte), Charles Judels (Père Mathieu, Restaurantbesitzer), Constantine Romanoff (Mann im Restaurant), Armand Kaliz (Louis, Oberkellner), Lawrence Grant (General Savitsky), Mary Forbes (Lady Lavenham), Florence Shirley (Marianne), Elizabeth Williams (Entrüstete Frau), Monya Andre, Symona Boniface, Emily Cabanne, Bess Flowers, Sandra Morgan, Elinor Vanderveer (Klatschtanten), William Irving (Barkeeper), George Tobias (Russe im Visa-Büro), Tamara Shayne (Anna), Harry Semels (Gurganov), Jody Gilbert (Schaffnerin), Paul Weigel (Vladimir), Maj. Frederick Farrell (Begleiter), George Sorel, Nino Bellini (Männliche Gäste), Wilda Bennett (Weiblicher Gast), Albert Pollet (Kellner), Jacques Vanaire (Hotelangestellter), Winifred Harris (Englische Dame), Hans Joby (Mann auf dem Bahnhof). – P: Ernst Lubitsch für Loew's Incorporated. – Dz: Mai–Juli 1939. – Do: MGM-Studios, Culver City. – OL: 110 Min. – DL: 108 Min. – sw. – U: 6. 10. 1939, Grauman's Chinese Theatre, Hollywood. – DE: 7. 12. 1948. – TV: 23. 12. 1971 (ARD).

Die Genossen Buljanoff (Felix Bressart), Iranoff (Sig Rumann) und Kopalski (Alexander Granach) sind aus Moskau nach Paris gekommen, um dort Juwelen zu verkaufen, die vor der Revolution der Großfürstin Swana (Ina Claire) gehört haben. Sie steigen in einem Luxushotel ab, obwohl Genosse Buljanoff gewisse Bedenken hat, ob sich das mit sozialistischen Prinzipien verträgt. Dort entdeckt ein Kellner, was die Beauftragten Moskaus vorhaben, und verständigt die Großfürstin, die seit ihrer Emigration in Paris lebt. Swana erwirkt eine Einstweilige Verfügung gegen den geplanten Verkauf; ihr Verehrer, Graf Léon d'Algout (Melvyn Douglas) bringt es seinerseits fertig, im Namen der drei Genossen ein Telegramm nach Moskau zu schicken, das Kommissar Razinin (Bela Lugosi) veranlassen soll, Swana zur Hälfte am Erlös des Schmucks zu beteiligen. Empört entsendet Razinin daraufhin einen Sonderbeauftragten nach Paris, um dort nach dem Rechten zu sehen. Es ist die schöne, aber sehr zurückhaltende Genossin Ninotchka (Greta Garbo), die gegen kapitalistische Verlockungen völlig gefeit erscheint. Als sie den Eiffelturm besichtigen will, lernt sie zufällig den Grafen d'Algout kennen, ohne zu ahnen, daß er es ist, der Buljanoff, Iranoff und Kopalski vom rechten Weg abgebracht hat. Leute seines Schlages gibt es in Rußland nicht mehr, darum interessiert sie der charmante Aristokrat, obwohl sie auf sein heftiges Flirten sehr gelassen reagiert: Liebe ist in den Augen der Genossin nur ein biologischer oder chemischer Vorgang, über den man einen Haufen Unsinn geschrieben hat! Ein Anruf Buljanoffs verrät den beiden die Zusammenhänge, damit scheint die kurze Episode beendet zu sein. Doch Léon gibt sich nicht so schnell geschlagen, sondern versucht, Ninotchka die verspotteten Attribute seiner Gesellschaft schmackhaft zu machen und sich seinerseits mit ihren sozialistischen Errungenschaften anzufreunden. Damit hat er durchaus Erfolg, bis die eifersüchtige Swana in Aktion tritt, die verliebte Ninotchka unter Druck setzt und sie zwingt, ohne Abschied mit ihren Genossen nach Moskau zurückzufliegen. Bald erhält sie jedoch einen neuen Sonderauftrag: wieder haben Buljanoff und seine Kumpane kläglich versagt. Ninotchka reist nach Konstantinopel, um ihnen den Kopf zu waschen. Dort erwartet sie eine Überraschung. (ARD)

1940 THE SHOP AROUND THE CORNER. Rendezvous nach Ladenschluß. – R: Ernst Lubitsch. – B: Samson Raphaelson, nach dem Schauspiel «Illatszertar» («Parfumerie») von Nikolaus Laszlo. – K: William Daniels. – Sch: Gene Ruggiero. – T: Douglas Shearer. – M: Werner R.

Heymann. – Ba: Cedric Gibbons; Mitarbeit: Wade B. Rubottom. – A: Edwin B. Willis. – R-Ass: Horace Hugh. – D: Margaret Sullavan (Klara Novak), James Stewart (Alfred Kralik), Frank Morgan (Matuschek), Joseph Schildkraut (Ferencz Vadas), Sara Haden (Flora), Felix Bressart (Pirovitch), William Tracy (Pepi Katona), Inez Courtney (Ilona), Sarah Edwards (Kundin), Edwin Maxwell (Arzt), Charles Halton (Detektiv), Charles Smith (Rudy), Grace Hayle (Dicke Frau), Charles Arnt (Polizist), Gertrude Simpson (Kundin), William Edmunds (Kellner), Mary Carr (Großmutter), Mabel Colcord (Tante Anna), Renie Riano, Claire DuBrey, Ruth Warren, Joan Blair, Mira McKinney (Kundinnen). – P: Ernst Lubitsch für Loew's Incorporated. – Drehbeginn: November 1939. – Do: MGM-Studios, Culver City. – OL, DL: 97 Min. – sw. – Release: 12. 1. 1940. – New Yorker Premiere: 25. 1. 1940, Radio City Music Hall. – DE: April 1947. – TV: 22. 12. 1969 (ZDF).

Budapest, Mitte der dreißiger Jahre. Die Angestellten des Galanterie- und Lederwarengeschäfts Matuschek und Compagnie zittern vor ihrem gestrengen Chef (Frank Morgan). Nur einer nicht, Alfred Kralik (James Stewart), der erste Verkäufer, ein stiller, tüchtiger junger Mann. Seit neun Jahren schätzt Matuschek diesen Mitarbeiter, aber jetzt scheint auf einmal eine unausgesprochene Spannung zwischen ihnen zu bestehen. Gerade an dem Abend, an dem Kralik sein erstes Rendezvous mit seiner anonymen Briefpartnerin und heimlichen Angebeteten hat, wird er entlassen. Fast zu spät klärt sich der Irrtum, der zu dieser Kündigung führte, auf, und Matuschek stellt Kralik wieder ein, jetzt als Geschäftsführer. Er bittet den jungen Mann aufrichtig um Verzeihung, denn er hatte ihn zu Unrecht verdächtigt, ihn mit seiner Frau zu betrügen. Als Geschäftsführer ist Kralik nun auch für das Wohl der übrigen Angestellten verantwortlich. Fräulein Klara Novak (Margaret Sullavan) macht ihm besondere Sorgen, jene junge neue Verkäuferin, mit der er sich bisher nur gestritten hat. Er muß hören, daß ihre Unpäßlichkeiten «rein seelischer Natur» sind. Anders ausgedrückt: Sie hat Liebeskummer. Der Weihnachtsverkauf der Firma Matuschek und Cie. wird unter Kraliks Leitung zum besten Geschäft seit Jahren. Am Weihnachtsabend ist die Kasse voll, und alle sind stolz und glücklich, der Geschäftsführer Alfred Kralik, die Verkäuferinnen Klara, Flora und Ilona, der ängstliche und getreue Pirovitch (Felix Bressart), Pepi, der ehemalige Laufjunge, und Rudi, sein Nachfolger, wie auch – trotz persönlichen Kummers – der Chef, Hugo Matuschek. Am Weihnachtsabend schließlich kommt auch Alfred Kraliks so lange verhindertes Rendezvous zustande. (ZDF)

1941 THAT UNCERTAIN FEELING. Ehekomödie – R: Ernst Lubitsch. – B: Donald Ogden Stewart, nach dem Schauspiel «Divorçons» von Victorien Sardou und Emile de Najac; Adaptation Walter Reisch. – K: George Barnes. – Sch: William Shea. – T: Arthur Johns. – M: Werner R. Heymann. – Ba: Alexander Golitzen. – A: A. E. Freudeman. – Ko: Irene. – R-Ass: Horace Hough. – D: Merle Oberon (Jill Baker), Melvyn Douglas (Larry Baker), Burgess Meredith (Sebastian), Alan Mowbray (Dr. Vengard), Olive Blakeney (Margie Stallings), Harry Davenport (Rechtsanwalt Jones), Sig Rumann (Mr. Kafka), Eve Arden (Sally), Richard Carle (Butler), Mary Currier (Dienstmädchen), Jean Fenwick (Krankenschwester). – P: Ernst Lubitsch für Ernst Lubitsch Productions, Inc. (eine Lesser-Lubitsch-Produktion) – Gesamtleitung: Sol Lesser. – Pl: Barney Briskin. – Dz: Oktober–Dezember 1940. – OL: 84 Min. – DL: 83 Min. – sw. – Release: 20. 4. 1941. – New Yorker Premiere: 1. 5. 1941, Radio City Music Hall. – DE: 1949. – TV: 28. 8. 1982 (ARD)

Anmerkung: Remake von KISS ME AGAIN (1925)

Jill Baker (Merle Oberon) ist überzeugt, daß ihre Ehe mit ihrem Mann Larry (Melvyn Douglas) sehr glücklich ist. Jedenfalls behauptet sie das, als sie auf Drängen ihrer Freundin Margie (Olive Blakeney) wegen eines hartnäckigen Schluckaufs den Psychoanalytiker Dr. Vengard (Alan Mowbray) konsultiert. Er schafft es schnell, die junge Frau zu verunsichern. Höchstwahrscheinlich, meint Dr. Vengard, habe ihr Schluckauf etwas mit ihrem Mann zu tun. Derart instruiert, muß Jill sich eingestehen, daß ihr neuerdings einiges an Larry tatsächlich nicht paßt. Als Vizepräsident einer Versicherung legt er einen Geschäftseifer an den Tag, der ihr übertrieben erscheint; etwas mehr Zeit für sie könnte er durchaus haben. Jills Unbehagen wächst, als sie in Dr. Vengards Wartezimmer Alexander Sebastian (Burgess Meredith) kennenlernt. Er behauptet von sich, der größte Pianist der Welt zu sein, wenn er nicht gerade vor dem üblichen Publikum spielen muß, außerdem ist er gegen alles und jeden. Jill findet den Exzentriker zumindest interessant und lädt ihn zu sich nach Hause ein, als ihr Mann beim Abendessen mit Geschäftspartnern einen großen Abschluß zu tätigen gedenkt. Larry ist dieser irre Musiker höchst unsympathisch. Das verstärkt sich verständlicherweise noch, als er entdeckt, daß der fatale Mr. Sebastian ihm seine Frau auszuspannen droht. Nach außen hin scheint er zwar bereit zu sein, sich scheiden zu lassen, aber in Wirklichkeit erhofft er sich davon etwas ganz anderes, denn er liebt seine Frau noch genauso wie sie ihn. (ARD)

1942 TO BE OR NOT TO BE. Sein oder Nichtsein – R: Ernst Lubitsch. – B: Edwin Justus Meyer, nach einer Story von Ernst Lubitsch (uncredited) und Melchior Lengyel. – K: Rudolf Maté. – Sch: Dorothy Spencer. – T: Frank Maher. – M: Werner R. Heymann. – Ba: Vincent Korda; Mitarbeit: J. Macmillan Johnson. – A: Julia Heron. – Ko: Irene und Walter Plunkett. – R-Ass: William Tummel, William McGarry. – Spezial-Effekte: Lawrence Butler. – Technische Überwachung: Richard Ordynski. – D: Carole Lombard (Maria Tura), Jack Benny (Joseph Tura), Robert Stack (Leutnant Stanislav Sobinski), Felix Bressart (Greenberg), Lionel Atwill (Rawitch), Stanley Ridges (Professor Alexander Siletsky), Sig Rumann (SS-Gruppenführer Ehrhardt), Tom Dugan (Bronski), Charles Halton (Dobosh, Regisseur), George Lynn (Schauspieler-Adjutant), Henry Victor (Sturmführer Schultz), Maude Eburne (Anna, Garderobiere), Armand Wright (Maskenbildner), Erno Verebes (Mitarbeiter des Theaters), Halliwell Hobbes (General Armstrong), Miles Mander (Major Cunningham), Leslie Dennison (Captain), Frank Reicher

(Dr. Bojarski, Beamter des Außenministeriums), Peter Caldwell (Wilhelm Kunze), Wolfgang Zilzer (Mann im Buchgeschäft), Olaf Hytten (Polonius in Warschau), Charles Irwin (Reporter), Leyland Hodgson (Zweiter Reporter), Alec Craig (Schottischer Farmer), James Finlayson (Zweiter Farmer), Edgar Licho (Souffleur), Robert O. Davis (SS-Mann), Roland Varno (Pilot), Helmut Dantine, Otto Reichow (Co-Piloten), Maurice Murphy, Gene Rizzi, Paul Barrett, John Kellogg, James Gillette (Polnische RAF-Piloten), John Meredith (Englischer Funker). – P: Ernst Lubitsch für Romaine Film Corporation. – Co-Pd.: Alexander Korda. – Pl: Walter Mayo. – Dz: 6. 11.–23. 12. 1941. – Do: Samuel Goldwyn Studios, Hollywood. – OL: 99 Min. – DL: 98 Min. – sw. – Release: 6. 3. 1942. – DE: 12. 8. 1960. – TV: 15. 10. 1963 (I. Programm)

Der Kommentar zum Film (S. 190 ff.) schildert auch die Handlung.

1943 HEAVEN CAN WAIT. Ein himmlischer Sünder / Memoiren eines Lebemannes. – R: Ernst Lubitsch. – B: Samson Raphaelson, nach dem Schauspiel «Szuletsnap» von László Bus-Feketé. – K: Edward Cronjager. – Sch: Dorothy Spencer. – T: Eugene Grossman, Roger Heman. – M: Alfred Newman. – Ba: James Basevi, Leland Fuller. – A: Thomas Little; Mitarbeit: Walter M. Scott. – Ko: René Hubert. – R-Ass: Henry Weinberger. – Spezial-Effekte: Fred Sersen. – D: Gene Tierney (Martha), Don Ameche (Henry Van Cleve), Charles Coburn (Hugo Van Cleve), Marjorie Main (Mrs. Strabel), Laird Cregar (Seine Exzellenz), Spring Byington (Bertha Van Cleve), Allyn Joslyn (Albert Van Cleve), Eugene Pallette (E. F. Strabel), Signe Hasso (Mademoiselle), Louis Calhern (Randolph Van Cleve), Helene Reynolds (Peggy Nash), Aubrey Mather (James), Michael Ames (Jack Van Cleve), Leonard Carey (Flogdell), Clarence Muse (Jasper), Dickie Moore (Henry Van Cleve, im Alter von 15 Jahren), Dickie Jones (Albert Van Cleve, im Alter von 15 Jahren), Trudy Marshall (Jane), Florence Bates (Mrs. Craig), Clara Blandick (Großmutter), Anita Bolster (Mrs. Cooper-Cooper), Nino Pipitone, Jr. (Jack als Junge), Claire DuBrey (Miss Ralston), Maureen Rodin-Ryan (Krankenschwester), Frank Orth (Droschkenfahrer), Alfred Hall (Alberts Vater), Grayce Hampton (Alberts Mutter), Gerald Oliver Smith (Smith), Charles Halton (Angestellter bei Brentanos), James Flavin, Arthur Foster (Polizisten), Libby Taylor, Bernice Pilot (Dienstmädchen), Michael McLean (Henry, im Alter von 15 Monaten), Edwin Maxwell (Arzt), Scotty Beckett (Henry, im Alter von 9 Jahren), Marlene Mains (Mary), Claire James, Rose-Anne Murray, Marian Rosamond, Adele Jergens, Ruth Brady (Ziegfeld Girls). – P: Ernst Lubitsch für 20th Century-Fox. – Dz: 1. 2.–10. 4. 1943. – Do: 20th Century-Fox Westwood-Studios. – OL, DL: 112 Min. – Farbe (Technicolor). – New Yorker Premiere: 11. 8. 1943, Roxy. – DE: August 1952. – TV: 2. 4. 1972 (ARD)

Der Kommentar zum Film (S. 194 f.) schildert auch die Handlung.

1945 *A Royal Scandal.* Skandal bei Hofe. – R: Otto Preminger. – B: Edwin Justus Mayer, nach dem Schauspiel «The Czarina» von Lajos Biró und Melchior Lengyel; Adaptation: Bruno Frank. – K: Arthur Miller. – Sch: Dorothy Spencer. – T: Alfred Bruzlin, Roger Heman. – M: Alfred Newman. – Ba: Lyle R. Wheeler, Mark Lee Kirk. – A: Thomas Little. – Ko: René Hubert. – R-Ass: Tom Dudley. – D: Tallulah Bankhead (Zarin Katharina II.), Charles Coburn (Kanzler Nicolai Illytch), Anne Baxter (Gräfin Anna Jaschikoff), William Eythe (Leutnant Alexei Chernoff), Vincent Price (Marquis de Fleury, französischer Botschafter), Mischa Auer (Hauptmann Sukov), Sig Rumann (General Ronsky), Vladimir Sokoloff (Malakoff). – P: Ernst Lubitsch für 20th Century-Fox. – Dz: 14. 9.–25. 11. 1945. – Do: 20th Century-Fox Westwood-Studios. – OL und DL: 94 Min. – sw. – New Yorker Premiere: 11. 4. 1945, Roxy. – DE: 9. 11. 1980 (ZDF; Deutsche Erstaufführung)

Anmerkung: Remake von FORBIDDEN PARADISE (1924)

Die russische Zarin Katharina (Tallulah Bankhead) führt einen großen Hof. Politische Entscheidungen überläßt sie ihrem Kanzler (Charles Coburn), dem aber oft das nötige Durchsetzungsvermögen fehlt. Eines Tages verliebt sich Katharina in den jungen Offizier Alexei (William Eythe), der ihr zwar treu ergeben ist, der aber auch die sozial unerträgliche Situation der russischen Bauern ändern will. Und: Alexei liebt die Kammerfrau der Zarin. Die Ereignisse überstürzen sich, bis es schließlich doch zum Happy-End kommt.

1946 *Dragonwyck.* Weißer Oleander. – R: Joseph L. Mankiewicz. – B: Joseph L. Mankiewicz, nach dem Roman «Dragonwyck» von Anya Seton. – K: Arthur Miller. – Sch: Dorothy Spencer. – T: W. D. Flick, Roger Heman. – M: Alfred Newman; Orchestrierung: Edward B. Powell. – Ba: Lyle Wheeler, J. Russell Spencer. – A: Thomas Little. – Ko: René Hubert. – D: Gene Tierney (Miranda), Walter Huston (Ephraim Wells), Vincent Price (Nicholas Van Ryn), Glenn Langan (Dr. Jeff Turner), Anne Revere (Abigail Wells), Spring Byington (Magda, eine Dienerin), Connie Marshall (Katrine), Henry Morgan (Klaus Bleecker), Vivienne Osborne (Johanna), Jessica Tandy (Peggy O'Malley), Trudy Marshall (Elizabeth Van Borden), Reinholf Schünzel (Graf de Grenier). – P: Ernst Lubitsch für 20th Century-Fox. – Executive Producer: Darryl F. Zanuck. – Dz: Februar–Mai 1945. – Do: 20th Century-Fox Westwood-Studios und Sherwood Forest. – OL: 103 Min. – DL: 105 Min. – sw. – New Yorker Premiere: 10. 4. 1946, Roxy. – DE: 8. 4. 1952. – TV: 23. 2. 1974 (ZDF)

Der mächtige Grundbesitzer Nicholas Van Ryn (Vincent Price) sucht eine Gesellschafterin für seine kleine Tochter. Die Wahl fällt auf Miranda (Gene Tierney), die älteste Tochter des strenggläubigen Farmers Ephraim Wells (Walter Huston), eines entfernten Verwandten. Bald nachdem Miranda ihren Dienst auf dem düsteren Herrensitz angetreten hat, stirbt Van Ryns Frau. Wenig später bittet Van Ryn Miranda um ihre Hand. Er hofft, daß sie ihm einen Erben schenken wird, denn seine erste Frau konnte keine Kinder mehr bekommen. Als aber der langerhoffte Sohn wenige Stunden nach der Geburt stirbt, bricht Van Ryn jeden Kontakt zu seiner Umwelt ab. Nach und nach kommen Miranda und Dr. Turner, der Hausarzt, hinter ein furchtbares Geheimnis. Der weiße Oleander, der eines Tages in Mirandas Schlafzimmer steht, bestätigt ihre schlimmen Vermutungen. Van Ryn ist wahnsinnig geworden; aber der Gerechtigkeit kann er nicht entgehen.

1946 CLUNY BROWN. Cluny Brown auf Freiersfüßen. – R: Ernst Lubitsch. – B: Samuel Hoffenstein, Elizabeth Reinhardt, nach dem Roman «Cluny Brown» von Margery Sharp. – K: Joseph La Shelle. – Sch: Dorothy Spencer. – T: Arthur L. Kirbach, Roger Heman. – M: Cyril Mockridge; Orchestrierung: Maurice dePackh; ML: Emil Newman. – Ba: Lyle Wheeler, J. Russell Spencer. – A: Thomas Little; Mitarbeit: Paul S. Fox. – Ko: Bonnie Cashin. – R-Ass: Tom Dudley. – Spezial-Effekte: Fred Sersen. – D: Charles Boyer (Adam Belinski), Jennifer Jones (Cluny Brown), Peter Lawford (Andrew Carmel), Helen Walker (Betty Cream), Reginald Gardiner (Hilary Ames), Reginald Owen (Sir Henry Carmel), Sir C. Aubrey Smith (Colonel Duff Graham), Richard Haydn (Wilson), Margaret Bannerman (Lady Alice Carmel), Sara Allgood (Mrs. Maile), Ernest Cossart (Syrette), Florence Bates (Witwe aus besserem Hause), Una O'Connor (Mrs. Wilson), Queenie Leonard (Weller), Billy Bevan (Onkel Arn), Michael Dyne (John Frewen), Christopher Severn (Master Snaffle), Rex Evans (Pianist), Ottola Nesmith (Mrs. Tupham), Harold de Becker (Mr. Snaffle), Jean Prescott (Mrs. Snaffle), Clive Morgan (Kellner), Charles Coleman (Wachtmeister Birkins), George Kirby (Latham), Whit Bissell (Sohn der Witwe), Philip Morris (Polizist), Betty Fairfax (Frau in der Drogerie), Norman Ainsley (Mr. Tupham), Mira McKinney (Frau des Autors), Al Winters (Rollins), Bette Rae Brown (Mädchen auf der Party). – P: Ernst Lubitsch für 20th Century-Fox. – Dz: Dezember 1945–Februar 1946. – Do: 20th Century-Fox Westwood-Studios. – OL, DL: 100 Min. – New Yorker Premiere: 1. 6. 1946, Rivoli. – TV: 14. 12. 1980 (ZDF; Deutsche Erstaufführung).

Der Kommentar zum Film (S. 196f.) schildert auch die Handlung.

1948 THAT LADY IN ERMINE. Die Frau im Hermelin. – R: Ernst Lubitsch, Otto Preminger (uncredited). – B: Samson Raphaelson, nach der Operette «Die Frau im Hermelin» von Rudolf Schanzer und Ernst Welisch und seiner englischen Adaptation. – K: Leon Shamroy. – K-F: Bud Mantino. – Sch: Dorothy Spencer. – T: Arthur L. Kirbach, Roger Heman. – M: Frederick Hollander; ML und Zwischenmusik: Alfred Newman; Orchestrierung: Edward Powell, Herbert Spencer, Maurice dePackh; Liedtexte: Leo Robin. – Ba: Lyle Wheeler, J. Russell Spencer. – A: Thomas Little, Walter M. Scott. – Ko: René Hubert. – R-Ass.: Tom Dudley. – Spezial-Effekte: Fred Sersen. – Choreografie: Hermes Pan. – D: Betty Grable (Angelina/Francesca; Doppelrolle), Douglas Fairbanks, Jr. (Oberst Ladislaus Karoly Teglash/Herzog von Ravenna; Doppelrolle), Cesar Romero (Mario), Walter Abel (Major Horvath/Benvenuto; Doppelrolle), Reginald Gardiner (Alberto), Harry Davenport ((Luigi), Virginia Campbell (Theresa), Whit Bissell (Giulio), Edmund MacDonald (Hauptmann Novak), David Bond (Gabor), Harry Cording, Belle Mitchell, Mary Bear, Jack George, John Parrish, Mayo Newhall (Ahnen), Lester Allen (Hofnarr), Harry Carter, Thayer Roberts, Don Haggerty (Stabsoffiziere), Robert Karnes (Leutnant), Duke York (Feldwebel), Ray Hyke (Albertos Kämpe), Jimmy Ames (Wache), Joe Haworth (Soldat), Francis Pierlot (Priester). – P: Ernst Lubitsch für 20th Century-Fox. – Pl: A. F. Erickson. – Dz: 20. 10. 1947–5. 1. 1948. – Do: 20th Century-Fox Westwood-Studios. – OL, DL: 89 Min. – Farbe (Technicolor). – New Yorker Premiere: 24. 8. 1948, Roxy. – DE: 16. 1. 1951. – TV: 6. 8. 1982 (ARD).

Anmerkung: Die Arbeit an dem Film wurde von Lubitsch begonnen und nach dessen Tod von Preminger beendet.

Schloß Bergamo im Jahre 1861. Gräfin Angelina (Betty Grable) und ihr frischgebackener Gemahl Mario (Cesar Romero) freuen sich auf ihre Hochzeitsnacht, als der alte Diener Luigi eine fatale Nachricht überbringt: Feindliche ungarische Husaren sind im Anmarsch. Mario meint daraufhin, sich rasch zu seiner Truppe absetzen zu müssen. So findet Oberst Teglash (Douglas Fairbanks, Jr.) nur die hübsche Gräfin und das Personal auf Bergamo vor, als er mit seinen Husaren das Schloß besetzt. Auch in der Ahnengalerie herrscht beträchtliche Aufregung. Schon einmal war Schloß Bergamo in großer Gefahr, damals bewahrte Gräfin Francesca (ebenfalls Betty Grable) den stolzen Bau davor, vom Herzog von Ravenna (Douglas Fairbanks, Jr.) eingeäschert zu werden. Das ist jetzt 300 Jahre her, aber immer noch Gesprächsstoff auf Bergamo. Auch Oberst Teglash zeigt sich beeindruckt von der alten Geschichte, noch mehr allerdings von der jungen Gräfin, die ihrer Vorfahrin wie aus dem Gesicht geschnitten ist. Darum hätte er auch nichts dagegen, wenn Angelina ihr im Umgang mit dem Feind nacheiferte, als ihr Mann in seine Gewalt gerät. Teglash verspricht, Mario freizulassen, wenn Angelina nachts barfuß und im Hermelin zu ihm kommt, so wie einst Gräfin Francesca zu dem finsteren Herzog ging. Einen Dolch braucht sie allerdings nicht mitzubringen! Tatsächlich erlebt der Oberst eine aufregende Nacht, wenn auch – nur im Traum. Aber manche Träume sollen ja wahr werden . . .(ARD)

Ergänzende filmografische Hinweise

1913 *Das Mirakel.* – R: Max Reinhardt/*Eine venezianische Nacht.* – R: Max Reinhardt. – Fast alle Lubitsch-Filmografen vermuten, daß Lubitsch in diesen Filmen als Schauspieler mitgewirkt hat. In einem bislang nicht berücksichtigten kurzen Beitrag in «Pem's Personal Bulletins» (Pem. i. e. Paul Marcus), 1385/86, 25. 4. 1969, äußert sich Ernst Mátray zu diesen Angaben: «L. (Lubitsch, d. Verf.) never – but never – played in ‹Miracle› . . . To say he played in R's (Reinhardt, d. Verf.) first picture is ridiculous; the name of R.'s first was ‹Venetian Nights› with Maria Carmi, Alfred Abel, Joseph Klein, and I, Ernst M., played Pipistrello. This film is in my posession now . . .»

1913 *Meyer auf der Alm.* – D: Ernst Lubitsch (Meyer), Sophie Pagay (bei Weinberg genannt). – P: Union Film. – Der Film wird erstmals bei Robert Paolella erwähnt; spätere Filmografien übernehmen ihn. Bei den durchgeführten Recherchen fand sich kein Hinweis auf den Film, auch ein Zensurdatum war nicht feststellbar.

1914 *Meyer als Soldat.* – D: Ernst Lubitsch (Meyer). – P: Union-Film. – Auch dieser Film wird erstmals bei Robert Paolella erwähnt; spätere Filmografien übernehmen ihn. Bei unseren Recherchen fand sich kein Hinweis auf den Film, auch ein Zensurdatum war nicht feststellbar.

1915 *Marionetten.* – R: Richard Löwenbein. – Auch bei diesem Film, so vermuten zahlreiche Filmografen, soll Lubitsch als Schauspieler beziehungsweise Regisseur beteiligt gewesen sein. Eigene Recherchen ergaben keinen Beleg für diese Vermutung. Mátray schreibt in derselben, oben genannten Quelle: «The movie ‹Marionettes› was my first feature made by Matray Film G.m.b.H. . . . Katta Sterna was in this film, filmed by Greenbaum, but L. had nothing to do with it.» Diese Ausführungen decken sich mit den Angaben von Lamprecht.

1916 *Leutnant auf Befehl.* – R, B: Danny Kaden. – D: Harry Liedtke, Max Gülstorff, Erna Thiele. – P: Projektions-AG Union, Berlin. – Dieser Film wird bisher in allen Filmografien Lubitsch zugeschrieben. In den vom Verfasser recherchierten Kritiken ist eine Mitwirkung Lubitschs nicht vermerkt, vielmehr wird als Regisseur immer Danny Kaden genannt, und auch die Darstellerliste weicht von den bisherigen Angaben, die sich auf Lamprecht stützen, ab. Da Lubitsch zu dieser Zeit in der Filmbranche und beim Publikum kein Unbekannter mehr war, wäre es verwunderlich, daß sein Name nicht erwähnt sein sollte. Deshalb geht der Verfasser zunächst davon aus, daß Lubitsch an diesem Film nicht beteiligt war (vgl. Lichtbild-Bühne, Nr. 44, 4. 11. 1916; Der Kinematograph, Nr. 515, 8. 11. 1916; Der Film, Nr. 42, 11. 11. 1916)

1918 *Mania.* – R: Ernst Lubitsch (?), Eugen Illès (?). – Ba: Kurt Richter. – D: Pola Negri. – P: Projektions-AG Union, Berlin. – U: 8. 11. 1918, Kammerlichtspiele. – Weinberg nennt für das Jahr ein nicht realisiertes Projekt «Mania» mit Pola Negri als Hauptdarstellerin und Paul Leni als für die Bauten verantwortlich. Lamprecht führt einen Film dieses Titels unter der Regie Eugen Illès, der auch für die Kamera genannt wird. (B: Hans Brennert; D: Pola Negri, Arthur Schröder, Ernst Wendt). In einer Kritik des Films «Mania» in «Der Film», Nr. 45, 9. 11. 1918, wird Ernst Lubitsch als Regisseur genannt, Kurt Richter für die Bauten und Pola Negri als Darstellerin der «Zigarettenarbeiterin Mania». Produktionsgesellschaft, Uraufführungsort und Uraufführungsdatum decken sich mit den Angaben Lamprechts. Für die Fertigstellung des Films sind außerdem die Zensurdaten (veröffentlicht in Birett S. 260, 436) ein Beleg. Ob Lubitsch oder Illès die Regie des Films hatten, konnte nicht endgültig geklärt werden. Der Verfasser geht jedoch davon aus, daß es sich nicht um einen Lubitsch-Film handelt.

1919 *Das Schwabemädle.* – R: Georg Jacoby. – B: Dr. Paul Meissner, Georg Jacoby. – D: Ossi Oswalda, Carl Auen. – P: Projektions-AG Union, Berlin. – U: Februar 1919, U. T. Friedrichstraße, Berlin. – Auch dieser Film wurde bisher Lubitsch zugeschrieben. Carringer/Sabath ergänzen in einer Anmerkung, daß nach den Recherchen von Horak «Ernst (!) Jacoby» Regisseur gewesen sei. Die recherchierten Materialien belegen keine Mitwirkung Lubitschs. Die Regie des Films hatte Georg Jacoby (vgl. Anzeige zum Film in: Kinematograph, Nr. 617, 30. 10. 1918; Kritik des Films von Egon Jacobsohn in: Der Kinematograph, Nr. 634, 26. 2. 1919).

1928 *The Last Command.* – R: Josef von Sternberg. – Angeblich lieferte Lubitsch die Idee für die Story des Films (vgl. Carringer/Sabath, S. 218).

1933 *Mr. Broadway.* – R: Johnny Walker. – In einer Szene des Films sieht man Lubitsch im Central Park Casino tanzen.

1942 *Know Your Enemy Germany.* – «Army training film», den Lubitsch für 20th Century-Fox schrieb und drehte. Der Film wurde nicht öffentlich vorgeführt (vgl. Carringer/Sabath, S. 219).

1943 *The Meanest Man in the World.* R: Sidney Lanfield. – Lubitsch führte bei den Nachaufnahmen Regie.

Nicht realisierte Projekte in Deutschland

1919 Der Mann in der Mitte
Notiz in der Illustrierten Film-Woche, Nr. 16, 1919 in der Rubrik von Egon (i. e. Egon Jacobsohn): «. . . demnächst erscheint Lustspiel (Der Mann in der Mitte) von Lubitsch vorbereitet.»

1919 Das Boudoir
Notiz in Film-Kurier, Nr. 15, 22. 6. 1919, Rubrik «Aus dem Glashaus»: «Ernst Lubitsch gedenkt seit langem wieder selbst in einer Film-Komödie zu spielen, die sich ‹Das Boudoir› nennt.»

1919 Das goldene Kalb
Notiz in Film-Kurier, Nr. 37, 18. 7. 1919, Rubrik «Aus dem Glashaus»: «Der zweite Ossi-Oswalda-Film ‹Das goldene Kalb›, von Ernst Lubitsch inszeniert, ist in Arbeit.» – Vgl. auch Notiz in Film-Tribüne, Nr. 6, 1. 8. 1919.

1920 Medea/Die Argonauten
Notiz in Illustrierte Film-Woche, Nr. 21, 1920. Vgl. auch Ufa-Verleihplan für die Produktion 1920/21.

«Geplante 2-teilige Verfilmung der ‹Medea›, frei nach Grillparzer, bearbeitet von Fred Orbing (i. e. Norbert Falk) und Hanns Kräly». Regie: Ernst Lubitsch. Ba: Kurt Richter. D: Pola Negri, Paul Wegener, Harry Liedtke. P: Projektions-AG «Union», Berlin.

1920 Mephistophela
R: Ernst Lubitsch. B: Hanns Kräly, Ernst Lubitsch. – No-

tiz in Der Kinematograph, Nr. 701/702, 27. 6. 1920: «... phantastisches Lustspiel, das die alte Faustsage in humoristischer Weise ausspinnt. Als Vorbild für die Gestalt der Hauptfigur diente den Verfassern die Mephistophela des Heinrich Heine'schen Balletts ‹Doktor Faust›. Ossi Oswalda spielt die Titelrolle.» – Vgl. auch: Film-Kurier, Nr. 121, 9. 6. 1920, Rubrik «Aus dem Glashaus». – Weitergehende Notiz in Film-Kurier, Nr. 168, 21. 7. 1921, Rubrik «Aus dem Glashaus»: «Durch die Presse geht die Mitteilung über einen Film ‹Mephistophela›, der Herrn Maur [i. e. Meinhart Maur] zum Verfasser hat. Demgegenüber legt die Lubitsch-Film-GmbH (EFA) Wert auf die Feststellung, daß der Film ‹Mephistophela› bereits vor Jahresfrist unter der Regie von Ernst Lubitsch angekündigt wurde und im nächsten Aufnahmejahr im Rahmen der Lubitsch-Gesellschaft zur Ausführung kommen wird.»

1920 Minna von Barnhelm
Notiz in Lichtbild-Bühne, Nr. 21, 12. 6. 1920: «In Anlehnung an Lessings ‹Minna von Barnhelm› bearbeiten Hanns Kräly und Ernst Lubitsch ein großes Filmlustspiel für Henny Porten. Die Regie wird Ernst Lubitsch führen.» – Vgl. auch: Der Kinematograph, Nr. 701/702, 27. 6. 1920.

1920 Manon Lescaut
Notiz in Lichtbild-Bühne, Nr. 33, 14. 8. 1920: «‹Manon Lescaut› wird von der Projektions-Akt.-Ges. Union verfilmt. Die Titelrolle soll von Pola Negri gespielt werden. Die Regie führt Ernst Lubitsch.»

1920 Salome
Notiz in Lichtbild-Bühne, Nr. 41, 9. 10. 1920: «Die Projektions A.-G. Union ist mit der Verfilmung der ‹Salome› beschäftigt. Die Regie führt Ernst Lubitsch, die Dekorationen entwirft Ernst Stern. Die Hauptrolle wird Pola Negri spielen.» – Vgl. auch: Film-Kurier, Nr. 223, 5. 10. 1920, Rubrik «Aus dem Glashaus», und Film-Tribüne, Nr. 46, 14. 11. 1920.

1921 Macbeth
R: Ernst Lubitsch. B: Norbert Falk, Hanns Kräly. D: Pola Negri (Lady Macbeth), Emil Jannings (Macbeth). Ba: Ernst Stern. – Vgl. Variety, 4. 3. 1921. Hinweis in Carringer/Sabath, S. 220.

1921 Die Räuber
R: Ernst Lubitsch. B: nach Schiller. Ba: Ernst Stern. D: Emil Jannings (Franz Moor), Dagny Servaes (Amalia). P: EFA. Do: Böhmische Wälder. – Notiz in Film-Kurier, Nr. 114, 18. 5. 1921.

1921 Die lustigen Weiber von Windsor
Notiz in Lichtbild-Bühne, Nr. 25, 18. 6. 1921: «Ernst Lubitsch bereitet die Verfilmung der Lustigen Weiber von Windsor mit Jannings als Falstaff vor.» – Vgl. auch: Der Film, Nr. 25, 19. 6. 1921.

1922 Walzertraum
Notiz in Lichtbild-Bühne, Nr. 39, 23. 9. 1922: «Ernst Lubitsch ist mit den Vorarbeiten zu einer Verfilmung des ‹Walzertraum› beschäftigt. Die Hauptrolle wird von Grete Reinwald verkörpert.» – Anläßlich der Uraufführung von Ludwig Bergers Ufa-Film *Ein Walzertraum* druckt Der Kinematograph, Nr. 985, 3. 1. 1926, ein Fragment aus dem 2. Akt des Manuskripts von Lubitsch und Hanns Kräly ab. Vorlage des Stoffs ist die Novelle «Nux, der Prinzgemahl». Vorgesehene Besetzung lt. Der Kinematograph: Jacob Tiedtke (Herzog), Hilde Wörner (Prinzessin), Liane Haid (Mizzi), Harry Liedtke (Nux), Hermann Thimig (Sein Bursche), Paula Eberty, Elsa Wagner (Hofdamen). – Der Kinematograph merkt weiter an, daß die Realisierung des Stoffs im Oktober 1922 geplant gewesen sei, das Manuskript aber «gedieh nur bis zum 3. Akt».

Bibliografie

Zusammengestellt von Wolfgang Jacobsen

Die Bibliografie enthält zunächst Angaben zu Texten *von* Ernst Lubitsch. Es folgen Hinweise auf Bücher, Broschüren, Hochschulschriften und Spezialnummern von Fachzeitschriften *über* Ernst Lubitsch; dann ausgewählte Aufsätze, Buchkapitel und Interviews. Außerdem werden Materialien und Kritiken zu den einzelnen Filmen genannt. Zu Titeln, die hier nicht verzeichnet sind, konnten in der Regel nur Werbeanzeigen, kurze Produktionsmitteilungen oder ähnliches gefunden werden, die aus Platzgründen in dieser Bibliografie nicht erwähnt werden können. Ebenfalls nicht aufgenommen wurden – bis auf wenige Ausnahmen – Kapitel und Aufsätze in Filmgeschichten, Anthologien, Autobiografien und Monografien der Produzenten, Regisseure, Schauspielerinnen und Schauspieler, die mit Lubitsch zusammenarbeiteten. Wer weitere Quellen über Lubitsch und seine Filme sucht, sollte diese Materialien nicht außer acht lassen.

Die bibliografischen Angaben sind zunächst in die Sprachbereiche Deutsch, Englisch, Französisch eingeteilt. In zwei Fällen finden sich Hinweise auf italienische Quellen. Innerhalb der Sprachen wurden die Texte chronologisch nach dem Erscheinungsdatum geordnet.

Ausgewertet wurden die bereits in der Filmografie genannte Filmfachpresse sowie folgende Tageszeitungen und Zeitschriften: Berliner Börsen-Courier; Berliner Lokal-Anzeiger; Berliner Tageblatt; Das Blaue Heft; Deutsche Allgemeine Zeitung; Die literarische Welt; Die Neue Schaubühne; Das Tage-Buch (später: Das Tagebuch); Vossische Zeitung; Vorwärts; Die Weltbühne. Darüber hinaus wurden, soweit die Bestände der benutzten Archive dies ermöglichten, B.Z. am Mittag, Film-BZ und Tägliche Rundschau miteinbezogen. Für Filme, die erst nach 1945 in Deutschland erstaufgeführt beziehungsweise von den Fernsehanstalten erstausgestrahlt wurden, sind die Pressearchive der Bibliotheken der Deutschen Film- und Fernsehakademie (DFFB) und der Landesbildstelle Berlin ausgewertet worden.

Die Kritiken von Béla Balázs und Herbert Ihering liegen in Sammelbänden als Nachdrucke vor. Béla Balázs: Schriften zum Film. Erster Band: «Der sichtbare Mensch», Kritiken und Aufsätze 1922–1926. München, Wien 1982. – Herbert Ihering: Von Reinhardt bis Brecht. Drei Bände. Berlin (DDR) 1958, 1959, 1961. Für weitergehende Quellenhinweise zur englischsprachigen Kritik sei ausdrücklich auf die Publikation von Carringer/Sabath verwiesen.

Für Hilfeleistungen danke ich den Mitarbeiterinnen und Mitarbeitern der DFFB und der Landesbildstelle Berlin, des Landesarchivs Berlin sowie Gero Gandert, Ulrich Kurowski, Hans Helmut Prinzler und Werner Sudendorf.

Texte von Ernst Lubitsch

Hollywood. Das Filmparadies. Berlin: Verlag der Lichtbild-Bühne. Gebr. Wolffsohn. o. J. (zusammen mit E(wald) A(ndré) Dupont). – Asta und ich. In: Film-Kurier, Nr. 32, 12. 7. 1919. – «Sumurun» und ich. In: B.Z. am Mittag, Nr. 199, 26. 8. 1920; gekürzt nachgedruckt in: Der Film, Nr. 35, 28. 8. 1920. – Asta Nielsen und Ernst Lubitsch. Ein offener Brief an Asta Nielsen. In: Lichtbild-Bühne, Nr. 42, 16. 10. 1920. (Lubitsch bezieht sich auf ein Interview von Dr. Walter Steinthal mit Asta Nielsen in der Lichtbild-Bühne, Nr. 41, 9. 10. 1920, in dem sie sich über Lubitschs Regie im Film RAUSCH beklagt. Dazu Leserzuschriften in Nr. 49, 4. 12. 1920; Nr. 3, 15. 1. 1921 von Paul Wegener. Der Film-Kurier, Nr. 235, 19. 10. 1920, kommentiert die Auseinandersetzung.) – Ernst Lubitsch erzählt. In: Das Tage-Buch, Heft 43, 6. 11. 1920. (Lubitsch erzählt einen Witz.) – Lubitsch contra Ewers . . . In: Lichtbild-Bühne, Nr. 52, 25. 12. 1920 (Offener Brief zur Kritik von Hanns Heinz Ewers zu ANNA BOLEYN). – Offener Brief an die Redaktion der Lichtbild-Bühne. In: Lichtbild-Bühne, Nr. 52, 25. 12. 1920 (Stellungnahme zur Meldung der Lichtbild-Bühne, Direktor Davidson habe mit Lubitsch einen Vertrag zur Gründung einer neuen Filmgesellschaft abgeschlossen). – Der deutsche Film in 1921. Neue Aufgaben der Produktion. In: Der Film, Nr. 2, 8. 1. 1921 (Über die Bedeutung seiner deutsch-amerikanischen Pläne für die deutsche Filmindustrie). – Deutsche Filme und die Welt. In: Film-Kurier, Nr. 155, 5. 7. 1921. – Erwiderung: In: Berliner Tageblatt, Nr. 424, 9. 9. 1921. (Stellungnahme zu einem Artikel von Alfred Polgar im Berliner Tageblatt, Nr. 411, 1. 9. 1921. Lubitschs Text ist gekürzt nachgedruckt und kommentiert in: Der Film, Nr. 37, 11. 9. 1921; Lichtbild-Bühne, Nr. 38, 17. 9. 1921.) – Stellungnahme zu einem Artikel über Kontakte zwischen der Ufa und Lubitsch. In: Der Film, Nr. 44, 30. 10. 1921; Nr. 45, 6. 11. 1921. – Lubitsch Praises Griffith. In: Film Daily, 5. 1. 1922. – Stellungnahme zum Streit zwischen den Fachzeitschriften Der Film und Lichtbild-Bühne über die schauspielerische Leistung von Emil Jannings in den Filmen *Othello* (R: Dimitri Buchowetzki) und DAS WEIB DES PHARAO. In: Der Film, Nr. 15, 9. 4. 1922. – Unwürdige Absperrung. In: Berliner Lokal-Anzeiger, Nr. 27, 31. 7. 1922. Beilage Film-Echo (Plädoyer für eine Aufhebung der Einfuhrsperren von Filmen). – Film-Internationalität. In: Heinrich Pfeiffer (Hg.): Das Deutsche Lichtbild Buch: Filmprobleme von Gestern und Heute. Berlin: A. Scherl o. J. – Comparing European and American Methods. In: Film Daily, 6. 5. 1923. – American Cinematographers Superior Artists. In: American Cinematographer, Dezember 1923; deutsch in: Süddeutsche Filmzeitung (München), Nr. 5, 29. 1. 1926; nachgedruckt in: filmtechnik & filmindustrie, Nr. 4, 20. 2. 1926; Filme, Nr. 5, 1980. – Wie mein erster Grossfilm entstand. In: Lichtbild-Bühne, Luxusnummer «30 Jahre Film», 1924. – Unsere Chancen in Amerika. In: Lichtbild-Bühne, Nr. 56, 17. 5. 1924. – My Two Years in America. In: Motion Picture, Dezember 1924; deutsch in: Film-BZ, Nr. 345, 16. 12. 1924. – Die Stadt der Filmwunder. In: Ufa-Programmheft DAS VERBOTENE PARADIES, 1925. – Lubitschs Idee zum Walzertraum-Film. In: Der Kinematograph, Nr. 985, 3. 1. 1926 (Veröffentlichung eines Manuskript-Fragments von Lubitsch und Hanns Kräly zu einem nicht realisierten Projekt anläßlich der Uraufführung von Ludwig Bergers Ufa-Film *Ein Walzertraum*). – Lubitsch dankt Wien. In: Neues Wiener Journal, 3. 7. 1927 (Dankschreiben an die «Fremdenverkehrskommission der Bundesländer Wien und Niederösterreich»). – Ein Schnitzel auf Pump. In: Die literarische Welt, Nr. 42, 21. 10. 1927 (Autobiografische Skizze zum Thema «Als wir uns noch 50 Pfennig pumpten»). – Ernst Lubitsch. In: Wir über uns selbst. Herausgegeben von Dr. Hermann Treuner. Berlin: Sibyllen Verlag 1928 (Autobiografischer Aufsatz). – Seine Lordschaft – mein Kammerdiener. In: Mein Film (Wien), Nr. 106, 1928 (Glosse). – Ernst Lubitsch an einen Kritiker. In: Lichtbild-Bühne, Nr. 255, 23. 10. 1928 (Leserbrief, datiert Hollywood 4. 10. 1928, zur Kritik von Ernst Jäger über THE STUDENT PRINCE IN OLD HEIDELBERG in Film-Kurier, Nr. 217, 11. 9. 1928). – Amer Lubitsch. In: Berliner Tageblatt, Nr. 17, 16. 5. 1929, Beilage Photo-Spiegel (Glosse). – Concerning Cinematography . . . as Told to William Stull. In: American Cinematographer, November 1929. – Ernst Lubitsch schreibt dem Reichsfilmblatt. In: Reichsfilmblatt, Nr. 4, 25. 1. 1930 (Leserbrief, datiert Hollywood 6. 1. 1930, zur Frage der Umstellung auf den Tonfilm in der deutschen Filmindustrie). – Über einen Schauspieler. Einige Worte Chevalier. In: Reichsfilmblatt, Nr. 27, 5. 7. 1930. – Brief an Julia Shawell. In: New York Evening Graphic, 27. 2. 1932. – Ein Problemfilm entsteht – –. In: Reichsfilmblatt, Nr. 46, 12. 11. 1932 (Über THE MAN I KILLED). – Einige Worte Tonfilm. In: Berliner Tageblatt, Nr. 541, 14. 11. 1932. – Probleme und Gedanken zu einem Filmstoff. In: Mein Film (Wien), Nr. 356, 1932. – Wenn man ein moderner Filmstar sein will . . . In: Mein Film (Wien), Nr. 362, 1932 (Glosse). – Man hat zu wenig Geld fürs Kino! In: Mein Film (Wien), Nr. 364, 1932 (Über den privaten Charakter seines Europaaufenthalts, seine Einschätzung der amerikanischen Filmindustrie und die Entwicklung zum «Fernsehkino»). – Film Directing. In: Clarence Winchester (Hg.): The World Film Encyclopedia. London: Amalgamated Press; nachgedruckt in: Richard Koszarski (Hg.): Hollywood Directors 1914–40. New York: Oxford Press 1976; französisch in: Cahiers du Cinéma, Nr. 198, Februar 1968. – La pantomima moderna. In: Schermo (Milano), Nr. 27/28, 1935. – Two

Hundred Million of Them. In: Boxoffice, 10. 10. 1936. – Gli attori: che ho diretto in America. In: Cinema (Roma), Nr. 28, 25. 8. 1937; französisch in: Mario Verdone: Ernst Lubitsch. Premier plan (Lyon), Nr. 32, 1964. – Lubitsch Demands Beauties. In: New York World-Telegram, 13. 10. 1937. – Garbo, as Seen by Her Director. In: The New York Times, 22. 10. 1939; deutsch in: Der Aufbau (New York), 15. 11. 1939. – What Do Film Audiences Want? In: New York Herald Tribune, 16. 9. 1940. – Mr. Lubitsch Takes the Floor for Rebuttal. In: The New York Times, 29. 3. 1942. – Herman G. Weinberg: A Tribute to Lubitsch, with a Letter in Which Lubitsch Appraises His Own Career. In: Films in Review, Vol. 2, Nr. 7, August/September 1951; nachgedruckt in: Herman G. Weinberg: The Lubitsch Touch. A Critical Study. Third Revised and Enlarged Edition. New York: Dover Publications 1977; französisch in: Mario Verdone: Ernst Lubitsch. Premier plan (Lyon), Nr. 32, 1964. – Letter to Herman G. Weinberg. In: Film Culture, Sommer 1962; deutsch in: Filmkritik, Nr. 2, Februar 1970.

Über Ernst Lubitsch

Bücher, Broschüren, Hochschulschriften Zeitschriften

Peter B. Schumann, Werner Dütsch (Red.): Ernst Lubitsch. Retrospektive der Internationalen Filmfestspiele Berlin 1967 und 1968. Zwei Broschüren.

Jan-Christopher Horak: Ernst Lubitsch and the Rise of Ufa 1917–1922. Boston University. School of Public Communication 1975. – Robert William Mills: The American Films of Ernst Lubitsch. A Critical History. University of Michigan 1976. – Herman G. Weinberg: The Lubitsch Touch. A Critical Study. Third Revised and Enlarged Edition. New York: Dover Publications 1977. – Robert Carringer, Barry Sabath: Ernst Lubitsch. A Guide to References and Resources. Boston: G. K. Hall & Co. o. J. – Leland A. Poague: The Cinema of Ernst Lubitsch. South Brunswick, New York: Barnes; London: Yoseloff 1978. – Barry Allen Sabath: Ernst Lubitsch and Samson Raphaelson. A Study in Collaboration. New York University 1979. – Thomas Elsaesser (Hg.): Space Frame Narrative. Ernst Lubitsch. Silent Cinema. University of East Anglia Norwich 1983. Tagungsbroschüre. – William Paul: Ernst Lubitsch's American Comedy. New York: Columbia University Press 1983.

La Revue de Cinéma, Nr. 17, September 1948 (Mit Beiträgen von Lotte H. Eisner, Mario Verdone, Jean George Auriol, Jean Mitry, Amable Jameson). – Mario Verdone: Ernst Lubitsch. Premier plan (Lyon), Nr. 32, 1964 (Mit Beiträgen von Mario Verdone, Ernst Lubitsch, Jean George Auriol). – Cahiers du Cinéma, Nr. 198, Februar 1968 (Mit Beiträgen von François Truffaut, Ernst Lubitsch, Jean Domarchi, Hanns Kräly, Samson Raphaelson, Jeanette MacDonald, Charles Brackett, Billy Wilder, Herman G. Weinberg u. a.).

Guido Fink: Ernst Lubitsch. Firenze: La Nuova Italia 1977. Il castoro Cinema 41.

Aufsätze, Buchkapitel

F. W. K. (Franz Wolfgang Koebner): Lubitsch. In: Illustrierte Film-Woche, Nr. 40, 1919. – Anonym: Ernst Lubitsch, der Meister-Regisseur. In: Illustrierte Film-Woche, Nr. 1, 1921. – -n.: Lubitsch' Amerika Reise. In: Film-Kurier, Nr. 256, 24. 11. 1922. – K. W. (Karl Wolffsohn): Ernst Lubitsch in Hollywood. In: Lichtbild-Bühne, Tagesdienst, Nr. 51, 20. 5. 1924. – Anonym: Stunden bei Lubitsch. In: Lichtbild-Bühne, Nr. 213, 24. 10. 1925. – Anonym: Herr und Frau Lubitsch. In: Mein Film (Wien), Nr. 6, 1926. – H. P. (Heinz Pol): Lubitschs Werdegang. In: Der Bildwart, Nr. 9, September 1926. – Leo Hirsch: Ernst Lubitsch. In: Berliner Tageblatt, Nr. 245, 25. 5. 1927. – Carl Bratz an Lubitsch. Rede anläßlich einer Feier zu Ehren Lubitschs im Tauentzienpalast. In: Lichtbild-Bühne, Nr. 127, 28. 5. 1927. – H. P. (Heinz Pol): Lubitsch am Mikrofon. In: Süddeutsche Filmzeitung, Nr. 30, 22. 7. 1927 (Bericht über einen Rundfunkvortrag Lubitschs zum Thema «Hollywood, das Filmparadies»). – Hans Tasiemka: Kopf der Woche. Ernst Lubitsch. In: Reichsfilmblatt, Nr. 17, 27. 4. 1929. – F. S.: Ernst Lubitsch persönlich. In: Film-Kurier, Nr. 262, 5. 11. 1932. – John Loder: Heute kommt Lubitsch. Ein guter Deutscher. In: Film-Kurier, Nr. 267, 11. 11. 1932 (Übersetzung eines Aufsatzes aus Film Weekly). – Anonym: Endlich kam Lubitsch. In: Film-Kurier, Nr. 268, 12. 11. 1932 (Bericht über Lubitschs Ankunft in Berlin-Tempelhof). – Gero Gandert: Ernst Lubitsch, ein Klassiker der Filmregie. In: Trierischer Volksfreund, 28. 3. 1952. – Friedrich Luft: Charme in allen Fingerspitzen. In: Die Welt (Ausgabe Berlin), 30. 11. 1957. – Gerhard Ritterband: Mein Freund Lubitsch. In: Telegraf (Berlin), 26. 1. 1958. – Karena Niehoff: Schnoddriges am Sunset Boulevard. Billy Wilder und Ernst Lubitsch. In: K. N., Stimmt es – stimmt es nicht? Herrenalb/Schwarzwald: Horst Erdmann Verlag 1962. – hw.: Ein Klassiker der Ironie. In: Neue Zürcher Zeitung, 3. 2. 1962. – s-y (Georg Salmony): Der Mann, der «Ninotchka» machte. In: Süddeutsche Zeitung, 29. 1. 1962. – Michael Prager: 4 × Lubitsch: Die Komödie als Zeitkritik. In: Action (Wien), Nr. 1, 1966. – Wilfried Wiegand: Meister sophistischer Komödien. In: Die Welt, 28. 1. 1967. – Hans-Georg Soldat: Der frühe Lubitsch. In: Der Tagesspiegel, 5. 7. 1967. – Hans-Georg Soldat: Der Unmoderne. Retrospektive Ernst Lubitsch. In: Der Tagesspiegel, 30. 6. 1968. – Frieda Grafe, Enno Patalas: Lernprozesse. In: Filmkritik, Nr. 2, Februar 1970; nachgedruckt in: Grafe/Patalas: Im Off. München: Hanser 1974. – Wolfgang Limmer: Der Lubitsch-Touch, ein Regisseur und seine Welt. In: Film (Velber), Nr. 3, März 1971. – Kurt Pinthus: In memoriam Ernst Lubitsch. In: K. P., Der Zeitgenosse. Marbach 1971. – Erwin Leiser: Der wiederentdeckte Lubitsch. In: Neue Zürcher Zeitung, Fernausgabe, 22. 5. 1971. – Erwin Leiser: Die Kuriositäten des Herrn Lubitsch. In: Die Weltwoche (Zürich), 28. 5. 1971. – Enno Patalas: Ernst Lubitsch. In: Süddeutsche Zeitung, 29./30. 1. 1972. – Enno Patalas: Ernst Lubitsch. In: der Filmspiegel, 28. 3. 1972. – Enno Patalas: Kino-Explosion. In: Süddeutsche Zeitung, 22. 8. 1972. – Michael Hanisch: Filmkomödien mit Charme. In: Neue Zeit (DDR), 29. 10.

1972. – Henning Harmssen: Leichte Muse in Luxusausführung. In: Stuttgarter Zeitung, 28. 1. 1977. – Frieda Grafe: Was Lubitsch berührt. In: Süddeutsche Zeitung, 22./23. 9. 1979. – Ulrich Kurowski: Zur Karriere des Ernst Lubitsch. Aufsteiger-Obsessionen. In: Film + Ton-Magazin, Nr. 6, Juni 1980. – Ilona Brennicke, Joe Hembus: Klassiker des Deutschen Stummfilms. 1910–1930. München: Wilhelm Goldmann 1983 (darin zahlreiche Filmkommentare).

Anonym: How Lubitsch Works. In: Wid's Daily, 28. 12. 1921. – Peter Milne: Ernst Lubitsch: German Director. In: Motion Picture Directing: The Facts and Theories of the Newest Art. New York: Falk Publishing Company 1922. – Herbert Howe: The Film Wizard of Europe. In: Photoplay, Dezember 1922; nachgedruckt in: Herman G. Weinberg: The Lubitsch Touch. a. a. O.; deutsch in: Süddeutsche Zeitung, 29./30. 1. 1972. – Kenneth White: The Style of Ernst Lubitsch. In: Hound and Horn, Januar–März 1931; nachgedruckt in: Hound & Horn. Essays on Cinema. New York: Arno Press & The New York Times 1972. – Lewis Jacobs: The Rise of the American Film. A Critical History. New York: Harcourt Brace 1939. Darin Seiten 305–308, 354–361. – Siegfried Kracauer: From Caligari to Hitler: A Psycological History of the German Film. Princeton, N. J.: Princeton University Press 1947. Darin Seiten 47–58; deutsche Ausgabe: Von Caligari zu Hitler. Hg. von Karsten Witte. Frankfurt/M.: Suhrkamp 1979. Schriften Bd. II. – Theodore Huff: An Index to the Films of Ernst Lubitsch. In: Sight and Sound. Index Series No. 9. Januar 1947. – H. H. Wollenberg: Ernst Lubitsch. In: The Penguin Film Review (London), Nr. 7, 1948; nachgedruckt in: Don Whittemore, Philip Alan Cecchettini: Passport to Hollywood. Film Immigrants Anthology. New York: McGraw-Hill Book Company 1976. – H. H. Wollenberg: Two Masters. Ernst Lubitsch and Sergei M. Eisenstein. In: Sight and Sound, Vol. 17, Nr. 65, Frühjahr 1948. – Herman G. Weinberg: Ernst Lubitsch: A Parallel to George Feydeau. In: Film Comment, Vol. 6, Nr. 1, Frühjahr 1970; nachgedruckt in: H. G. W., Saint Cinema. New York: Dover 1970. – Andrew Sarris: Lubitsch in the thirties. Part I, II. In: Film Comment, Vol. 7, Nr. 4, Winter 1971/72; Vol. 8, Nr. 2, Sommer 1972. – Peter Bogdanovich: Hollywood. In: Esquire, November 1972; nachgedruckt in: P. B., Pieces of Time. New York: Delta Books 1973. – George C. Pratt: Foreign Invasion: Ernst Lubitsch. In: G. C. P., Spellbound in Darkness. A History of the Silent Film. Revised Edition. Greenwich, Connecticut: New York Graphic Society 1973. – J. McBride: The importance of being Ernst. In: Film Heritage, Vol. 8, Nr. 4, Sommer 1973. – N. D. Isaacs: Lubitsch and the filmed-play syndrome. In: Literature/Film Quarterly, Vol. 3, Nr. 4, Herbst 1975. – Jan-Christopher Horak: The Pre-Hollywood Lubitsch. In: Image (Rochester), Dezember 1975 (Auszug aus Horaks Magisterarbeit, vgl. a. a. O.). – Don Whittemore, Philip Alan Cecchettini: Passport to Hollywood. Film Immigrants Anthology. New York: McGraw-Hill Book Company 1976, darin Seiten 148–186. – K. Bond: Ernst Lubitsch. In: Film Culture, Nr. 63/64, 1977. – John Gillett: Munich's cleaned pictures. In: Sight and Sound, Vol. 17, Nr. 1, Winter 1977/78. – Douglas McVay: Lubitsch, the American silent films. In: Focus on Film, Nr. 32, April 1979.

Lotte H. Eisner: L'Ecran démoniaque. Paris: Editions André Bonne; englisch: The Haunted Screen. Berkeley: University of California Press 1969; deutsch: Die dämonische Leinwand. Frankfurt/M.: Kommunales Kino 1975. darin Seiten 71–80. – Gilles Jacob: Cinéma au second degré. Ernst Lubitsch. In: G. J., Le cinéma moderne. Lyon: serdoc 1964. Collection Panoramique. Vol. 2, – Bernard Eisenschitz: Lubitsch (1892–1947). In: Anthologie du Cinéma. Paris: L'Avant Scène du Cinéma, 1968. – François Truffaut: Lubitsch était un prince. In: F. T., Les films de ma vie. Paris: Flammarion 1975; deutsch: Die Filme meines Lebens. München, Wien: Carl Hanser 1976 (dtv Taschenbuch, Nr. 1449, München 1979); englisch in: American Film, Vol. 3, Nr. 7, Mai 1978; deutsch auch in: Filmkritik, Nr. 2, Februar 1970. – Frédéric Vitoux: Ernst Lubitsch, le maître. In: Positif, Nr. 137, April 1972. – Jacques Siclier: Luxe, optimisme et champagne. In: Le Monde, 11./12. 3. 1973. – Fernand Dufour: Lubitsch: l'être et le paraître. In: Cinéma (Paris), Nr. 177, Juni 1973. – Hadeline Trinon: Les structures narratives à partir de l'oeuvre d'Ernst Lubitsch. In: Les Cahiers de la Cinématheque, Nr. 20, Sommer 1976. – Pierre Sefani: Sur trois moments du cinéma allemand. In: Cinéma (Paris), Nr. 229, Januar 1978 (u. a. über Lubitsch). – Jean-Loup Boutget: Lubitsch 14–20. In: Positif, Nr. 213, Dezember 1978. – Jacques Fieschi: Les années courtes. In: Cinématographe, Nr. 65, Februar 1981.

Roberto Paolella: Ernst Lubitsch regista del tempo perduto. In: Bianco e Nero, Nr. 1, 1958.

Interviews

Julius Urgiß: Ernst Lubitsch. Künstlerprofile VI. In: Der Kinematograph, Nr. 505, 30. 8. 1916. – Ernst Lubitsch über Film, Filmkunst und sich. In: Film-Kurier, Nr. 194, 1. 9. 1920 (Übersetzung eines Interviews aus «The Moving Picture World», New York). Dr. Kurt Mühsam: Unterredung mit Ernst Lubitsch. In: B. Z. am Mittag, 23. 5. 1927. – Arthur Rundt: Ist der stumme Film tot? In: Film-BZ, Nr. 254, 17. 9. 1929. – Anonym: Ernst Lubitsch im Berliner Sender. In: Film-Kurier, Nr. 269, 14. 11. 1932 (Zusammenfassung eines Interviews von Dr. Kurt Heymann mit Lubitsch im Berliner Rundfunk, «Stimme zum Tag», 12. 11. 1932).

Anonym: How Lubitsch Works. In: Wid's Daily, 28. 12. 1921; deutsch in: Film-Kurier, Nr. 10, 11. 1. 1922. – Anonym: Lubitsch on Directing. In: The New York Times, 16. 12. 1923. – Harry Carr: The «No» Man Comes to Hollywood. In: Motion Picture, Juli 1923. – Jim Tully: Ernst Lubitsch. In: Vanity Fair, Dezember 1926. – Robert Grosvenor: Ernst Lubitsch Looks at Life and the Cinema. In: Cinema Art, Oktober 1927. – Herman G. Weinberg: Lubitsch Views the Movies. In: Movie Makers, September 1929. – Anonym: «Patchwork» Films Not Wanted Abroad, says Lubitsch. In: Film Daily, 28. 4. 1931. – Anonym: A Chat with Mr. Lubitsch. In: The New York Times, 28. 2. 1932. – Anonym: «Lack of varied Roles Kills

Stars Early, Says Lubitsch. In: Film Daily, 1. 3. 1932. – Anonym: «Lubitsch's Analysis of Pictures Minimizes Director's Importance.» In: Variety, 1. 3. 1932. – Anonym: «Lubitsch Says Films Must Reflect Times.» In: Film Daily, 9. 11. 1933. – Barney Hutchison: «Hollywood Still Leads ...» says Ernst Lubitsch. In: American Cinematographer, März 1933. – Sonia Lee: Four Directors tell What's Wrong with the Movies. In: Motion Picture, September 1933. – Dwight MacDonald: Notes on Hollywood Directors. In: The Symposium, April 1933; nachgedruckt in: D. MacD., Dwight MacDonald on Movies. Englewood Cliffs: Prentice-Hall 1969. – Andre Sennwald: A Word with Ernst Lubitsch. In: The New York Times, 14. 10. 1934. – William Stull: Camera Work Fails True Mission When it Sinks Realism for Beauty. In: American Cinematographer, Februar 1938. – Mollie Merrick: 25 Years of the «Lubitsch Touch» in Hollywood. In: American Cinematographer, Juli 1947. – Philip K. Scheurer: Lubitsch Looks at His «Oscar». In: The Los Angeles Times, 6. 4. 1947.

Zu einzelnen Filmen

Die Firma heiratet
Material: Doppelseitige Anzeige «mit Gelbstern-Glossen von Walter Turszinsky und Zeichnungen von Edmund Edel» in: Illustrierte Kino-Woche, Nr. 6, 1914; Lichtbild-Bühne, Nr. 4, 24. 1. 1914; Der Kinematograph, Nr. 371, 4. 2. 1914.
Kritik: Anonym in: Lichtbild-Bühne, Nr. 4, 24. 1. 1914.

Der Stolz der Firma
Kritik: Anonym in: Lichtbild-Bühne, Nr. 48, 1. 8. 1914.

Arme Marie
Kritik: Anonym in: Der Kinematograph, Nr. 437, 12. 5. 1915.

Fräulein Piccolo
Kritik: Anonym in: Der Film, Nr. 6, 8. 2. 1919.

DER KRAFTMEYER
Kritik: E. (Erich Effler?) in: Der Film, Nr. 48, 30. 11. 1919.

Der schwarze Moritz
Kritiken: Anonym in: Der Kinematograph, Nr. 468, 15. 12. 1915 (anläßlich der Generalprobe des Filmsketches). – Anonym in: Lichtbild-Bühne, Nr. 22, 3. 6. 1916. – Argus in: Der Kinematograph, Nr. 493, 7. 6. 1916. – I. M. Mersch in: Der Film, Nr. 20, 10. 6. 1916.

BLINDEKUH
Kritik: Anonym in: Der Kinematograph, Nr. 441, 9. 6. 1915.

ALS ICH TOT WAR/WO IST MEIN SCHATZ?
Kritik: Anonym in: Der Film, Nr. 8, 18. 3. 1916 (unter dem Titel WO IST MEIN SCHATZ?).

Doktor Satansohn
Material: T. D.: Doktor Satansohn. In: Der Film, Nr. 6. 4. 3. 1916 (Filmbeschreibung). – Anonym: Doktor Satansohn. In: Illustrierte Kino-Woche, Nr. 9, 10. 3. 1916 (Filmbeschreibung).
Kritiken: Anonym in: Der Film, Nr. 6, 4. 3. 1916. – Anonym in: Lichtbild-Bühne, Nr. 9. 4. 3. 1916. – Anonym in: Der Kinematograph, Nr. 480, 8. 3. 1916.

SCHUHPALAST PINKUS
Material: Anonym: Schuhpalast Pinkus. In: Illustrierte Kino-Woche, Nr. 25, 30. 6. 1916 (Filmbeschreibung). – Anzeige der Nordischen Film-Co. GmbH mit Pressestimmen zum Film. In: Lichtbild-Bühne, Nr. 32, 12. 8. 1916. – Anzeige der Nordischen Film-Co. GmbH mit Zeichnungen und in Versen gesetzter Inhaltsangabe des Films. In: Lichtbild-Bühne, Nr. 36, 9. 9. 1916.
Kritiken: Anonym in: B. Z. am Mittag, Nr. 136, 13. 6. 1916. – Anonym in: Der Film, Nr. 21, 17. 6. 1916.

DER GEMISCHTE FRAUENCHOR
Kritik: Anonym in: Der Film, Nr. 26, 22. 7. 1916.

DAS SCHÖNSTE GESCHENK
Kritik: -ls. (Dr. Max Prels?) in: Der Film, Nr. 47, 16. 12. 1916.

DER G.m.b.H.-TENOR
Kritik: Argus in: Der Kinematograph, Nr. 521/522, 27. 12. 1916.

KÄSEKÖNIG HOLLÄNDER
Kritiken: Egon Jacobsohn in: Der Kinematograph, Nr. 639, 2. 4. 1919. – Anonym in: Der Film, Nr. 13, 29. 3. 1919.

DER BLUSENKÖNIG
Kritiken: Anonym in: Der Kinematograph, Nr. 567, 7. 11. 1917. – C. B. in: Der Film, Nr. 45, 10. 11. 1917.

OSSIS TAGEBUCH
Kritik: Dp. (Hans-Ulrich Dörp?) in: Erste Internationale Film-Zeitung, Nr. 20/21, 22. 5. 1920.

WENN VIER DASSELBE TUN
Kritiken: Argus in: Der Kinematograph, Nr. 569, 21. 11. 1917. – C. B. in: Der Film, Nr. 47, 24. 11. 1917.

Hans Trutz im Schlaraffenland
Kritiken: Argus in: Der Kinematograph, Nr. 569, 21. 11. 1917. – C. B. in: Der Film, Nr. 47, 24. 11. 1917. – Anonym in: Lichtbild-Bühne, Nr. 47, 24. 11. 1917.

DAS FIDELE GEFÄNGNIS
Kritiken: Anonym in: Der Film, Nr. 49, 8. 12. 1917. – Geka. in: Der Film, Nr. 46, 16. 11. 1919 (Wiederaufführung). – Béla Balázs in: Der Tag, 4. 1. 1924.

PRINZ SAMI
Kritik: C. B. in: Der Film, Nr. 3, 19. 1. 1918.

DER RODELKAVALIER

Kritiken: jac. (Egon Jacobsohn) in: B.Z. am Mittag, Nr. 44, 22. 2. 1918. – Anonym in: Der Film, Nr. 8, 23. 2. 1918. – Anonym in: Lichtbild-Bühne, Nr. 8, 23. 2. 1918. – Argus in: Der Kinematograph, Nr. 582, 27. 2. 1918.

ICH MÖCHTE KEIN MANN SEIN

Kritiken: G-g. in: B. Z. am Mittag, Nr. 233, 5. 10. 1918. – Frank. in: Film-Kurier, Nr. 96, 8. 5. 1920. – -n- in: Lichtbild-Bühne, Nr. 96, 8. 5. 1920.

DER FALL ROSENTOPF

Kritiken: Anonym in: Der Film, Nr. 41, 12. 10. 1918. – gl-g. in: Vossische Zeitung, Nr. 219, 13. 9. 1928, Post-Ausgabe (Wiederaufführung).

DIE AUGEN DER MUMIE MÂ

Kritiken: G-g. in: B.Z. am Mittag, Nr. 233, 5. 10. 1918. – Anonym in: Lichtbild-Bühne, Nr. 40, 5. 10. 1918. – Anonym in: Der Film, Nr. 41, 12. 10. 1918. – Anonym in: Der Kinematograph, 25. 8. 1933 (Wiederaufführung).

CARMEN

Material: Anonym: Spanien in Berlin. In: Der Film, Nr. 38, 21. 9. 1918 (Drehbericht).

Kritiken: r. in: B.Z. am Mittag, Nr. 298, 21. 12. 1918. – Anonym in Lichtbild-Bühne, Nr. 51, 21. 12. 1918. – C. B. in: Der Film, Nr. 52, 28. 12. 1918. – E. K. (Erich Kraft) in: Die Filmwelt, Nr. 52, 28. 12. 1918. – F. W. K. (Franz Wolfgang Koebner) in: Der Roland von Berlin, 31. 12. 1918. – F. (Franz) W. (Wolfgang) Koebner in: Illustrierte Film-Woche, Nr. 1, 1919. – Egon Jacobsohn in: Der Kinematograph, Nr. 628, 15. 1. 1919. – Béla Balázs in: Der Tag, 31. 8. 1923.

MEYER AUS BERLIN

Kritiken: Egon Jacobsohn in: Der Kinematograph, Nr. 629, 22. 1. 1919. – Anonym in: Der Film, Nr. 5, 1. 2. 1919.

MEINE FRAU, DIE FILMSCHAUSPIELERIN

Kritiken: C. B. in: Der Film, Nr. 4, 25. 1. 1919. – lbm. in: B.Z.am Mittag, Nr. 16, 27. 1. 1919. – Anonym in: Berliner Lokal-Anzeiger, Nr. 37, 28. 1. 1919. – Egon Jacobsohn in: Der Kinematograph, Nr. 630, 29. 1. 1919.

DIE AUSTERNPRINZESSIN

Material: Victor Janson: Für 8 Tage Milliardär. In: Illustrierte Film-Woche, Nr. 18, 1919 (Glosse). – Anonym: Drehbericht. In: Lichtbild-Bühne, Nr. 13, 22. 3. 1919. – Egon Jacobsohn: Festessen in Tempelhof. In: Der Film, Nr. 13, 29. 3. 1919 (Drehbericht). – Egon Jacobsohn: Drehbericht, In: Der Kinematograph, Nr. 639, 2. 4. 1919.

Kritiken: F. W. K. (Franz Wolfgang Koebner) in: Illustrierte Film-Woche, Nr. 8, 1919. – B. (Robert) E. Lüthge in: Film-Kurier, Nr. 15, 22. 6. 1919. – Egon Jacobsohn in: Der Kinematograph, Nr. 651, 25. 6. 1919. – Anonym in: Der Film, Nr. 26, 28. 6. 1919. – Anonym in: Film-Tribüne, Nr. 2, 4. 7. 1919. – Béla Balázs in: Der Tag, 10. 8. 1923.

RAUSCH

Material: Ernst Lubitsch: Asta und ich. In: Film-Kurier, Nr. 32, 12. 7. 1919.

Kritiken: Anonym in: Illustrierte Film-Woche, Nr. 28, 1919. – B. (Robert) E. Lüthge in: Film-Kurier, Nr. 31, 11. 7. 1919. – r. in: B.Z. am Mittag, Nr. 172, 2. 8. 1919. – B. (Robert) E. Lüthge in: Film-Kurier, Nr. 50, 3. 8. 1919. – -ob- in: Vossische Zeitung, Nr. 390, 3. 8. 1919. – Fritz Engel in: Berliner Tageblatt, Nr. 358, 4. 8. 1919. – Anonym in: Der Film, Nr. 32, 9. 8. 1919. – Anonym in: Der Kinematograph, Nr. 658, 13. 8. 1919.

MADAME DUBARRY

Material: Anonym: Madame Dubarry. In: Illustrierte Film-Woche, Nr. 36, 37, 38, 1919 (Filmbeschreibung). – Herbert Eulenberg: Festspruch zur Eröffnung des «Ufa-Palastes» am Zoo mit dem Film «Madame Dubarry». In: Illustrierte Film-Woche, Nr. 39, 1919. – B. E. L. (Robert E. Lüthge): Paris in Berlin. In: Film-Kurier, Nr. 15, 22. 6. 1919 (Drehbericht). – B. E. Lüthge: Die Entente in Tempelhof. In: Film-Kurier, Nr. 24, 3. 7. 1919 (Drehbericht). – B. E. Lüthge: Pola Negri auf der Guillotine. In: Film-Kurier, Nr. 49, 2. 8. 1919 (Drehbericht). – Musikfolge zum Film von Kapellmeister Alexander Schirmann. In: Der Kinematograph, Nr. 670, 5. 11. 1919. – Anonym: Aus der Pariser Filmwelt. Madame Dubarry in Paris. In: Lichtbild-Bühne, Nr. 1, 10. 1. 1920. – Anonym: Sieg der Monarchie im Kino. In: Vorwärts, Nr. 37, 21. 1. 1920. – Anonym: Die Furcht vor dem deutschen Film. Dubarry in England. In: Lichtbild-Bühne, Nr. 5, 31. 1. 1920 (Übersetzung eines Artikels von Alfred Barnard, erschienen in: Daily Mirror, 14. 1. 1920). – K. K.: Madame Dubarry – ein deutscher Sieg. In: Lichtbild-Bühne, Nr. 15, 10. 4. 1920 (Übersetzung eines Artikels von Jacques Piétrini, erschienen in: Cinématographie Française). – Anonym: Madame Dubarry in Amerika. In: Lichtbild-Bühne, Nr. 46, 13. 11. 1920. – Ernest W. Fredman: Dubarry-Premiere in London. In: Lichtbild-Bühne, Nr. 46, 11. 11. 1922. – Hanns Steiner: Madame Dubarry. Berlin o. O., o. J. (spätestens 1923; Nacherzählung des Lubitsch-Films; ill.).

Kritiken: Artur Liebert in: Der Film, Nr. 38, 20. 9. 1919. – B. E. Lüthge in: Film-Kurier, Nr. 91, 20. 9. 1919. – My. in: Vossische Zeitung, Nr. 481, 21. 9. 1919. – Anonym in: Der Kinematograph, Nr. 664, 24. 9. 1919. – Anonym in: Film-Tribüne, Nr. 14, 26. 9. 1919. – Vera Bern in: Der Kinematograph, Nr. 670, 5. 11. 1919 (anläßlich der Schweizer Erstaufführung). – Egon Friedell in: Die Weltbühne, Nr. 10, 10. 3. 1921.

DIE PUPPE

Material: Anonym: Die Puppe. In: Illustrierte Film-Woche, Nr. 49, 1919 (Filmbeschreibung). – Anonym: Der «Volksfreund» und die «Puppe». In: Lichtbild-Bühne, Nr. 7, 14. 2. 1920 (Kommentar zu einer Kritik des Film im Aachener «Volksfreund», 28. 1. 1920).

Kritiken: S. in: Der Film, Nr. 49, 7. 12. 1919. – Anonym in: Der Kinematograph, Nr. 675, 10. 12. 1919. – Alexander Beßmertny in: Die Neue Schaubühne, 2. Heft, Februar 1920; Nachdruck: Die Neue Schaubühne. Kraus Reprint. Nendeln/Liechtenstein: Kraus-Thomson 1969.

Die Wohnungsnot
Material: Anzeige zum Film mit einem Sketch von Paul Morgan. In: Illustrierte Film-Woche, Nr. 23, 1920.

KOHLHIESELS TÖCHTER
Material: Anzeige mit der Musik-Begleitung zum Film von Kapellmeister Dr. Bechstein. In: Lichtbild-Bühne, Nr. 12/13, 27. 3. 1920.
Kritiken: Anonym in: Illustrierte Film Woche, Nr. 12/13, 1920. – E. B. in: Der Kinematograph, Nr. 687, 10. 3. 1920. – Pl. (?) in: Berliner Lokal-Anzeiger, Nr. 130, 11. 3. 1920. – Frank. in: Film-Kurier, Nr. 60, 11. 3. 1920. – my. in: Vossische Zeitung, Nr. 130, 11. 3. 1920. – P-l. (Fritz Podehl) in: Der Film, Nr. 11, 13. 3. 1920. – Wbg. (Hans Wollenberg) in: Lichtbild-Bühne, Nr. 11, 13. 3. 1920. – Herbert Ihering in: Berliner Börsen-Courier, Nr. 149, 28. 3. 1920.

ROMEO UND JULIA IM SCHNEE
Material: Anonym: Romeo und Julia im Schnee. In: Illustrierte Film Woche, Nr. 8, 1920 (Vorausbericht). – P. L. St-n. (Paul Ludwig Stein): «Romeo und Julia im Schnee» – und Regen. Eine Fahrt mit Ernst Lubitsch. In: Film-Kurier, Nr. 23, 28. 1. 1920. – Anzeige mit der Musik-Begleitung zum Film von Kapellmeister Dr. Bechstein. In: Lichtbild-Bühne, Nr. 12/13, 27. 3. 1920.
Kritiken: E. B. in: Der Kinematograph, Nr. 687, 10. 3. 1920. – H. L. in: Der Film, Nr. 12, 20. 3. 1920. – -rd- in: Berliner Börsen-Courier, Nr. 145, 26. 3. 1920. – W. (Hans Wollenberg?) in: Lichtbild-Bühne, Nr. 12/13, 27. 3. 1920.

SUMURUN
Material: Hanns Kräly: Sumurun. In: Illustrierte Film Woche, Nr. 34, 1920 (Inhaltsangabe). – Anonym: Wie Sumurun entstand. In: Illustrierte Film Woche, Nr. 34, 1920. – Frank.: «Sumurun» in Tempelhof. In: Film-Kurier, Nr. 108, 23. 5. 1920 (Drehbericht). – Anonym: Ein werdender Großfilm der Ufa. In: Der Kinematograph, Nr. 698, 30. 5. 1920 (Drehbericht). – Anonym: Grossfilme. Sumurun – Figaros Hochzeit. In: Lichtbild-Bühne, Nr. 24, 12. 6. 1920 (Drehbericht). – Ernst Lubitsch: «Sumurun» und ich. In: B.Z. am Mittag, Nr. 199, 26. 8. 1920; nachgedruckt in: Der Film, Nr. 35, 28. 8. 1920. – Fritz Jacobson: Run auf «Sumurun». In: Film-Kurier, Nr. 199, 7. 9. 1920. – Ernst Benzinger: Schaufilm oder Spielfilm. In: Das Tage-Buch, Heft 44, 13. 11. 1920. – Anonym: Die amerikanische Zensur über «Sumurun». In: Lichtbild-Bühne, Nr. 40, 1. 10. 1921. – Margot Berthold (Hg.): Max Reinhardts Theater im Film. München: Münchner Filmzentrum 1983. Seiten 13–20, 65–68.
Kritiken: Anonym in: Illustrierte Film Woche, Nr. 36, 1920. – Fritz Engel in: Berliner Tageblatt, Nr. 413, 2. 9. 1920. – Lothar Knud Fredrik in: Film-Kurier, Nr. 195, 2. 9. 1920. – Herbert Ihering in: Berliner Börsen-Courier, Nr. 411, 3. 9. 1920. – Anonym in: Berliner Lokal-Anzeiger, Nr. 414, 3. 9. 1920. – A. F. in: Der Film, Nr. 36, 4. 9. 1920. – -s. in: Vossische Zeitung, Nr. 437, 4. 9. 1920. – R. (Alfred Ruhemann?) in: Erste Internationale Film-Zeitung, Nr. 33/34, 28. 8. 1920. – Kurt Pinthus in: Das Tage-Buch, Heft 37, 25. 9. 1920.

ANNA BOLEYN
Material: Illustrierter Film-Kurier, Nr. 38. – Anonym: Anna Boleyn. In: Illustrierte Film Woche, Nr. 46/47, 1920 (Vorausbericht). – Anonym: Anna Boleyn in Tempelhof. In: Film-Kurier, Nr. 163, 27. 7. 1920 (Drehbericht). – L. K. F. (Lothar Knud Fredrik): Der Reichspräsident bei Anna Boleyn. In: Film-Kurier, Nr. 220, 1. 10. 1920. – F. (Fritz) Podehl: Mit Ebert in Tempelhof. In: Der Film, Nr. 40, 2. 10. 1920. – L. B. (Ludwig Brauner): Anna Boleyn. Reichspräsident Ebert als Zuschauer. In: Der Kinematograph, Nr. 717, 10. 10. 1920. – Anonym: Was Anna Boleyn kostet. In: Lichtbild-Bühne, Nr. 50, 11. 12. 1920. – Paul Reno: Anna Boleyn. Ein psychologischer Versuch zu dem großen Meßter-Union-Film der Ufa. In: Film-Tribüne, Nr. 50, 12. 12. 1920. – Filmkunst, Heft 1, 1920/21. Hg. von Paul Eipper. (Das Heft war dem Film «Anna Boleyn» gewidmet); kurze Auszüge nachgedruckt in: Hätte ich das Kino! Die Schriftsteller und der Stummfilm. Ausstellungskatalog des Deutschen Literaturarchivs im Schiller-Nationalmuseum Marbach a. N. 1976. – Paul Eipper: Ateliergespräche mit Liebermann und Corinth. München: Piper 1971. – Filmprogramm (Uwe Wiedleroither, Stuttgart) Nr. 75, Mai 1982.
Kritiken: E. H. in: Illustrierte Film Woche, Nr. 51, 1920. – -rd- in: Berliner Börsen-Courier, Nr. 585, 15. 12. 1920. – Leonhard Birnbaum in: Berliner Tageblatt, Nr. 574, 15. 12. 1920. – L. K. F. (Lothar Knud Fredrik) in: Film-Kurier, Nr. 278, 15. 12. 1920. – Anonym in: Vorwärts, Nr. 614, 16. 12. 1920. – My. in: Vossische Zeitung, Nr. 612, 16. 12. 1920. – A. F. in: Der Film, Nr. 51, 18. 12. 1920. – Hanns Heinz Ewers in: Lichtbild-Bühne, Nr. 51, 18. 12. 1920; dazu nimmt Ernst Lubitsch Stellung in: Lichtbild-Bühne, Nr. 52, 25. 12. 1920. – H. W. (Hans Wollenberg?) in: Lichtbild-Bühne, Nr. 51, 18. 12. 1920. – Kurt Pinthus in: Das Tage-Buch, Heft 51, 31. 12. 1920. – Anonym in: Film-Tribüne, Nr. 1, 1. 1. 1921. – L. B. (Ludwig Brauner) in: Der Kinematograph, Nr. 725, 9. 1. 1921. – Anonym in: Internationale Filmschau, Nr. 3, 1. 2. 1921. – Anonym in: Illustrierte Film Woche, Nr. 20, 1922 (Wiederaufführung).

DIE BERGKATZE
Material: Anonym: Die Bergkatze. In: Illustrierte Film Woche, Nr. 11, 1921 (Filmbeschreibung).
Kritiken: Aros. (Alfred Rosenthal) in: Berliner Lokal-Anzeiger, Nr. 173, 14. 4. 1921. – Anonym in: Berliner Tageblatt, Nr. 173, 14. 4. 1921. – Anonym in: Vorwärts, Nr. 173, 14. 4. 1921. – P. W. (Paul Wiegler) in: Vossische Zeitung, Nr. 172, 14. 4. 1921. – P-l. (Fritz Podehl) in: Der Film, Nr. 16, 16. 4. 1921. – Anonym in: Lichtbild-Bühne, Nr. 16, 16. 4. 1921. – -o- in: Tägliche Rundschau, Nr. 177, 17. 4. 1921. – lb. in: Der Kinematograph, Nr. 740, 24. 4. 1921.

DAS WEIB DES PHARAO
Material: Illustrierter Film-Kurier, Nr. 79. – Pazzo: Mit Ernst Lubitsch in Ägypten. In: Illustrierte Film Woche, Nr. 32, 1921 (Drehbericht). – J-s: Lubitsch bei der Arbeit. In: Film-Kurier, Nr. 172, 26. 7. 1921 (Drehbericht). – p.m.: «Das Weib des Pharao». Bericht eines Augenzeu-

gen. In: Film-Kurier, Nr. 182, 6. 8. 1921. – H. W. (Hans Wollenberg?): Pharao an der Oberspree. In: Lichtbild-Bühne, Nr. 32, 6. 8. 1921 (Drehbericht). – Anonym: Die Schlacht in den Gosener Bergen. In: Der Film, Nr. 32, 7. 8. 1921. – L. B. (Ludwig Brauner): Die Ägypterschlacht in den Gosener Bergen. In: Der Kinematograph, Nr. 756, 14. 8. 1921. – Anonym: Im Reich des Pharao. In: Lichtbild-Bühne, Nr. 36, 3. 9. 1921 (Bericht über eine Wohltätigkeitsveranstaltung des «Vereins Berliner Presse» mit Mitwirkenden des Films). – Hans Stein: Ein Großtag in der Lubitschstadt. In: Film-Kurier, Nr. 212, 10. 9. 1921 (Drehbericht). – Anonym: Nachtaufnahme. In: Der deutsche Film in Wort und Bild (München), Nr. 41, 14. 10. 1921. – Anonym: Empfang bei Pharao. In: Lichtbild-Bühne, Nr. 43, 22. 10. 1921 (Bericht über eine Presseveranstaltung mit Mitwirkenden des Films). – Anonym: Im Pharaonenreich. In: Film-Tribüne, Nr. 36/37, 22. 11. 1921. – Anonym: Das Weib des Pharao. In: Illustrierte Film Woche, Nr. 12, 1922 (Filmbeschreibung). – Anonym: Das Weib des Pharao. In: Lichtbild-Bühne, Nr. 12, 18. 3. 1922 (Bericht über die Rückwirkungen auf die deutsche Filmproduktion durch den Erfolg des Lubitsch-Films). – A. Nbgr. (Dr. Albert Neuburger): Beleuchtungszauber im neuen Lubitsch-Film. In: Film-BZ, Nr. 78, 19. 3. 1922. – Oscar Geller: Was lehrt uns der Film «Dr. Mabuse»? Was Lubitsch's «Das Weib des Pharao»? In: Der Kinematograph, Nr. 797, 28. 5. 1922.
Kritiken: Herbert Ihering in: Berliner Börsen-Courier, Nr. 126, 15. 3. 1922. – R. B. in: Berliner Lokal-Anzeiger, Nr. 125, 15. 3. 1922. – Alfred Kerr in: Berliner Tageblatt, Nr. 126, 15. 3. 1922; mit einer Kritik zur Musik des Films von L. S. – My. in: Deutsche Allgemeine Zeitung, Nr. 126, 15. 3. 1922. – F. G. in: Vossische Zeitung, Nr. 126, 15. 3. 1922. – Robert Volz in: Tägliche Rundschau, Nr. 127, 16. 3. 1922; Kritik zur Musik des Films von Adolf Paul in Nr. 128, 16. 3. 1922. – H. W. (Hans Wollenberg?) in: Lichtbild-Bühne, Nr. 12, 18. 3. 1922. – Kurt Pinthus in: Das Tage-Buch, Heft 11, 18. 3. 1922. – p-s. in: Vorwärts, Nr. 131, 18. 3. 1922. – -o- in: Der Film, Nr. 12, 19. 3. 1922. – Aros. (Alfred Rosenthal) in: Berliner Lokal-Anzeiger, Nr. 12, 20. 3. 1922. – Balthasar (i. e. Roland Schacht) in: Das Blaue Heft, Nr. 26, 25. 3. 1922. – L. B. (Ludwig Brauner) in: Der Kinematograph, Nr. 788, 26. 3. 1922; mit einer Kritik zur Musik des Films von idl. – Hans Siemsen in: Die Weltbühne, Nr. 14, 6. 4. 1922.

DIE FLAMME
Material: J-s: «Die Flamme» bei Nacht. In: Film-Kurier, Nr. 179, 19. 8. 1922 (Drehbericht).
Kritiken: Béla Balázs in: Der Tag, 9. 2. 1923. – Anonym in: Lichtbild-Bühne, Nr. 8, 24. 2. 1923 (anläßlich der Wiener Premiere). – Anonym in: Film-Kurier, Nr. 204, 10. 9. 1923 (Vorkritik). – Herbert Ihering in: Berliner Börsen-Courier, Nr. 428, 12. 9. 1923. – J-s In: Film-Kurier, Nr. 206, 12. 9. 1923. – Anonym in: Lichtbild-Bühne, Tagesdienst, Nr. 36b, 13. 9. 1923. – M. J. in: Vossische Zeitung, Nr. 43, 15. 9. 1923. – eu. in: Berliner Tageblatt, Nr. 435, 16. 9. 1923. – Dr. M. (Kurt Mühsam) in: Der Kinematograph, Nr. 865, 16. 9. 1923. – d. in: Vorwärts, Nr. 433, 16. 9. 1923. – Aros. (Alfred Rosenthal) in: Berliner Lokal-Anzeiger, Nr. 33, 17. 9. 1923. – Kurt Pinthus in: Das Tage-Buch, Heft 38, 22. 9. 1923. – Th. in: Der Film, Nr. 38/39, 30. 9. 1923. – Anonym in: Film und Brettl, Nr. 17/18, Oktober 1923. – Monty Jacobs in: Das Blaue Heft, Nr. 1, 1. 10. 1923.

ROSITA. Rosita
Kritiken: W. H. (Willy Haas) in: Film-Kurier, Nr. 204, 29. 8. 1924. – Herbert Ihering in: Berliner Börsen-Courier, Nr. 408, 30. 8. 1924. – -nk. in: Berliner Lokal-Anzeiger, Nr. 412, 30. 8. 1924. – Dr. M-l (Dr. Victor Mendel) in: Lichtbild-Bühne, Nr. 101, 30. 8. 1924. – K. in: Vossische Zeitung, Nr. 413, 30. 8. 1924. – K. (Alfred Kerr?) in: Berliner Tageblatt, Nr. 414, 31. 8. 1924. – Th. in: Der Film, Nr. 35, 31. 8. 1924. – Dr. Ernst Ulitzsch in: Der Kinematograph, Nr. 915, 31. 8. 1924. – Aros. (Alfred Rosenthal) in: Der Montag, Sonder-Ausgabe des Berliner Lokal-Anzeigers, Nr. 33, 1. 9. 1924. – c.b. in: Vorwärts, Nr. 413, 2. 9. 1924. – Balthasar (i. e. Roland Schacht) in: Das Blaue Heft, Nr. 1, 1. 10. 1924. – Hans Siemsen in: Die Neue Schaubühne, Heft 1, Januar 1925; Nachdruck: Die Neue Schaubühne. Kraus Reprint. Nendeln/Liechtenstein: Kraus-Thomson 1969.

THE MARRIAGE CIRCLE. Die Ehe im Kreise/Rund um die Ehe
Material: Illustrierter Film-Kurier, Nr. 46.
Kritiken: Dr. Ernst Ulitzsch in: Der Kinematograph, Nr. 915, 31. 8. 1924. – Herbert Ihering in: Berliner Börsen-Courier, Nr. 412, 2. 9. 1924. – v.W. in: Berliner Lokal-Anzeiger, Nr. 416, 2. 9. 1924. – Dr. Carl Haensel in: Deutsche Allgemeine Zeitung, Nr. 413, 2. 9. 1924. – Heinz Michaelis in: Film-Kurier, Nr. 207, 2. 9. 1924. – Emo. in: Vossische Zeitung, Nr. 418, 3. 9. 1924. – hfr. (Heinrich Fraenkel) in: Lichtbild-Bühne, Nr. 104, 6. 9. 1924. – Kurt Pinthus in: Das Tagebuch, Heft 36, 6. 9. 1924. – c. in: Berliner Tageblatt, Nr. 426, 7. 9. 1924. – Th. in: Der Film, Nr. 36, 7. 9. 1924. – c.b. in: Vorwärts, Nr. 422, 7. 9. 1924. – Aros. (Alfred Rosenthal) in: Der Montag, Sonder-Ausgabe des Berliner Lokal-Anzeigers, Nr. 34, 8. 9. 1924. – Frank Aschau in: Die Weltbühne, Nr. 41, 9. 10. 1924. – Hans Siemsen in: Die Neue Schaubühne, Heft 1, Januar 1925; Nachdruck: Die Neue Schaubühne. Kraus Reprint. Nendeln/Liechtenstein: Kraus-Thomson 1969. – Anonym in: Internationale Filmschau, Nr. 18, 5. 11. 1924. – Béla Balázs in: Der Tag, 11. 11. 1924.

THREE WOMEN. Drei Frauen
Material: Illustrierter Film-Kurier, Nr. 238. – Anonym: Lubitsch, der «Amerikaner». In: Lichtbild-Bühne, Tagesdienst, Nr. 117, 7. 10. 1924 (Stellungnahme zu einer Kritik in der «New-Yorker-Staats-Zeitung», «der größten deutschen Zeitung Amerikas», die Lubitsch vorwirft, «amerikanisiert» zu sein).
Kritiken: (D. Schriftltg.) in: Lichtbild-Bühne, Nr. 113, 27. 9. 1924 (New Yorker Premierenbericht). – Willy Haas in: Film-Kurier, Nr. 208, 4. 9. 1925. – Dr. M-l. (Dr. Victor Mendel) in: Lichtbild-Bühne, Nr. 170, 4. 9. 1925. – W. K. (Walter Kaul) in: Berliner Börsen-Courier, Nr. 415, 5. 9. 1925. – el. in: Berliner Lokal-Anzeiger, Nr. 420, 5. 9.

1925. – Ernst Blaß in: Berliner Tageblatt, Nr. 422, 6. 9. 1925. – Lo. in: Der Film, Nr. 36, 6. 9. 1925. – Anonym in: Der Kinematograph, Nr. 968, 6. 9. 1925. – D. (K. H. Döscher) in: Vorwärts, Nr. 421, 6. 9. 1925. – Aros. (Alfred Rosenthal) in: Der Montag, Sonder-Ausgabe des Berliner Lokal-Anzeigers, Nr. 34, 7. 9. 1925. – Otto Friedrich in: Deutsche Allgemeine Zeitung, Nr. 430, 12. 9. 1925. – -tt.- in: Tägliche Rundschau, Nr. 545, 6. 12. 1925.

FORBIDDEN PARADISE. Das verbotene Paradies
Material: Illustrierter Film-Kurier, Nr. 332.
Kritiken: W. H. (Willy Haas) in: Film-Kurier, Nr. 286, 5. 12. 1925. – Dr. M-l (Dr. Victor Mendel) in: Lichtbild-Bühne, Nr. 249, 5. 12. 1925. – S-r. in: Der Film, Nr. 49, 6. 12. 1925. – f.h.c. in: Vorwärts, Nr. 576, 6. 12. 1925. – Robert Ramin in: Der Montag, Sonder-Ausgabe des Berliner Lokal-Anzeigers, Nr. 47, 7. 12. 1925. – F.D.-S. (Fränze Dyck-Schnitzer) in: Illustrierte Film-Zeitung, Nr. 581, 9. 12. 1925. – -kn. in: Tägliche Rundschau, Nr. 397, 10. 12. 1925. – Kurt Pinthus in: Das Tage-Buch, Heft 50, 12. 12. 1925. – Anonym in: Der Kinematograph, Nr. 982, 13. 12. 1925.

KISS ME AGAIN. Küß' mich noch einmal
Material: Illustrierter Film-Kurier, Nr. 403.
Kritiken: Ernst E. Rheda in: Film-BZ, Nr. 221, 14. 8. 1925 (anläßlich einer Aufführung in Los Angeles). – fw. (Fritz Walther) in: Berliner Börsen-Courier, Nr. 63, 7. 2. 1926. – -l- in: Berliner Lokal-Anzeiger, Nr. 64, 7. 2. 1926. – -g. in: Vorwärts, Nr. 63, 7. 2. 1926. – W. H. (Willy Haas) in: Film-Kurier, Nr. 33, 8. 2. 1926. – Dr.M-l (Dr. Victor Mendel) in: Lichtbild-Bühne, Nr. 33, 9. 2. 1926. – Otto Friedrich in: Deutsche Allgemeine Zeitung, Nr. 73, 13. 2. 1926. – Felix Henseleit in: Reichsfilmblatt, Nr. 7, 13. 2. 1926. – Bs. (Ernst Blaß) in: Berliner Tageblatt, Nr. 26, 14. 2. 1926. – S-r. in: Der Film, Nr. 7, 14. 2. 1926. – Anonym in: Der Kinematograph, Nr. 99, 14. 2. 1926.

LADY WINDERMERE'S FAN. Lady Windermeres Fächer
Material: Anonym: Ein Meister der Regiekunst. In: Reichsfilmblatt, Nr. 35, 28. 8. 1926.
Kritiken: Ernst E. Rheda in: Film-BZ, Nr. 7, 8. 1. 1926 (anläßlich einer Aufführung in Hollywood). – Emil Faktor in: Berliner Börsen-Courier, Nr. 394, 25. 8. 1926. – -g. (Georg Herzberg) in: Film-Kurier, Nr. 198, 25. 8. 1926. – H. W. (Hans Wollenberg) in: Lichtbild-Bühne, Nr. 202, 25. 8. 1926. – K. E. K. in: Tägliche Rundschau, Nr. 396, 26. 8. 1926. – -d. in: Berliner Lokal-Anzeiger, Nr. 403, 27. 8. 1926. – W. B. in: Vossische Zeitung, Nr. 205, 27. 8. 1926. – A. P. in: Reichsfilmblatt, Nr. 35. 28. 8. 1926. – H. St. in: Deutsche Allgemeine Zeitung, Nr. 402, 29. 8. 1926. – Anonym in: Der Kinematograph, Nr. 1019, 29. 8. 1926. – D. (K. H. Döscher) in: Vorwärts, Nr. 406, 29. 8. 1926. – Aros. (Alfred Rosenthal) in: Der Montag, Sonder-Ausgabe des Berliner Lokal-Anzeigers, Nr. 33, 30. 8. 1926. – bto. in: Frankfurter Zeitung, Nr. 64, 31. 8. 1926. – Fg. in: Der Film, Nr. 25, 1. 9. 1926. – Wfr. in: Die literarische Welt, Nr. 36, 3. 9. 1926. – Balthasar (i. e. Roland Schacht) in: Das Blaue Heft, Nr. 19, 1. 10. 1926.

SO THIS IS PARIS. So ist Paris
Material: Illustrierter Film-Kurier, Nr. 567.
Kritiken: F. W. (Fritz Walther) in: Berliner Börsen-Courier, Nr. 22, 14. 1. 1927. – Dr. Roland Schacht in: Film-BZ, Nr. 12, 14. 1. 1927. – Haf. (Hans Feld) in: Film-Kurier, Nr. 12, 14. 1. 1927. – E. S. P. in: Lichtbild-Bühne, Nr. 12, 14. 1. 1927. – Dr. F. (Otto Friedrich?) in: Deutsche Allgemeine Zeitung, Nr. 23, 15. 1. 1927 – -tz. (Hans-Walther Betz) in: Der Film, Nr. 1, 15. 1. 1927. – c-c. in: Reichsfilmblatt, Nr. 2, 15. 1. 1927. – Ernst Blaß in: Berliner Tageblatt, Nr. 26, 16. 1. 1927. – Anonym in: Der Kinematograph, Nr. 1039, 16. 1. 1927. – R . . . r in: Tägliche Rundschau, Nr. 25, 16. 1. 1927. – gol. in: Vossische Zeitung, Nr. 14, 16. 1. 1927, Post-Ausgabe. – r. in: Vorwärts, Nr. 26, 16. 1. 1927. – Balthasar (i. e. Roland Schacht) in: Das Blaue Heft, Nr. 4, 15. 2. 1927.

THE STUDENT PRINCE IN OLD HEIDELBERG. Alt-Heidelberg
Material: Illustrierter Film-Kurier, Nr. 939.
Kritiken: F. S. (Felix Scherret?) in: Der Abend, Spätausgabe des Vorwärts, Nr. 430, 11. 9. 1928. – Walter Kaul in: Berliner Börsen-Courier, Nr. 426, 11. 9. 1928. – Anonym in: Berliner Lokal-Anzeiger, Nr. 430, 11. 9. 1928. – -ma. in: Deutsche Allgemeine Zeitung, Nr. 426, 11. 9. 1928. – W. N. in: Film-BZ, Nr. 250, 11. 9. 1928. – Ernst Jäger in: Film-Kurier, Nr. 217, 11. 9. 1928. – Anonym in: Der Kinematograph, Nr. 1154, 11. 9. 1927. – Rudolf Kurtz in: Lichtbild-Bühne, Nr. 219, 11. 9. 1928 (mit einer Kritik zur Musik des Films von p.s.). – H. P. (Heinz Pol) in: Vossische Zeitung, Nr. 219, 13. 9. 1928. – Betz. (Hans-Walther Betz) in: Der Film, Nr. 37, 15. 9. 1928. – Felix Henseleit in: Reichsfilmblatt, Nr. 37, 15. 9. 1928. – Erich Burger in: Berliner Tageblatt, Nr. 439, 16. 9. 1928. – Aros. (Alfred Rosenthal) in: Der Montag, Sonder-Ausgabe des Berliner Lokal-Anzeigers, Nr. 36, 17. 9. 1928. – Kurt Pinthus in: Das Tagebuch, Heft 38, 22. 9. 1928.

THE PATRIOT. Der Patriot
Material: Illustrierter Film-Kurier, Nr. 1053. – «Der Patriot» – die Erzählung, das Drama, der Film. In: Berliner Börsen-Courier, Nr. 97, 27. 2. 1929 (Nachdruck einer Szene zum Vergleich Erzählung, Drama, Film).
Kritiken: D. (K. H. Döscher) in: Der Abend, Spätausgabe des Vorwärts, Nr. 100, 28. 2. 1929. – Herbert Ihering in: Berliner Börsen-Courier, Nr. 100, 28. 2. 1929. – -nk. in: Berliner Lokal-Anzeiger, Nr. 101, 28. 2. 1929. – Ernst Blaß in: Berliner Tageblatt, Nr. 101, 28. 2. 1929. – ma. in: Deutsche Allgemeine Zeitung, Nr. 100, 28. 2. 1929. – Georg Herzberg in: Film-Kurier, Nr. 52, 28. 2. 1929. – Anonym in: Der Kinematograph, Nr. 50, 28. 2. 1929. – Hans Wollenberg in: Lichtbild-Bühne, Nr. 50, 28. 2. 1929. – Betz. (Hans Walther Betz) in: Der Film, Nr. 9, 2. 3. 1929; mit einer Kritik zur Musik des Films von Dr. Kurt London und einem Aufsatz «Technisches zum ‹Patriot›» von A. Kossowsky. – Felix Henseleit in: Reichsfilmblatt, Nr. 9, 2. 3. 1929. – A. O. in: Reichsfilmblatt, Nr. 9, 2. 3. 1929. – H. P. (Heinz Pol) in: Vossische Zeitung, Nr. 54, 3. 3. 1929, Post-Ausgabe. – Aros. (Alfred Rosenthal) in: Der Montag, Sonder-Ausgabe des Berliner

Lokal-Anzeigers, Nr. 9, 4. 3. 1929. – Rudolf Arnheim in: Die Weltbühne, Nr. 11, 12. 3. 1929. – Dr. Max Brenner in: Film und Volk, Nr. 3, April 1929.

ETERNAL LOVE. Der König der Bernina
Material: Illustrierter Film-Kurier, Nr. 1124.
Kritiken: c.b. in: Der Abend, Spätausgabe des Vorwärts, Nr. 193, 25. 4. 1929. – Walter Kaul in: Berliner Börsen-Courier, Nr. 192, 25. 4. 1929. – L(otte) H. Eisner in: Film-Kurier, Nr. 98, 25. 4. 1929. – Anonym in: Der Kinematograph, Nr. 96, 25. 4. 1929. – Dammann in: Lichtbild-Bühne, Nr. 98, 25. 4. 1929. – Anonym in: Berliner Lokal-Anzeiger, Nr. 197, 26. 4. 1929. – Ha. Wa. (Hans Wallenberg) in: Film-BZ, Nr. 113, 26. 4. 1929. – Franz Wald in: Deutsche Allgemeine Zeitung, Nr. 195, 27. 4. 1929. – Betz. (Hans-Walther Betz) in: Der Film, Nr. 17, 27. 4. 1929. – Felix Henseleit in: Reichsfilmblatt, Nr. 17, 27. 4. 1929. – Leo Hirsch in: Berliner Tageblatt, Nr. 200, 28. 4. 1929. – Aros. (Alfred Rosenthal) in: Der Montag, Sonder-Ausgabe des Berliner Lokal-Anzeigers, Nr. 16, 29. 4. 1929.

THE LOVE PARADE. Liebesparade
Material: Illustrierter Film-Kurier, Nr. 1462. – Anonym: Die Film-Operette – ein schönes Märchen. in: Film-Kurier, Nr. 1/2, 1. 1. 1930 (Interview).
Kritiken: Rom Landau in: Film-BZ, Nr. 48, 18. 2. 1930. – Anonym in: Reichsfilmblatt, Nr. 11, 15. 3. 1930. – Haßreiter (Hans Walther Betz) in: Der Film, Nr. 34, 23. 8. 1930; nachgedruckt anläßlich der Berliner Erstaufführung in: Nr. 48, 29. 11. 1930. – Herbert Ihering in: Berliner Börsen-Courier, Nr. 550, 25. 11. 1930. – Lbg. (Heinz von Lichberg) in: Berliner Lokal-Anzeiger, Nr. 556, 25. 11. 1930. – Franz Wald in: Deutsche Allgemeine Zeitung, Nr. 550, 25. 11. 1930. – Anonym in: Der Kinematograph, Nr. 275, 25. 11. 1930. – H. W.-g. (Hans Wollenberg) in: Lichtbild-Bühne, Nr. 282, 25. 11. 1930. – Hans Flemming in: Berliner Tageblatt, Nr. 557, 26. 11. 1930. – -r. in: Vorwärts, Nr. 554, 26. 11. 1930. – H. P. (Heinz Pol) in: Vossische Zeitung, Nr. 282, 26. 11. 1930. – Felix Henseleit in: Reichsfilmblatt, Nr. 43, 29. 11. 1930. – Abel Dorp (i. e. Hanns G. Lustig) in: Die Weltbühne, Nr. 49, 2. 12. 1930. – Kurt Pinthus in: Das Tagebuch, Heft 49, 6. 12. 1930.

MONTE CARLO. Monte Carlo
Material: Illustrierter Film-Kurier, Nr. 1598.
Kritiken: Herbert Ihering in: Berliner Börsen-Courier, Nr. 304, 3. 7. 1931. – -nk. in: Berliner Lokal-Anzeiger, Nr. 310, 3. 7. 1931. – Hermann Sinsheimer in: Berliner Tageblatt, Nr. 309, 3. 7. 1931. – Georg Herzberg in: Film-Kurier, Nr. 153, 3. 7. 1931. – Anonym in: Der Kinematograph, Nr. 151, 3. 7. 1931. – pe. in: Lichtbild-Bühne, Nr. 158, 3. 7. 1931. – F. Sch. (Felix Scherret) in: Vorwärts, Nr. 306, 3. 7. 1931. – F. H. L. (Fritz Herbert Lehr) in: Deutsche Allgemeine Zeitung, Nr. 229, 4. 7. 1931. – -tz. (Hans-Walther Betz) in: Der Film, Nr. 27, 4. 7. 1931. – Conrad Frigo in: Reichsfilmblatt, Nr. 27, 4. 7. 1931. – Anonym in: Vossische Zeitung, Nr. 158, 4. 7. 1931, Post-Ausgabe. – Aros. (Alfred Rosenthal) in: Der Montag, Sonder-Ausgabe des Berliner Lokal-Anzeigers, Nr. 25, 6. 7. 1931. – Ernst Angel in: Die Weltbühne, Nr. 34, 25. 8. 1931.

THE SMILING LIEUTENANT. Der lächelnde Leutnant
Material: Illustrierter Film-Kurier, Nr. 1598.
Kritiken: Herbert Ihering in: Berliner Börsen-Courier, Nr. 430, 15. 9. 1931. – -nk. in: Berliner Lokal-Anzeiger, Nr. 436, 15. 9. 1931. – Hermann Sinsheimer in: Berliner Tageblatt, Nr. 435, 15. 9. 1931. – F. H. L. (Fritz Herbert Lehr) in: Deutsche Allgemeine Zeitung, Nr. 424, 15. 9. 1931. – E. J. (Ernst Jäger) in: Film-Kurier, Nr. 216, 15. 9. 1931. – Anonym in: Der Kinematograph, Nr. 212/213; 15. 9. 1931. – . . . n in: Lichtbild-Bühne, Nr. 221, 15. 9. 1931. – r. in: Vorwärts, Nr. 432, 15. 9. 1931. – Kurt London in: Der Film, Nr. 38, 19. 9. 1931. – Felix Henseleit in: Reichsfilmblatt, Nr. 38, 19. 9. 1931. – Siegfried Kracauer in: Frankfurter Zeitung, Nr. 704/705, 22. 9. 1931; nachgedruckt in: S. K., Kino. Hg. von Karsten Witte. Frankfurt/M.: Suhrkamp 1974.

THE MAN I KILLED/BROKEN LULLABY. Der Mann, den sein Gewissen trieb
Material: Illustrierter Film-Kurier, Nr. 1807. – Ernst Lubitsch: Ein Problemfilm entsteht. In: Reichsfilmblatt, Nr. 46, 12. 11. 1932.
Kritiken: Fanny Schülein in: Reichsfilmblatt, Nr. 8, 20. 2. 1932 (anläßlich der New Yorker Premiere). – Anonym in: Film-Kurier, Nr. 270, 15. 11. 1932 (anläßlich der Aufführung der Originalfassung). – Hawa. in: Lichtbild-Bühne, Nr. 269, 15. 11. 1932 (anläßlich der Aufführung der Originalfassung). – Wyr. in: Vossische Zeitung, Nr. 549/550, 16. 11. 1932. – -nk. in: Berliner Lokal-Anzeiger, Nr. 546, 17. 11. 1932. – Hermann Sinsheimer in: Berliner Tageblatt, Nr. 545, 17. 11. 1932. – -ma. in: Deutsche Allgemeine Zeitung, Nr. 540, 17. 11. 1932. – Anonym in: Film-Kurier, Nr. 271, 17. 11. 1932. – Hawa. in: Lichtbild-Bühne, Nr. 270, 17. 11. 1932. r. in: Vorwärts, Nr 542, 17. 11. 1932. – Lbt. (Frank Leberecht) in: Tägliche Rundschau, Nr. 272, 18. 11. 1932. – Kurt London in: Der Film, Nr. 47, 19. 11. 1932. – Felix Henseleit in: Reichsfilmblatt, Nr. 47, 19. 11. 1932. – Rudolf Arnheim in: Die Weltbühne, Nr. 47, 22. 11. 1932. – Siegfried Kracauer in: Frankfurter Zeitung, Nr. 890/891, 29. 11. 1932; nachgedruckt in: S. K., Kino, Hg. von Karsten Witte. Frankfurt/M.: Suhrkamp 1974.

ONE HOUR WITH YOU. Eine Stunde mit Dir
Material: Illustrierter Film-Kurier, Nr. 1798.
Kritiken: -rg. in: Berliner Lokal-Anzeiger, Nr. 368, 5. 8. 1932. – Hans Flemming in: Berliner Tageblatt, Nr. 369, 5. 8. 1932. – Georg Herzberg in: Film-Kurier, Nr. 183, 5. 8. 1932. – Anonym in: Der Kinematograph, Nr. 152, 5. 8. 1932. – H. T. (Hans Tasiemka) in: Lichtbild-Bühne, Nr. 182, 5. 8. 1932. – -ap- in: Vossische Zeitung, Nr. 373, 5. 8. 1932. – r. in: vorwärts, Nr. 366, 5. 8. 1932. – W. F. (Werner Fiedler) in: Deutsche Allgemeine Zeitung, Nr. 365, 6. 8. 1932. – K. L. (Kurt London) in: Der Film, Nr. 32, 6. 8. 1932. – Aros. (Alfred Rosenthal) in: Der Montag, Sonder-Ausgabe des Berliner Lokal-Anzeigers, Nr. 30, 8.

8. 1932. – Siegfried Kracauer in: Frankfurter Zeitung, Nr. 588/589, 9. 8. 1932; nachgedruckt in: S. K., Kino. Hg. von Karsten Witte. Frankfurt/M.: Suhrkamp 1974. – Stephan Ehrenzweig in: Das Tagebuch, Heft 35, 27. 8. 1932. – P. F. G. (Peter F. Gallasch) in: Filmdienst, Nr. 5, 5. 3. 1974 (FD-Nr. 18722). – Michael Schwarze in: Frankfurter Allgemeine Zeitung, 20. 3. 1974.

TROUBLE IN PARADISE. Ärger im Paradies
Kritiken: Chaparral in: Film-Kurier, Nr. 277, 24. 11. 1932 (anläßlich einer amerikanischen Aufführung). – Enno Patalas in: Filmkritik, Nr. 3, März 1969. – -der in: Die Welt, 6. 3. 1969. – Ludwig Metzger in: Filmdienst, Nr. 12, 18. 3. 1969 (FD-Nr. 16022). – W. L. (Wolfgang Limmer) in: Süddeutsche Zeitung, 17. 3. 1975.

IF I HAD A MILLION. Wenn ich eine Million hätte
Material: Illustrierter Film-Kurier, Nr. 2015.
Kritiken: Fanny Schülein in: Reichsfilmblatt, Nr. 52, 24. 12. 1932 (anläßlich der New Yorker Erstaufführung). – Herbert Ihering in: Berliner Börsen-Courier, Nr. 494, 21. 10. 1933. – Th. in: Der Film, Nr. 43, 21. 10. 1933. – Anonym in: Film-Kurier, Nr. 248, 21. 10. 1933. – Anonym in: Der Kinematograph, Nr. 205, 21. 10. 1933. – W. G. in: Lichtbild-Bühne, Nr. 249, 21. 10. 1933. – Felix Henseleit in: Reichsfilmblatt, Nr. 48, 21. 10. 1933. – O. A. P. (O. A. Palitzsch) in: Vossische Zeitung, Nr. 504, 21. 10. 1933. – US in: Berliner Lokal-Anzeiger, Nr. 500, 22. 10. 1933. – -dt in: Der Montag, Sonder-Ausgabe des Berliner Lokal-Anzeigers, Nr. 41, 23. 10. 1933. – -m. in: Deutsche Allgemeine Zeitung, Nr. 476, 28. 10. 1933.

DESIGN FOR LIVING. Serenade zu dritt
Kritiken: Heiko R. Blum in: Süddeutsche Zeitung, 8. 1. 1970. – Belinde Bütow in: Die Welt, 10. 1. 1970. – PWJ (Peter W. Jansen) in: Die Zeit, 21. 5. 1971 (Kurzkritik).

THE MERRY WIDOW. Die lustige Witwe
Material: Illustrierte Film-Bühne, Nr. 634.
Kritiken: -ft (Friedrich Luft) in: Die Neue Zeitung, 23. 3. 1950. – K. W. K. (Karl Walther Kluger) in: Der Tagesspiegel, 23. 3. 1950. – U. S.-E. (Ulrich Seelmann-Eggebert) in: Die Neue Zeitung, 13. 4. 1950. – J. M. in: Die Zeit, 13. 4. 1950 – F. in: Filmdienst, Nr. 16, 28. 4. 1950 (FD-Nr. 689). – Gunter Groll in: Süddeutsche Zeitung, 15. 5. 1950. – HHK (Hans Hellmut Kirst) in: Münchner Merkur, 16. 5. 1950.

ANGEL. Engel
Material: Werner Sudendorf (Hg.): Marlene Dietrich. Dokumente/Essays/Filme. Teil 2. München: Carl Hanser 1978.
Kritiken: Th. in: Evang. Film-Beobachter, Nr. 5, 31. 1. 1970. – K(arl) H(einz) Kramberg in: Süddeutsche Zeitung, 5. 2. 1970. – Ingrid Krüger in: Die Welt (Hamburg), 5. 2. 1970. – ab (Alf Brustellin) in: Süddeutsche Zeitung, 12. 8. 1970. – Volker Baer in: Der Tagesspiegel, 26. 1. 1973. – Rudolf Thome in: Süddeutsche Zeitung, 30. 3. 1973. – Jörg Ulrich in: Münchner Merkur, 2. 4. 1973. – HCB (Hans C. Blumenberg) in: Die Zeit, 6. 4. 1973 (Kurzkritik). – Uta Gote in: Die Welt (Berlin), 19. 5. 1973. – G. P. (Günter Pflaum) in: Filmdienst, Nr. 12, 12. 6. 1973 (FD-Nr. 18340). – Markus Sieber in: Zoom, Nr. 15, 2. 8. 1978.

BLUEBEARD'S EIGHTH WIFE. Blaubarts achte Frau
Material: Neil Sinyard, Adrian Turner: Journey Down Sunset Boulevard. The Films of Billy Wilder. Ryde, Isle of Wight: BCW Publishing Limited 1979; deutsche Ausgabe: Billy Wilders Filme. Hg. von der Stiftung Deutsche Kinemathek. Berlin: Verlag Volker Spiess 1980.
Kritiken: Wolfgang Limmer in: Medium, Nr. 3, März 1972. – Sebastian Feldmann in: Rheinische Post, 6. 9. 1980.

NINOTCHKA. Ninotschka
Material: Illustrierte Film-Bühne, Nr. 331. – Neil Sinyard, Adrian Turner: Journey Down Sunset Boulevard. The Films of Billy Wilder. Ryde, Isle of Wight: BCW Publishing Limited 1979; deutsche Ausgabe: Billy Wilders Filme. Hg. von der Stiftung Deutsche Kinemathek. Berlin: Verlag Volker Spiess 1980.
Kritiken: Werner Fiedler in: Der Tag (Berlin), 8. 12. 1948. – C. L. in: Der Kurier (Berlin), 9. 12. 1948. – Karl Walther Kluger in: Der Tagesspiegel, 9. 12. 1948. – Karena Niehoff in: Die Welt, 9. 12. 1948. – LM (Ludwig Maurer) in: Volksblatt (Berlin), 9. 12. 1948. – D. F. (Dora Fehling) in: Der Telegraf (Berlin), 10. 12. 1948. – Ch. St. in: Die Neue Zeitung (München), 11. 12. 1948. – H. H. (Henning Harmsen) in: Evang. Film-Beobachter, Nr. 3, 1. 2. 1949. – E. P., H. (Erika Pöllner) in: Filmdienst, Nr. 8, 22. 2. 1949 (FD-Nr. 226). – Anonym in: Süddeutsche Zeitung, 14. 4. 1950. – F. L. (Friedrich Luft) in: Die Welt (Berlin), 13. 7. 1955. – H. B. (Herbert Birett) in: Film-Studio, Nr. 26, März–Juli 1959.

THE SHOP AROUND THE CORNER. Rendezvous nach Ladenschluß
Material: Illustrierte Film-Bühne, Nr. 12. – Hans Helmut Prinzler (Red.): Hommage für James Stewart. Retrospektive 1982. Berlin: Stiftung Deutsche Kinemathek/Internationale Filmfestspiele Berlin 1982.
Kritiken: W. E. in: Berliner Morgenpost, 24. 4. 1947. – W. Lg. (Walter Lennig) in: Berliner Zeitung, 24. 4. 1947. – LM (Ludwig Maurer) in: Spandauer Volksblatt, 24. 4. 1947. – -ft (Friedrich Luft) in: Die Neue Zeitung (Berlin), 26. 4. 1947. – M. in: Filmdienst, o. Nr., 1949 (FD-Nr. 100). – W. W. in: Evang. Film-Beobachter, Nr. 2, 17. 1. 1949.

THAT UNCERTAIN FEELING. Ehekomödie
Material: Illustrierte Film-Bühne, Nr. 421.
Kritiken: G. Sobotta in: Die Neue Zeitung, 14. 12. 1949. – W. Sch. in: Evang. Film-Beobachter, Nr. 1, 2. 1. 1950. – S.-F. in: Die Neue Zeitung, 14. 12. 1949. – Ro. in: Filmdienst, Nr. 17, 6. 5. 1950 (FD-Nr. 699).

TO BE OR NOT TO BE. Sein oder Nichtsein
Material: Illustrierte Film-Bühne, Nr. 5334. – Peter Nau: Sein oder Nichtsein. In: P. N.: Zur Kritik des Politischen Films. Köln: DuMont 1978.

Kritiken: E. P. (Enno Patalas) in: Filmkritik, Nr. 2, Februar 1960. – Ev (Franz Everschor) in: Filmdienst, Nr. 16, 14. 4. 1960 (FD-Nr. 9062). – Anonym in: Der Spiegel, Nr. 27, 29. 6. 1960. – Werner Fiedler in: Der Tag (Berlin), 12. 8. 1960. – Benno Schroeder in: Der Kurier (Berlin), 13. 8. 1960. – Anonym in: Die Welt (Berlin), 13. 8. 1960. – Günther Geisler in: Berliner Morgenpost, 14. 8. 1960. – Volker Baer in: Der Tagesspiegel, 14. 8. 1960. – L. M. in: Der Telegraf (Berlin), 14. 8. 1960. – Wa. in: Frankfurter Allgemeine Zeitung, 15. 8. 1960. – Joachim Kaiser in: Süddeutsche Zeitung, 18. 8. 1960. – -ck. in: Evang. Film-Beobachter, Folge 34, 20. 8. 1960. – Ralph Giordano in: Berliner Allgemeine, Wochenzeitung der Juden in Deutschland, 26. 8. 1960. – Walter Bittermann in: Rheinischer Merkur, 26. 8. 1960. – Erwin Goelz in: Stuttgarter Zeitung, 1. 10. 1960. – Günter Seuren in: Deutsche Zeitung, 11. 10. 1960. – M. in: Die Tat (Zürich), 4. 5. 1962. – ms. (Martin Schlappner) in: Neue Zürcher Zeitung, Fernausgabe 5. 5. 1962. – Niklaus Loretz in: Zoom, Nr. 14, 17. 7. 1974.

HEAVEN CAN WAIT. Ein himmlischer Sünder/Memoiren eines Lebemannes
Material: Illustrierte Film-Bühne, Nr. 1656.
Kritiken: Chr. F. in: Die Neue Zeitung, 1. 9. 1952. – Gunter Groll in: Süddeutsche Zeitung, 1. 9. 1952. – Ro. in: Filmdienst, Nr. 34, 12. 9. 1952 (FD-Nr. 2006). – D. F. (Dora Fehling) in: Der Telegraf (Berlin), 30. 10. 1952. – R. C. in: Die Neue Zeitung (Berlin), 31. 10. 1952. – Fl. K. (Florian Kienzl) in: Der Tag (Berlin), 31. 10. 1952. – B. H. in: Die Welt (Hamburg), 19. 11. 1952. – W. T. in: Evang. Film-Beobachter, Folge 49, 4. 12. 1952. – K. K. (Karl Korn) in: Frankfurter Allgemeine Zeitung, 15. 12. 1952. – Günther Geisler in: Berliner Morgenpost, 4. 12. 1957. – W. F. (Werner Fiedler) in: Der Tag (Berlin), 4. 12. 1957. – D. F. (Dora Fehling) in: Der Telegraf (Berlin), 4. 12. 1957. – Karena Niehoff in: Der Tagesspiegel, 6. 12. 1957. – H. F. in: Süddeutsche Zeitung, 19. 7. 1963.

THAT LADY IN ERMINE. Die Frau im Hermelin
Material: Illustrierte Film-Bühne, Nr. 819.
Kritiken: Anonym in: Filmdienst, Nr. 26, 7. 7. 1950 (FD-Nr. 782). – -ft (Friedrich Luft) in: Die Neue Zeitung (Berlin), 3. 5. 1951. – K. W. (Karl Walther) Kluger in: Der Tagesspiegel, 3. 5. 1951. – LM (Ludwig Maurer) in: Spandauer Volksblatt, 3. 5. 1951. – H. W. in: Frankfurter Allgemeine Zeitung, 31. 5. 1951. – V. F. in: Evang. Film-Beobachter, Nr. 16, 23. 7. 1951.

Die Autoren der Originalbeiträge

Robert Van Ackeren, geboren 1946 in Berlin. Filmemacher. Erster Kinofilm: *Blondie's Number One* (1970). Ernst-Lubitsch-Preis und Bundesfilmpreis 1973 für *Harlis.* Jüngster und bisher erfolgreichster Film: *Die flambierte Frau* (1982/83). Lebt in Berlin.

Uta Berg-Ganschow, geboren 1947 in Hamburg. Studium Theaterwissenschaft, Philosophie, Germanistik. Mitarbeiterin der Zeitschrift «Frauen und Film» 1978 bis 1982 und Autorin für verschiedene andere Zeitschriften. 1982/83 Dozentin an der Deutschen Film- und Fernsehakademie Berlin. Lebt in Berlin.

Gerold Ducke, geboren 1948 in Peine. Studium Pädagogik, Germanistik und Philosophie. Mitarbeit an der Biografie von Curt Bois («Zu wahr um schön zu sein», Henschelverlag 1980). Unterrichtet Deutsch für Ausländer. Lebt in Berlin.

Michael Esser, geboren 1953 in Berlin. Buchhändlerlehre. Studium Germanistik und Theaterwissenschaft. Seit 1980 Veröffentlichungen in verschiedenen Zeitungen und Zeitschriften. Lebt in Berlin.

Fritz Göttler, geboren 1954 in München. Studium Germanistik, Geschichte, Sozialkunde. Dissertation: «Handlungssysteme in Heinrich von Kleists Der Findling». War Mitarbeiter der Zeitschrift «Filme» und ist Mitherausgeber der Reihe «KinoKonTexte». Lebt in München.

Frieda Grafe, geboren 1934 in Mülheim an der Möhne. Studium Germanistik, Romanistik, Philosophie. Essays und Filmkritiken für die «Filmkritik» von 1962 bis 1972, ab 1968 gelegentlich für die «Zeit», seit 1970 vor allem für die «Süddeutsche Zeitung». Übersetzte zusammen mit Enno Patalas u. a. die Bücher «Mr. Hitchcock, wie haben Sie das gemacht?» und «Die Filme meines Lebens» von François Truffaut, «Einführung in eine wahre Geschichte des Kinos» von Jean-Luc Godard und die Autobiografie von Luis Buñuel, «Der letzte Seufzer». Lebt in München.

Norbert Grob, geboren 1949 in Frankfurt am Main. Studium Germanistik, Politologie, Theaterwissenschaft. Dissertation über die frühen Filme von Wim Wenders: «Die Formen des filmischen Blicks». War Mitherausgeber der Zeitschrift «Filme», ist Mitarbeiter der «Zeit». Lehrauftrag am Institut für Theaterwissenschaft der Freien Universität Berlin. Lebt in Berlin.

Winfried Günther, geboren 1949 in Mehle (Kreis Alfeld). Studium der Soziologie in Frankfurt. Seit 1971 Filmkritiken, vor allem für «Medium» und die «Frankfurter Rundschau», und Mitarbeiter des Kommunalen Kinos Frankfurt. Lebt in Frankfurt am Main.

Wolfgang Jacobsen, geboren 1953 in Lübeck. Studium Germanistik, Theaterwissenschaft, Kunstgeschichte. Magisterarbeit über Alexander Kluge und Rainer Werner Fassbinder. Seit 1981 freier Mitarbeiter der Stiftung Deutsche Kinemathek und der Internationalen Filmfestspiele Berlin. Beiträge zur «Reihe Film» des Hanser Verlages. Lebt in Berlin.

Ulrich Kurowski, geboren 1938 in Königsberg. Studium Germanistik und Soziologie. Autor des «Lexikons Film» (Hanser 1972 – Goldmann 1976), Herausgeber des «Lexikons des internationalen Films» (2 Bände, Hanser 1975). Mitarbeiter verschiedener Fachzeitschriften, Rundfunkanstalten und Buchpublikationen. Seit 1974 Leiter des Archivs der Hochschule für Fernsehen und Film, München. Lebt in München.

Claudia Lenssen, geboren 1950 in Neustadt (Schwarzwald). Studium Theaterwissenschaft, Publizistik, Germanistik, Philosophie. Von 1976 bis 1982 Mitarbeiterin der Zeitschrift «Frauen und Film». Wissenschaftliche Mitarbeiterin des Instituts für Theaterwissenschaft der Freien Universität Berlin. Lebt in Berlin.

Peter Nau, geboren 1942 in Kaiserslautern. Buchhändlerlehre. Seit 1970 Mitarbeiter der Zeitschrift «Filmkritik». Buch: «Zur Kritik des Politischen Films» (1978). Hörfunksendungen für den Sender Freies Berlin. 1978 bis 1982 Dozent an der Deutschen Film- und Fernsehakademie Berlin. Lebt in Berlin.

Karlheinz Oplustil, geboren 1942 in Marienbad. Studium der Rechtswissenschaft. Richter. War Mitarbeiter der Zeitschrift «Filme». Lebt in Berlin.

Enno Patalas, geboren 1929 in Quakenbrück (Emsland). Studium Publizistik, Germanistik, Kunstgeschichte. In den fünfziger Jahren Mitarbeiter der Zeitschriften «filmforum», «Frankfurter Hefte», «Der Monat» u. a. 1957 Gründer und bis 1971 verantwortlicher Redakteur der Zeitschrift «Filmkritik». Mitarbeiter der «Zeit» und der «Süddeutschen Zeitung». Bücher: «Geschichte des Films» und «Geschichte des modernen Films» (zusammen mit Ulrich Gregor, 1962 und 1965), «Sozialgeschichte der Stars» (1963) u. a. Übersetzungen zusammen mit Frieda Grafe. Seit 1973 Leiter der Filmabteilung des Münchner Stadtmuseums. Lebt in München.

Rosa von Praunheim, geboren 1942 in Riga. Filmemacher seit 1967, bekanntgeworden mit *Die Bettwurst* und *Nicht der Homosexuelle ist pervers, sondern die Situation, in der er lebt.* Autobiografie: «Sex und Karriere» (1976). Jüngste Filme: *Rote Liebe* und *Stadt der verlorenen Seelen.* In der «Reihe Film» des Hanser Verlags ist ihm der Band 30 gewidmet. Lebt in Berlin.

Hans Helmut Prinzler, geboren 1938 in Berlin. Studium Publizistik, Theaterwissenschaft, Germanistik. 1969 bis 1979 Studienleiter an der Deutschen Film- und Fernsehakademie Berlin. Seit 1979 bei der Stiftung Deutsche Kinemathek verantwortlich für Retrospektiven und Publikationen. Mitarbeiter der «Reihe Film» und des «Jahrbuchs Film» im Hanser Verlag. Buch: «Film in der Bundesrepublik Deutschland» (1979, zusammen mit Hans Günther Pflaum). Lebt in Berlin.

Heinz-Gerd Rasner, geboren 1946 in Duisburg-Hamborn. Filmkritiker und Leiter von Filmseminaren an Volkshochschulen und kommunalen Kinos. Interviews mit Douglas Sirk und Delmer Daves in der «Filmkritik». Mitarbeit an den Büchern «Billy Wilders Filme» (1980) und «Aufruhr der Gefühle» (1982). Lebt in Münster.

Manuela Reichart, geboren 1953 in Düsseldorf. Studium Germanistik, Politologie, Publizistik. War Mitarbeiterin der Zeitschrift «Filme». Autorin für Radio Bremen, den Sender Freies Berlin und die «Zeit». Lebt in Berlin.

Helma Sanders-Brahms, geboren 1940 in Emden (Ostfriesland). Filmemacherin seit 1969. Bundesfilmpreis für *Heinrich*, Spielfilme der letzten Jahre: *Deutschland bleiche Mutter* und *Die Berührte.* War Autorin des Informationsdienstes «Kirche und Film». Lebt in Berlin.

Werner Schroeter, geboren 1945 in Georgenthal (Thüringen). Filmemacher seit 1967. Bundesfilmpreise für *Neapolitanische Geschwister* (1978), *Generalprobe* (1980), *Tag der Idioten* (1981). Jüngster Film: *Der lachende Stern.* Theaterinszenierungen u. a. in Hamburg, Bochum, Kassel, Frankfurt und Berlin. In der «Reihe Film» des Hanser Verlags ist ihm der Band 20 gewidmet. Lebt zur Zeit in Berlin.

Werner Sudendorf, geboren 1950 in Cloppenburg. Verlagsbuchhändler (Hanser Verlag). Studium Publizistik, Theaterwissenschaft, Philosophie. Magisterarbeit: «Kritische Darstellung einiger Probleme und Modelle der Filmgeschichtsschreibung». Buch: «Sergej M. Eisenstein. Materialien zu Leben und Werk» (1975). Herausgeber einer zweibändigen Dokumentation über Marlene Dietrich. Seit 1981 Mitarbeiter der Stiftung Deutsche Kinemathek (Leiter des Archivs). Lebt in Berlin.

Rudolf Thome, geboren 1939 in Wallau (Lahn). Filmemacher seit 1964. Erster Spielfilm: *Detektive* (1968), zuletzt: *Berlin Chamissoplatz* und *System ohne Schatten.* Schrieb Filmkritiken für die «Süddeutsche Zeitung» (1962–1968), schreibt seit 1973 für den «Tagesspiegel»; seine Autobiografie erschien in der Zeitschrift «Filme». In der Reihe «Kinemathek» ist ihm die Nr. 66 gewidmet (Autoren: Michael Esser, Norbert Grob, Karlheinz Oplustil). Lebt in Berlin.

Karsten Witte, geboren 1944 in Perleberg. Studium Germanistik, Romanistik, Komparatistik. 1970 bis 1976 Kurse zur Theorie und Geschichte des Films an der Frankfurter Universität. Herausgeber der Schriften von Siegfried Kracauer (Suhrkamp Verlag). Aufsätze in verschiedenen Publikationen. Filmkritiken für Fachzeitschriften, «Frankfurter Rundschau» und «Die Zeit». Lebt in Berlin.

Hanns Zischler, geboren 1947 in Nürnberg. Aufgewachsen in Ingolstadt. Lebt seit 1968 als Schauspieler (vor allem in Filmen von Wim Wenders und Rudolf Thome), Regisseur und Autor in Berlin.

Die Autoren der Dokumente

Peter Bogdanovich, geboren 1939. Regisseur, Autor, Produzent, Kritiker. Lebt in Los Angeles.
Hanns Heinz Ewers (1871–1943), Schriftsteller.
Willy Haas (1891–1973), Kritiker und Essayist.
Herbert Ihering (1888–1977), Theaterkritiker.
Emil Jannings (1884–1950), Schauspieler.
Alfred Kerr (1867–1948), Kritiker und Essayist.
Hanns Kräly (1885–1950), Autor.
Ernst Lubitsch (1892–1947), Regisseur.
B. E. Lüthge (1891–1964), Journalist und Autor.
Pola Negri, geboren vermutlich 1897, Schauspielerin. Lebt in San Antonio, Texas.
Asta Nielsen (1881–1972), Schauspielerin.
Kurt Pinthus (1886–1975), Kritiker und Essayist.
Alfred Polgar (1875–1955), Schriftsteller.
Samson Raphaelson (1896–1983), Autor.
François Truffaut, geboren 1932. Regisseur, Autor, Produzent, Kritiker. Lebt in Paris.
Julius Urgiß (1873–19??), Schriftsteller.
Billy Wilder, geboren 1906. Regisseur, Autor, Produzent. Lebt in Beverly Hills.

Register

Das Register erschließt Personen und Filme, die in diesem Buch in exponierter Weise vorkommen. Personen wurden ins Register aufgenommen, wenn sie im Text behandelt, zitiert oder charakterisiert werden oder auf einem Foto abgebildet und in der Bildunterschrift genannt sind. Der Nachweis beiläufiger Erwähnungen, vor allem im Zusammenhang mit der Aufzählung von Namen, erschien uns nicht sinnvoll. Von Ernst Lubitsch werden im Register nur die Abbildungsseiten aufgeführt.

Filme wurden ins Register aufgenommen, wenn sie im Text ausführlicher behandelt werden, ein Foto abgebildet ist oder filmografische beziehungsweise bibliografische Angaben erfolgen. Die Seiten, auf denen ein Lubitsch-Film kommentiert wird, sind durch Fettdruck hervorgehoben. F = Foto, Fg = Filmografische Angaben, Bg = Bibliografische Angaben. Die Artikel (der, die, das, ein, eine, the, a, la, le) sind bei den Filmtiteln nachgestellt.

Bei den Autoren des Buches werden die Seiten nachgewiesen, auf welchen deren Texte abgedruckt sind; das betrifft auch die Verfasser der «Dokumente».

Personen

Filmtitel

Danksagung

Für ihre Unterstützung bei der Realisierung dieses Buches danken wir Sonya Blanke, Anthony Slide (Los Angeles), Mary Corliss, Diane Kaiser, Richard Koszarsky (New York), Michelle Snapes (London), Dr. Fritz Güttinger (Zürich), Johannes Eikel, Angelika Kerscher, Gerhard Ullmann (München), Eberhard Spieß und dem Archiv des Deutschen Instituts für Filmkunde (Frankfurt), dem Landesarchiv Berlin, Helga Belach, Gero Gandert, Conny Gruber, Helmut Lippert, Peter Magdowski, Martha Orbanz, Christa Schahbaz, Dr. Rainer Theobald, Oskar von Törne, Renate Wilhelmi (Berlin). Im Kino «Arsenal» der Freunde der Deutschen Kinemathek und im Münchner Filmmuseum konnten Autoren Stummfilme von Lubitsch in der richtigen Bildgeschwindigkeit besichtigen.

Filmbeschaffung und Organisation der Retrospektive: Eva Orbanz.

Abbildungsnachweis

Academy of Motion Pictures Arts and Sciences, Beverly Hills (4); ARD-Filmredaktion (2); Lovis Corinth (1); Deutsches Institut für Filmkunde, Wiesbaden (12); Friedrich Velber (1); Gero Gandert, Berlin (2); Kobal Collection, London (2); Richard Koszarski Collection (1); Landesbildstelle Berlin (2); Mitchell Leisen (1); Peter Magdowski, Berlin (3); Museum of Modern Art/Film Stills Library, New York (4); National Film Archive/Stills Library, London (11); Sammlung Menningen, Lüdge-Niese (1); Stiftung Deutsche Kinemathek, Berlin (18); Gerhard Ullmann, München (Fotos aus Filmkopien: 68).